Deutsche Dichter   3

Deutsche Dichter

Leben und Werk deutschsprachiger Autoren

Herausgegeben von
Gunter E. Grimm und Frank Rainer Max

Deutsche Dichter

Band 3

Aufklärung und Empfindsamkeit

Philipp Reclam jun. Stuttgart

Universal-Bibliothek Nr. 8613 [5]
Alle Rechte vorbehalten
© 1988 Philipp Reclam jun. GmbH & Co., Stuttgart
Gesamtherstellung: Reclam, Ditzingen. Printed in Germany 1988
RECLAM und UNIVERSAL-BIBLIOTHEK sind eingetragene
Warenzeichen der Philipp Reclam jun. GmbH & Co., Stuttgart
ISBN 3-15-008613-2

Inhalt

BARTHOLD HEINRICH BROCKES

Von Uwe-K. Ketelsen

Es hätte dem Hamburger Ratsherrn und Poeten Brockes kaum behagt, daß ausgerechnet die Literaturgeschichte der Ort seines Nachruhms sein würde. Denn das, was wir heute unter einem Literaten verstehen, war er nicht und hätte er nicht sein wollen. Wirkliche Berufsschriftsteller gab es zu seiner Zeit noch nicht; das Abfassen von literarischen Texten gehörte zu anderen Rollenmustern, und diese waren allesamt in eine tiefe Krise geraten, seit das Lebensideal der humanistischen Gelehrten, die Nobilitas literaria, anachronistisch geworden war.

So widmete Brockes seinen Dichtungen in seiner Autobiographie, die er in den zwanziger und frühen dreißiger Jahren des 18. Jahrhunderts für seine privaten Zwecke schrieb, nur beiläufige Aufmerksamkeit. Er orientierte sich an einem Kulturmuster, dem in den Jahren um 1700 eine richtungweisende Bedeutung zukam: am ›galant homme‹. Lebende Vorbilder dafür gaben vor allem die großen Autoren der zweiten Hälfte des 17. Jahrhunderts ab; sie waren Männer der Feder gewesen, ebenso aber auch Männer des öffentlichen Lebens, gelehrt und zugleich weltgewandt, literarisch bewandert und juristisch geschult. In den Umorientierungen, die der Ausbau des absolutistischen Staates mit seinen neuen Funktionseliten mit sich brachte, mochten sie als Exempla für ein Verhaltensideal dienen, das in den Regeln des ›galanten Wesens‹ entworfen wurde. Das Parkett war glatt, die Situation unsicher, und so gab es der Vorschläge viele, die das Höflingsideal und die höfischen Vorsichtsmaßregeln praktisch, und das hieß nur allzuoft kasuistisch, für Bürgerliche aufzubereiten suchten, so etwa als 1687 Christian Thomasius in seinem berühmten *Discours Welcher Gestalt man denen Frantzosen in gemeinem Leben und Wandel nachahmen solle?* meinte, »daß man seine Lebens-Art nach dem guten Gebrauch der vernünfftigen Welt richte, daß man niemands einige Grob- und Unhöfflichkeit erweise, daß man denen Leuten niemals dasjenige unter Augen sage, was man sich selbst nicht wolte gesagt haben«. Nicht für sich selbst, sondern erst im Kontext dieses Programms besaß Poesie (wie überhaupt Kunst) Bedeutung und Berechtigung.

Nun lebte Brockes schon nicht mehr in der eigentlichen Blütezeit der Galanten, auch orientierte er sich – jedenfalls nachdem sich seine darauf gerichteten Pläne endgültig zerschlagen hatten – nicht unmittelbar am Hof. Man kann seiner Autobiographie deutlich ablesen, wie er sich bemühte, das galante Anpassungsprogramm den Gegebenheiten der bürgerlichen Kaufmannswelt Hamburgs einzupassen. Er hatte zunächst Erfolg damit; zwei Jahrzehnte lang diente er seinen Zeitgenossen nachgerade als Symbol dafür, daß die brüchige Synthese tatsächlich gelingen konnte.

Wenn Brockes hier also nur als Dichter erscheint, dann fehlt seiner Figur etwas historisch Entscheidendes. Allerdings muß man feststellen, daß die Aktualität des Typus, den er vertrat, spätestens in den dreißiger Jahren dahinschwand. Auch läßt sich bei ihm nun eine stärkere städtische Orientierung beobachten. Das mögen vielleicht auch die Gründe dafür gewesen sein, daß Brockes 1735 abrupt damit aufhörte, autobiographische Notizen niederzuschreiben.

Barthold Heinrich Brockes wurde am 22. September 1680 in Hamburg geboren; seine Familie stammte aus Lübeck. Der Vater, ein Kaufmann, starb schon 1694, hinterließ aber der Witwe und den beiden lebenden Kindern ein »ziemliches

Barthold Heinrich Brockes
1680–1747

Capital«. Die Eltern ließen dem Sohn eine gute Erziehung
angedeihen: sie gaben ihn zu Lehrern mit Beziehungen und
in die Nähe der Sprößlinge einflußreicher Hamburger Familien. Der Sohn dürfte aber auch ein geselliges Naturell
besessen haben. Die Zeiten waren aufgeregt in Hamburg;
über Jahrzehnte schüttelten religiöse und soziale Unruhen
die Stadt, die zudem durch die starke wirtschaftliche Konkurrenz zu den Nachbarn verschärft wurden. 1712 wurde
eine gewisse Beruhigung erreicht.

Nach erstem Privatunterricht besuchte Brockes das Jo-
hanneum, dann das Gymnasium. 1698 mußte er eine geplante Reise nach Wien in Prag abbrechen, weil er seine
Kasse – bezeichnenderweise – durch Kleiderkäufe erschöpft
hatte. Zu Hause verbesserte er erst einmal seinen gesellschaftlichen Schliff, ehe er dann 1700 zum Jurastudium nach
Halle aufbrach, dem Mekka der Galanten und des Naturrechts. 1702 absolvierte er am Reichskammergericht in
Wetzlar ein Praktikum. Eine Fortführung des Studiums
in Genf erwies sich wegen der unruhigen Zeitläufte als
undurchführbar, und so unternahm er über Nürnberg,
Oberitalien, Rom und schließlich Paris eine – allerdings
wegen des Spanischen Erbfolgekrieges einigermaßen aufregende – Kavalierstour. Von Paris reiste er weiter nach
Amsterdam. Wegen des plötzlichen Todes seiner (einzig
noch lebenden) Schwester und der Bitte seiner Mutter, nach
Hause zurückzukehren, mußte er die Hoffnung aufgeben,
am englischen Hof sein Glück zu machen. »Ich«, so kommentierte er später diesen Wendepunkt seines Lebens, »zog
darauf wieder nach Leiden, repetirte mein Jus in meinem
Privatcollegio bey Hrn. Professor Vitriario, disputirte de
Cambio und erhielte [das waren noch Zeiten!] gewöhn-
lichermaßen gradum Licentiati«.[1] Am ersten Adventssonn-
tag 1704 kehrte er wohlbehalten nach Hamburg zurück.

Es folgten fünfzehn ruhige, kulturgeschichtlich nichtsdestoweniger aufschlußreiche Jahre. Brockes' Ziel lag darin,
als Privatier zu leben (was – wie er einsah – ohne eine gute

Partie und womöglich eine öffentliche Funktion kaum gehen konnte): er versäumte »nichts, was meiner Meinung nach, mir einige Hochachtung zu Wege bringen möchte«.[2] Seine poetischen Dienstleistungen für einflußreiche Hamburger Familien und den Rat der Stadt sind seit 1708 aktenkundig, 1713 mißlang der Versuch, ein Amt zu bekommen, 1714 glückte aber eine auskömmliche (und fruchtbare) Verehelichung, und 1720, gleichsam in letzter Minute, wurde er in den Rat gewählt, wo er aber wohl eher im zweiten Glied stand. Sogar nach Wien gelangte er noch, und zwar 1721 an den Kaiserhof im Zusammenhang mit einer prekären diplomatischen Mission, in deren Verlauf er seine gesellschaftlichen Fähigkeiten und seine poetischen Fertigkeiten nutzbringend einsetzen konnte. 1735 bis 1741 weilte er außerhalb der Stadt, nämlich als Amtmann in der hamburgischen Außenbesitzung Ritzebüttel (bei Cuxhaven), sicherlich keine sehr aufregende Angelegenheit. Nach seiner Rückkehr wurde er dem Scholarchat (dem ›Kulturamt‹ der Stadt) zugeteilt, dessen Leitung er 1743 übernahm. Am 16. Januar 1747 starb er ziemlich plötzlich, im 67. Jahr seines Lebens.

Literarhistorikern fällt es schwer, Brockes' Werk angemessen zu umreißen. Bezogen auf den goethezeitlichen Dichtungsbegriff und die idealistische Bildungsidee, zerfällt es, denn es ist schwerlich als der geschlossene ›Ausdruck‹ einer Persönlichkeit darzustellen. Das lag aber auch nicht im Vorstellungsvermögen der Zeit. Ein Schriftsteller habe es, so riet Thomasius in Anlehnung an Balthasar Gracián einmal, wie ein Koch zu halten: der richte seine Speisen nicht für seine eigene Zunge zu, sondern nach dem Geschmack der Gäste. Ein Poet, der bestehen wollte, hatte sich nach dem zu richten, was – im Hinblick auf die jeweilige Situation und mit Rücksicht auf die geltenden Normen – als gemäß galt. So finden Brockes' Gedichte in dem – sich während seiner Lebenszeit wandelnden – Kulturideal und im jeweiligen Handlungszusammenhang ihren sie rechtfertigenden Rahmen.

Brockes' Jugend- und Frühschriften sind bis auf einige nicht nennenswerte Stücke, die gelehrter Fleiß ausgegraben hat, nicht mehr bekannt. Daß er in seinen jungen Jahren keine Gedichte geschrieben haben sollte, ist angesichts der damaligen Schulpraxis und seiner Lehrer ganz undenkbar. Aber solche trockenen Piecen paßten ganz und gar nicht ins galante Muster, so daß ihr Verfasser sie wohl unterdrückt haben dürfte. Sehr genau entsprechen dem galanten Ideal indes diejenigen Werke der frühen Mannesjahre, die 1715 zum ersten Mal gesammelt erschienen und zu Lebzeiten des Verfassers fünfmal verbessert und vermehrt ediert wurden: die Übersetzung des *Bethlehemitischen Kinder-Mords* (1715) von Giambattista Marino, das Oratorium *Der für die Sünde der Welt gemarterte und sterbende Jesus* (1712) und eine ganze Reihe von Gelegenheitsgedichten. Wer die 1. Strophe des Oratoriums liest, erkennt sofort, wie Brockes sein Vorbild in der Zweiten Schlesischen Schule und vor allem in der Concetti-Literatur des italienischen 17. Jahrhunderts gesucht hat:

> Mich vom Stricke meiner Sünden
> Zu entbinden,
> Wird mein Gott gebunden:
> Von der Laster Eiter-Beulen
> Mich zu heilen,
> Läßt er sich verwunden.

Zur ersten Aufführung (in der Vertonung des Hamburger Komponisten Reinhard Keiser) strömten über 500 Gäste in des Dichters Haus; sie muß ein gesellschaftliches Ereignis ersten Ranges gewesen sein, und genau darum ging es auch. Bis 1727 erlebte der Text 30 Auflagen; mit Händel (1715 oder 1716), Telemann (1716) und Mattheson (1718) fanden sich weltberühmte Komponisten als Vertoner. Bis in die fünfziger Jahre hinein schrieben noch elf weitere Komponisten Musiken für den Text. Bis ins hohe Alter hinein verfaßte Brockes diverse Texte als Musikvorlagen, insbesondere Liedtexte, so noch 1745 einen Opernepilog. Auch hat der überaus bewegliche Stil der Brockesschen Gedichte Komponisten immer wieder zu Vertonungen angeregt.

In diesen Zusammenhang gehören auch Brockes' Gelegenheitsgedichte; das älteste uns bekannte[3] wurde aus Anlaß der Hochzeit seines Freundes Conrad Veg(e)sack am 3. Dezember 1708 verfaßt. Es beginnt mit den Zeilen:

> Des Lichts Monarch / der Fürst der Stunden
> Hatt' in der Thetis feuchten Schoß
> Sich schon ermüdet eingefunden /
> Und band die matten Hengste los
> [. . .].

In diesem anspielungsreichen, metaphernfrohen Stil besang Brockes Mitglieder vornehmer Hamburger Familien. Aber er bedachte auch – nach dem Brauch der Zeit – seine Freunde sowie Maler und Musiker, denen er verbunden war. Am meisten aber charakterisieren diesen Teil seines poetischen Werks wohl die Poeme, die er im Auftrag des Hamburger Rats (oder in einigen Fällen auf eigene Rechnung) aus politischen Anlässen verfaßte: etwa die beiden Serenaden zum Petri-Mahl 1709 und 1710, in denen die Stadt, d. h. die sie regierende Gruppierung, dem kaiserlichen Gesandten huldigte, der nach den schweren Unruhen wieder für stabile Verhältnisse sorgte, oder ein Gedicht auf Kaiser Karl VI., das Brockes 1721 als Mitglied der schon erwähnten Ratsdelegation verfaßte und in dem er die Beilegung eines lange schwelenden Konflikts zwischen der Stadt und den Habsburgern poetisch besiegelte. Brockes hat eine große Zahl von Gelegenheitsgedichten geschrieben, aber immer so, daß er nie in den Ruf eines Lohnschreibers kam. Seine Geschicklichkeit und sein Gespür für das Angemessene brachten ihm ein weit über die Stadt hinausreichendes Ansehen ein. Mit dem sich wandelnden Geschmack milder-

ten sich später (d. h. seit etwa 1720) die rhetorischen
Anstrengungen, auch traten mit fortschreitendem Alter ›private‹
Anlässe in den Vordergrund, vor allem Todesfälle in
der eigenen Familie und unter den Freunden und ihren
Angehörigen.

In diesen Rahmen paßt ein Teil des Werks von Brockes
überhaupt nicht, und vielleicht ist das auch der Grund,
warum der Ratsherr in seiner Autobiographie ihn mit keinem
Sterbenswörtchen erwähnt hat: 1714/15 gründete er mit
einigen gelehrten Männern seiner Heimatstadt eine Sprachgesellschaft,
die Teutschübende Gesellschaft, ein durch und
durch anachronistisches Unternehmen. Obwohl Brockes
nach Ausweis der Akten dieser Assoziation eifrigen Anteil
an deren Aktivitäten nahm, kann er keine große Freude
daran gehabt haben, denn sie standen im Widerstreit mit
seinem weltmännisch galanten Ideal. Er wurde auch sofort
in den für den gelehrten Betrieb so charakteristischen Mief
einbezogen: Es brach sogleich ein Streit über die Würdigkeit
eines potentiellen Mitglieds aus, eine kleinkarierte Produktion
von Gelegenheitsgedichten florierte, philologisch gelehrte
Abhandlungen entstanden (Brockes selbst verfaßte
eine Untersuchung über die mundartliche Behandlung von
Reimendungen), die berufsständische Textverwertung kam
in Gang. Die Vereinigung ging 1717 sang- und klanglos ein.
Noch Ende der zwanziger Jahre wurde Brockes indes mit
Streitigkeiten belästigt, die von gelehrten Animositäten und
Rivalitäten rührten. Dabei spielte allerdings auch schon eine
weitere Gründung eine Rolle, die von anderem, in die
Zukunft weisendem Zuschnitt war: 1724 wurde die Patriotische
Gesellschaft gegründet, in der nicht länger Schulmänner
die Hauptrolle spielten, sondern Mitglieder führender
Hamburger Kaufmannsfamilien. Sie gab 1724 bis 1726 nach
englischem Vorbild eine sogenannte Moralische Wochenschrift
mit dem Namen *Der Patriot* heraus, die sich in erster
Linie Problemen des »gemeinen Besten« widmete. Neben
anderen war Brockes hier eifriger Beiträger; so schrieb er

über angemessenes geselliges Betragen (Nr. 5), über weibliche Bildung, speziell Lektüre (Nr. 8), usw. Dieses Organ frühaufklärerischer Bürgerlichkeit wurde allerdings nicht einhellig positiv aufgenommen, es fand zum Teil harsche Kritik.

Brockes' eigentlicher Ruhm aber gründete sich auf seine Naturgedichte. Sie wurden nachgerade zu seinem Markenzeichen; etwa wie diese Verse aus einem Kürbis-Gedicht:

> An jedem Ort, woraus das Blatt entspringet,
> Entspriesst, zu einer Zeit, die Bluhm' und Frucht zu-
> Wobey noch überdem recht Wunder-reich ⌊gleich;
> An eben solchem Ort ein Stiel mit Gabeln dringet.
> Derselbe theilet sich in drey verschied'ne Theile,
> Die alle, recht wie kleine grüne Seile,
> Wo sie Gelegenheit nur finden,
> Die Rancken suchen fest zu binden.

Die Passage endet ebenso charakteristisch:

> Es ist die Allmacht, Weisheit, Güte
> Desjenigen, der, durch die bildende Natur,
> So manche zierliche Figur
> Aus Erd' und Fluth zusammen fügt,
> In allen Dingen zu verehren.

Ohne Ermüdung schrieb Brockes seit etwa 1715 in dieser Weise Gedicht auf Gedicht und füllte damit nach und nach insgesamt 9 starke Bände. Sie erschienen zwischen 1721 und 1748 unter dem Titel *Irdisches Vergnügen in Gott*, seit der 2. Auflage des 1. Bandes (1724) mit dem bezeichnenden Zusatz *Bestehend in Physicalisch- und Moralischen Gedichten*. Einige brachten es zu mehreren Ausgaben. Es existierte nichts auf Gottes weiter Welt, was Brockes nicht besang – alles gab Stoff für Gedichte her. Besonders faszinierten ihn visuelle Phänomene: Farbspiele, Schatten, Brechungseffekte. So genau wie nur irgend möglich versuchte er zu beschreiben, was er sah; und das brachte er in schmiegsame,

glatte, klingende und schwingende Verse, wie sie seit dem
Hochmittelalter in deutscher Sprache geschmeidiger nicht
mehr zu lesen und zu hören gewesen waren. In diesen
Beschreibungen erstrahlt die Welt im perlenden Glanz ihres
ersten Tages. Die Schöpfung war ihm ein druckfrisches
Buch, in dem er Stelle für Stelle aufschlug, die Dinge mit
Andacht bestaunte und mit Begeisterung besang, immer
bemüht, der Schönheit der Natur mit der Schönheit der
Poesie nachzueifern, wobei er bei den Musikern seiner
Zeit in die Schule ging. Allerdings sollte die minuziöse
Beschreibung nicht Selbstzweck sein; indem der Poet her-
ausarbeitet, wie schön die Dinge der Natur sind, wie
kunstvoll sie organisiert und wie nützlich sie alle sind, dient
ihre Darstellung dem Nachweis, daß zweckvolle Ordnung
in der Natur herrscht, deren Urheber es zu verehren gelte.
Mit cimbrischem Witz nennt Leif Ludwig Albertsen dieses
in der Tat schlichte Schema »holsteinische Weisheit«
(S. 65).

Brockes' Zeitgenossen waren davon begeistert. Das *Irdische Vergnügen* war einer der ersten Erfolge auf dem sich
langsam bildenden Buchmarkt. Die Gedichte fanden schnell
Nachahmer, deren Verse von den Originalen kaum zu
unterscheiden waren. Aber dieser Ruhm erlosch schnell, das
Schema erwies sich bald als zu eng, so daß nur die fromme
Gesinnung blieb. Die Naturphilosophen (wie etwa Kant)
monierten vor allem, daß der systematische Zusammenhang
der Natur angesichts der als Details aus dem »Buch der
Natur« zitierten Einzelerscheinungen völlig verlorengehe.
Die poetische Machart veraltete ebensoschnell, und schließlich wollte man auch nichts mehr von der biederen Geisteshaltung hören. So ging Brockes denn als ein liebenswerter
Kleinmaler der Natur in den deutschen Literaturkanon
ein.

Die Literaturhistoriker hat Brockes allerdings immer
beschäftigt. Die Verbindung zwischen poetischer Leichtig-

keit und verblüffend funktionierendem Erklärungsschema
hat sie fortwährend dazu angeregt, den Texten einen homo-
genen, tieferen Sinn unterzulegen. Aber solche ›Interpretationen‹ erweisen sich nur zu leicht als Spiegel, in denen mehr
die Gesichtszüge des Interpreten als diejenigen des Autors
zum Vorschein kommen. So gibt es keinen nennenswert
erfolgreichen weltanschaulichen Trend innerhalb der Germanistik, der sich nicht auch in einer Brockes-Interpretation
niederschlüge. In den letzten Jahrzehnten wird eine Tendenz favorisiert, die auf David Friedrich Strauß zurückgeht.
Er hatte gemeint, Brockes' Werk sei ein einziger physiko-
theologischer Gottesbeweis. Die Physikotheologie stellte
eine der erfolgreichsten Harmonisierungsideologien der
Frühaufklärung dar; sie bewahrte einerseits das traditionelle
christliche Weltbild, rezipierte aber andererseits die neuen
naturwissenschaftlichen Erkenntnisse und bekämpfte so
wirkungsvoll, nämlich ›modern‹, die »Atheisten«. Ihr Programm präsentiert der deutsche Titel der *Astro-Theology*
(1715) des sehr erfolgreichen englischen Physikotheologen
William Derham: *Astrotheologie, oder Himlisches Vergnue-
gen in Gott, Bey aufmercksamen Anschauen des Himmels,
und genauer Betrachtung der Himmlischen Coerper, Zum
augenscheinlichen Beweiss Daß ein Gott und der selbige ein
Allerguetigstes, Allweises und Allmaechtiges Wesen sey*
(1732). Gegen eine solche Deutung ist in neuester Zeit Sturm
gelaufen worden, indem ›Physikotheologie‹ als geschlosse-
nes Vorstellungsschema zerschlagen und Brockes aus dessen
Trümmern nachgerade als Partizipant einer häretisch-her-
metischen Tendenz des neuzeitlichen Säkularisierungspro-
zesses ans Licht gestellt wird. Vielleicht hätte Brockes angesichts solcher gelehrten Dispute einige Verse aus einem
seiner Lehrgedichte[4] zitiert (und damit einen weiteren, hier
noch nicht ausdrücklich genannten Bereich seines Schaffens
in die Erinnerung gerufen):

Ich muß von Herzen lachen,
Daß die gelehrte Welt sich selbst so sehr erhöht,
Da sie von der Natur und allen ihren Wegen
Die Ursach nicht, nicht einst das ABC versteht,
Wie ihre Widersprüch' es selbst vor Augen legen.

Anmerkungen

1 »Selbstbiographie des Senators Barthold Heinrich Brockes«, mitgeteilt von J. M. Lappenberg, in: *Zeitschrift des Vereins für hamburgische Geschichte* 2 (1847) S. 198. 2 Ebd., S. 199. 3 *Die-
weil Herr Vegsack heut mit Jungfer Vegsackinn / so Herz als Ringe
tauscht, und Beyde Sich vermählen: / So kann, dem Edlen Par zu
Ehren, nicht umhin, / Den eingetroff'nen Traum umständlich zu
erzälen. / Den 3 Decemb. 1708. Brockes.* 4 *Die Durch die Betrachtung des Menschlichen Nichts verherrlichte Größe Gottes. Auf das
Neu-Jahr 1725.*

Bibliographische Hinweise

Irdisches Vergnügen in Gott. Bestehend in physicalisch- und mora-
    lischen Gedichten. 9 Bde. Bern 1970. (Nachdr. der Ausg. Ham-
    burg 1721–48.)
Irdisches Vergnügen in Gott. Gedichte. Ausw. und Nachw. von A.
    Elschenbroich. Stuttgart 1963 [u. ö.].
Auszug der vornehmsten Gedichte. Hrsg. von D. Bode. Stuttgart
    1965. (Nachdr. der Ausg. Hamburg 1738.)
Aus dem Englischen übersetzte Jahres-Zeiten des Herrn Thomson.
    Mit einer Einl. von I. M. Kimber. New York / London 1972.
    (Nachdr. der Ausg. Hamburg 1745.)

Barthold Heinrich Brockes. Dichter und Ratsherr in Hamburg.
    Neue Forschungen zu Persönlichkeit und Wirkung. Hrsg. von
    H.-D. Loose. Hamburg 1980. [Mit Bibliographie.]
Ackermann, I.: »Geistige Copie der Welt« und »Wirkliche Wirk-
    lichkeit«. Zu Brockes und Stifter. In: Emblem und Emblem-

atikrezeption. Vergleichende Studien zur Wirkungsgeschichte vom 16. bis 20. Jahrhundert. Hrsg. von S. Penkert. Darmstadt 1978. S. 436–501.

Albertsen, L. L.: Erstes Gebot Gottes: Genieße die Wirklichkeit. Eine Beschreibung von Brockes. In: Gedichte und Interpretationen. Bd. 2: Aufklärung und Sturm und Drang. Hrsg. von K. Richter. Stuttgart 1983 [u. ö.]. S. 57–66.

Fry, H. P.: Gleich einem versificierten Buffon. Zu Chronologie und Quelle von Brockes' »Betrachtungen über die drey Reiche der Natur«. In: Natura loquax. Frankfurt a. M. 1981. Hrsg. von W. Harms und H. Reinitzer. S. 257–276.

John, D. G.: Newton's »Opticks« and Brockes' Early Poetry. In: Orbis Litterarum 38 (1983) S. 205–214.

Kemper, H.-G.: Gottebenbildlichkeit und Naturnachahmung im Säkularisierungsprozeß. Problemgeschichtliche Studien zur deutschen Lyrik in Barock und Aufklärung. 2 Bde. Tübingen 1981. Bd. 1. S. 173–181, 310–364. Bd. 2. S. 6–14, 22–26, 354–415.

Ketelsen, U.-K.: Barthold Heinrich Brockes. In: Deutsche Dichter des 17. Jahrhunderts. Ihr Leben und Werk. Hrsg. von H. Steinhagen und B. v. Wiese. Berlin 1984. S. 839–851.

Mauser, W.: Irdisches Vergnügen in Gott – und am Gewinn. Zu Brockes' »Die Elbe«. In: Lessing-Yearbook 16 (1984) S. 151–178.

Peucker, B.: The Poem as Place. Three Modes of Scenic Rendering in the Lyric. In: Publications of the Modern Language Association 96 (1981) S. 904–913.

Schmidt, A.: Barthold Heinrich Brockes, oder Nichts ist mir zu klein. In: A. Sch.: Nachrichten von Büchern und Menschen. Bd. 1: Zur Literatur des 18. Jahrhunderts. Frankfurt a. M. / Hamburg 1971. S. 7–27.

Stebbins, S.: Maxima in minimis. Zum Empirie- und Autoritätsverständnis in der physikotheologischen Literatur der Frühaufklärung. Frankfurt a. M. [u. a.] 1980. S. 12, 17, 50, 74, 80, 87, 133, 207, 210.

Johann Gottfried Schnabel

Von Wilhelm Voßkamp

Johann Gottfried Schnabel gehört zu jenen Schriftstellern des 18. Jahrhunderts, deren Erfolg beim Lesepublikum noch keine entsprechende Würdigung bei der zeitgenössischen Kritik entspricht. Die Erwartungen neuer Leserinnen und Leser und ein sich herausbildender literarischer Markt geben zwar dem Roman als neuem epischen Genre eine Chance, dieser aber hat sich erst als moderne Literaturgattung zu emanzipieren. Ein Autor, der Romane schreibt, hat es aber nicht nur mit den Emanzipations- und Legitimationsschwierigkeiten einer neuen Literaturform zu tun, sondern auch mit jenen Problemen, die die Existenz eines ›freien Schriftstellers‹ betreffen.

Biographie und Werkgeschichte Johann Gottfried Schnabels sind in deutlicher Weise durch diese Faktoren bestimmt. Am 7. November 1692 in Sandersdorf bei Bitterfeld geboren, wurde er vermutlich nach dem Tod der Eltern zu Verwandten in Pflege und Erziehung gegeben. Seit 1702 besuchte er die Lateinschule in Halle, dem Zentrum des Pietismus, von dem er geprägt ist. Nach dem Abschluß der Schulzeit hat Schnabel wahrscheinlich Medizin an einer mitteldeutschen Universität (vermutlich in Helmstedt oder Leipzig) studiert. Zwischen 1710 und 1712 hat er als Feldscher in den Niederlanden mit dem Prinzen Eugen am Spanischen Erbfolgekrieg teilgenommen. Die große Verehrung für den Prinzen führt nach dessen Tod 1736 zu einer ihm gewidmeten Gedächtnisschrift. Von 1712 bis zum August 1724 fehlen jegliche

Wunderliche

FATA

einiger

See = Fahrer,

absonderlich

ALBERTI JULII,

eines gebohrnen Sachsens,

Welcher in seinem 18den Jahre zu Schiffe
gegangen, durch Schiff-Bruch selb 4te an eine
grausame Klippe geworffen worden, nach deren Übersteigung
das schönste Land entdeckt, sich daselbst mit seiner Gefährtin
verheyrathet, aus solcher Ehe eine Familie von mehr als
300. Seelen erzeuget, das Land vortrefflich angebauet,
durch besondere Zufälle erstaunens-würdige Schätze gesammlet, seine in Teutschland ausgekundschafften Freunde
glücklich gemacht, am Ende des 1728sten Jahres, als in
seinem Hunderten Jahre, annoch frisch und gesund gelebt,
und vermuthlich noch zu dato lebt,

entworffen

Von dessen Bruders-Sohnes-Sohnes-Sohne,

Monſ. Eberhard Julio,

Curieuſen Leſern aber zum vermuthlichen
Gemüths-Vergnügen ausgefertiget, auch par Commiſſion
dem Drucke übergeben

Von

GISANDERN.

NORDHAUSEN,

Bey Johann Heinrich Groß, Buchhändlern.
Anno 1731.

Titelblatt von Schnabels »Insel Felsenburg«, 1731

Lebensdaten. Vermutlich hat sich Schnabel am Ende dieses Zeitraums in Hamburg und Halle aufgehalten, vielleicht um hier seine chirurgischen Kenntnisse zu erweitern. 1724 kommt Schnabel in die Residenz des Erbgrafen Christoph Ludwig in Stollberg am Harz. In Stollberg erlangt Schnabel das Bürgerrecht als Hofbalbier; später wird er zum Hof- und Stadtchirurgus ernannt und bekommt den Titel eines Hofagenten.

Schnabel, dem offensichtlich keine bezahlte Stellung am Hof angeboten wurde, versucht sich und seine Familie durch Schreiben zu ernähren. Mit Genehmigung des gräflichen Hauses gibt er eine politisch-literarische Zeitung heraus, die das »gantz in Décadence gekommene Stolbergische Zeitungs-Wesen« wieder emporbringen sollte. Diese *Stolbergische Sammlung Neuer und Merckwürdiger Welt-Geschichte*, die zunächst ein-, dann zweimal wöchentlich unter der Protektion, aber ohne finanzielle Unterstützung des Grafen erscheint, enthielt Abteilungen für »politische«, »ecclesiastische«, »sonderbare« und »gelehrte Geschichte«. Neben der Haupttätigkeit als Zeitungsautor und -verleger übernahm Schnabel noch die Funktion eines Bücherkommissiars und gelegentlich auch die des Lotteriekollekteurs.

Nach dem Tode des Grafen Christoph Friedrich zu Stollberg-Stollberg 1738 erschien die Zeitung offensichtlich nur noch unregelmäßig; 1741 wurde sie eingestellt. Schnabel verläßt danach Stollberg. Ein Bittbrief an den Stollbergischen Grafen deutet auf die Schwierigkeiten, die Schnabel mit dem Konsistorium und seinem Förderer hatte, um dessentwillen er ursprünglich nach Stollberg gekommen war. Seit 1744 gibt es keine sicheren Nachrichten über den Aufenthaltsort Schnabels; vermutlich hat er die Residenz verlassen. Verschiedene Romane und Neuauflagen seiner Texte in den vierziger und zu Beginn der fünfziger Jahre zeugen vor Schnabels Spur; danach gibt es keine Anhaltspunkte mehr zu seiner Biographie. Weder Schnabels Todesdatum noch sein Sterbeort sind uns bekannt.

sind Schnabels Zeitungsartikel für seine Wochenzeitung und die Biographie zu Ehren des Prinzen Eugen auch vergessen, seine Romane sind nicht nur viel gelesen, sondern auch immer einmal wieder aufgelegt und diskutiert worden. Es handelt sich um zwei Typen des Aufklärungsromans, die Robinsonaden-Utopie und den galanten Roman.

Im Mittelpunkt des Interesses hat zu Recht immer Schnabels Roman *Wunderliche Fata einiger See-Fahrer, absonderlich Alberti Julii, eines gebohrnen Sachsens* (1731–43) gestanden. Bereits im 18. Jahrhundert unter dem Titel *Insel Felsenburg* bekannt und zu den erfolgreichsten Büchern gehörend, stellt dieser Text eine eigentümliche Ausprägung der traditionellen Robinsonadenliteratur dar. Aus der Fülle der zeitgenössischen, zur Mode gewordenen Robinsonaden- und Abenteuerliteratur erhebt sich Schnabels Roman zu höherem literarischen Niveau, indem er einerseits bemüht ist, an die ursprüngliche Konzeption von Defoes *Robinson Crusoe* anzuknüpfen, und andererseits utopische Motive in der Tradition von Morus' *Utopia* aufnimmt, so daß die *Insel Felsenburg* zu Recht aus der Doppelperspektive von Utopie und Robinsonade betrachtet worden ist. Schnabels utopische Insel wird zum Asyl, wo man versucht, jenseits der realen geschichtlichen Wirklichkeit, eine menschenwürdige und vernünftig geordnete Gemeinschaft zu gründen.

Die literarische Form des Romans und seine erzähltheoretische Begründung scheinen sich zunächst noch dem alten Schema der Robinsonade anzupassen. Gisander – unter diesem Pseudonym erschien der Roman – zeichnet als Herausgeber einer »Geschichts-Beschreibung«; dem »geneigten Leser« wird eine »Geschichte« vorgelegt, deren vorgebliche Überlieferung die Herausgeberfunktion allerdings in einem weniger strengen und wahrheitsgetreuen Licht erscheinen läßt. Der fiktive Herausgeber Gisander erhält das Manuskript mit den später zum Druck gegebenen Papieren von einem »Literatus«, der auf einer Postkutschenreise verunglückt. Dies wird in der Vorrede erzählt, die Herausgeber-

rolle also nur noch spielerisch aufgenommen und zum
Gegenstand einer gelungenen Vorgeschichte des Romans
gemacht. In der literarischen Umgestaltung herkömmlicher
Mittel der Wahrheits- und Glaubwürdigkeitsbeteuerung
zeigt sich eine vorsichtige Abkehr von der Robinsonadenliteratur, die Abenteuerromane, Robinsonaden und utopische Erzählungen verbindet. Der Roman hat die Form einer
doppelten Rahmenerzählung. Den äußeren Rahmen bildet
die schon erwähnte, in der Vorrede mitgeteilte Geschichte
des fiktiven Herausgebers Gisander. Das Manuskript (also
der eigentliche Roman) enthält als innere Rahmenerzählung
die Hauptgeschichte des in der Ich-Form erzählenden Eberhard Julius mit seinen Berichten über die »paradiesische«
Insel Felsenburg. Dieser Hauptgeschichte ist eine Fülle von
Einzelgeschichten eingefügt: autobiographische Lebensbe-
richte von Europa-Emigranten und künftigen Bewohnern
Felsenburgs. Diese (für den Roman des 18. Jahrhunderts
neue Technik des Ineinanderschachtelns von autobiographi-
schen Einzelgeschichten und Haupterzählung (des Eberhard
Julius) bestimmt den gesamten vierbändigen, mehr als tau-
send Seiten umfassenden Roman. Im 1. Band spielt der
Lebensbericht des »Altvaters« Albertus Julius eine Haupt-
rolle; im Anhang wird zudem die Vorgeschichte der Insel
Felsenburg in der *Lebens-Beschreibung des Don Cyrillo de
Valaro*, des Ur-Robinson der Insel, mitgeteilt. Im 2. und 3.
Band folgen weitere Lebensgeschichten, vermischt mit den
Beschreibungen von Ereignissen, die sich auf der Insel zuge-
tragen haben, und Berichten über die einzelnen Europa-
Reisen. Der 4. Band liefert schließlich Berichte über eine
militärische Bedrohung der Insel und weitere, ins Phantasti-
sche und Wunderbare übergehende Lebensgeschichten und
Episoden.

Der stete Wechsel von autobiographischen Erzählungen
über europäische geschichtliche Verhältnisse und berichten-
den Passagen über das ›zeitlose‹, utopische Leben auf der
Insel Felsenburg ermöglicht Schnabel eine Romankomposi-

ion, die die beiden Hauptformen – den autobiographisch-
erzählenden und den utopisch-beschreibenden Diskurs – so
miteinander verzahnt, daß sie sich nicht, wie in der Tradition klassischer Sozialutopien seit Morus' *Utopia*, unvermittelt gegenüberstehen. Die Beziehung von europäischer
Erfahrungswelt und Beschreibung des utopischen Paradieses
ist durch eine ›asymmetrische‹ Parallelität bestimmt, wo-
durch Schnabel eine strukturelle Annäherung von autobiographischem und utopischem Diskurs erreicht. Dadurch
kann der Leser den Sprung jeweils leichter von der wirkli-
hen in die utopische Welt vollziehen, obwohl die Differenz
tets offenbar bleibt. Denn unter thematischen Aspek-
en muß die scharfe Trennung zwischen der empirisch-
historischen Welt und dem utopischen Inselbereich erhalten
bleiben. Der Kontrast wird auch noch darin sichtbar, daß
die Erfahrungswirklichkeit des europäischen Ancien régime
durch die launische Fortuna regiert wird, während die uto-
ische Inselwelt in der göttlichen Providenz aufgehoben ist.
Der geschichtsfreie Ideal-Ort der Felsenburg liefert die
Norm, um die geschichtliche Realität (vornehmlich mittels
der Satire) kritisieren zu können. Die Vielzahl der einge-
lendeten Lebensläufe europamüder Felsenburger erlaubt
chnabel eine mosaikartige, satirisch-kritische Darstellung
gesellschaftsgeschichtlicher europäischer Zustände der frü-
en Neuzeit. Die vorherrschend autobiographische Erzählweise führt über ihre Individualisierung zu Identifikations-
möglichkeiten des Lesers, wie sie in den utopischen Erzäh-
ungen vor Schnabel nur ansatzweise vorhanden waren.
Das Gegenbild zur satirisch-kritisch dargestellten
Wirklichkeit enthält zwar einzelne traditionsbestimmte
Charakteristika der klassischen Sozialutopie, aber auch spe-
ifische Modifikationen und Komponenten, die die Eigenständigkeit Schnabels deutlich machen. Der Haupterzähler
es Romans, Eberhard Julius, findet zwar eine bereits ent-
vickelte Zivilisation vor, aber gleichzeitig vergegenwärtigt
er Roman die Entstehungsgeschichte der Insel durch die

Erzählungen des Altvaters Albertus Julius, der in neun »Generalvisitationen« die Entwicklung der Utopie erzählerisch vorführt. In diesem Nachholen der Felsenburg-Geschichte verfährt Schnabel analytisch; die Erzählgegenwart ist durch das Ideal der ›Utopie Felsenburg‹ bestimmt. Dieses Ideal als »schöne Gegend« erscheint allen Neuankommenden als ein »irrdisches Paradieß« und als das »Gelobte Land«. Allerdings offenbart das »Paradies« auch moderne Züge, insofern der Idealort Eigenschaften einer neuen, »vernünftigen« Zivilisation zeigt. Die auf der Insel Angekommenen finden jene in Europa vermißte »ersprießliche Gemüths- und Leibes-Ruhe«, die sie zu sich selber finden läßt. Mit dem Leben auf der Insel vollzieht sich auch ein radikaler Wechsel in der Auffassung von Zeit. Die Willkür der geschichtlichen Zeit verwandelt sich in eine homogene Zeit der glücklichen Beständigkeit. Die Felsenburg-Bewohner empfinden daher auch keine Sehnsucht, die Insel wie Robinson bei Defoe wieder zu verlassen. Ihren Aufenthalt auf der Insel betrachten sie vielmehr als endgültig. Der Wechsel von der »unbeständigen« historischen zu einer utopischen »beständigen« Zeit hat auch anthropologische Ursachen. Mit dem Übergang von der europäischen zur Felsenburg-Welt vollzieht sich ein Normenwandel in den Menschen selbst. Den »ehemaligen Affecten« wird »ein Gebiß« angelegt, durch Affektregulierung auf der Insel. Die Errichtung der Tugendrepublik Felsenburg setzt die Selbstdisziplinierung der einzelnen Subjekte voraus, denn sonst kann der utopische Konsens nicht bestehen. »Redlich«, »keusch« und »tugendhafft« sind die wiederkehrenden Topoi der bürgerlichen Tugendmoral, die sich gegen adelige Libertinage und politisches Intrigantentum im alten Europa wendet. Wird die auf Konsens gerichtete Gemeinschaft im Zeichen »christlicher« und »vernünftiger« Prinzipien durch abweichendes Verhalten (in der Nachfolge europäischen, geschichtlichen Handelns) gestört oder verletzt, setzen Selbstregulierungsmechanismen ein, die etwa den Bösewicht Lemeli ausgren-

en. Allerdings ist der Ort solcher Regulierungen und Aus-
grenzungen nicht mehr, wie in den Renaissance-Utopien,
eine staatlich organisierte Institution, sondern eine Groß-
familie. Familiäre Privatheit wird zur Grundlage der tugendhaften Felsenburg-Utopie, die sich gerade dadurch von politischen Formen abheben will.

Das utopische Familienmodell, wie es Schnabel für die
Insel Felsenburg entwickelt, konkretisiert sich vor allem in
der harmonischen Ehe. Zwar soll Leidenschaft durch Vernunft gebändigt sein, aber insgesamt handelt es sich um eine
deutliche Absage gegenüber vorherrschenden Vorstellungen
von der Ehe als bloß zweckrationaler Rechts- und Fort-
pflanzungseinrichtung, wie sie in der Utopieliteratur des 17.
und 18. Jahrhunderts oder in den juristischen Texten der
Aufklärung zu finden sind. Konventionell bleibt Schnabel
dort, wo es um die Rolle des Hausvaters in der Familie geht.
Ihm wird jene Autorität zugeschrieben, durch die die Vater-
figuren in der bürgerlichen Eheauffassung traditionell
bestimmt sind. Die Vorstellung von der Gott-Ebenbildlich-
keit legitimiert auch bei Schnabel einen Patriarchalismus, der
für das gesamte Modell der Utopie Felsenburg charakteristisch ist.

Die wirtschaftliche Struktur der Felsenburg-Welt erinnert
an sozialutopische Modelle, in denen die Landwirtschaft
die Basis bildet. Schnabels Vorstellung ist weder am Schla-
raffenland orientiert noch an einem prärousseauistischen
»Zurück zur Natur«. Seine Wirtschaftsordnung verweist
vielmehr auf Zivilisation und Fortschritt. Arbeit bedeutet
keine Mühe, sondern eine Form der Selbstverwirklichung,
die die Grenze zur Freizeit hin fließend macht. Religiöse
und Familienfeste werden gefeiert, die »vergnüglich, ehrbar
und ordentlich« sind, aber niemals ausschweifend wie im
alten zurückgelassenen Europa. Die Lektüre konzentriert
sich hauptsächlich auf biblische und erbauliche Texte, und
der eher landwirtschaftliche und handwerkliche Charakter
der Felsenburg-Aktivitäten läßt das Interesse an ›Wissen-

schaft‹ zurücktreten. Deshalb zeigt sich auch eine eigentümliche Zusammengehörigkeit von Arbeit und ›Freizeit‹ - Arbeit als eine Form nicht-entfremdeten Tätigseins verbindet sich mit vernunftgesteuertem Genuß in der Freizeit.

Der in der Forschung vielfach diskutierte Charakter des utopischen Modells bei Schnabel ist nicht leicht zu bestimmen. Dominiert der ›fluchtutopische‹ Aspekt, oder handelt es sich um eine antiabsolutistische Utopie mit deutlich antizipatorischen Komponenten? Sicher ist, daß die ständische Differenzierung und Ordnung auf der Felsenburg-Insel aufgehoben ist. In einzelnen Bänden des Romans ist deshalb auch wiederholt von der »Republique Felsenburg« die Rede gleichzeitig jedoch wird – im Blick auf den Altvater Julius auch vom »Regenten« oder vom »Oberhaupt« gesprochen dem eine selbstverständliche Autorität zukommt, so daß hier durchaus Parallelen zu historischen europäischen Modellen sichtbar werden. Das eigentliche utopische Gegenbild dürfte in der »tugendhaften Redlichkeit« und in der Konzeption eines Arbeitsbegriffs liegen, der Möglichkeiten der Selbstverwirklichung andeutet, die das geschichtliche Europa nicht bietet.

Die *Insel Felsenburg* ist Schnabels einziges Meisterwerk geblieben. Dies gilt auch dann, wenn man seinem Roman *Der im Irr-Garten der Liebe herum taumelnde Cavalier* (1738) durchaus erzählerische Qualitäten in der Tradition der galanten Literatur zubilligt. Schnabel verwendet für seinen galanten Roman das Muster des Reiseromans, indem er einen deutschen Adligen, den sächsischen Baron Herrn von Elbenstein, auf eine diplomatische Reise nach Italien schickt und dort die verschiedensten Liebesabenteuer erleben läßt. Sein »Glück- oder Unglücksstern« im Zeichen der launischen Fortuna läßt ihn zum Verführer oder zum verführten Verführer werden; jedenfalls wird sein »Liebesappetit« in der Regel »gestillt«. Im Schema pikaresker, episodenhafter Reihenbildung kommt es zu wiederholten Liebesabenteuern, deren Überraschungseffekte für den Leser im

ner wieder zubereitet werden müssen. Indes wird Sexualität
in diesem erotischen Roman nicht völlig entdämonisiert. In
einer eingeblendeten Rachegeschichte über eine verlassene
Frau, die den schwatzhaften Geliebten und »unbedacht-
samen Galan« zerstückelt und in den venezianischen Canal
Grande wirft, durchbricht Schnabel das schematisierte
Muster galanter Romane, indem er es mit Elementen aus
Traditionen der Renaissance-Novelle kontrastiert.

Die erzählte Rachegeschichte führt zwar bei dem Herrn
von Elbenstein zu momentaner Reue und zu einigen Bußge-
danken, vor allem in dem Augenblick, wo er selbst gefan-
gengesetzt und wegen »Liebesvergehen« gefoltert wird, aber
letzten Endes ist sein Wille zur Enthaltsamkeit zu schwach.
Ironischerweise blendet Schnabel in die Zeit der Gefangen-
schaft Elbensteins dessen Lektüre-Vorliebe ein: er findet
Trost im *Amadis* und in der Bibel! Nach der Rückkehr von
der Italien-Reise zu seinem Vater im 2. Teil des Romans
nimmt Elbenstein die Stelle eines Kammerjunkers bei einem
Fürsten ein. Er bleibt aber auch hier nicht lange von Liebeshändeln frei; seine Ehe- und Karrierepläne werden von
Krieg durchkreuzt, und es kommt zu einer erneuten Reise.
Auf dieser Reise hat der Erzähler wiederum die Möglichkeit,
den galanten Diskurs fortzusetzen. Elbenstein, »ein rechter
Wetterhahn im Lieben«, kann nur durch das Eingreifen der
göttlichen Providenz zur Raison gebracht werden, obwohl
er – »ausgenommen in Liebeshändeln« – durchaus »Redlich-
und Aufrichtigkeit« zeigt.

Am Ende ereilen ihn die Strafen. Nach drei Heiraten altert
Elbenstein vorzeitig; in einem gräßlichen Traum werden
ihm seine früheren »Amouren und Mätressen« zwecks
moralischer Umkehr vorgehalten. Nach einer »herzlichen
Bereuung der Sünden seiner Jugend« unterwirft sich der
Held der »göttlichen Direktion, welche ihn denn zwar
sinken, aber doch nicht gar ertrinken ließ«.

Der Schluß ist – nach dem Schema von Tugendlohn und
Sündenstrafe – ebenso traditionsbestimmt wie die episoden-

hafte, galante und pikareske Reihung. Schnabel beherrsch
sein Metier auch im Genre des galanten Romans. Originel
ist er auch hier im Vermischen unterschiedlicher Erzähltra
ditionen, etwa in dem Einblenden der den galanten Diskur
durchaus ›störenden‹ dämonischen Rachegeschichte de
»Furie«, die den erotisch-utopischen Konsens zwischen
Verführer und Verführten durchbricht und aufhebt. Da
Spiel mit den Stereotypen eines beliebten Genres zeig
Schnabels Eigenständigkeit.

Mögen auch die Parallelen zwischen dem *Felsenburg*- un
dem *Cavaliers*-Roman offenkundig sein – beide nutzen For
men des pikaresken Reiseromans, beide bedienen sich eine
Rahmenhandlung durch das Spiel mit einem fiktiven Her
ausgeber –, insgesamt wird die Bedeutung der *Insel Felsen
burg* gerade durch den Vergleich mit Schnabels galanten
Roman sichtbar. Die *Insel Felsenburg* besticht nicht nu
durch die Eigenwilligkeit der Fiktion, sondern auch durch
die bereits theoretisch reflektierte Fiktionsbegründung.

Bibliographische Hinweise

Der aus dem Mond gefallene und nachher zur Sonne des Glück
gestiegene Printz, Oder Sonderbare Geschichte Christian Alexande
Lunari, alias Mehmet Kirilli und dessen Sohnes Francisci Alexander
[...] zum Plaisir welcher die Felsenburgische Geschichte gesammel
hat. 1750.

Wunderliche Fata einiger Seefahrer absonderlich Alberti Julii. Hil
desheim / New York 1973. (Nachdr. der Ausg. Nordhause
1731–43.)
Die Insel Felsenburg. In der Bearb. von L. Tieck neu hrsg. mi
einem Nachw. von M. Greiner. Stuttgart 1959 [u. ö.].
Insel Felsenburg. [1. Teil.] Hrsg. von W. Voßkamp. Reinbek be
Hamburg 1969.

Insel Felsenburg. [1. Teil.] Hrsg. von V. Meid und I. Springer-Strand. Stuttgart 1979 [u. ö.].

Der im Irrgarten der Liebe herum taumelnde Kavalier. Mit einem Nachw. von H. Mayer. München 1968. (Nachdr. der Ausg. Warnungsstadt 1746.)

Brüggemann, F.: Utopie und Robinsonade. Untersuchungen zu Schnabels Insel Felsenburg (1731–1743). Weimar 1914.

Fohrmann, J.: Abenteuer und Bürgertum. Zur Geschichte der deutschen Robinsonaden im 18. Jahrhundert. Stuttgart 1981.

Haas, R.: Die Landschaft auf der Insel Felsenburg. In: Zeitschrift für deutsches Altertum 91 (1961/62) S. 63–84. – Auch in: Landschaft und Raum in der Erzählkunst. Hrsg. von A. Ritter. Darmstadt 1975. S. 262–292.

Hohendahl, P. U.: Zum Erzählproblem des utopischen Romans im 18. Jahrhundert. In: Gestaltungsgeschichte und Gesellschaftsgeschichte. Literatur-, kunst- und musikwissenschaftliche Studien. Hrsg. von H. Kreuzer und K. Hamburger. Stuttgart 1969. S. 79–114.

Mayer, H.: Die alte und die neue epische Form: Johann Gottfried Schnabels Romane. In: H. M.: Von Lessing bis Thomas Mann. Wandlungen der bürgerlichen Literatur in Deutschland. Pfullingen 1959. S. 37–78.

Müller, K.-D.: Johann Gottfried Schnabel. In: Deutsche Dichter des 17. Jahrhunderts. Ihr Leben und Werk. Hrsg. von H. Steinhagen und B. v. Wiese. Berlin 1984. S. 871–886.

Schmidt, A.: Herrn Schnabels Spur. Vom Gesetz der Tristaniten. In: A. Sch.: Nachrichten von Büchern und Menschen. Bd. 1: Zur Literatur des 18. Jahrhunderts. Frankfurt a. M. / Hamburg 1971. S. 28–57.

Stockinger, L.: Ficta Respublica. Gattungsgeschichtliche Untersuchungen zu utopischen Erzählungen in der deutschen Literatur des frühen 18. Jahrhunderts. Tübingen 1981.

Voßkamp, W.: »Ein irdisches Paradies«. Johann Gottfried Schnabels »Insel Felsenburg«. In: Literarische Utopien von Morus bis zur Gegenwart. Hrsg. von K. L. Berghahn und H. U. Seeber. Königstein i. T. 1983. S. 95–104.

– Theorie und Praxis der literarischen Fiktion in Johann Gottfried Schnabels Roman »Die Insel Felsenburg«. In: Germanisch-Romanische Monatsschrift. N. F. 18 (1968) S. 131–152.

JOHANN CHRISTOPH GOTTSCHED

Von Gerhard Schäfer

Eigentlich müßte ein Artikel über Gottsched mit etwa folgenden Worten beginnen: »Es bedurfte mehr als zweier Jahrhunderte, bis die Literaturwissenschaft sich von Lessings im ›17. Literaturbrief‹ höhnisch verkündeter Verurteilung Gottscheds langsam zu befreien anschickte.«[1] Oder auch so: »Fast ein Jahrhundert hindurch grausam verkannt, hat Gottsched erst während der jüngsten Jahrzehnte späte Gerechtigkeit erfahren.«[2] Es bleibt dem geneigten Leser überlassen, dem Alter der Texte nachzuspüren und sich über die Fortschritte der germanistischen Forschungen zu wundern. Jedenfalls scheint man sich seit mehr als hundert Jahren darüber einig zu sein, daß Gottsched ›bisher‹ verkannt wurde und daß erst in jüngster Zeit seine wahre historische Bedeutung gewürdigt werden kann. Als Entschuldigung für Gottscheds schlechtes Image wird – ebenfalls seit mindestens hundert Jahren – angeführt, daß er zwischen den Zeiten gestanden sei und zuerst einmal die schlechte Poesie bekämpfen mußte, die damals in ganz Deutschland herrschte. Niemand außer dem Leipziger Rhetorik- und Poetikprofessor scheint sich dem verdorbenen Geschmack entgegengestellt zu haben. Und so hat Gottsched endlich seinen Platz ›zwischen den Zeiten‹ gefunden. Er ist entschuldigt, und der Interpret ist der lästigen Pflicht enthoben, Gottscheds Werk aus seiner Zeit verstehen zu müssen. Man hält es mit den Schweizern Bodmer und Breitinger, die angeblich das Eigenrecht der Poesie gegen den moralisierenden Literaturpapst verteidigten, und sieh

Johann Christoph Gottsched
1700–1766

in Gottsched von vornherein den Verlierer. Dabei eröffnet gerade ein Blick auf Gottscheds Zeit, auf Leipzig und Sachsen zu Beginn des 18. Jahrhunderts, Aspekte, die sein Wirken in einem neuen Licht erscheinen lassen können.

Johann Christoph Gottsched wurde am 2. Februar 1700 in Juditten bei Königsberg als Sohn des Pfarrers geboren. Der Geist des protestantischen Pfarrhauses färbte auch auf ihn ab, wie auf so viele andere deutsche Dichter und Denker. Kurz nach seinem 14. Geburtstag, am 19. März 1714, immatrikulierte sich Gottsched an der Universität von Königsberg. In der Vorrede zur 1. Auflage der *Critischen Dichtkunst* (1730) und in der Vorrede zu den *Ersten Gründen Der Gesamten Weltweisheit* (1733) berichtet er von seinen akademischen Studien. Da er von seinem Vater schon früh zur Poesie »aufgemuntert worden« sei, hörte er gleich zu Beginn des Studiums ein »Collegium Poeticum«[3] bei Johann Jacob Rohde und später auch bei Johann Valentin Pietsch. Andererseits sollte der junge Gottsched aber Theologie studieren. Es mag sein, daß die theologischen Spitzfindigkeiten ihn nicht überzeugen konnten. Er wandte sich der Philosophie zu und las alles, was er bekommen konnte: Locke, Pufendorf, Thomasius, Scheuchzer, Grotius, Descartes und Aristoteles.

> Und bey aller dieser Vermengung so verschiedener Ideen und Grundsätze wuste ich endlich selbst nicht wohin ich gehörete, konnte mich auch vielmals nicht entschliessen mit wessen Meynungen ich es halten sollte. (*Weltweisheit*, Vorrede.)

Dieses Stadium der intellektuellen Anomie zog sich hin, bis Gottsched die Schriften von Leibniz und Wolff kennenlernte:

> Hier gieng mirs nun wie einem, der aus einem wilden Meere wiederwärtiger Meynungen in einen sichern Hafen einläuft und nach vielem Wallen und Schwe-

ben, endlich auf ein festes Land zu stehen kommt.
Hier fand ich diejenige Gewißheit, so ich allenthalben vergeblich gesucht hatte. (Ebd.)

Nicht zufällig erinnert Gottscheds Bericht über seine ersten
Kontakte mit der Leibniz-Wolffschen Philosophie an ein
religiöses Erweckungserlebnis. Schon bald entwickelte
Gottsched einen nahezu missionarischen Eifer für sie, und
als er nach seiner Magisterprüfung (1723) auf der Flucht vor
preußischen Werbern, die ihn wegen seiner Körpergröße in
die Garde der Langen Kerls stecken wollten, 1724 nach
Leipzig kam, propagierte er die neue Philosophie in wohl-
dosierten Häppchen in seinen Moralischen Wochenschriften, den *Vernünfftigen Tadlerinnen* (1725–26) und dem
Biedermann (1727–29).

Man wirft Gottsched in diesem Zusammenhang gerne
vor, daß er (und mit ihm alle Schreiber von Moralischen
Wochenschriften) durch Popularisierung die Leibnizsche
Philosophie verwässert habe. Es klingt in der Tat merkwür-
dig, wenn die »Theodizee« in Sätzen zusammengefaßt wird,
die an Seichtheit kaum zu übertreffen sind: »Niemand ist so
gar aller Dinge entblößet, daß er Hungers sterben müßte;
wenn er nur vernünftig und tugendhaft ist« (*Biedermann*,
T. 2, S. 194 f.). Nach dieser Philosophie ist der Mensch ein
glücklicher Bewohner der Erde, in der es nichts wirklich
Böses gibt, weil ja alles Böse dem Menschen nur zum Besten
dient. Die Welt ist, wie man es Wolffs Philosophie entneh-
men kann, streng logisch geordnet; es gibt in ihr keine
Widersprüche. Das Schlagwort von der »besten aller möglichen Welten« (Leibniz) faßt den populären Inhalt der Weltweisheit zusammen. Verloren ging jedoch mit der Popularisierung der Prozeß des Erkennens, der den Sätzen der
Leibnizschen Philosophie erst ihren Wahrheitsgehalt gab.

Es wäre jedoch falsch, wollte man Gottscheds Moralische
Wochenschriften nur unter dem philosophischen Gesichts-
punkt betrachten. Ihre Intention war vielmehr, die philoso-

phischen Erkenntnisse Praxis werden zu lassen. Und da
blieb kaum ein Lebensbereich ausgespart, der sich nicht mit
einem rechtschaffenen bürgerlichen Leben vereinbaren ließ.
Nach dem englischen Vorbild von Addisons *Spectator* und
Tatler (*Die vernünfftigen Tadlerinnen* erinnern noch mit der
mißglückten Übersetzung an das englische Vorbild) schrieb
Gottsched leicht lesbare kurze Abhandlungen über Kinder-
erziehung, das Rauchen, gegen Heuchelei, Müßiggang und
Aberglauben. Besonders hervorzuheben ist auch Gottscheds
Eintreten für eine verbesserte Bildung der Frau mit der Idee
einer »Frauenzimmer-Akademie«. Nicht umsonst arbeitete
er auch intensiv mit Frauen zusammen, von denen die
Neuberin und seine Frau, Luise Adelgunde Victorie, am
bedeutendsten sind. Aber auch literarische Kritik kam nicht
zu kurz. In den Wochenschriften Gottscheds kann man
erkennen, daß sich seine poetischen Überzeugungen wesentlich aus seiner Kritik an der Oper entwickelten.

   Die Zeitschriften waren für Gottsched ein Erfolg. Die
Vernünfftigen Tadlerinnen erreichten eine Auflage von bis
zu 2000 Exemplaren pro Nummer. Unterstellt man pro
Exemplar fünf Leser, dann dürfte Gottscheds erste Moralische Wochenschrift etwa 10 000 Leser erreicht haben. Leipzig, das wohl das Hauptabsatzgebiet für diese Zeitschriften
bildete, hatte damals etwa 30 000 Einwohner! Man muß
selbst bei vorsichtigen Schätzungen sagen, daß Gottscheds
Zeitschrift das Bewußtsein der Leipziger prägen und beein-
flussen konnte. Insbesondere die philosophischen Überlegungen kamen den Leipzigern nicht ungelegen.

   Leipzig bildete den idealen Boden, auf dem sich die
Wolffsche Philosophie ausbreiten konnte. 1721 mußte Chri-
stian Wolff aufgrund pietistischer Angriffe Halle verlassen.
Dort gab es seit 1694 eine neue Universität, die die Stellung
der alten Leipziger schwächte. Schon allein aus diesem
Konkurrenzdruck war ein Vertreter der »Weltweisheit«, wie
Wolff seine Philosophie genannt hatte, in Leipzig nicht
ungern gesehen. Außerdem hatte sich in Leipzig ein merk-

würdiges Verhältnis von Religion und öffentlichem Leben
herausgebildet. Während der Protestantismus in der Öffentlichkeit der Handelsstadt immer mehr zurücktrat, gewann er
andererseits gerade im politischen und privaten Leben an
Bedeutung. Nicht umsonst kam die protestantische Kir-
chenmusik in Leipzig zu dieser Zeit mit Johann Sebastian
Bach zu ihrer höchsten Entfaltung. Von fundamentaler
Bedeutung war hierfür die Konversion Augusts des Starken
zum Katholizismus. Der junge sächsische Kurfürst, der
nach dem überraschenden Tod seines Bruders auf den Thron
kam, wollte durch diesen Schritt König von Polen werden.
Er wurde es auch, aber im Mutterland der Reformation fand
dieser politische Erfolg nur wenig Gegenliebe. Da eine
Rekatholisierung Sachsens befürchtet wurde, bildete sich
nun eine machtvolle protestantische Opposition, getragen
von Kirche, Adel und Bürgertum, die der Politik des Fürsten immer wieder Steine in den Weg legte.

Wie mächtig diese Opposition war, läßt sich in einer der
ersten akademischen Reden, die Gottsched in Leipzig hielt,
erkennen. 1724 war es bei einer katholischen Prozession in
Thorn zu schweren Unruhen gekommen. August hatte dar-
aufhin eine Truppe unter der Führung des Grafen Lubomirsky nach Thorn geschickt, um den inneren Frieden
wiederherzustellen. Lubomirsky ließ den evangelischen
Bürgermeister mit neun weiteren evangelischen Bürgern
hinrichten. Dieses Ereignis wurde als »Thorner Blutbad«
bekannt. Der junge Akademiker Gottsched wirft nun in
seiner Rede den »grausamen Feinden der Evangelischen«
vor, daß »selbst wilde Tiere« mitleidiger seien als sie (*Werke*
IX,2, S. 463 f.). Die ungewöhnlich scharfe Kritik an der
Politik des Kurfürsten fand sicher den Beifall der evangelischen Professoren.

Selbst in der *Critischen Dichtkunst* werden mit einer
verblüffenden, den Zeitgenossen klar verständlichen, kaum
verhüllten Eindeutigkeit die Konversion des Kurfürsten und
die seines Sohnes von 1717 kritisiert. Gottsched tadelt an der

Henriade Voltaires die Figur des Eremiten, der den Übertritt
Heinrichs IV. zur katholischen Kirche eine »Erleuchtung«
genannt habe. Diese Legitimation einer Konversion ist für
den Pfarrerssohn Gottsched nicht mehr »wahrscheinlich«. Er
fordert, daß auch Katholiken so zu schreiben hätten, daß ihre
Dichtwerke überall als wahrscheinlich gelten können. Gottsched versuchte auf diese Weise, katholische Inhalte aus der
Poesie zu verbannen. Diese Art von Unwahrscheinlichkeit
fand er beispielsweise in Tassos Epos *Gerusalemme liberata*
und – merkwürdigerweise – auch in dem puritanischen Epos
Miltons, *Paradise Lost*, das aufgrund seiner phantastischen
Szenen gewissermaßen einen katholischen Anstrich erhielt.
Zwar kann in der *Critischen Dichtkunst* kein explizites Bekenntnis zum Protestantismus gefunden werden. Jedoch tritt
die antikatholische und damit auch antihöfische Tendenz in
solchen Passagen deutlich hervor.

Gottscheds versteckter Protestantismus erklärt einen Teil
seines Erfolgs, denn er konnte den Sachsen einen Modus
vivendi aufzeigen, der Loyalitätsprobleme in den Beziehungen zum Fürsten und zur Religion abschwächte. Aber in
diesem versteckten Protestantismus lag letztlich eine Quelle
seines Scheiterns, denn auch in tieferen Schichten ist die
Critische Dichtkunst entscheidend von protestantischen
Vorstellungen und Überzeugungen geprägt.

Doch auch andere äußere Faktoren können Gottscheds
dominierende Stellung in der Poetik der ersten Hälfte des
18. Jahrhunderts erklären. Gleich nach seiner Ankunft in
Leipzig wurde Gottsched Mitglied der Teutschübenden-
poetischen Gesellschaft. Zwei Jahre später, 1726, wird er
deren Senior. In dieser Gesellschaft fand er für seine literarischen Reformvorstellungen den nötigen Rückhalt. Als 1728
die Neubersche Truppe in Leipzig auftrat, konnte Gottsched Friederike Caroline Neuber für seine Pläne einer
Theaterreform gewinnen. Das Theater sollte nicht mehr die
gängigen Haupt- und Staatsaktionen mit dem Auftritt des
Pickelherings spielen, sollte nicht mehr Stegreiftheater sein,

sondern ein am französischen Klassizismus orientiertes, sprachlich durchkonstruiertes Theater, in dem kein Platz mehr für willkürliche Einlagen der Schauspieler und Zuschauer war. Nach der feierlichen Vertreibung des Harlekins von der Bühne stellte sich jedoch immer stärker heraus, daß es ein Publikum für Gottscheds Theater eigentlich nicht gab. Um Zuschauer anzulocken, mußte auch die Neuberin wieder zu den Haupt- und Staatsaktionen zurückkehren. An den höfischen Theatern jedoch, wo die fürstliche Kasse den Obulus des zahlenden Publikums überflüssig machte, hatte Gottscheds Drama *Sterbender Cato* einigen Erfolg.

Als zur Herbstmesse 1729 der *Versuch einer Critischen Dichtkunst vor die Deutschen* erschien, war Gottsched kein Unbekannter mehr. Das Werk hatte für eine Poetik einen gewaltigen Erfolg: 1737 folgte die 2. und 1742 die 3. Auflage. Prompt wurde Gottsched 1730 auch außerordentlicher Professor für Poesie und Beredsamkeit an der Universität Leipzig. Selbst 1751, als der Literaturstreit zwischen Leipzig und Zürich schon nahezu Geschichte geworden war und Gottsched fast als überholt gelten konnte, erschien noch einmal eine 4. Auflage. »Und meine Dichtkunst lebet noch!« stellt Gottsched befriedigt im Vorwort fest.

Was Gottsched sonst auch immer geschrieben haben mag, seine Rhetorik (*Ausführliche Redekunst, nach Anleitung der alten Griechen und Römer, wie auch der neuern Ausländer*, 1736), seine Sammlungen und Zeitschriften, seine Übersetzungen (er war wohl einer der ersten deutschen Professoren, die das relativ junge Medium des Buchdrucks so souverän in ihren Dienst stellten), seine literaturgeschichtliche Wirkung ist vor allem durch die *Critische Dichtkunst* bedingt, von der Goethe noch urteilte, daß sie – im Unterschied zu Breitingers *Dichtkunst* – »brauchbar und belehrend genug« gewesen sei (*Dichtung und Wahrheit* II,7).

Die *Critische Dichtkunst* war auf der einen Seite sicher ein kompilatorisches Werk. Gottsched macht selbst darauf aufmerksam, wenn er schreibt:

> Ich hatte mir nur vorgesetzt dasjenige, was in so
> unzehlich vielen Büchern zerstreut ist, in einem ein-
> zigen Wercke zusammen zu fassen, und es denen in
> die Hände zu geben, die entweder selbst Poeten
> werden, oder doch von Poesien vernünftig wollen
> urtheilen lernen. (*Dichtkunst*, 1730, Vorrede.)

Originalität in Geschmacksfragen darf man von Gottsched
daher nicht erwarten. Sein Interesse lag auf einem anderen
Gebiet. Er wollte zu »einer völligen Gewißheit« darüber
kommen, »was richtig oder unrichtig gedacht; schön, oder
heßlich geschrieben; recht, oder unrecht, ausgeführet worden« (ebd.). Gottsched war nicht nur in der Philosophie auf
der Suche nach Gewißheit. Aber konnte es überhaupt in der
Poesie, in Geschmacksfragen Gewißheit geben? Konnte de-
finitiv angegeben werden, was schön und was häßlich ist?
  Eine Antwort auf diese Fragen läßt sich nur geben, wenn
man die Kriterien des Schönen kennt. Dabei kommen für
Gottscheds Ästhetik mehrere Einflüsse zum Tragen. Grund-
legend ist in erster Linie eine in der christlichen Tradition
begründete Sinnenfeindlichkeit. Alle Lust, die nur über die
Sinne erfahren werden kann, ist fleischlich und sündhaft.
Statt dessen soll es eine geistig erfahrbare Schönheit geben,
die aus der Ordnung der Welt und Natur hergeleitet ist:

> Die Schönheit eines künstlichen Werkes [...] hat
> ihren festen und notwendigen Grund in der Natur
> der Dinge. Gott hat alles nach Zahl, Maaß und
> Gewicht geschaffen. Die natürlichen Dinge sind an
> sich selber schön: und wenn die Kunst auch was
> schönes hervorbringen will, so muß sie dem Muster
> der Natur nachahmen. Das genaue Verhältniß, die
> Ordnung und das richtige Ebenmaaß aller Theile,
> daraus ein Ding besteht, ist die Quelle aller Schön-
> heit. (*Dichtkunst*, 1751, S. 132.)

So weit, so gut; die Kunst soll also die Natur in diesem
augustinischen Sinne in ihrer nach dem rechten Maße geord-

neten Schönheit nachahmen. Aber seit dem Ende des
17. Jahrhunderts hatte sich ein neuer Begriff in die Diskussion eingeschlichen: der Geschmack. Ohne Sinnlichkeit
wäre der Begriff des Geschmacks leer. Aber welche Rolle
durften bei der Beurteilung eines poetischen Werkes überhaupt der Geschmack, die Sinne spielen? Einige Jahre vor
Gottsched hatte Johann Ulrich König die These vertreten,
daß zwischen dem Geschmacksurteil und dem Vernunft-
urteil kein wesentlicher Unterschied bestehe: der Geschmack komme in seinem Urteil nur schneller zu dem-
selben Ergebnis wie die Vernunft. Gottsched sieht jedoch
qualitative Unterschiede. Wo es nur auf Vernunft ankomme,
pflege man das Wort »Geschmack« nicht zu verwenden,
meint er. Das Geschmacksurteil wird also zu einem Urteil
der Empfindung. Die Empfindung jedoch soll über Schönheit urteilen, die eigentlich nur geistig faßbar ist. Gottsched
formuliert also eine Konklusion, ein Schibboleth für Poesie-
kritiker: »Derjenige Geschmack ist gut, der mit den Regeln
übereinkömmt, die von der Vernunft, in einer Art von
Sachen, allbereit fest gesetzet worden« (*Dichtkunst*, 1751,
S. 125).

Es gibt für Gottsched ein reines Urteil nach der Empfindung, ein Sinnenurteil, das nicht dem Verdikt der Fleisches-
lust unterliegt. Gottsched legitimiert also in dem urprote-
stantischen Leipzig die Sinnlichkeit. Das kann man als einen
revolutionären Schritt bezeichnen. Allerdings war Gottsched vorsichtig und ging kaum über das hinaus, was damals
schon in der Musiktheorie diskutiert wurde. Da Gottsched
selbst immer wieder in der Tradition Augustins die Verbindung von Poesie, Musik und Architektur herstellte – im
Gegensatz zu den Schweizern dient ihm die Malerei nicht als
Paradigma der Dichtung –, kann ein kleiner Exkurs in die
Musiktheorie neue Aspekte seiner Dichtungstheorie aufleuchten lassen.

Ähnlich wie Gottsched in der *Critischen Dichtkunst* zwischen einer legitimen Poesie, die auf dem moralischen Satz

aufbaut, und einer illegitimen unterschied, so trennte der
Protestantismus zwischen einer legitimen Musik, die auf
dem Generalbaß gründete, und einer illegitimen, zu der
beispielsweise die Musik der Spielleute und die Tanzmusik
gehörten. Ein wichtiger Punkt war die Harmonie. Grob
gesagt, es galt eine natürliche Stimmung der Instrumente,
die sich nach Brüchen der natürlichen Zahlenreihe errech-
nete. Diese mathematisch konstruierte Harmonie führte
jedoch bei Modulationen zu Komplikationen. Die Modulationen konnten aufgrund der mathematischen Verhältnisse
zwischen den einzelnen Tönen ›falsch‹ klingen. Die Lösung
dieses Problems ist mit dem Namen Andreas Werckmeisters
verknüpft. Werckmeister teilte die Oktave in zwölf gleich-
mäßige Abstände (»temperierte Stimmung«). Diese Abstände lassen sich nun nicht mehr als Brüche natürlicher
Zahlen darstellen. An die Stelle der mathematischen Harmonie trat in der Musik die Empfindung von Harmonie, also
eine Versinnlichung der Musik.[4]

Nachdem in der Musik die Sinnlichkeit innerhalb des
protestantischen Kosmos legitimiert war, konnte Gottsched
ihr in der Poesie einen Bereich zugestehen, wo sie allein gül-
tige Entscheidungen treffen konnte, nämlich den »Wohlklang«. Daher definierte er die Poesie als eine »wohlklingende Schrift« (*Dichtkunst*, 1751, S. 98). Ausdrücklich weist
Gottsched darauf hin, daß der Wohlklang der poetischen
Schreibart von der Musik und nicht von der Rhetorik
komme. Überhaupt unterscheide sich die Poesie von der
Rhetorik darin, daß sie keine persuasiven Absichten verfolge, sondern allein die Natur nachahme. Eine moralische
Absicht hat die Poesie folglich nicht.

Nun bleibt aber die Frage, welche Bedeutung der »moralische Satz« in Gottscheds Poetik einnimmt. Sicher sollte
er auch dem Dichter dienen, eine regelmäßige Fabel her-
zustellen, wie es Gottscheds bekanntes ›Kochrezept‹ nahe-
legt:

Zu allererst wähle man sich einen lehrreichen moralischen Satz, der in dem ganzen Gedichte zum Grunde
liegen soll, nach Beschaffenheit der Absichten, die
man sich zu erlangen, vorgenommen. Hierzu ersinne
man sich eine allgemeine Begebenheit, worinn eine
Handlung vorkömmt, daran dieser erwählte Lehrsatz
sehr augenscheinlich in die Sinne fällt.

(*Dichtkunst*, 1751, S. 161.)

Der moralische Satz diente Gottsched als Grundlage für ein
großes Gedicht, ein Epos oder ein Drama. Es kann daher
nicht sein Ziel gewesen sein, die Dichtung auf die Vermittlung des moralischen Satzes zu beschränken, wie es Lessing
später für die äsopische Fabel forderte. Der moralische Satz
soll vielmehr, wie es die Formulierung »in dem ganzen
Gedichte« erkennen läßt, gleichsam ein roter Faden oder
besser: eine kontinuierliche Grundlage, ein Basso continuo
des Gedichtes sein. Man wird Gottscheds Poesiekonzeption
nur dann richtig verstehen können, wenn man sie in ihrer
engen Verbindung zur zeitgenössischen Musiktheorie sieht.
Nach dem moralischen Satz kann also als nächste Ebene das
Thema, die »allgemeine Begebenheit« folgen, die in der
Fabel konkret wird. Und erst jetzt folgt die weitere Ausgestaltung der Geschichte mit Dialogen und einer Handlung,
die in sich kohärent und widerspruchsfrei sein müssen.
Gottsched möchte dabei eine ›realistische‹ Dichtung. Ausdrücklich wehrt er sich gegen Phantasieprodukte, selbst
wenn er sie wieder durch die Hintertür in seine Poetik
hereinläßt. Er schreibt, daß sich der Dichter solcher Arten
des Wunderbaren zu bedienen habe, »die allen Zeiten und
Orten gemein« seien (*Dichtkunst*, 1751, S. 182).

Rhetorische Mittel werden eingesetzt, um beim Zuhörer
bestimmte Affekte zu erregen. Es gilt jedoch: Der Affekt
darf die rationale, aufmerksame Rezeption nicht stören,
sondern nur verstärken. Es ist daher zweifelhaft, ob der
Rezipient in der Affekterregung selbst überhaupt sein Gefal-

len finden sollte, selbst wenn Gottsched betont, daß die
Poesie ihren Grund im Menschen, in seinen Empfindungen
habe. Eine eher distanziert prüfende Rezeptionshaltung
dürfte einer Poesie nach Gottscheds Geschmack am besten
angemessen sein. Hier ist zu erkennen, daß Gottsched prinzipiell nichts gegen die barocke Tragödienfunktion der ›con-
solatio‹ hatte. Die Tragödie sollte demnach auf Unglücks-
fälle vorbereiten, damit diese für den aufmerksamen Zuschauer leichter ertragbar würden. Gottsched war noch weit
vom bürgerlichen Rührstück entfernt. Aber er reformierte
das barocke Drama insofern, daß er zwar an der Struktur
festhielt, aber die sprachliche Ausgestaltung quasi auf ein
mittleres Bildungsniveau senkte, auf rhetorische Mittel, die
auch weniger Gebildeten verständlich sein konnten, auf eine
Sprache, die ohne die Fußnotenkultur der Lohensteinschen
Trauerspiele auskommen konnte.

Allerdings ist fraglich, ob es eine Tragödie gab, die Gottscheds Vorstellungen entsprechen konnte. Sein eigenes
Werk, *Sterbender Cato* (1732), fand bei der Kritik keine
besonders gute Aufnahme. Eigentlich wollte er ja Addisons
Cato nur übersetzen, aber als er in diesem Stück zu viele
Unregelmäßigkeiten entdeckte, entschloß er sich, die Tragödie vom Selbstmord Catos neu zu schreiben. Mit »Kleister
und Schere«, wie Bodmer spottete, fertigte er nun aus
französischen und englischen Vorlagen das erste deutsche
›Originaldrama‹. In einer Zeit, die den Begriff des geistigen
Eigentums nicht kannte, kann ihm das nicht zum Vorwurf
gereichen. Aber auch so bleibt selbst dem wohlmeinenden
Leser Gottscheds Schwäche nicht verborgen. Die Tragödie
entbehrt jeder Spannung, die einen Zuschauer in ihren Bann
ziehen könnte. Mit dem Vorbild, das Gottsched immer
wieder preist, dem *Ödipus* des Sophokles, ist der *Cato*
weder in der dramatischen Linie noch in der sprachlichen
Gestaltung zu vergleichen.

Darüber hinaus kam Gottsched in ein moralisches
Dilemma: Wenn Cato Selbstmord begeht, um seinen Verfol-

gern zu entkommen, dann stellt sich die Frage nach der Wahrscheinlichkeit. Catos Selbstmord darf nicht gerechtfertigt erscheinen, aber er muß sich dennoch folgerichtig aus der Handlung ergeben. Das Problem lautete nun: Kann es Situationen geben (wie den römischen Bürgerkrieg), in denen der Selbstmord bei einem moralisch untadeligen Mann (wie Cato) legitimiert ist? An dieser moralischen Frage zerbricht die Konzeption der Tragödie. Das moralische Vorbild Cato könnte natürlich kleine menschliche Fehler haben, wie es Aristoteles für den Helden einer Tragödie geradezu gefordert hat, aber ist der Selbstmord – eine Todsünde im christlichen Verständnis – ein solcher ›kleiner‹ Fehler? Ist dadurch nicht das moralische Vorbild Cato von seinem Podest gestürzt? – In der Vorrede zur Tragödie windet sich Gottsched bei der poetologischen Rechtfertigung des Selbstmordes.

Gottscheds Reformvorstellungen tragen einen Widerspruch in sich, so daß sein Scheitern kaum überrascht. Einerseits versuchte er, die Verbindung von Poesie und Religion aufzulösen und eine rein profane Dichtungskultur zu schaffen, die in die sozialen und politischen Verhältnisse Sachsens integriert werden konnte. Andererseits beschwor er jedoch religiös bedingte Vorstellungen einer legitimen Poesie. Er kam also in starke Bedrängnis, als Bodmer Miltons Epos vom *Verlorenen Paradies*[5] auf den Buchmarkt brachte. Miltons religiöse Themen und seine Sprachgewalt bildeten gleichsam ein neues Paradigma gegen Gottscheds klassizistische Kunstauffassung. An der moralischen Integrität des Gedichtes war nicht zu zweifeln, denn es stellte die christliche Heilsgeschichte dar. Aber es gab keinen moralischen Satz, das Epos endet offen, es hatte keine abgeschlossene Handlung, die puritanische Metaphorik war für Gottsched nicht als reine Metaphorik erkennbar. Aber konnte er eigentlich an Milton Kritik üben, ohne gleich als potentieller Ketzer zu gelten?

Aber auch ein weiteres inhärentes Problem zeigte sich:

Sicher sollte die Darstellung auf dem Theater wahrscheinlicher und realistischer werden, aber sie sollte sich gleichzeitig
noch im Rahmen des sozialen Aptum und der Drei-Stil-
Lehre bewegen. Für Diskussionsstoff war gesorgt, und
Gottscheds philosophische Poetik zeigte ihre Schwächen.
Sie paßte nicht mehr in eine Zeit, in der eine neue
literarische Kultur entfaltete, in der die Lektüre eines
Romans den Vortrag eines Epos verdrängte. Kaum jemand
nahm ernsthaft Notiz davon, als Gottsched 1752 Schönaich
zum Dichter krönte. Sein Versuch, der Poesie Schönaichs
dadurch eine öffentliche Bestätigung zu geben, konnte
nichts an der zukünftigen Entwicklung des literarischen
Lebens ändern. Als Gottsched am 12. Dezember 1766 starb,
hätte er sicher in den Seufzer seines härtesten Konkurrenten,
des Zürichers Bodmer, mit einstimmen können: »Niemand
hat seinen poetischen Geist von mir empfangen.«[6]

Anmerkungen

1 H. Steinmetz, »Nachwort«, in: J. Ch. Gottsched, *Schriften zur
Literatur*, hrsg. von H. S., Stuttgart 1972 [u. ö.], S. 367.   2 M.
Bernays, »Gottsched«, in: *Allgemeine Deutsche Biographie*, Bd. 9,
Leipzig 1879, S. 497.   3 »Vorrede«, in: *Versuch einer Critischen
Dichtkunst vor die Deutschen; Darinnen erstlich die allgemeinen
Regeln der Poesie hernach alle besondere Gattungen der Gedichte,
abgehandelt und mit Exempeln erläutert werden: Überall aber
gezeiget wird Daß das innere Wesen der Poesie in einer Nachahmung
der Natur bestehe. Anstatt einer Einleitung ist Horatii Dichtkunst in
deutsche Verße übersetzt, und mit Anmerckungen erläutert*, Leipzig
1730 (zit. als: *Dichtkunst*, 1730).   4 Die Intervalle der temperier-
ten Stimmung sind durch sogenannte irrationale Zahlen darstellbar,
durch unendliche nichtperiodische Dezimalbrüche. Allerdings gab
es bis ins 19. Jahrhundert auch unter Mathematikern Aversionen
gegen diese Grenzüberschreitung vom Endlichen ins Unendliche.
Auf die dogmatischen Probleme, daß z. B. etwas Endliches wie ein
Kreis etwas Unendliches wie die Zahl Pi fassen kann, sei hier nur

hingewiesen.   **5** Bodmers erste Milton-Übersetzung erschien bereits 1732. Sie wurde jedoch kaum beachtet. Erst die 2. Auflage erhielt paradigmatischen Charakter, nachdem Bodmer bereits 1740 mit der *Critischen Abhandlung von dem Wunderbaren in der Poesie* eine Verteidigung der Miltonschen Poesie der lesenden Welt präsentiert hatte, die Gottscheds heftigen Unwillen hervorrief. Zu Gottscheds Rechtfertigung muß gesagt werden, daß Bodmers Verteidigung in höchstem Grade ironisch war, so daß selbst Bodmers Freund Johann Jakob Breitinger anfangs einige Verständnisschwierigkeiten hatte.   **6** »Bodmer's persönliche Anekdoten«, hrsg. von Th. Vetter, in: *Zürcher Taschenbuch auf das Jahr 1892*, N. F. 15 (1892) S. 131.

Bibliographische Hinweise

Ausgewählte Werke. 12 Bde. Hrsg. von J. Birke und Ph. M. Mitchell. Berlin / New York 1968 ff. [Bd. 12: Bibliographie.] [Zit. als: Werke.]

Der Biedermann. Nachdr. der Originalausg. Leipzig 1727–1729. Mit einem Nachw. und Erl. hrsg. von W. Martens. Stuttgart 1975. [Zit. als: Biedermann.]

Sterbender Cato. Im Anhang: Auszüge aus der zeitgenössischen Diskussion über Gottscheds Drama. Hrsg. von H. Steinmetz. Stuttgart 1979 [u. ö.].

Erste Gründe Der Gesamten Weltweisheit, Darinn alle Philosophischen Wissenschaften in ihrer natürlichen Verknüpfung abgehandelt werden, Zum Gebrauch Academischer Lectionen entworfen. Erster, Theoretischer Theil. Frankfurt a. M. 1965. (Nachdr. der Ausg. Leipzig 1733.) [Zit. als: Weltweisheit.]

Versuch einer Critischen Dichtkunst. Darmstadt 1977. (Nachdr. der Ausg. Leipzig 1751.) [Zit. als: Dichtkunst, 1751.]

Birke, J.: Gottscheds Neuorientierung der deutschen Poetik an der Philosophie Wolffs. In: Zeitschrift für deutsche Philologie 85 (1966) S. 560–575.

– Christian Wolffs Metaphysik und die zeitgenössische Literatur- und Musiktheorie. Berlin 1966.

Borjans-Heuser, P.: Bürgerliche Produktivität und Dichtungstheo-
    rie. Strukturmerkmale der poetischen Rationalität im Werk von J.
    C. Gottsched. Frankfurt a. M. / Bern 1981.
Bruck, J.: Der aristotelische Mimesisbegriff und die Nachahmungs-
    theorie Gottscheds und der Schweizer. Diss. Erlangen 1972.
Freier, H.: Kritische Poetik. Legitimation und Kritik der Poesie in
    Gottscheds Dichtkunst. Stuttgart 1973.
Grimm. G. E.: Literatur und Gelehrtentum. Untersuchungen zum
    Wandel ihres Verhältnisses vom Humanismus bis zur Frühaufklä-
    rung. Tübingen 1983.
Herrmann, H.-P.: Naturnachahmung und Einbildungskraft. Zur
    Entwicklung der deutschen Poetik von 1670 bis 1740. Bad Hom-
    burg / Berlin / Zürich 1970.
Möller, U.: Rhetorische Überlieferung und Dichtungstheorie im
    frühen 18. Jahrhundert. Studien zu Gottsched, Breitinger und G.
    F. Meier. München 1983.
Rieck, W.: Johann Christoph Gottsched. Eine kritische Würdigung
    seines Werkes. Berlin [Ost] 1972.
Schäfer, G.: »Wohlklingende Schrift« und »rührende Bilder«.
    Soziologische Studien zur Ästhetik Gottscheds und der Schwei-
    zer. Frankfurt a. M. 1987.
Schmidt, H.-M.: Sinnlichkeit und Verstand. Zur philosophischen
    und poetologischen Begründung von Erfahrung und Urteil in der
    deutschen Aufklärung. Leibniz, Wolff, Gottsched, Bodmer und
    Breitinger, Baumgarten. München 1982.
Stahl, K.-H.: Das Wunderbare als Problem und Gegenstand der
    deutschen Poetik des 17. und 18. Jahrhunderts. Frankfurt a. M.
    1975.
Waniek, G.: Gottsched und die deutsche Literatur seiner Zeit.
    Leipzig 1897.
Wetterer, A.: Publikumsbezug und Wahrheitsanspruch. Der Wider-
    spruch zwischen rhetorischem Ansatz und philosophischem An-
    spruch bei Gottsched und den Schweizern. Tübingen 1981.

CHRISTIAN LUDWIG LISCOW

Von Gunter E. Grimm

»Liscow, ein junger, kühner Mensch, wagte zuerst, einen seichten, albernen Schriftsteller persönlich anzufallen, dessen ungeschicktes Benehmen ihm bald Gelegenheit gab, heftiger zu verfahren. Er griff sodann weiter um sich und richtete seinen Spott immer gegen bestimmte Personen und Gegenstände, die er verachtete und verächtlich zu machen suchte, ja mit leidenschaftlichem Haß verfolgte. Allein seine Laufbahn war kurz; er starb gar bald, verschollen als ein unruhiger, unregelmäßiger Jüngling.« Soweit Goethe 1812 in *Dichtung und Wahrheit* (II,7), aus dem Abstand eines Menschenalters. Wenig später gehörte Liscow tatsächlich zu den Vergessenen.

Christian Ludwig Liscow wurde am 26. April 1701 in Wittenburg (Mecklenburg) geboren. Er studierte Theologie und Jurisprudenz an den Universitäten Rostock, Jena und Halle. 1729 wirkte er als Hauslehrer in Lübeck, 1734 und 1735 als Privatsekretär eines Geheimrats in Hamburg. 1740 rückte er kurzzeitig zum Legationssekretär des preußischen Gesandten in Frankfurt a. M. auf, fiel jedoch alsbald in Ungnade. Im nächsten Jahr wirkte er als Sekretär des allmächtigen sächsischen Ministers Graf Brühl; auch hier bekam seine Karriere einen Knick: er wurde wegen allzu offenherziger Äußerungen eingekerkert und vom Dienst suspendiert (1750). Das letzte Lebensjahrzehnt verbrachte er auf dem glücklicherweise erheirateten Gut Berg bei Eilenburg. Dort starb er am 30. Oktober 1760. Goethes olympisch-geheimderätlicher Machtspruch enthält zumindest in der Bemessung der Lebenszeit einen beruhigenden Fehler; der erste bedeutende Satiriker der deutschen Aufklärung ist weder als »Jüngling« gestorben noch im Elend verdorben. Er gehört weder zum Personenkreis der ›Tragischen Literaturgeschichte‹ noch zu den verlotterten Frühbegabungen à la Johann Christian Günther.

Liscow ging bei der Verfertigung seiner Satiren ziemlich planmäßig vor; sein sehr bewußtes Verfahren zeugt von allem anderen als unbewußt-irrationalem Schöpfertrieb. Seine zwischen 1732 und 1736 entstandenen Satiren richten sich – außer der letzten und zu Unrecht bekanntesten Satire *Die Vortrefflichkeit und Nohtwendigkeit der elenden Scribenten* – gegen bestimmte lebende Personen. Oftmals im Auftrag schreibend, trat die eigene Lust an der Polemik erst später hinzu. Chronologisch an erster Stelle steht eine nicht publizierte Schrift *Ueber die Unnöthigkeit der guten Werke zur Seligkeit*, in der ein Magister Zänker einem irrenden Amtsbruder die Leviten liest. Hier und in der ersten persönlichen Satire, den gegen den Rostocker Naturrechtler Manzel gerichteten *Anmerkungen in Form eines Briefes über den Abriß eines neuen Rechts der Natur*, ergreift Liscow Partei für die beleidigte Vernunft und verurteilt sowohl den orthodoxen Offenbarungsglauben als auch die leichtfertige Vermengung philosophischer und theologischer Argumente. Lieber will er »mit unsern reinesten Gottesgelehrten nicht sehen, und doch glauben, als diesen philosophischen Christen zu gefallen sagen, daß ich sehe, was ich doch nicht sehe« (*Schriften* III, S. 151 f.). Engstirnige Theologen und lächerliche Gelehrte waren die bevorzugten Opfer aufklärerischer Satire. So galt die zweite Kampagne Liscows dem wissenschaftlich dilettierenden Magister Heinrich Jakob Sivers aus Lübeck, der, bereits mit 22 Jahren in die Berliner Akademie aufgenommen, sich als Gelehrter mächtig in die Brust warf. Beispielhaft nahm Liscow dessen Schrift von der Zerstörung der Stadt Jerusalem aufs Korn, indem er sie, ganz in der

Christian Ludwig Liscow
1701 – 1760

Manier von Sivers selbst, mit so überflüssigen wie einfältigen Anmerkungen versah.

Von seinen drei satirischen Feldzügen ist die Philippi-Fehde die ausgedehnteste und bedeutendste (vgl. Lazarowicz, S. 28–71). Johann Ernst Philippi, 1723 in Leipzig Magister, anschließend in Halle Doktor der Rechtswissenschaft, hatte die Hallenser Professur der Beredsamkeit dem väterlichen Einfluß und eigener Schmeichelkunst zu verdanken. Doch schuf er sich durch seine geschwätzigen Schriften und seine Ablehnung der modischen Wolffschen Philosophie zahlreiche Feinde. Diese sandten sogleich seine 1732 in Leipzig erschienenen *Sechs deutschen Reden über allerhand auserlesene Fälle nach den Regeln einer natürlichen, männlichen und heroischen Beredsamkeit* an Liscow mit der Bitte, gegen den von immensem Geltungsdrang besessenen Vielschreiber eine Satire zu verfassen. Liscow zögerte nicht lange und schrieb ohne den »geringsten Skrupel« eine entlarvende Laudatio *Briontes der Jüngere, oder Lobrede auf den Hochedelgebohrnen und Hochgelahrten Herrn, Hrn. D. Johann Ernst Philippi [...] gehalten in der Gesellschaft der kleinen Geister, in Deutschland, von einem unwürdigen Mitgliede dieser zahlreichen Gesellschaft.* Für seine Gegenschriften fand Philippi keinen Verleger. Liscow indes, dem das Manuskript dieser Erwiderungen zugespielt worden war, erwies in einer neuen Satire (*Unpartheyische Untersuchung*), daß Philippi unmöglich der Verfasser dieses Machwerks sein könne – was Philippi prompt zu einem öffentlichen Bekenntnis seiner Verfasserschaft veranlaßte. Der gegenseitige Satirenkrieg ging weiter und machte Philippi immer lächerlicher – in seinen Kollegs kursierten Liscows Satiren. Als Philippi sich beim Hamburger Rat wegen einer negativen Rezension beschwerte, in der Liscows Bruder Joachim Friedrich seine Übersetzung der Maximen der Marquise de Sablé kritisiert hatte, holte Liscow zum Vernichtungsschlag aus (*Eines berühmten Medici glaubwürdiger Bericht*). Die Satire bezieht sich auf eine Wirtshausschlägerei, in die Philippi verwickelt und dabei von zwei preußischen Offizieren »so zugerichtet« worden war, »daß man ihn hatte nach Hause tragen müssen«. Liscow in der Rolle des Arztes stellt ein Attest über Philippis Tod aus, nachdem er ihn all seine Schriften bereuen läßt. Aus Göttingen, wohin er wegen einer drohenden zweijährigen Gefängnisstrafe, die ihm ein Duell eingebracht hatte, geflohen war, tat der totgesagte Philippi »aller Welt kund«, er sei noch am Leben – ging also auf Liscows Rollenspiel ein. Ein letztes Mal griff Liscow zur Feder. In der Satire *Bescheidene Beantwortung der Einwürfe, welche einige Freunde des Herrn D. Johann Ernst Philippi, weiland hochverdienten Professors der deutschen Wohlredenheit zu Halle, wider die Nachricht von Dessen Tode gemacht haben* bewies er, daß Philippi allem Widerspruch zum Trotz tatsächlich gestorben sei. Philippi, kurz zuvor von Preußens König Friedrich Wilhelm I. wegen Zudringlichkeit persönlich gezüchtigt, faßte auch an der Universität Göttingen nicht Fuß. Da die merseburgische Regierung auf seiner Auslieferung (wegen des Duells) bestand, schaffte man ihn »bey hellem Tage zum Thor hinaus«. 1740 wurde er in die Irrenanstalt Waldheim gebracht; sein späteres Leben präsentiert sich als das einer gescheiterten Existenz. Gegen 1750 muß er gestorben sein.

Deutlich zeigt der ›Fall‹ Philippi, daß Liscows persönliche Satiren sich an der Grenze bewegen, wo Satire in Pasquill umschlägt. Den bereits zu Lebzeiten erhobenen Vorwürfen begegnet Liscow selbst in der *Unpartheyischen Untersuchung* (1733) und in der Vorrede seiner Satirensammlung (1739). Einige der immer wieder geäußerten Einwände lauten: er schreibe gegen einen ihm Unbekannten, und zwar auf Betreiben seiner Freunde, er schreibe anonym, nenne aber seinen Gegner beim Namen und bediene sich skrupelloser Methoden bis hin zur völligen Vernichtung des Gegners.

Liscow zufolge greift die Satire »eine gewisse Art der Thorheit« (*Schriften* II, S. 90) an und macht die mit dieser Torheit Behafteten lächerlich; den Vorwurf der Gottlosigkeit weist Liscow entschieden von sich. Er grenzt die eigene satirische Praxis vom Pasquill ab: Beschuldigt man seinen Nächsten wider besseres Wissen des Totschlags, des Raubes oder des Ehebruchs, so ist dies strafbar; dagegen darf man ihm objektiv vorhandene, nicht unter Strafe stehende Fehler vorhalten. Die Publikation einer Schrift erlaubt jedem Leser, sie nach den Regeln der Vernunft zu beurteilen. Das Recht auf Kritik legitimiert die Satire. Hinzu tritt die moralische Rechtfertigung. Satire gilt als Medizin. »Eine Satyre ist eine Arzeney, weil sie die Besserung der Thoren zum Endzweck hat; und sie hört es nicht auf zu seyn, wenn sie gleich, als ein Gift, den Thoren tödtlich ist. Denn in dem Tode, welchen sie verursachet, bestehet eben die Besserung der Thoren. Dieser Tod gereicht ihnen zum Leben. Sie sollen der Thorheit absterben und klug werden« (*Schriften* II, S. 194). Mit diesem Alibi-Topos, der sich in zahlreichen Vorreden findet, tut Liscow den an pädagogischen und moralischen Maximen orientierten Ansprüchen seiner Zeitgenossen Genüge. Seine wahre Meinung bekundet sich eher im Zweifel an der Besserungskraft von Satiren. Nicht Besserung, sondern Vernichtung des Gegners wird erklärtes Ziel. Satiren sollen den Gegner mundtot machen, abschrecken und andere vor Nachahmung warnen. Liscow macht das »ridendo dicere verum«, »mit Lachen die Wahrheit zu sagen«, zur eigentlichen Aufgabe des Satirikers[1] – und sei es wie die Praxis erweist, auf Kosten von Anstand und Menschlichkeit.

Die Literaturwissenschaft arbeitet drei Triebfedern seiner Satire heraus: das subjektive Motiv der Rachgier und ihre Befriedigung, das soziale Motiv der Empörung über Servilität und Amtshörigkeit deutscher Gelehrter, schließlich als drittes Motiv das ästhetische Vergnügen, die »Lust« an der »Zeugung geistlicher Kinder«.[2] Der permanente Wechsel dieser drei Motivationen erklärt, daß Liscow es zu keiner konsistenten Ausformulierung seiner satirischen Absichten gebracht hat. Der Satiriker fühlt sich von der Plage der

»elenden Scribenten« besonders angegriffen; er sublimiert
die persönliche Verletztheit durch die verantwortungsvolle
Aufgabe, das Reich der Gelehrsamkeit vor ihnen, den »kleinen Geistern«, zu schützen. Beide Motivationen, die Wäch-
erfunktion und die Ventilfunktion, stehen unverbunden
nebeneinander (zu den Theorien vgl. Brummack, S. 122 f.,
28). Am zeitkonformsten verhält sich Liscow zweifellos
mit seiner Begründung, die Satire verfolge Besserungsab-
sichten. Satire nimmt – darauf läuft Liscows satirische Praxis
hinaus – im Rahmen des aufgeklärten Staates die stabili-
sierende Funktion eines Ventils für vernunftgegründete
Aggressionen wahr. Positive Kehrseite ist die Verpflichtung
des Satirikers auf den Dienst der »Königin Vernunft«
(Schriften II, S. 163 f.): Abwehr vernunftfeindlichen Verhaltens und Durchsetzung vernünftiger Prinzipien ergänzen
sich zweckvoll.

Die Formen, deren sich Liscow bedient, entstammen dem
Arsenal der Rhetorik. So findet sich die gelehrte Abhandlung neben der Laudatio, der Disput neben dem Brief, die
Spezialuntersuchung neben dem Gutachten. Die gestalteri-
schen Mittel sind überzogene Ironie, Übertreibung oder
Umkehrung der eigentlichen Ansicht. Vielleicht am typisch-
sten für Liscow ist die »deductio ad absurdum«, die er selbst
charakterisiert (Schriften II, S. 186):

> Ich kann mich stellen, als wenn ich die Lehre, die ich
> widerlegen, und das Verfahren, das ich tadeln will,
> billige, und Folgen daraus ziehen, die so handgreif-
> lich ungereimt sind, daß derjenige, mit dem ich zu
> thun habe, selbst, wo er klug ist, davor erschrecken,
> sie verwerfen, und also seine eigene Sätze umstossen,
> und seine That mißbilligen muß.

Von der Groteske zur Absurdität ist es dann nur ein kleiner
Schritt. Die seitenlangen, logisch stringenten Argumentatio-
nen entpuppen sich vor dem Forum der Vernunft als blü-
hender Unsinn.

An Liscows satirischem Verfahren scheiden sich die Geister. Positiv urteilten etwa Bodmer, Lichtenberg und Kan
(vgl. Saine, 1977, S. 63); bei den Literarhistorikern de
19. Jahrhunderts halten sich Zustimmung und Ablehnun
die Waage.[3] Nachhaltig negativ aber hat Goethes Urtei
gewirkt, gerade weil es sich nicht der naheliegenden morali
schen Maßstäbe bedient: »wir konnten in seinen Schriften
weiter nichts erkennen, als daß er das Alberne albern gefun
den habe, welches uns eine ganz natürliche Sache schien«
(*Dichtung und Wahrheit* II,7). Gar so abfällig darf man
Liscow freilich nicht betrachten. Goethes Urteil trifft nämlich viel eher auf Gottlieb Wilhelm Rabener zu, dem es im
echten Satiriker an Mut, an Schärfe und an Zielgerichtethei
fehlt. Auch wenn Liscows Feinde zur Gruppe der »kleiner
Geister« gehörten, so erhöht sein Verfahren sie zu Muster
beispielen der Unvernunft. Liscows Gelehrtensatire ist ein
Markstein in der Herstellung einer wenigstens literarischer
Öffentlichkeit.

Anmerkungen

1 Vgl. »Vorrede«, in: *Sammlung satyrischer und ernsthafter Schrif*
ten, S. 52 f.: »Was habe ich dann gethan? Ich habe einigen elende
Scribenten, die sich dünken liessen, sie wären etwas, da sie doc
nichts waren, im Lachen die Wahrheit gesaget. Sollte dieses eine s
grosse Sünde seyn? [. . .] Warum sollte man sich dann ein Gewisse
machen, das gelehrte Ungeziefer auszurotten?«   2 Ebd., S. 4; vg
auch *Schriften* II, S. XII.   3 Überwiegend positiv äußerten sich G
G. Gervinus in seiner einflußreichen Literaturgeschichte und Litz
mann; negativ vor allem F. Ebeling, *Geschichte der komische*
Literatur in Deutschland während der 2. Hälfte des 18. Jahrhun
derts, Bd. 1, Leipzig 1869, S. 22–90; H. Hettner, *Geschichte de*
deutschen Literatur im 18. Jahrhundert, Textrev. G. Erler, Bd. 1
Berlin / Weimar [2]1979, S. 292–294; in neuerer Zeit Jacobs. Ein Abri
der verschiedenen Beurteilungen findet sich bei Lazarowicz
S. 31–34, und bei G. Grimm in: *Satiren der Aufklärung*, hrsg. vo
G. G., Stuttgart 1975 [u. ö.], S. 348–352.

Bibliographische Hinweise

Sammlung satyrischer und ernsthafter Schriften. Frankfurt a. M. /
    Leipzig 1739.
Schriften. Hrsg. von C. Müchler. 3 Bde. Frankfurt a. M. 1972.
    (Nachdr. der Ausg. Berlin 1806.)
Vortrefflichkeit und Nohtwendigkeit der elenden Scribenten und
    andere Schriften. Hrsg. von J. Manthey. Frankfurt a. M. 1968.

Brummack, J.: Vernunft und Aggression: über den Satiriker Lis-
    cow. In: Deutsche Vierteljahrsschrift für Literaturwissenschaft
    und Geistesgeschichte 49 (1975) Sonderh. 18. Jahrhundert.
    S. 118–137.
Bruns, A.: Christian Ludwig Liscows Lübecker Satiren. In: Zeit-
    schrift des Vereins für Lübeckische Geschichte 61 (1981)
    S. 95–127.
Freund, W.: Christian Ludwig Liscow: »Die Vortrefflichkeit und
    Nothwendigkeit der elenden Scribenten«. Zum Verhältnis von
    Prosasatire und Rhetorik in der Frühaufklärung. In: Zeitschrift
    für deutsche Philologie 96 (1977) S. 161–178.
Helbig, K. G.: Christian Ludwig Liscow. Ein Beitrag zur Literatur-
    und Kulturgeschichte des 18. Jahrhunderts. Nach Liscow's Papie-
    ren im Sächsischen Haupt-Staats-Archive und andern Mitteilun-
    gen. Dresden/Leipzig 1844.
Lazarowicz, K.: Verkehrte Welt. Vorstudien zu einer Geschichte
    der deutschen Satire. Tübingen 1963. S. 28–71.
Leitzmann, A.: Liscows Zitate. In: Zeitschrift für deutsche Philolo-
    gie 50 (1926) S. 79–92.
Lisch, G. C. F.: Christian Ludwig Liscows Leben, nach den Acten
    des grossherzoglich-mecklenburgischen Geheimen und Haupt-
    Archivs und andern Originalquellen geschildert. Schwerin 1845.
Litzmann, B.: Christian Liscow in seiner litterarischen Laufbahn.
    Hamburg/Leipzig 1883.
Saine, Th. P.: Christian Ludwig Liscow: The First German Swift.
    In: Lessing Yearbook 4 (1972) S. 122–156.
– Christian Ludwig Liscow. In: Deutsche Dichter des 18. Jahrhun-
    derts. Ihr Leben und Werk. Hrsg. von B. v. Wiese. Berlin 1977.
    S. 62–83.
Tronskaja, M.: Die deutsche Prosasatire der Aufklärung. Berlin
    [Ost] 1969. S. 17–40.

Friedrich von Hagedorn

Von Alfred Anger

Gegen Ende des 17. Jahrhunderts zerfiel das Weltbild des
Barocks. Die metaphysischen Spannungen lösten sich, Aus-
brüche von Lebensangst und Weltekel verebbten, und das
dröhnende »Vanitas« verklang – sogar auf den Kanzeln. Der
Mensch wurde seinem irdischen Leben, ihm wurde die Welt
als Heimat zurückgegeben. Ein erstaunlicher Eudämonismus bemächtigte sich des Bürgertums, des sozialen Trägers
der europäischen Aufklärung. Die Lust am Irdischen, bei
Brockes noch als »irdisches Vergnügen in Gott«, bei den
von Wolff abhängigen Gottschedianern noch als »Belusti-
gung des Verstandes und des Witzes« kaschiert, bedurfte
keiner religiösen oder philosophischen Rechtfertigung
mehr, sondern floß als reine Lebensfreude unmittelbar aus
der Empfindung des Menschen. Der erste Sänger dieses
neuen Lebensgefühls in Deutschland wurde Friedrich von
Hagedorn:

> Ergebet euch mit freiem Herzen
> Der jugendlichen Fröhlichkeit,
> Verschiebet nicht das süße Scherzen,
> Ihr Freunde, bis ihr älter seid.
> Euch lockt die Regung holder Triebe,
> Dies soll ein Tag der Wollust sein:
> Auf! ladet hier den Gott der Liebe,
> Auf! ladet hier die Freuden ein.

In diesen Zeilen des Gedichts *Der Tag der Freude* wird das
warnende Carpe-diem-Motiv wieder zur weltlichen Klug-

Friedrich von Hagedorn
1708–1754

heitsregel zurückgebogen. Nicht die Furcht vor dem Tod,
sondern der weise Gedanke an das Nachlassen der Genußfä-
higkeit fordert uns auf – wie in dem Gedicht *Der Morgen* –
die Jugend zu nutzen und eine Welt zu genießen, die von
Lust und Lebensfreude singt:

> Uns lockt die Morgenröte
>   In Busch und Wald,
> Wo schon der Hirten Flöte
>   Ins Land erschallt.
> Die Lerche steigt und schwirret,
>   Von Lust erregt,
> Die Taube lacht und girret,
>   Die Wachtel schlägt.
>
> Die Hügel und die Weide
>   Stehn aufgehellt,
> Und Fruchtbarkeit und Freude
>   Beblümt das Feld.
> Der Schmelz der grünen Flächen
>   Glänzt voller Pracht,
> Und von den klaren Bächen
>   Entweicht die Nacht.

Um das Neue, Frische, die Suggestionskraft, die von Hagedorns Liedern ausging, zu erkennen, dürfen wir nicht auf
die Goethezeit voraus-, wir müssen auf die Niederungen der
Frühaufklärung zurückschauen. Erst dann wird uns der
Ruhm verständlich, den dieser Sänger bei den jüngeren
Dichtern genoß, die in Hagedorn mit gutem Recht den
Erneuerer deutscher Dichtersprache und den Verkünder
eines neuen Lebensgefühls erblickten. Man erinnere sich nur
an jene zwei Zeilen in Klopstocks Ode von der Fahrt auf
dem Züricher See, als sich die »Göttin Freude« dem enthu-
siastischen Freundeskreis offenbarte:

> Und wir Jünglinge sangen
> Und empfanden wie Hagedorn.

Mit Hagedorns Göttin der Freude stehen wir am Anfang einer Entwicklung, die über die Anakreontiker, über Klopstock, Herder und den jungen Goethe schließlich zu Schillers kosmischem Hymnus *An die Freude* führt.

Hagedorn wurde am 23. April 1708 in Hamburg geboren. Die alte Hansestadt gehörte damals nicht nur wirtschaftlich zu den führenden Städten Deutschlands; und ein Hamburger Patrizier legte Wert darauf, am reichen geistigen und kulturellen Leben teilzunehmen. Hagedorns Vater, als diplomatischer Beamter Resident der dänischen Krone, pflegte regen Umgang mit den gebildetsten Männern dieser Stadt, dilettierte selbst in den Künsten, förderte das Malent seiner Frau und ließ seinem Sohn die beste Privaterziehung angedeihen. Sein früher Tod stürzte die Familie in finanzielle Schwierigkeiten. Friedrich mußte auf das öffentliche Gymnasium, studierte dann in Jena an der »Universitas pauperum«, schloß aber sein Jurastudium nicht ab, sondern ging 1729 bis 1731 als Sekretär des dänischen Gesandten nach London, wo er bald zum besten Kenner der englischen Literatur und Philosophie wurde. Hier in England hatte der französische Klassizismus längst den Sieg über die italienisch-spanisch-barocke Dichtungstradition davongetragen. Hagedorn schlug sich nun ganz auf die Seite der Vorkämpfer gegen das, was man »barocken Schwulst« nannte, bereute einen frühen, 1729 erschienenen *Versuch einiger Gedichte*, verwarf viele Stücke daraus und arbeitete andere vollkommen um. Im Sommer 1731 kehrte er nach Hamburg zurück, wo er sich als Hofmeister verdingen mußte, bis, zwei Jahre später, die ehrenvolle Berufung zum Sekretär des English Court, einer alten englischen Handelsgesellschaft, erfolgte. Dieses Amt ließ ihm reichlich Zeit für seine gelehrten und poetischen Neigungen und für den für ihn so notwendigen geselligen Umgang mit alten und neuen Freunden. Doch schon am 28. Oktober 1754, kaum 46 Jahre alt, starb der Dichter, von Freunden und Verehrern in ganz Europa betrauert.

Seitdem sich Hagedorn dem Klassizismus verschrieben
hatte, blieben dessen Hauptforderungen auch seine Stilideal
(die er, wie Boileau, in Horaz am reinsten verkörpert sah)
Die Kriterien der Vernunft, unbedingte Klarheit und Allgemeingültigkeit, galten auch für die Poesie. So wurden die in
Barock so beliebten Wortspielereien, rhetorischen Figuren
und Tropen ebenso verbannt wie der Gebrauch von veralte-
ten und Fremd-Wörtern; jede Annäherung an die ›niedere‹
Umgangssprache wurde vermieden. Daneben forderte man
unbedingte grammatische Korrektheit und metrische Rein-
heit, Dialektfreiheit des Reims, betonte Einfachheit syntak-
tischer Fügungen, Schlichtheit und Genauigkeit der Wortwahl und die Rückkehr zu einfachen alternierenden Vers-
und leicht singbaren Strophenformen. Gemessen am üppi-
gen Formenreichtum des Barocks, erweist sich der Hage-
dornsche Klassizismus zunächst als Verengung und Ver-
ödung dichterischer Ausdrucksmöglichkeiten. Doch eine
gründliche Reinigung der Sprache von den im 18. Jahrhundert zum leeren Geklingel abgesunkenen barocken Stilfor-
men war ebenso notwendig wie heilsam. Gerade durch die
Begrenzung auf einen limitierten Wort- und Formenschatz
gewann die Sprache bei Hagedorn eine bisher nie gekannte
Leichtigkeit und Biegsamkeit, wie sie das Französische und
Englische längst besaßen. Nicht von Klopstocks Odenst
mit seinen gewollten Kompliziertheiten und beabsichtigte
›Dunkelheiten‹, von Hagedorn führt die Entwicklung über
die Lyrik Goethes ins 19. Jahrhundert. Hagedorns gehoben
und gereinigte, d. h. idealisierte Umgangssprache wurde
bereichert und vertieft, auch die Sprache der deutschen
Klassik.

Wie viele Dichter des Rokokostiles, dessen Begründer er
in Deutschland wurde, zeigt Hagedorn eine ausschließliche
Vorliebe für Kleingattungen. Ein bis drei Dutzend Verse
sind sein Durchschnittsmaß; keine Erzählung, kein Lehrgedicht überschreitet den Umfang von 500 Zeilen. Dieser Zu
zum Kleinen läßt sich deutlicher noch am Gehalt seiner

Dichtung ablesen, die überall das Scherzhafte dem Erhabenen, das Intimere dem Repräsentativen vorzieht. »Von hohen Dingen den Ewigkeiten vorzusingen« überläßt er gerne anderen. Die eigenen Werke empfiehlt er ausdrücklich als »Kleinigkeiten: Sie wollen nicht unsterblich sein« (*An die Dichtkunst*). Nur vier Gattungen hat der Dichter vor seinem Tode zur Aufnahme in seine *Sämtlichen Werke* zugelassen: das Lehrgedicht, das Epigramm, die Fabelerzählung und das Lied. Nach dem Grad der Vollkommenheit und der Wirkung beansprucht das Lied die erste Stelle. Auch hier zeigt sich wieder der Zug zum Kleinen. Hagedorn nennt seine lyrischen Sammlungen zwar *Oden und Lieder*, unterscheidet aber schon in der Vorrede zur ersten Sammlung von 1742 die ›hohe‹ pindarische Ode deutlich von der ›niederen‹ anakreontischen, gibt der letzteren für sich den unbedingten Vorrang und betont, daß seine Gedichte nicht den »erhabenen«, sondern den »gefälligen Charakter der Ode zu besitzen wünschen«. Da er jedoch die anakreontische Odenform (ebenso wie die horazische) bewußt meidet und mit den Gottschedianern gegen die Schweizer Bodmer und Breitinger an Reim und Strophe festhält, wird der im Titel angedeutete Unterschied zwischen Lied und Ode belanglos. Hagedorns Vorbild ist überall die ›Poésie fugitive‹ und ›légère‹, ist das französische und das von diesem abhängige englische Gesellschaftslied, das er mit horazischer Weltweisheit, anakreontischer Sinnlichkeit und echter Naturempfindung neu zu beleben weiß.

Der 1. Teil der *Oden und Lieder* war in der anmutig-schlichten, jeden Nachklang barocker Bravourarien meidenden Vertonung von Görner erschienen. Doch schon vier Jahre früher hatte Hagedorn seinen Ruhm mit der ersten Sammlung seiner *Poetischen Fabeln und Erzählungen* begründet. Die Fabel, einst Lieblingsgattung des 16. Jahrhunderts, war im Barockzeitalter praktisch ausgestorben. Erst mit dem Vordringen der Aufklärung begann in Deutschland das Interesse an ihr wieder zu erwachen. Doch alle früheren Versuche der Hunold, Brockes, König usw. wurden an Sprachkraft, Erfindungsgabe und Eleganz des Stiles von Hagedorn weit übertroffen. Erst mit ihm beginnt 1738 der Siegeszug der Fabelgattung durch das 18. Jahrhundert.

Wesen der Fabel ist es, zu belehren, und dieser erzieherischen Tendenz verdankte die Gattung ihre große Beliebtheit. Wir gingen jedoch fehl zu glauben, daß die Fabel für Hagedorn nichts war als ein »Exempel der praktischen Sittenlehre« (Lessing). Nicht nur das Adjektiv »poetisch« im Titel, auch der erste Satz seines »Vorberichts« (dort ist übrigens von moralischer Lehre nie die Rede) verweist den Leser sofort auf die künstlerische Absicht des Dichters: »Diese Sammlung enthält Versuche in der Kunst zu erzählen oder freie Nachahmungen der Alten und Neuern, welche sich in dieser Kunst hervorgetan haben.« Und in der Tat, ob Hagedorn nun antiken oder modernen Quellen folgt oder eigene Erfindung walten läßt, ob er zur Tierfabel, zur schwankhaften oder schäferlichen Verserzählung oder zur Versnovelle greift, ob er sich fester Strophenformen bedient oder der plaudernden Gewandtheit der damals in Deutschland noch unbekannten ›vers libres‹, ob er moralisch menschliche Torheiten geißelt oder rokokohaft-frivol von spröden Schäferinnen und blöden Schäfern singt – stets ist es die höchst bewegliche Kunst des Erzählens, die uns einnimmt, die Leichtigkeit und Wendigkeit der Verse, die Mannigfaltigkeit der Rhythmen und Reime und die Treffsicherheit der Pointen. So amüsant hatte niemand vor Hagedorn in Deutschland zu erzählen vermocht. Und die, die ihn später in dieser Kunst erreichen und überflügeln sollten, haben alle von ihm gelernt.

Neben den Liedern und Verserzählungen kann die Mehrzahl der *Moralischen Gedichte* heute nur noch historisches Interesse beanspruchen. Die längeren, im Anschluß an Horaz, Boileau, Pope oder Haller geschriebenen, teils philosophischen, teils satirischen Lehrgedichte, die seinerzeit zum Ruhm des Dichters nicht wenig beitrugen, wirken oft steif und gezwungen, weniger wegen des in den meisten Stücken verwendeten traditionellen Alexandriners als wegen der in Text und Anmerkungen überreichlich ausgestreuten Anspielungen und Hinweise: Früchte der großen Belesenheit des Dichters. Und doch bilden Stücke wie *Der Weise*, *Die Glückseligkeit*, *Wünsche* oder *Horaz* einen zum Verständnis des Dichters unentbehrlichen Teil seines Gesamtwerks, da in ihnen, vollständiger als irgendwo sonst, Hagedorns künstlerische, weltanschauliche und moralische Grundanschauungen zum Vortrag kommen.

Wie seine Zeitgenossen hat der Hamburger das scharfsinnige Epigramm geschätzt und gepflegt, doch nur eine kleine Auswahl zum Druck zugelassen. Im Sinne des Klassizismus wurden fast alle Stücke unterdrückt, die als bloßes Spiel augenblicklicher Laune, als zu individueller Empfindungsausdruck keinen Anspruch auf Allgemeingültigkeit erheben konnten. Ausgeschlossen blieben auch allzu hitzige Angriffe auf bestimmte Persönlichkeiten. Wie die Prosasatire (Rabener) vermied das Epigramm den persönlichen Angriff und versuchte stets ins Typisch-Allgemeine abzulenken. Daher tragen die Adressaten des Spotts und der Satire wie schon in den Lehrgedichten und Fabeln meist antike oder antikisierende Namen.

Was Hagedorn von einem guten Sinngedicht verlangte, hat er in seinem *Phax* ausgesprochen:

> Phax ist nur klein und, was den Witz betrifft,
> Scharf, kurz und neu, im Beifall und im Zanken
> An Worten karg, verschwendrisch in Gedanken:
> Der ganze Phax gleicht einer Überschrift.

In einigen Epigrammen hat der Dichter sein Ideal erreicht. Im Ganzen aber wurde er in dieser Gattung von dem bissigen Göttinger Mathematiker Kästner, dem jungen Lessing und schließlich durch viele Xenien von Goethe und Schiller weit übertroffen.

Bibliographische Hinweise

Poetische Werke. 5 Bde. Neue Ausg. [...] von J. J. Eschenburg. Hamburg 1800. [Bisher vollständigste Ausg., mit Briefen und Biographie.]

Sämmtliche Poetische Werke. 3 Tle. Bern 1968. (Nachdr. der Ausg. Hamburg 1757.)

Gedichte. Hrsg. von A. Anger. Stuttgart 1968.

Versuch einiger Gedichte. Hrsg. von A. Sauer. Heilbronn 1883.

Versuch in poetischen Fabeln und Erzählungen. Hrsg. von H. Steinmetz. Stuttgart 1974. (Nachdr. der Ausg. Hamburg 1738.)

Epting, K.: Der Stil in den lyrischen und didaktischen Gedichten Friedrich von Hagedorns. Stuttgart 1929.

Guthke, K. S.: Friedrich von Hagedorn und das literarische Leben seiner Zeit im Lichte unveröffentlichter Briefe an Johann Jakob Bodmer. In: Jahrbuch des Freien Deutschen Hochstifts. 1966. S. 1–108.

Menhennet, A.: Hagedorn and the Development of German Poetic Style. In: Lessing Yearbook 16 (1984) S. 179–192.

Perels, Ch.: Studien zur Aufnahme und Kritik der Rokokolyrik zwischen 1740 und 1760. Göttingen 1974.

Stix, G.: Friedrich von Hagedorn – Menschenbild und Dichtungsauffassung. Rom 1961.

ALBRECHT VON HALLER

Von Karl S. Guthke

In der *Encyclopaedia Britannica* (1975) sind Haller etwa 70 Zeilen gewidmet; nur 4 davon gelten dem Dichter, die übrigen dem Naturwissenschaftler. Ein schiefes Bild? Wer einmal die Schriften des »letzten Universalgelehrten« gesammelt vor sich gesehen hat, wird diese Proportionen eher richtig finden: allzu bescheiden steht das Bändchen des *Versuchs schweizerischer Gedichten* neben den zahlreichen und großenteils dickleibigen Werken zur Medizin, Anatomie, Physiologie, Pharmakologie, Botanik und zu anderen exakten Wissenschaften wie auch zur Theologie, Philosophie und Staatslehre. Selbst das Leben Hallers bestätigt die bezeichneten Proportionen.

Bestimmendes Motiv der Biographie ist die für Schweizer Autoren bezeichnende Spannung zwischen Heimatverbundenheit und Auswärtsstreben. Schon früh wird sie wirksam. Am 16. Oktober 1708 als Sohn eines Juristen in Bern geboren und dort in einer nominell regimentsfähigen, aber politisch so gut wie einflußlosen Familie aufgewachsen, verläßt Haller nach einer kurzen Einweisung in die ärztliche Praxis in Biel bereits als Fünfzehnjähriger, mittlerweile verwaist, die Heimat, um in Tübingen Medizin zu studieren. Zwei Jahre später, 1725, wechselt er auf die seriösere Universität Leiden über. Hier lehrte Herman Boerhaave, der dem jungen Mediziner den Zugang zur empiristischen Geistigkeit der Aufklärung erschloß. Noch nicht neunzehn Jahre alt, promoviert er 1727 zum Dr. med. Eine Studienreise nach

England schließt sich an, dann ein Aufenthalt in Paris zum Zweck chirurgisch-anatomischer Weiterbildung (1727/28). Der Schweizer als Europäer also. Und doch: in die Schweiz zieht es den Kosmopoliten zurück, nach Basel zunächst, wo er eine Arztpraxis eröffnet. Mit Johannes Gesner unternimmt er im Sommer 1728 eine Botanisiertour ins innerschweizerische Hochgebirge, aus der nicht nur das *Alpen*-Gedicht, sondern später auch die *Enumeratio methodica stirpium Helvetiae indigenarum* (1742) hervorgeht. Bald darauf, 1729, ist er wieder in Bern, wo er sich bis 1736 aufhält, als Arzt, Privatgelehrter, kurze Zeit auch als Stadtbibliothekar. Diese Berner Zeit ist der Lebensabschnitt, in dem der Großteil der Lyrik entstanden ist.

Da weder die Dichtung noch die Wissenschaft den Berner Patriziern Eindruck macht, folgt Haller 1736 dem Ruf in die Fremde, an die neugegründete Göttinger Universität. Bis 1753 hat er hier als Professor der Anatomie, Chirurgie und Botanik gewirkt. Es sind Jahre phänomenaler Produktivität im Geist der empirisch-experimentellen Forschung, die er in Leiden kennengelernt hatte. Die Anerkennung blieb in der Göttinger Zeit nicht aus. Akademien vieler Länder überhäuften ihn mit Ehren. Haller wurde der »Lehrer Europas«.

Weniger glücklich war das Privatleben. Der Tod der Lebensgefährtin, der Mariane der Gedichte, kurz nach der Ankunft in Göttingen, dann der Tod der zweiten Frau, Elisabeth, im Jahre 1740, eine unfrohe dritte Ehe, Mißgunst der Kollegen, Querelen mit auswärtigen Wissenschaftlern – dies und manche andere »Unglückfälle« verdüsterten den ohnehin »Schwierigen« immer mehr, ließen ihn mehr und mehr seiner Neigung zu religiöser Grübelei und schwermütiger Selbstanalyse nachgeben.

Vielleicht erklärt dies auch, was die gelehrte Welt in Erstaunen setzte: daß »der große Haller« (in Bern hieß er wegen seiner Statur so) 1753 die Göttinger Professur aufgab für den relativ glanzlosen Posten eines »Rathausammanns« in Bern und daß er dann bis zu seinem Tod (12. Dezember

Albrecht von Haller
1708–1777

1777) im Kanton seiner Herkunft blieb. Die wissenschaftliche Arbeit ging neben allen amtlichen Pflichten in unverminderter Intensität weiter. Hinzu kamen in den siebziger Jahren noch die drei Staatsromane (die Despotismus, konstitutionelle Monarchie und aristokratische Republik als idealtypische Regierungsformen schildern und auf ihren Beitrag zum »Glück ihrer Völker« befragen) und schließlich die apologetischen Schriften gegen Voltaires rationalistische Angriffe auf die christliche Lehre. An den Gedichten wurde bis in das letzte Lebensjahr gefeilt.

Vielseitigkeit bis zuletzt also. Aber der Polyhistor, der wie Leibniz (nach einem Wort Hallers) »alle Möglichkeiten des Menschen ausschöpft«, ist nur unbehaglich zu Hause im Kosmos des Wissens seiner Zeit. So unharmonisch dieser Kosmos selbst in nachleibnizischer Zeit geworden ist, so unharmonisch die Persönlichkeit des »letzten Universalgelehrten«. Es fehlt die Gelassenheit, die Heiterkeit der Überschau. Seine ruhelose Arbeitsamkeit und Lesewut (bei Tisch, zu Pferd, am Krankenbett) wirken manchmal eher wie Besessenheit und Flucht: als Symptom wie seine Opiumsucht auch. Aber Symptom wofür? Pietistische Hypochondrie? Katzenjammer der Empfindsamkeit? Fluch des Elitären? Leiden an der Unvereinbarkeit von Wissenschaft und Glauben? Ist es etwa die Dichtung, die hier eine Antwort gibt?

Dichtung, so betont Haller oft, s e i n e Dichtung birgt »Wahrheiten«, die mit denen der Philosophie nicht identisch sind, vielmehr einem eigenen Zugang zur Wirklichkeit entstammen. In seinen bedeutendsten Gedichten, die, wie man neuerdings wieder hervorhebt, zur ›Konfession‹ tendieren, ist dies in erster Linie die Wahrheit des eigenen Ich, der verschlüsselte Ausdruck der Problematik der vielseitigen Persönlichkeit.

Möglich wurde solche Dichtung unter anderem durch die Gunst des literaturgeschichtlichen Augenblicks. Das Barock mit seinem »Phöbus« und »Galimathias« überlebte sich; zugleich hatte der »wässerichten und weitläuftigen« prosaischen Mattheit der ersten Aufklärergeneration (Weise, Canitz, Brockes in seinen späteren Werken) die Stunde geschlagen. In bewußtem Gegensatz zu beiden Stiltypen entwickelt nun Haller sein eigenes lyrisches Cachet, mit dem er Epoche gemacht hat in der Literaturgeschichte: die »gedrungene«, »philosophische«, auch »schwere Dichtkunst«, die die Aufmerksamkeit durch nachdruckvolle, gedankenreiche Knappheit und verstandesklare Präzision der Analyse zu fesseln versteht. Sie eignete sich (obwohl sie gewisse »Lohensteinische« Reste erst nach und nach verliert) zur Gestaltung der Themen, die sich dem Dichter Haller, dem Haller der zweiten Berner und der frühen Göttinger Zeit (um 1729–42), aufdrängen. Einige davon greift er in intensiv persönlicher Betroffenheit auf, andere in mehr sachlicher, aber keineswegs unpersönlich ›abhandelnder‹ Weise. Diese letztere Gruppe macht den Anfang.

Dies sind die Lehrgedichte im engeren Sinne, vor allem *Die Alpen* (1729), *Gedanken über Vernunft, Aberglauben und Unglauben* (1729), *Die Falschheit menschlicher Tugenden* (1730), *Die verdorbenen Sitten* (1731) und *Der Mann nach der Welt* (1733?). Von dem besser als ›philosophische Lyrik‹ zu bezeichnenden großen *Unvollkommenen Gedicht über die Ewigkeit* (1737–42) unterscheiden sie sich durch die Festigkeit ihres gedanklichen Gerüsts und ihre unerschütterte Überzeugungsgewißheit. Kennzeichnend ist die ideologische Grundstruktur: die Kontrastierung von Natur und Zivilisation, Land und Stadt, Tugend und Laster, Idyll und Zerrbild. Damit stellt Haller sich in eine seit der Antike datierende Tradition der Kulturkritik (Topos: Hütte und Palast), die Rousseau dann radikalisierte.

In den *Alpen* liegt der Akzent mehr auf dem positiven Pol des antithetischen Schemas. Der große Mittelteil ist der Ausmalung des ländlichen Idylls gewidmet. Ein Idyll von historischer Bedeutsamkeit: denn das Hochgebirge, in dem

Haller es ansiedelt, hatte der dichterischen Phantasie bisher
eher Schrecken eingeflößt, und auch als symbolischer Ort
hatte es in seiner Unwirtlichkeit und öden Ungestalt statt auf
Ideales gerade auf die Grenzen der Schöpfer-Allmacht oder
gar der Liebe Gottes gewiesen. Erst durch Hallers Gedicht
also werden die Alpen, die hohen Berge schlechthin, in der
deutschen Literatur als dichterischer Raum erschlossen.
Haller sieht ihn jedoch noch vorwiegend ›unpoetisch‹: in
den Naturbeschreibungen spricht er mehr als detailfreudig
analysierender Botaniker oder auch als praktisch gesinnter
Utilitarist; nur selten zeigt er sich empfänglich für das
Erhaben-Schöne der Gebirgswelt. Die *Alpen* stellen weniger ein landschaftliches als ein menschlich-mitmenschliches
Idyll dar, und dieses ist, ganz im Gegensatz zu dem später
geläufigeren Wunschbild »Otaheiti«, ein betont frugales
Paradies. Gerade die Kargheit und Herbheit des ländlichen
Raums, die Armut und Rauheit des bäuerlichen Lebens sind
es ja, die Mäßigung und Tugend, Eintracht und Freiheit,
fleißige Genügsamkeit und die einfachen Freuden ermögli-
chen, die für den Autor den Inbegriff des Glücks ausmachen.

Der Rahmen des großen Mittelstücks der *Alpen* gibt das
Gegenbild zu diesem Idyll und damit auch die begriffliche
Grundstruktur des ganzen Gedichts zu erkennen. Wie
Kargheit die Tugend, so läßt der Überfluß das Laster gedeihen. Sein Ort sind die Höfe und die »großen Städte« (besonders »Welschlands«). Luxus und Zivilisation schmieden dort
jene »güldnen Ketten«, die das wahre Glück verhindern.

In umgekehrter Proportion sind Licht und Schatten, Idyll
und Satire in den vier restlichen Gedichten dieser Gruppe
verteilt. Hier spricht in erster Linie der Satiriker: sehr
allgemein in den frühsten, konkret-aktuell in den späteren.

Herrschte in den *Alpen* die Vernunft unter Leitung der
Natur, so veranschaulichen die *Gedanken über Vernunft,
Aberglauben und Unglauben*, was geschieht, wenn die Ver-
nunft abdankt oder wenn sie sich zur Alleinherrscherin

aufwirft. Im einen Fall führt sie zum Aberglauben, im andern zum Unglauben, mit andern Worten: zur unmündigen und inhumanen Orthodoxie oder zum selbstzerstörerischen Zweifel des Atheismus, den Haller nicht zuletzt auch an sich selbst erfuhr. Der Weg zum Glück, zur »Seelen-Ruh«, wird verfehlt: den beschreitet nur d i e Vernunft, die sich selbst beschränkt, indem sie dem Glauben läßt, was des Glaubens ist, nämlich die letzten Fragen. Die Grundspannung der Persönlichkeit Hallers, der Konflikt von Wissen und Glauben, tritt hier handgreiflich zutage.

Die recht verstandene Vernunft vermag aber nicht nur auf dem Gebiet der Theologie, sondern auch auf dem der Moral und der Lebensführung zu leiten. So stellt sich den *Gedanken über Vernunft, Aberglauben und Unglauben* zwanglos die Reflexion über *Die Falschheit menschlicher Tugenden* zur Seite. Hier findet der Satiriker sein eigenes Feld. Eine ganze Galerie von Scheintugenden stellt er brutal entlarvend vor: den Helden, den Weisen, den Märtyrer, den Patrioten – bei Licht besehen, sind sie alle menschlich-allzumenschlich. Doch Glück und Tugend sind trotz allem möglich. »Die Tugend wohnt in uns und niemand kennet sie« (V. 318). Und wie in den *Gedanken* die theologische Betrachtung in die moralische einmündete, so hier die moralische in die theologische.

So gesehen, sind die konkreten Satiren, *Die verdorbenen Sitten* und *Der Mann nach der Welt*, kaum mehr als ein Intermezzo, eine aktuelle Anwendung der abstrakten Ideale, die sich bisher ergeben haben, auf die sozialpolitische Wirklichkeit des zeitgenössischen Bern. Das Ergebnis ist niederschmetternd. Die Herrschaft des Lasters muß eine zweifelsvolle Frage an Gott suggerieren, und damit ist Haller wieder bei dem Thema, das ihn – und seine Zeit – am stärksten und nachhaltigsten bedrängt hat, dem Thema der Theodizee oder des Ursprungs des Übels.

Weniger als in den eigentlichen Lehrgedichten kann es daher in *Über den Ursprung des Übels* (1732–33) um ein bloßes dichterisches Einkleiden philosophischer Gedanken gehen. In unmittelbarer persönlicher Betroffenheit wird vielmehr, mit gewaltiger imaginativer Verwandlungskraft, der Gedanke ins Bild umgesetzt. Wie bei John Donne und den ›metaphysical poets‹ des 17. Jahrhunderts, wie später wieder bei Klopstock, Schiller und Hölderlin durchdringen sich Anschauung und Gedanke zur geistig-sinnlichen Ganzheit des Gedichts. Das beunruhigte Gefühl des Tua res agitur führt bei Haller aber auch zu einer thematischen Offenheit, die für die Gattung des Theodizee-Gedichts eher untypisch ist. Klar wird das Thema gestellt: die Frage nach der Weisheit und Güte des Schöpfers. Unklar aber bleibt die Antwort. Der Irrwisch eines bösen oder auch unfähigen Gottes erscheint zwar nur flüchtig am Horizont. Doch sind die positiven Schlußantworten Hallers nicht ebenso unbefriedigend, auch für ihn selbst? Schon daß es z w e i Antworten sind (Haller rekurriert calvinistisch auf die Verborgenheit Gottes u n d aufklärerisch auf die Weisheit und Güte Gottes), gibt zu denken. Denn nicht nur widersprechen sie einander, sie widersprechen überdies beide ganz unvermittelt den Beweisen für das Elend des Menschen, die das Gedicht in Hunderten von Zeilen so eindrucksvoll aufgehäuft hatte. Was da ausgetragen wird, ist der grundsätzliche Konflikt des »letzten Universalgelehrten«, dem in seiner geistesgeschichtlichen Stunde nicht mehr zu harmonisieren gelingt, was Leibniz noch vereinen konnte. Was die enzyklopädische Existenz, für die Dichten nur Beschäftigung für »Nebenstunden« sein soll, im Tiefsten bewegt, drängt gerade in einem Gedicht zum Ausdruck: das Unvollendete des Universalisten kommt in dem Theodizee-Poem deutlich zum Vorschein. Eben in dieser inneren Unabgeschlossenheit liegt die Bedeutung und die Größe des Gedichts über den »Ursprung des Übels«; nur so enthüllt es die Wahrheit über den Menschen Haller und über die geistige Situation seiner Zeit.

Unabgeschlossen schon im äußeren Sinne ist das *Unvollkommene Gedicht über die Ewigkeit*, das den zweiten Gip-

fel von Hallers lyrischem Schaffen bezeichnet. Fragmenta-
risch und ehrlich in seinem Mut zum Fragmentarischen ist es
jedoch auch im inneren Sinne. Wieder sind es die der
Vernunft eigentlich unzugänglichen letzten Fragen, die das
philosophische Gedicht in die nächste Nähe der ›Konfes-
sion‹ führen. In immer neuem Aufschwung umkreist der
Grübler die Themen Raum und Unendlichkeit, Zeit und
Ewigkeit, Sein und Nichts. Abstrakte Vernunft und visuelle
Kraft der Imagination verquicken sich in der Vorstellung des
Unvorstellbaren zu einer gedanklichen Bildgestaltung, die
selbst bei Haller ihresgleichen sucht. Wenn es je dichtendes
Philosophieren, denkendes Dichten gegeben hat, so hier.

Wohl sucht Haller das Gefühl des kosmischen Schwindels
aufzufangen in der Reduktion auf Gott und seine Erhaben-
heit: »O Gott! du bist allein des Alles Grund!« Aber eben
diese göttliche »Vollkommenheit der Größe« läßt ihn dann
doch wieder in charakteristischer Kleinmütigkeit und
Lebenstrauer zurücklenken zur Unzulänglichkeit und
Unglücklichkeit des Menschen. »Was ist der Mensch, der
gegen dich sich hält! | Er ist ein Wurm« – die Vanitas-
Metapher des Barock. Dennoch weisen gerade die Strophen
über die Ewigkeit auch voraus auf die Dichtung des Irrationalismus der zweiten Jahrhunderthälfte.

Deutlicher noch wird die Zukunftshaltigkeit des »Dichters zwischen den Zeiten« in den persönlichsten Gedichten
Hallers. In dem damals berühmten Liebeslied *Doris* (1730)
klingt stellenweise jener unmittelbare Empfindungston auf,
der in dieser Zeit nur bei Johann Christian Günther gelegentlich zu hören gewesen war und der entfernt schon die
Erlebnisdichtung der siebziger Jahre präludiert. Eine melan-
cholische »Rührung des Herzens« kennzeichnet hingegen
Hallers Gedichte auf seine erste Frau: *Über Marianens
anscheinende Besserung* (1736) und *Über eben Dieselbe*
(1737). In ihnen gelingt hier und da der Durchbruch zu einer
neuen Sageweise, z. B. in der kunstlosen Einfachheit von
Zeilen wie: »Ach! herzlich hab ich dich geliebet.« Wer

wollte verkennen, daß hier schon Goethe-Ton aufklingt –
und gleich wieder verhallt.

Diese Einschränkung zu spüren ist allerdings wichtig.
Denn nicht eigentlich ist bei Haller von einer Entwicklung von der Barock- über die Rationalisten- zur Genie-
sprache zu reden. Im Gegenteil zeigt sich diese stilistische
Spannung in den einzelnen Gedichten selbst (so, wenn etwa
Doris mit einer barocken Naturbeschreibung beginnt). Und
diese bleibende Spannung im Gefüge des Stils ist symboli-
sches Zeichen der bleibenden Spannung im Weltanschaulichen: Wille zur Geborgenheit in der hergebrachten theologischen Bindung einerseits, Macht und Anspruch der autonom erkennenden und autonom fühlenden Person andererer-
seits.

Wahrscheinlich ist dieser stil- und geistesgeschichtliche
Spannungsreichtum auch einer der Gründe, die Haller,
obwohl er als Bärndütscher quasi in einer Fremdsprache
schrieb, im 18. und 19. Jahrhundert eine so überaus illustre
Ruhmesgeschichte haben zuteil werden lassen, an der alles,
was in dieser Zeit Rang und Namen hat, mitgewirkt hat.
Und kein Zweifel, daß es gerade diese Qualitäten sind, die
Haller in unserer Gegenwart eine Art Renaissance beschert
haben, ja: eine Aktualität, die sogar den Gedanken an seine
Geistesverwandtschaft mit Planck und Einstein nahegelegt
hat. »Seine Dichtung ist Ausdruck eines modernen Zeitbe-
wußtseins« (Elschenbroich). Das mag übertrieben sein –
aber nicht in der falschen Richtung übertrieben.

Bibliographische Hinweise

Die Alpen und andere Gedichte. Ausw. und Nachw. von A. Elschenbroich. Stuttgart 1965 [u. ö.].

Gedichte. Hrsg. und eingel. von L. Hirzel. Frauenfeld 1882. [Mit Biographie.]

Balmer, H.: Albrecht von Haller. Bern 1977.

Beer, R. R.: Der große Haller. Säckingen 1947.

Guthke, K. S.: Literarisches Leben im 18. Jahrhundert in Deutschland und in der Schweiz. Bern/München 1975. Kap. 2, 4–7, 13, 15.

– Das Abenteuer der Literatur. Studien zum literarischen Leben der deutschsprachigen Länder von der Aufklärung bis zum Exil. Bern/München 1981. Kap. 1–4.

Helbling, J.: Albrecht von Haller als Dichter. Bern 1970.

Irsay, S. d': Albrecht von Haller. Eine Studie zur Geistesgeschichte der Aufklärung. Leipzig 1930.

Lundsgaard-Hansen-von Fischer, S.: Verzeichnis der gedruckten Schriften Albrecht von Hallers. Bern 1959.

Siegrist, Ch.: Albrecht von Haller. Stuttgart 1967. (Sammlung Metzler. 57.)

Stäuble, E.: Albrecht von Haller: »Über den Ursprung des Übels«. Zürich 1953.

Stahlmann, H.: Albrecht von Hallers Welt- und Lebensanschauung. Nach seinen Gedichten. Kallmünz 1928.

Toellner, R.: Albrecht von Haller. Über die Einheit im Denken des letzten Universalgelehrten. Wiesbaden 1971. [Mit Bibliographie.]

Tonelli, G.: Poesia e pensiero in Albrecht von Haller. Turin 1961. ²1965.

LUISE ADELGUNDE VICTORIE GOTTSCHED

Von Irene Ruttmann

Luise Adelgunde Victorie Gottsched, geborene Kulmus, »die Gottschedin«, hält ihren Platz in der deutschen Literaturgeschichte als gelehrte und ungewöhnlich fleißige Helferin ihres Mannes, als seine »geschickte Freundin«, wie Gottsched sie zu nennen pflegte, und als Mitbegründerin der »Sächsischen Komödie«, der nach den Vorstellungen Gottscheds reformierten Lustspielform der Frühaufklärung. Die am 11. April 1713 in Danzig geborene Arzttochter wurde, stärker als es für Mädchen ihrer Zeit üblich war, geistig gefördert. Sie erhielt Unterricht nicht nur in Religion, Musik und Zeichnen, sondern auch in Geographie, Geschichte, Stilkunde, Französisch und – selten für das 18. Jahrhundert – sogar in Englisch. Als Sechzehnjährige lernte sie in Danzig den um dreizehn Jahre älteren Johann Christoph Gottsched kennen; schon während des einige Jahre dauernden Briefwechsels der beiden galten sie einander versprochen. 1735 heiratete sie den zum ordentlichen Professor der Logik und Metaphysik berufenen Gottsched und zog nach Leipzig. Zweifellos wurde die Gottschedin durch ihren Mann wissenschaftlich geleitet und geistig angeregt. Die Frage allerdings, ob sie durch die ungeheure Arbeitslast, die »Galeerenarbeit« – so sie selbst –, die ihr aufgebürdet wurde, nicht in ihrer kreativen Begabung beschnitten worden ist, stellte sich in der Literaturwissenschaft schon früh. »Acht und zwanzig Jahre ununterbrochene Arbeit, Gram im verborgenen«, schrieb die Neunundvierzigjährige kurz vor ihrem Tod (am 4. März 1762)

LUDOVICA ADELGUNDA
VICTORIA KULMIA.
Ioh. Chr. Gottschedii Profess. Lipsiensis
Coniux
natā Gedani d. XI. April MDCCXIII.

Hausmann Pictor Reg Pol: pinxit.   Ioh. Ia. Haid Sculps: et excud: Aug: Vindel.

Luise Adelgunde Victorie Gottsched
1713–1762

und konnte sich dabei außer auf ihre Originalwerke auf
Redigier-, Kopier- und Registrierarbeiten, auf eine immense
Zahl von Übersetzungen, auf Rezensionen und auf die
Führung eines Haushalts »ohne alles Geräusch aufs ordent-
lichste« – so Gottsched – beziehen. Unfreiheiten und
Abhängigkeiten, denen sie unterworfen war – den Vorlesungen ihres Mannes folgte sie bei angelehnter Tür vom Flur
aus, weil Frauenzimmern das Betreten eines Hörsaals verboten war –, und ein gebrochenes Selbstverständnis erhellen an
der Person der Gottschedin die schwierige Situation, in der
sich eine intellektuell und poetisch tätige Frau ihrer Zeit
befand. Von Maria Theresia, die sie empfing, als gelehrteste
Frau Deutschlands apostrophiert, wurde sie nie die Angst
los, zu »pedantisch« zu wirken (als sie z. B. Latein lernte),
sah sie ihre wissenschaftliche Tätigkeit im Grunde nur als
Ersatz für ungewollte Kinderlosigkeit an und äußerte sie
sich paradoxerweise in Briefen und im Werk spöttisch und
ablehnend gegen den Typus der »Femme savante«. Resignation und Melancholie, wohl nicht zuletzt wegen der häufigen Seitensprünge des weniger skrupelhaften Ehepartners,
spiegeln sich in den klugen und menschlich bewegenden
Briefen an die Freundin Henriette von Runckel. Luise Gottsched starb am 26. Juni 1762 an einer Nierenkrankheit.

Ein großer Teil der Lebensarbeit der Gottschedin steckt in
umfangreichen Übersetzungen wie Bayles Wörterbuch
(1741–44, zusammen mit Gottsched), der elfbändigen Geschichte der königlichen Académie des inscriptions et
belles lettres (1749–57) zu Paris, der zweibändigen Ausgabe
der Schriften dieser Akademie (1753–54) und den deutschen
Versionen der Moralischen Wochenschriften *The Spectator*
(*Der Zuschauer*, 1739–43) und *The Guardian* (*Der Aufseher
oder Vormund*, 1745). Sie übertrug philosophische Essays
und Alexander Popes komisches Heldenepos *The Rape
of the Lock* (1744) und für Gottscheds *Deutsche Schaubühne* als Vorrat regelmäßiger Schauspiele für das deut-

sche Theater Stücke von Molière, Voltaire, Destouches, Dufresny u. a.

Obwohl sich unter den Originalwerken der Gottschedin Gedichte, Satiren und eine Tragödie, *Panthea*, finden, können nur ihre fünf Lustspiele noch – wenigstens literarhistorisches – Interesse wecken. Mit diesen Theaterstücken – alle vor ihrem 33. Lebensjahr geschrieben – griff sie unmittelbar in die Bemühungen der Aufklärung um eine Spielplanreform des deutschen Theaters ein. Den Forderungen Gottscheds an die Komödie, die »als eine Nachahmung einer lasterhaften Handlung [...] durch ihr lächerliches Wesen den Zuschauer belustigen, aber auch zugleich erbauen kann«,[1] oder genauer, die »lächerliche Fehler der Menschen verbessern«[2] soll, kam die Gottschedin mit Witz und Originalität nach. Das erste Stück, *Die Pietisterey im Fischbein-Rocke oder Die Doctormäßige Frau* (1736) ist im strengen Sinne kein Originalwerk, sondern die Übertragung der Jansenistensatire *La Femme docteur ou la théologie janséniste tombée en quenouille* des französischen Jesuiten Guillaume-Hyacinthe Bougeant auf deutsche Verhältnisse: Im zeitgenössischen Königsberg hat die Frau eines wohlhabenden Kaufmanns während der Abwesenheit des Hausherrn ihr Haus dem Einfluß der Pietisten weit geöffnet. Sie geht so weit, das Lebensglück ihrer Tochter zu opfern und diese einem scheinfrommen Mitgiftjäger zu versprechen. Erst die Enthüllung der Fallstricke des Ehekontraktes, der die Familie um ihr Vermögen bringen würde, öffnet der Verführten die Augen. Der Pietismus, mit dessen Vertretern die Familie der Gottschedin in Danzig schlechte Erfahrungen gemacht hatte, wird undifferenziert verdammt. Alle vorgeführten »Laster«, d. h. im Sinne der Aufklärung alle aus Mangel an Vernunft entstandenen lächerlichen Fehler wie Heuchelei, Muckertum, verstiegene Schwärmerei, Unduldsamkeit und Leichtgläubigkeit sind daran fixiert worden. Durch die Konstellation des französischen Stücks (rechtgläubiger Katholizismus gegen Jansenismus) kann in der deutschen Version

leicht der Eindruck entstehen, als würde die lutherische
Orthodoxie zum positiven Gegenspieler. Die spezifisch
aufklärerische Ideologie kommt eher indirekt, in Gestalt
des gesunden Menschenverstandes (so bei der deftig-komi-
schen Figur der von der Gottschedin erfundenen Frau Ehr-
lichin), zu Wort. Die Verspottung der Frauen, die in gei-
stig-geistlichen Dingen mitreden wollen, widerspricht dem
Konzept der Aufklärung, nach dem die Frauenbildung vor-
angetrieben werden sollte. Das anonym und mit falscher
Angabe des Druckortes (Rostock statt Leipzig) erschienene
und nicht in Gottscheds *Deutsche Schaubühne* aufgenom-
mene Stück erregte die Gemüter, wurde in einigen Städten
beschlagnahmt und gab Anlaß zu strengeren Zensurmaß-
nahmen.

In dem Lustspiel *Die ungleiche Heirat* (1743) handelt es
sich um den mißglückten Versuch eines wohlhabenden und
rechtschaffenen Bürgers, in den Landadel einzuheiraten.
Anders als in Molières *Georges Dandin*, wo das Motiv
tragikomisch gestaltet wird, kommt es hier gar nicht erst zur
Hochzeit. Angehörige des niederen Adels treten als extrem
karikierte Typen auf; dennoch wird vornehmlich die unvernünftige Torheit des Bürgers belehrt (»Weil ich mir die
Grille in den Kopf gesetzt hatte, mich durch ein Fräulein
über meines gleichen zu erheben«; IV,1). Bürgerliches
Selbstbewußtsein manifestiert sich nur partiell: moralische
Überlegenheit bedeutet noch keinen Anspruch auf soziale
Ebenbürtigkeit.

Ungewöhnlich heftige nationalistische Töne schlägt die
Gottschedin in *Die Hausfranzösin oder Die Mamsell* (1744)
an, deren Thematik sie in des Dänen Ludwig Holberg *Jean
de France* vorfand. Eine französische Gouvernante wird
nach elfjähriger Zugehörigkeit (sic!) zum Hausstand eines
reichen Kaufmanns nicht nur als unfähige Lehrerin, sondern
samt ihrer eingeschmuggelten Familie als Betrügerin entlarvt. Die Satire zielt auf Frankomanie, entscheidender dra-
maturgischer Angelpunkt ist letztlich wieder das Geld, um

das in diesem Falle die als Ganoven denunzierten Franzosen
den braven Bürger betrügen wollen.

Aus konkretem Anlaß nimmt Luise Gottsched in dem
einaktigen Nachspiel *Herr Witzling* (1745) Partei für die
sprachreformerischen Bemühungen ihres Mannes. Dümmli-
che Studenten, die die deutsche Hochsprache nicht beherrschen, gründen eine »denkende Sprachschnitzergesell-
schaft«; sie ist als satirische Anspielung auf die seit 1744
erscheinenden *Bremer Beyträge* (*Neue Beyträge zum Vergnügen des Verstandes und Witzes*) zu verstehen, die Gottsched kritisch gegenüberstanden.

Im *Testament* (1745) stellt sich eine reiche adlige Witwe
krank, um die erbschleicherische Geldgier zweier Mündel
zu dekuvrieren. Nicht zuletzt wohl wegen dieser bescheidenen ›Intrige‹ und wegen der Ansätze zu differenzierterer
Charakterzeichnung gilt diese Komödie vielen als die gelun-
genste der Gottschedin. Die Lustspiele der Gottschedin sind
zuerst Exempel für die von Gottsched in der *Critischen
Dichtkunst* entwickelte Dramaturgie. Danach ist die Komödie eher moralisches als politisch-soziales Regulativ. Als
Folie der Typensatire tritt bürgerliche Lebenswirklichkeit
ins Bild, werden gesellschaftliche Konflikte ansatzweise
erfaßt. In diesen »regelmäßigen« satirischen Verlachkomö-
dien präsentieren sich allgemeine Torheiten, fixiert an typisierten Personen, in simpler Handlungsführung. Eine Cha-
rakterentwicklung findet nicht statt. Die fehlerhaften Protagonisten finden sich am Ende düpiert oder bestraft, ihre
Besserung steht in Aussicht. In 5 Aufzügen bleiben die
Einheiten von Zeit und Ort gewahrt. Die in Prosa redenden
Personen sind »ordentliche Bürger, oder doch Leute von
mäßigem Stande, dergleichen auch wohl zur Noth Baronen,
Marquis und Grafen sind«.[3] Sprechende Namen zeigen
unmißverständlich die Zielrichtung der Satire an (»Magister
Scheinfromm«, »Frau Glaubeleichtin«) oder verweisen auf
die Tugenden der positiven Protagonisten (»Herr Wahr-
mund«, »Herr Wackermann«). Aber Luise Gottsched bricht

mit den nicht auf das Verlachen von Fehlern zielenden alten
komischen Mitteln der aus Commedia dell'arte, Théâtre
Italien, Théâtre de la Foire und der voraufklärerischen deutschen Wanderbühne kommenden Traditionen das neue
Schema auf und unterläuft so die moralisierende Komödie.
Das gilt für barocke Sprachkomik, exaltierte Gesten, komisches Spiel mit dem Kostüm, grelle Übersteigerung von
Obsessionen und für die Korrespondenz mit dem Publikum
im von Gottsched mißbilligten Beiseite-Sprechen. Auch der
aggressive, oft verletzende Witz der Gottschedin, ihre Derb-
und Grobheiten sind als Nachwirkungen eines moralisch
wertfreien komischen Theaters einzuordnen, das weniger
Wahrscheinlichkeit und psychologische Schlüssigkeit beansprucht, als vielmehr den Konsensus über den Spielcharakter
des Dargestellten voraussetzt.

Anmerkungen

1 Johann Christoph Gottsched, *Versuch einer Critischen Dichtkunst*, Darmstadt 1977 (Nachdr. der Ausg. Leipzig 1751), S. 643.
2 Ebd., S. 645.   3 Ebd., S. 647.

Bibliographische Hinweise

Der Frau L.A.V. Gottschedinn, geb. Kulmus, sämmtliche Kleinere Gedichte, nebst dem, von vielen vornehmen Standespersonen, Gönnern und Freunden beyderley Geschlechtes, Ihr gestifteten Ehrenmaale, und Ihrem Leben, herausgegeben von Ihrem hinterbliebenen Ehegatten. Leipzig 1763.

Die Deutsche Schaubühne. Mit einem Nachw. von H. Steinmetz. Stuttgart 1972. (Nachdr. der Ausg. Leipzig 1741–45.)

Die Lustspiele der Gottschedin. Hrsg. von R. Buchwald und A. Köster. 2 Bde. [Bd. 2: Übersetzungen.] Leipzig 1908–09.

Briefe der Frau L.A.V. Gottsched gebohrne Kulmus. Hrsg. von D. H. v. Runckel. 3 Tle. Dresden 1772.

Die Pietisterey im Fischbeinrocke. In: A. Vulliod: »La Femme Docteur.« Mme Gottsched et son modèle français. Lyon/Paris 1912. [Paralleldr. mit der frz. Vorlage, mit Kommentar.]

Die Pietisterey im Fischbein-Rocke. Hrsg. von W. Martens. Stuttgart 1968 [u. ö.].

Bryan, G. B. / Richel, V. C.: The Plays of Luise Gottsched: a Footnote to German Dramatic History. In: Neuphilologische Mitteilungen 78 (1977) S. 193–201.

Catholy, E.: Luise Gottsched. Das Lustspiel als Exempel der Lustspieltheorie. In: E. C.: Das deutsche Lustspiel von der Aufklärung bis zur Romantik. Stuttgart 1982. S. 20–33.

Koopmann, H.: Die Pietisterey im Fischbeinrocke und der Sieg der Vernunft über die Unvernunft in der Komödie der Gottschedzeit. In: H. K.: Drama der Aufklärung. Kommentar zu einer Epoche, München 1979. S. 78–83.

Richel, V. C.: Luise Gottsched. A Reconsideration. Bern / Frankfurt a. M. 1973.

Sanders, R. H.: Ein kleiner Umweg. Das literarische Schaffen der Luise Gottsched. In: Die Frau von der Reformation zur Romantik. Hrsg. von B. Becker-Cantarino. Bonn 1980. S. 170–194. [Mit ausführlicher Bibliographie auch der Übersetzungen.]

Schlenther, P.: Frau Gottsched und die bürgerliche Komödie. Ein Kulturbild aus der Zopfzeit. Berlin 1886.

Waters, M.: Frau Gottsched's Die Pietisterey im Fischbein-Rocke. Original, Adaption or Translation? In: Forum for Modern Language Studies 11 (1975) S. 252–267.

GOTTLIEB WILHELM RABENER

Von Jürgen Jacobs

Gottlieb Wilhelm Rabener wurde am 17. September 1714 in Wachau bei Leipzig als Sohn eines begüterten und angesehenen Juristen geboren. Er besuchte die Landschule in Meißen, wo er frühe Freundschaft mit Gellert und Karl Christian Gärtner schloß. 1734 begann er in Leipzig ein juristisches Studium. Sein Interesse für Fragen des Steuerrechts und ein besonderes Talent für Verwaltungsgeschäfte förderten seine juristische Karriere: Rabener wurde 1741 zum Steuerrevisor des Leipziger Kreises ernannt, später berief man ihn in das Obersteuercollegium nach Dresden und beförderte ihn nach dem Ende des Siebenjährigen Krieges zum Steuerrat. Um die kursächsische Landesverwaltung machte er sich außerdem mit einer 5 Foliobände umfassenden Sammlung verfassungs- und steuerrechtlicher Vorschriften verdient.

Neben den juristischen Arbeiten pflegte Rabener seine literarischen Interessen, wobei er sich jedoch fast ausschließlich auf die Gattung der Prosasatire beschränkte. Seine ersten Texte veröffentlichte er in den seit 1741 erscheinenden *Belustigungen des Verstandes und des Witzes*, später war er Mitarbeiter der *Bremer Beiträge*. Zu Beginn der fünfziger Jahre faßte Rabener seine Arbeiten in mehreren Bänden zusammen. Im Vorwort zu dem 1755 erscheinenden 4. Teil seiner Schriften erklärte er dem Publikum, er werde von nun an keine weiteren Satiren mehr veröffentlichen; wenn er noch Neues schreibe, solle es erst nach seinem Tode gedruckt werden. Grund für diesen Entschluß waren offen-

Gottlieb Wilhelm Rabener
1714–1771

sichtlich Rücksichten auf das hohe Staatsamt, das Rabener
bekleidete.

Die später entstandenen Satiren gingen verloren, als Rabener bei der Beschießung Dresdens im Juli 1760 seine gesamte
Habe einbüßte. Später fand er nicht mehr die Muße, die
verbrannten Arbeiten neu zu Papier zu bringen. Offenbar
hinderte ihn daran auch eine zunehmend pessimistische
Lebensstimmung. Schon 1752 hatte er in einem Brief erklärt,
daß er nur schwer noch die gute Laune finden könne, die er
für seine literarische Arbeit brauche:

> Ich kann es nicht leiden, wenn ein Satyriker zu
> mürrisch, zu böse und zu traurig ernsthaft wird. Ich
> fühle es, daß ich schon itzt mir oft Gewalt anthun
> muß, diese finstre Miene in meinen Schriften nicht
> merken zu lassen, welche mir außerdem bey meinem
> menschenfeindlichen Berufe [dem des Steuerbeam-
> ten] fast natürlich werden will.   (SS VI,193 f.)

Von 1765 an zeigte Rabeners Gesundheit Schwächen, am
22. März 1771 ist er gestorben. Seine Freunde hatten ihn
stets wegen seiner geselligen Talente gepriesen, doch war er
zeit seines Lebens unverheiratet geblieben.

Rabeners Satiren sind immer wieder wegen ihres Mangels an
Schärfe kritisiert worden. Hinter seinen umständlichen
Überlegungen zur Rechtfertigung der satirischen Schreibart
hat man Ängstlichkeit vermutet, oder man hat sie als Ausdruck der Beschränktheit und Kleinmütigkeit seines ganzen
Zeitalters verstanden. Man muß sich indessen vor Augen
halten, daß die Satire zu Rabeners Zeiten noch eine höchst
umstrittene Literaturform war. Zedlers *Großes vollständiges
Universal-Lexikon* hatte noch 1742 die Gattung eindeutig
abgelehnt: sie bekehre die Lasterhaften nicht und rufe nur
Animositäten und Streit hervor; daher sei »nach der Ver-
nunfft so viel gewiß, daß es viel besser sey, wenn man sich
dergleichen Schreib-Art enthält«.

Wo solche Auffassungen kursierten, erscheinen Rabeners Rechtfertigungsversuche begreiflich, ja notwendig. Er wird nicht müde zu betonen, »daß man als Satyrenschreiber spotten, und doch mit redlichem Herzen ein Menschenfreund seyn könne« (SS IV, 6). Es sei die löbliche Absicht der Satire, »daß sie die Laster lächerlich machen, und den Menschen einen Abscheu davor beybringen will« (SS II, 25). Im Hintergrund solcher programmatischer Sätze steht der Erziehungsoptimismus der Aufklärung. Rabener glaubte, mit mildem Spott Laster und Torheiten seiner Mitmenschen bekämpfen zu können, vor allem Geiz, Eitelkeit, Heuchelei, Wollust, Ehrgeiz und Bigotterie. Seine moralische Pädagogik findet ihre Grenze einerseits an der entschlossenen Asozialität des Verbrechers, der mit Spott und Ironie nicht beizukommen ist. Andererseits hält sich Rabeners Satire vor politischen Mißständen zurück, da hier der Appell an die Moralität des einzelnen kaum eine Änderung zuwege bringen kann.

Rabener übt Kritik von einem Standpunkt innerhalb der bestehenden Ordnung aus, die er nicht grundsätzlich anzweifeln oder umstürzen, sondern verbessern will. Er hält satirische Angriffe auf den Fürsten für anmaßend und will auch Schulmeister und Geistliche schonen, um ihrer Autorität nicht zu schaden (SS I, 99 f.).

Selbstverständlich entging Rabener als wachem und welterfahrenem Zeitgenossen nicht, daß die soziale und politische Ordnung des sich nur langsam aufklärenden Absolutismus alles andere als gerecht und gut war. In seinen Briefen spricht er das offen aus, und auch in seinen Satiren widmet er sich wiederholt der Ausbeutung der Bauern, der Bestechlichkeit der Richter, der Verkommenheit des Landadels und der Heuchelei der Geistlichen. Aber im ganzen bleibt es bei seiner Zurückhaltung in politischen Fragen, weil er keine Lust verspürte, sich »den Kopf zu zerstoßen« (SS I, 39). In Deutschland schien es ihm nicht ratsam, »einem Dorfschulmeister diejenigen Wahrheiten zu sagen, die in London ein

Lord-Erzbischof anhören, und schweigen, oder sich bessern muß« (SS IV,11).

Die persönliche Satire, das Pasquill, hielt Rabener für unzulässig. Er folgt damit der herrschenden Meinung seiner Zeit, die am drastischsten in der englischen Wochenschrift *The Tatler* ausgedrückt wurde: »The satirist and libeller differ as much as the magistrate, and the murderer.« Es versteht sich, daß Rabener sich deshalb gegen alle Versuche wenden mußte, seine Satiren zu entschlüsseln und ihre realen Vorbilder zu ermitteln. Solche von den Zeitgenossen immer wieder unternommenen Versuche hat er im 3. Teil des *Mährchens vom ersten Aprile* ad absurdum geführt (SS V,139–149).

Rabener galt im 18. Jahrhundert als Muster eines eleganten, witzigen, sprachlich treffsicheren Autors. Zur Beliebtheit seiner Satiren trug die abwechslungsreiche Einkleidung als Abhandlung, Chronik, Charakterporträt, Gratulationsschreiben, Märchen, Traum, Wörterbuch-Artikel, Totenliste oder Brief bei.

Zu Lebzeiten Rabeners erschienen 10 Auflagen seiner Schriften neben mehreren Raubdrucken. Übersetzt wurde er ins Französische, Englische, Holländische, Dänische und Schwedische. Die Zeitgenossen schätzten ihn außerordentlich hoch, wie Ramlers symptomatisches Urteil zeigt »Rabener, dieser Lieblingsautor unsers Landes, hat in Prose gedichtet, wie Lucian und Swift. Ein lachender satyrischer Genius, mehr voll Salz, als voll Bitterkeit, männlich schön in seiner Schreibart, gerecht und lehrreich in seinem Tadel, ganz unerschöpflich in seinen Erfindungen« (zit. nach SS I,16 f.).

Klopstock widmet dem »allzeit gerechten« Rabener im *Wingolf* einige feierliche Strophen. Und Christian Felix Weiße glaubte in seiner zuerst 1772 publizierten Lebensbeschreibung Rabeners erstaunliche Wirkungen von dessen Schriften feststellen zu können: »Ich schreibe in der That den Rabenerischen Satyren die Abstellung manches Fehlers

u, der itzt nicht mehr unter uns herrscht, und der sonst
eherrschet hat« (SS I,16).

Dieser Ruhm währte indessen nicht lange. Lichtenberg
chon äußerte Ungenügen an der Kraftlosigkeit und thema-
ischen Beschränktheit der früheren deutschen Aufklärungs-
atire. Gegen Ende des Jahrhunderts konstatiert Friedrich
on Blanckenburg die Überholtheit des einstmals hochge-
obten Leipziger Satirikers: »Daß Rabener allmählich min-
er als ehedem gelesen wird, ist natürlich. Die Originale zu
einen Thoren haben sich aus der wirklichen Welt verlo-
en.«[1] Goethes Charakterisierung in *Dichtung und Wahr-*
eit (II,7) hat dann im wesentlichen die Perspektive festge-
egt, unter der die spätere Nachwelt Rabener beurteilt: »Sein
adel der sogenannten Laster und Torheiten entspringt aus
einen Ansichten des ruhigen Menschenverstandes und aus
inem bestimmten sittlichen Begriff, wie die Welt sein sollte.
Die Rüge der Fehler und Mängel ist harmlos und heiter
..]. Die Art, wie dieser Schriftsteller seine Gegenstände
ehandelt, hat wenig Ästhetisches. In den äußeren Formen
t er zwar mannigfaltig genug, aber durchaus bedient er
ich der direkten Ironie zu viel.« Bei allen literarischen
Vorbehalten schätzt Goethe jedoch die Person Rabeners
ußerordentlich hoch: Dieser verdiene, so meint er, »von
llen heiteren, verständigen, in die irdischen Ereignisse froh
rgebenen Menschen als Heiliger verehrt zu werden«.

Anmerkung

Blanckenburg, *Litterarische Zusätze zu J. G. Sulzers allgemeiner*
heorie der schönen Künste, Bd. 3, Leipzig 1798, S. 81.

Bibliographische Hinweise

Sammlung satyrischer Schriften. 4 Tle. Leipzig 1751–55. [Bis 177. 10 Aufl.]

Sämmtliche Schriften. 6 Tle. Leipzig 1777. [Zit. als: SS.]

Sämmtliche Werke. Hrsg. von E. Ortlepp. Stuttgart 1839.

Briefe, von ihm selbst gesammlet und nach seinem Tode, nebst eine Nachricht von seinem Leben und Schriften, hrsg. von Ch. F Weiße. Leipzig 1772.

Ausgewählte Satyren. Leipzig 1884.

Versuch eines deutschen Wörterbuchs. Beytrag zum deutschen Wörterbuche. In: Satiren der Aufklärung. Hrsg. von G. Grimm Stuttgart 1975 [u. ö.]. S. 28–66.

Biergann, A.: Gottlob Wilhelm Rabeners Satiren. Diss. Köln 1961

Carels, P. E.: The satiric treatise in eighteenth-century Germany Bern / Frankfurt a. M. 1976.

Gelderblom, G.: Die Charaktertypen Theophrasts, Labruyères Gellerts und Rabeners. In: Germanisch-Romanische Monats schrift 14 (1926) S. 269–284.

Hartung, W.: Die deutschen moralischen Wochenschriften als Vor bild Gottlob Wilhelm Rabeners. Halle a. d. S. 1911.

Jacobs, J.: »Die Laster auf ihrer lächerlichen Seite.« Zur Satire de deutschen Frühaufklärung. In: Erforschung der deutschen Auf klärung. Hrsg. von P. Pütz. Königstein i. T. 1980. S. 271–288.

Kühne, K.: Studien über den Moralsatiriker Gottlob Wilhelm Rabe ner. Diss. Berlin 1914.

Lazarowicz, K.: Verkehrte Welt. Vorstudien zu einer Geschicht der deutschen Satire. Tübingen 1963. S. 95–117.

Mühlhaus, J.: Gottlob Wilhelm Rabener. Ein Beitrag zur Literatu und Kulturgeschichte des 18. Jahrhunderts. Diss. Marburg 1908

Tronskaja, M.: Die deutsche Prosasatire der Aufklärung. Berli [Ost] 1969. S. 52–86.

Wellmanns, G. Th.: Studien zur deutschen Satire im Zeitalter de Aufklärung. Diss. Bonn 1969.

Wyder, H.: Gottlob Wilhelm Rabener. Poetische Welt und Realität Diss. Zürich 1953.

EWALD CHRISTIAN VON KLEIST

Von Jürgen Stenzel

Als Sohn eines verarmten, schlimmer: verschuldeten Adligen wird Kleist am 7. (?) März 1715 (im gleichen Jahr also wie Gellert) im Schlosse zu Zeblin (bei Köslin) in Hinterpommern geboren. Am 24. August 1759 in Frankfurt an der Oder (wo 1777 der nur sehr weitläufig mit ihm verwandte Heinrich von Kleist zur Welt kommen wird) erliegt er den Wunden, die er als preußischer Major in der Schlacht bei Kunersdorf erlitten hat.

Den sechs Kindern, von denen Ewald Christian das dritte ist, stirbt 1719 die Mutter: die erste tiefe Verlusterfahrung (vom 1738 gestorbenen Vater ist in Kleists Briefen kaum die Rede, ein Bruder wird später dem Wahnsinn verfallen). Der Erziehung durch einen Hofmeister folgt für den Neunjährigen die Jesuitenschule in Deutsch-Krone, 1729 das Danziger Gymnasium; ab 1731 studiert er in Königsberg Jura, Philosophie, Mathematik und liest die antiken Schriftsteller. Geldnot zwingt ihn 1736 in dänischen Militärdienst. 1740 sammelt Friedrich II. beim Regierungsantritt seine Offiziere für den eigenen Bedarf ein; Kleist »verseufzt« sein Leben also auf Potsdamer Exerzierplätzen, hier und dort im Manöver, auch einmal als Werbeoffizier in Speyer oder (1751/52) in der Schweiz (oft hart an der Grenze der Legalität; das Handgeld der Geworbenen richtet sich nach ihrer Größe). Bisweilen ergibt sich sogar, etwa am Rande des Zweiten Schlesischen Krieges, die Gelegenheit zum Gespräch mit Freunden: Gleim, Spalding, Hirzel, Sulzer, Gessner, Lessing, Ramler, Ewald, Lange, Gellert. Er wartet, meist ver-

geblich, auf Urlaub, auf Beförderung und damit die ökonc
mische Möglichkeit einer Heirat. Aber die Verbindung m
der ihm verlobten Wilhelmine von der Goltz erliegt eine
Verwandtenintrige. Kleist wird diesen zweiten traumati
schen Verlust nie verwinden, er grundiert viele seiner Verse
Dazu kommt eine, wohl ererbte, Anlage zu starken Depres
sionen. Melancholie, die Modekrankheit der Empfindsam
keit und von ihm zu seiner Muse ernannt, von hypochondri
scher Selbstbeobachtung verstärkt, steigert sich zum Wel
schmerz, zum Lebensüberdruß. Daß er sterben wollte
vermutet Lessing nach Kleists Tode wohl zu Recht; als
ersehnt der Einsame die Gelegenheit zur Schlacht (denn se
August 1756 ist wieder Krieg, der »Siebenjährige«); aber di
Kompanie, die er 1757 bekommt, besteht aus sächsischen
Kriegsgefangenen; auch ein Leipziger Lazarett darf er leiter
Als er schließlich doch eine Truppe in die Schlacht führe
darf, mißachtet er erfolgreich die Sicherheitsvorschriften fü
höhere Offiziere.

Historisch Typisches und Individuelles gehen eine unauf
lösliche Mischung ein, die diesen Kleist zu einem gesteiger
ten Prototyp der Empfindsamkeit macht (Lessing leiht sei
nem Tellheim Züge Kleists; noch Schiller läßt Max Piccolo
mini dem sentimentalischen Vorbild nachsterben). Dies
Repräsentanz gilt nicht nur für den Menschen, sondern auc
den Dichter. Indessen ist er einer der ersten Autoren in de
deutschen Literatur, bei dem das Publikum diesen Unter
schied nicht eigentlich anerkennt, im Dichter den Mensche
liebt oder doch an ihm Anteil nimmt (wie an Klopstoc
oder am *Werther*-Dichter). Und das mit Grund: verdeck
zwar unter einem Stil, der auch das empfindsame Ich nur a
Rolle erscheinen läßt, ist doch vieles in seiner Dichtun
autobiographisch getönt. Darin gleicht er seinem Vorbil
Haller, auch Johann Christian Günther (den er jedenfall
gelesen hat).

Auf Kleists wenigen Druckbogen zieht eine Reihe vo
Gattungen vorbei: Lied und Ode, Fabel, Epigramm un

Ewald Christian von Kleist
1715–1759

Verserzählung, Lehrgedicht und Kurzepos (in Blankversen
Cißides und Paches, 1759), Entwürfe zu einer Moralischen
Wochenschrift, sogar ein kurzes, ganz undramatisches
Trauerspiel. Kurz ist fast alles, manche Gattungen sind auch
nur in ganz wenigen Exemplaren vertreten: hier schreibt
einer noch in seinen »Nebenstunden«. Fast durch alles
gehen einheitliche Thematik und einheitlicher Ton. Durchweg sind die Texte von anmutigem Klang und Rhythmus,
sorgsam geformt, nicht selten schon von erarbeiteter Simpli-
zität geprägt. Wunschtraum und Angstphantasie – Idylle
und pathetische Satire (in Schillers Terminologie) sind die
bestimmenden Momente: eines das andere ablösend, unab-
lässig. Die gesellschaftliche Welt ist ein Jammertal – der
Krieg, der Hof, die Stadt; barockes Lebensgefühl aus empfindsamer Melancholie und tatsächlichen Drangsalen – aber
es gibt auch Tugend, manche Gedichte (auch das *Seneka*-
Trauerspiel, 1758) stellen sie, als Freundschaft zumal, bisweilen auch als preußischen Patriotismus, in leuchtender
heroischen Exempeln vor die Seele. Vor allem aber gibt es
das Asyl der Natur. Auf ihre Projektionsfläche wirft das
lyrische, beschreibende, reflektierende, visionäre Subjekt
seine freudigen Exaltationen und seine verzweifelten
Depressionen. Das ist das Geschehen seines zentralen Werkes: der etwa 400 auftaktigen Hexameter (nach dem Vorbild
von Uz) des Gedichtes *Der Frühling* (1749). Der Freund
Lessing hat (im *Laokoon*) mit seiner Kritik der beschreibenden Poesie eines Thomson, Brockes und Haller auch diesem
Gedicht hart zugesetzt. Brockes' Übersetzung des Thom-
sonschen *Spring* hatte ein – aber nicht das – Vorbild gegeben, erst Gleim den Titel durchgesetzt (statt »Landlust«)
Erinnerungen vom Gutshof der Jugend, Beobachtungen
Potsdamer Spaziergänge, aber natürlich auch die Bilderjagd
in antiker und moderner Landleben-Dichtung liefern die
Stoffe. Entscheidend dabei ist indessen nicht die objektivie-
rende Beschreibung, wie Brockes sie als Fundament seines
teleologischen Gottesbeweises brauchte, sondern das Orga-

isationsprinzip des fühlenden, anteilnehmenden, stets ab-
chweifungsbereiten Subjekts, das seine Heilung von den
Quälereien der Welt sucht, Phantasien der Erfüllung im
Landleben – mit einer »Doris« – nachhängt, Ruhe ersehnt,
die denn auch »Gott« heißen kann.

Der Frühling und in seinem Gefolge einige weitere
Gedichte haben Kleist für eine knappe Zeitspanne zu einer
ympathischen, europäischen Berühmtheit gemacht, wenn
auch zu keiner großen. Was Empfindsamkeit heißt, läßt sich
n wenigen Beispielen lieber und besser studieren als bei
hm.

Bibliographische Hinweise

ämtliche Werke. 2 Tle. [Hrsg. von K. W. Ramler.] Berlin 1760.
ämmtliche Werke nebst des Dichters Leben aus seinen Briefen an
    Gleim. 2 Tle. Hrsg. von W. Körte. Berlin 1803.
Werke. Hrsg. von A. Sauer. 3 Bde. Berlin [1881–82]. – Nachdr.
    Bern 1969.
ämtliche Werke. Hrsg. von J. Stenzel. Stuttgart 1971 [u. ö.]. [Mit
    Bibliographie.]
Ewald Christian von Kleist. Ihn foltert Schwermut, weil er lebt.
    Gedichte, Prosa, Stücke und Briefe. Hrsg. und mit einem Nachw.
    von G. Wolf. Berlin [Ost] 1983. – Lizenzausg. Frankfurt a. M.
    1983.

Lust, H.: Ewald von Kleist. In: Deutsche Dichter des 18. Jahrhun-
    derts. Ihr Leben und Werk. Hrsg. von B. v. Wiese. Berlin 1977.
    S. 98–114. [Mit Bibliographie.]
Carbonnel, Y.: Les tourments d'un soldat poète: Ewald von Kleist.
    In: Cahiers d'études germaniques 3 (1979) S. 45–63.
Kemper, H.-G.: Gottebenbildlichkeit und Naturnachahmung im
    Säkularisationsprozeß. Problemgeschichtliche Studien zur deut-
    schen Lyrik in Barock und Aufklärung. Tübingen 1981.
    S. 381–391.

Peucker, B.: The Poem as Place: Three Modes of Scenic Renderin
    in the Lyric. In: Publications of the Modern Language Associa
    tion 96 (1981) S. 904–913.
Schädle, L.: Der frühe deutsche Blankvers unter besonderer Berück
    sichtigung seiner Verwendung durch Christoph Martin Wielanc
    Eine versstilistische und literarhistorische Untersuchung. Göp
    pingen 1972. S. 53–72.
Schings, H. J.: Melancholie und Aufklärung. Melancholiker un
    ihre Kritiker in Erfahrungsseelenkunde und Literatur de
    18. Jahrhunderts. Stuttgart 1977.

CHRISTIAN FÜRCHTEGOTT GELLERT

Von Bernd Witte

Aus gutem Grund gilt Christian Fürchtegott Gellert in der Mitte des 18. Jahrhunderts als einer der bedeutendsten Schriftsteller deutscher Sprache. Hat er doch in seinen Schriften die grundlegenden Positionen der deutschen Frühaufklärung zum ersten Mal im Kontext der ›schönen Literatur‹ gestaltet. Seine Lustspiele und sein Roman haben innovativ auf diese für das literarische Leben des 18. Jahrhunderts zentralen Gattungen gewirkt. Durch sein neuartiges Literaturkonzept hat er entscheidend zur Herausbildung eines allgemeinen Lesepublikums in Deutschland beigetragen. Als er 1769 starb, hatte er allerdings seit mehr als einem Jahrzehnt keine neuen literarischen Arbeiten mehr veröffentlicht, obwohl er gleichzeitig durch seine akademische Lehrtätigkeit wie durch seinen ausgedehnten Briefwechsel eine immer größere Zahl von Anhängern und Lesern um sich scharte. Dieses Paradox ist die Ursache für den eigenartig zwiespältigen Verlauf seiner späteren Rezeption. Seine Jünger machten ihn, wie die zur Heiligenlegende stilisierte Biographie seines Freundes Johann Andreas Cramer und die Flut der überschwenglichen Nachrufe und Grabpoesien auf ihn bezeugen, zum Vorbild des christlichen Moralapostels. Dieser Überlieferungsstrang hat sich im 19. Jahrhundert in einer subliterarischen, populären Gellert-Verehrung fortgesetzt, deren letzter Ausläufer in der romanhaften Lebenserzählung Gellerts durch Armin Stein (*Christian Fürchtegott Gellert. Ein Lebensbild*, 1891) faßbar ist. Andererseits bekämpfte die Sturm-und-Drang-Generation in ihm den populärsten Vertreter der aufklärerisch-empfindsamen Literaturauffassung. Jakob Mauvillon und Ludwig August Unzer nannten ihn in ihrem zweibändigen, ausschließlich mit seinem Werk befaßten Pamphlet *Über den Werth einiger deutschen Dichter und über andere Gegenstände den Geschmack und die schöne Litteratur betreffend* (1771–72) einen »Dichter ohne einen Funken Genie«. Dem stimmt der Rezensent der *Frankfurter Gelehrten Anzeigen* (1772) zu, der von sich sagt, er sei »Zeuge, daß der selige Mann von der Dichtkunst, die aus vollem Herzen und wahrer Empfindung strömt, welche die einzige ist, keinen Begriff hatte«. Diese Aburteilung durch die maßgebenden Autoren der neuen Generation bestimmt die generell negative Einschätzung Gellerts durch die Klassik und Romantik und in deren Gefolge durch die Literaturgeschichtsschreibung des 19. Jahrhunderts, was u. a. dazu geführt hat, daß die positivistische Philologie eine kritische Sicherstellung seines Werkes vernachlässigte.

Gellert wurde am 4. Juli 1715 in Hainichen in Sachsen als fünftes von insgesamt dreizehn Kindern des Pfarrers Christian Gellert geboren. Zwei seiner Brüder erlangten ebenfalls angesehene Stellungen in Sachsen, der älteste, Friedrich Leberecht, zunächst Fechtmeister der Universität Leipzig, wurde später sächsischer Oberpostkommissar, der zweitälteste, Christlieb Ehregott, Professor der Metallurgie in St. Petersburg und Verfasser eines grundlegenden Handbuchs der metallurgischen Chemie, war später Bergrat an der Bergakademie in Freiberg. Von 1729 bis 1734 besuchte Gellert die Fürstenschule St. Afra in Meißen, danach studierte er von 1734 bis 1738 in Leipzig Theologie. Nach einer zweijährigen Tätigkeit als Hofmeister bei den Söhnen eines Herrn von Lüttichau in Dresden kehrte er an die Leipziger Universität zurück, um seine Studien fortzusetzen. Hier geriet er in den Kreis um Johann Christoph Gottsched, für den er an der Übersetzung von Bayles *Critischem Wörter-*

Christian Fürchtegott Gellert
1715–1769

buch arbeitete und der ihm, wie der einzige erhaltene Brief
an ihn belegt, Aufträge zu Gelegenheitsgedichten verschaffte. Mit den Einkünften aus diesen Arbeiten sowie
seiner Hofmeistertätigkeit verdiente er sich einen ärmlichen
Lebensunterhalt.

Von 1741 bis 1744 gehörte er mit Ebert, Gärtner, Giseke,
Rabener, Johann Elias und Johann Adolf Schlegel zu dem
Autorenkreis, der sich in den *Belustigungen des Verstandes
und des Witzes* ein von Gottscheds Einfluß langsam sich
lösendes Publikationsorgan schuf. Hier erschienen die Erst-
drucke seiner frühesten, von ihm später zumeist verworfe-
nen Fabeln, durch die er als Dichter berühmt wurde. »In
jedem neuen Stücke sah man zuerst nach, ob eine Fabel oder
Erzählung von Gellerten darinnen wäre. Überall las man
diese, las sie wieder, und wußte sie auswendig«, berichtet
Cramer.[1] Am 21. Februar 1743 legte Gellert das Magister-
examen ab. Im gleichen Jahr erschien in einem Privatdruck
von nur 12 Exemplaren sein Beitrag zur anakreontischen
Liebeslyrik, die *Lieder*.

Am 30. Dezember 1744 habilitierte er sich mit seiner
Schrift *De poesi apologorum eorumque scriptoribus (Von
denen Fabeln und deren Verfassern)* zum Privatdozenten
und hielt seitdem an der Leipziger Universität Vorlesungen
über Poesie und Beredsamkeit, später auch über Moral. Die
genannte Schrift diente auch der Klärung der eigenen Fabel-
theorie, wie denn die nach 1744 entstandenen Fabeln sich im
Stil wesentlich von den früheren unterscheiden. 1746 erschien der 1., 1748 der 2. Teil der *Fabeln und Erzählungen*,
die Gellerts berühmtestes Buch und eines der meistgelesenen
des 18. Jahrhunderts wurden. Überhaupt war die zweite
Hälfte der vierziger Jahre Gellerts dichterisch produktivste
Epoche. Im Oktober 1744 war mit dem 1. Heft der *Neuen
Beyträge zum Vergnügen des Verstandes und Witzes* ein
offen gegen Gottsched gerichtetes, für die Schweizer Partei
ergreifendes Publikationsorgan erschienen. Hier veröffentlichte er im 2. Jahrgang (1745) sein erstes großes Lustspiel

Die Betschwester und im folgenden Jahr *Das Loos in der Lotterie*. In der Sammelausgabe der *Lustspiele* von 1747 publizierte er schließlich sein letztes großes Stück *Die zärtlichen Schwestern*, in dem der neue Dramentypus des ›rührenden Lustspiels‹ voll ausgebildet ist.

Neben den Komödien erschien im selben Jahr der 1. Teil seines Romans *Leben der schwedischen Gräfinn von G ...*, außerdem die Prosaschrift *Von den Trostgründen wider ein sieches Leben*, in der er sich mit seiner eigenen, stets kränkelnden Existenz auseinandersetzt. Aufgrund des großen Erfolges des 1. Teils und der Ermunterung durch seine Freunde schrieb er ein Jahr später in wenigen Wochen den 2. Teil seines Romans. Wie er selbstironisch bemerkt: »Ein rechter deutscher Autor muß keine Oster- oder Michaels-Messe vorbey lassen, ohne etwas heraus zu geben, wenn es auch nur ein Romanchen, oder ein übersetzter Catechismus wäre« (B I,25). Im Sommer 1749 reiste Gellert, gelockt durch die Aussicht auf eine Anstellung als Professor am Collegium Carolinum, nach Braunschweig und anschließend nach Göttingen. 1751 veröffentlichte er seinen Briefsteller: *Briefe, nebst einer praktischen Abhandlung von dem guten Geschmacke in Briefen*. Im April desselben Jahres wurde er zum außerordentlichen Professor der Philosophie an der Universität Leipzig ernannt und bekam zugleich eine Pension von 100 Talern, die jedoch bei weitem nicht ausreichte, seinen Lebensunterhalt zu bestreiten, den er sich weiterhin durch Privatstunden für Studenten aus reichen Häusern verdiente. Zur Aufnahme seiner offiziellen Lehrtätigkeit verfaßte er die Programmschrift *Pro comoedia commovente*, in der er seine inzwischen abgeschlossene Dramenproduktion noch einmal theoretisch reflektierte und rechtfertigte.

Wie Gellert selbst in einem Brief bemerkt hat, ist die Berufung ins akademische Lehramt für ihn der entscheidende Einschnitt in seiner dichterischen Karriere gewesen. Nach diesem Datum hat er nur noch die *Geistlichen Oden*

und Lieder geschrieben, die 1757 gedruckt erschienen.
Schließt man aus den zahlreichen Vertonungen und Über-
nahmen seiner Lieder in protestantische, ja sogar katholische
Gesangbücher, so muß man feststellen, daß Gellert mit
ihnen auf einer anderen Ebene noch einmal an seinen
Ursprungserfolg mit den Fabeln anknüpfen konnte. Auch
sie sind Literatur für alle und zugleich funktionale Literatur.
Die unterschiedliche Ausrichtung seiner beiden populärsten
Lyriksammlungen ist symptomatisch für Gellerts persönli-
che Wandlung und den Umschwung des geistigen Klimas in
Leipzig zwischen den vierziger und den späteren fünfziger
Jahren. Aus der aufklärerischen Gesellschaftskritik der Fa-
beln ist die christliche Tugendpropaganda der *Geistlichen
Oden* geworden.

Gellerts zunehmende Hinwendung zu einer religiös
bestimmten Innerlichkeitsfrömmigkeit war sicherlich auch
beeinflußt von seinem sich stetig verschlechternden Gesundheitszustand. Im Frühjahr 1753 sah er sich zum ersten
Mal genötigt, zu einem siebenwöchigen Kuraufenthalt nach
Karlsbad zu gehen, den er 1754, 1763 und 1764 wiederholte.
Gegen Ende der fünfziger Jahre zog er sich unter dem
Eindruck der Wirren des Siebenjährigen Krieges mehrfach
für längere Zeit aus Leipzig zurück und lebte auf den Gütern
adeliger Bekannter. Neben seiner stets populär bleibenden
akademischen Lehrtätigkeit – 1765 ist der junge Goethe
einer seiner Hörer – wirkte er jetzt vor allem durch seine
umfangreiche Korrespondenz insbesondere mit jungen
Frauen, etwa mit Erdmuthe von Schönfeld oder Caroline
Lucius. Diese Briefe wurden von vornherein im Sinne eines
exemplarischen Erziehungsmodells für eine größere Öffentlichkeit geschrieben. Im Dezember 1760 erreichte Gellerts
öffentliche Anerkennung als Dichter ihren Höhepunkt, als
Friedrich II. ihn empfing und sich zustimmend über seine
literarischen Werke äußerte. Kurz vor seinem Tode begann
er, eine Ausgabe seiner sämtlichen Schriften vorzubereiten,
die zwischen 1769 und 1774 in 10 Bänden im Leipziger

Verlag Weidmann erschien. Hier finden sich in den Bänden,
die Gellert noch selbst für den Druck vorbereiten konnte,
zahlreiche, die ursprünglich aufklärerisch-satirische Tendenz seiner Texte verflachende Änderungen und Streichun-
gen. Das Erscheinen der letzten Bände, in denen u. a. die
Moralische Vorlesungen publiziert wurden, hat er nicht
mehr erlebt. Sein Tod am 13. Dezember 1769 rief in ganz
Deutschland eine Flut enkomiastischer Nachrufe und Grabpoesien hervor: »Mehrere und aufrichtigere Tränen sind
vielleicht auf kein Grab geflossen, als auf das seinige. [. . .] es
geschahen Wallfahrten nach seinem Grabe, die endlich sogar
der Leipziger Rat untersagen mußte.«[2]

Das Werk, das Gellerts Ruhm begründete und sein Überleben als Schulbuchautor bis ins 20. Jahrhundert hinein gesi-
chert hat, war seine Sammlung von Fabeln und Erzählungen. In ihnen hat er zum ersten Mal zu seinem eigenen Stil
des ›natürlichen‹ Erzählens gefunden. Im Rückblick spricht
er vom »Glück des Genies«, das ihm im Vergleich mit den
noch konventionellen Fabeln aus den *Belustigungen* die
eigene Kunstform geschenkt habe. Diese Berufung auf eine
neue Poetologie ist auch in den Fabeln selbst allenthalben
nachzuweisen. Gleich in der ersten, *Die Nachtigall und die
Lerche*, läßt er seine Identifikationsfigur gegen den Vorwurf, sie singe »das ganze Jahr nicht mehr, als wenig
Wochen«, als Verteidigung vorbringen:

> Ich singe kurze Zeit. Warum? Um schön zu singen.
> Ich folg im Singen der Natur;
> So lange sie gebeut, so lange sing ich nur.

Damit setzt sich Gellert von der bis dahin herrschenden und
auch von ihm noch praktizierten Dichtungsauffassung ab,
wonach das Schreiben von Gedichten eine handwerkliche
Tätigkeit ist, die nach bestimmten Regeln zum gegebenen
Anlaß poetische Gebrauchstexte verfertigt. Während die
erste Fabel so den von der Natur inspirierten Dichter dem

gelehrten Gelegenheitsdichter gegenüberstellt, konfrontiert
die zweite die Sängerin Nachtigall mit dem buntgefiederten
Zeisig. Auch hier geht es um die Neudefinition der eigenen
Rolle als Dichter. Selbstbewußt stellt er den Vogel mit dem
unscheinbaren Äußeren über den, dem »Farb und Kleid ein
Ansehn geben«, d. h., er stellt den Dichter über Adel und
reiches Bürgertum, deren soziale Geltung vornehmlich
durch äußerliche Repräsentation bestimmt wird. Etwa ein
Drittel der 54 Fabeln des 1. Buches befaßt sich, häufig in
deutlich satirischer Färbung, mit Fragen der Dichtung, des
Dichterberufes und des Publikums. So gibt die Fabel *Die
Biene und die Henne* mit den Schlußzeilen ihrer Moral eine
Funktionsbestimmung der Gattung, wenn sie den Nutzen
der Poesie darin sieht, »Dem, der nicht viel Verstand be-
sitzt, | Die Wahrheit, durch ein Bild, zu sagen«. Doch sind
die Fabelerzählungen Gellerts meist reichhaltiger, als die
häufig dürre und abstrakte ›Moral‹ vermuten läßt. So auch
hier, wo der nützlichen, aber prosaischen Henne die Biene
gegenübergestellt wird, die ihre Arbeit nicht nur verrichtet,
um ein nützliches Lebensmittel hervorzubringen, sondern
zugleich, »um fremde Zungen zu vergnügen«, so daß sich in
der Erzählung selbst Gellerts traditionsorientierte Defi-
nition aus *De poesi apologorum*: »Eine gute Fabel nutzt,
indem sie vergnügt«, im Tun der Biene versinnbildlicht
findet. Eine zusätzliche Dimension gewinnt die Fabel
dadurch, daß auch das »Vergnügen« der Biene, die von
Blüte zu Blüte fliegt, um ihren Honig zu sammeln, hervor-
gehoben wird. Damit macht Gellert das Verfahren des
Fabeldichters, der aus vielerlei Quellen das Eigene einbringt,
und zugleich – über die zeitgenössische Theorie hinausge-
hend – dessen Vergnügen an der eigenen produktiven Tätigkeit einsichtig.

Gellerts theoretische Forderung der »Einfachheit« der
Fabel bezieht sich vor allem auf deren Erzählstil, schließt
keinesfalls deren Vielschichtigkeit im Inhaltlichen aus. Das
gilt auch für den anderen großen Themenbereich, der in

GELLERT 109

stärkerem Maße den 2. Fabelband bestimmt, die Auseinandersetzung mit gesellschaftlichen Problemen, die Diskussion der bürgerlichen Moral. So wird etwa in der umfangreichen Erzählung von *Inkle und Yariko*, deren Motiv Gellert nach eigenen Angaben dem 1. Teil des *Zuschauers* (der *Spectator*-Übersetzung der Gottschedin) entnommen hat, mit dem britischen Kaufmann, der »aus Liebe zum Gewinnst« die ihn liebende Wilde als Sklavin verkauft, Kritik an der bürgerlichen Handelswelt und der sie beherrschenden Maxime der Gewinnmaximierung geübt. Dieses Negativbild wird durch den Gebrauch des Pronomens »wir« mit der eigenen Gesellschaft identifiziert und zugleich in seinem heuchlerischen Kontrast zur herrschenden Ideologie christlicher Nächstenliebe entlarvt. Die im 18. Jahrhundert geläufige Verurteilung der sozialen Gegenwart vom Idealbild der »guten Wilden« her gewinnt bei Gellert eine zusätzliche Dimension dadurch, daß seine beiden Protagonisten in der Opposition von zweckgerichtetem Handeln und Verstand auf der einen und Tugend und Herz auf der anderen Seite das zentrale Thema des aufklärerischen Diskurses verkörpern. Im Grunde wird hier die Arbeitsteilung im Schoße der bürgerlichen Kleinfamilie reproduziert und kritisiert. Der Mann ist ausschließlich auf die ökonomische Sphäre fixiert, während der Frau die biologische Reproduktion, das »Schmücken« des Lebens und die Verteidigung der moralischen Werte zufallen. Hinter diesem extremen, bis ins Versmaß hinein sich ausprägenden Gegensatz steht die Forderung der Versöhnung, des harmonischen Zusammenwirkens der beiden Prinzipien im idealen Paar. Keinesfalls kündigt sich in der Kritik am zweckrationalen Verhalten also eine Krise aufklärerischer Vernunft an. Vielmehr geht es Gellert gerade um deren zentrales Anliegen, um die vernunftmäßige Ordnung des privaten Raumes.

Auch die traditionelle Funktion der Fabel, »Gattung der Niederen« zu sein, ist bei Gellert durchaus noch gegenwärtig. Auffällig, daß er nur die kleinen Tiere auftreten läßt,

während der herrscherliche Löwe oder der staatskluge Fuchs
fehlen. Gesellschaftliche Kritik an den Oberen wird selten in
so direkter Form geübt wie in *Das Pferd und die Bremse*,
worin Gellert erzählt, wie ein Pferd, durch eine Bremse
erschreckt, sich ein Bein bricht und dadurch elend zu Tode
kommt. Durch die Schilderung des Pferdes – es heißt u. a.
von ihm, es sei »wie ein Mensch, stolz in Geberden« – wird
darauf hingewiesen, daß der stolze Gaul hier für den Adel
steht, der durch seine Verachtung der kleinen Leute sich
selbst zu Fall bringt. Daß damit nicht eine individuelle
Warnung ausgesprochen werden soll, sondern eine ganze
Gesellschaftsschicht gemeint ist, macht die Moral deutlich:

> Auf sich den Haß der niedern laden,
> Dieß stürzet oft den größten Mann.

Die gesellschaftliche Tragweite solcher Diagnosen wird
dadurch betont, daß diese Fabel das letzte Glied einer
ganzen Serie von sozialkritischen bzw. satirischen Texten
darstellt. Voraus geht eine Satire auf den Selbstmord aus
unglücklicher Liebe, also ein Hinweis auf die vernünftige
Überwindung der »Macht der schönen Triebe«, eine Satire
auf die heuchlerische Frömmelei einer »Betschwester«,
unter dem Titel *Der Blinde und der Lahme* die Darstellung
eines Gesellschaftsvertrags auf der Basis komplementärer
Mangelsituation, im Bild des Hundes die abschreckende
Schilderung vom Leben und Sterben eines Geizigen, die
Warnung vor Prozessen mit der Geschichte zweier Bauern,
die sich gegenseitig durch ihre Streitlust ruinieren, und –
unmittelbar vor *Das Pferd und die Bremse* – die Fabel von
dem unverschämten Bettler, der ein Almosen mit gezücktem
Degen eintreiben will. In einer überraschenden Wendung
wird diese Fabel durch die Moral auf den Literaturbetrieb
gemünzt, als Warnung vor den Autoren, die eine positive
Beurteilung ihrer Werke durch Drohungen erzwingen. Die
Analyse dieser Reihe läßt deutlich werden, daß die Fabeln
nicht nur als Einzeltexte wirken sollen, sondern daß sie im

größeren Kontext der Sammlung durch die sie umgebenden Texte eine zusätzliche Bedeutungsdimension erhalten. So hält die Erzählung von der Zudringlichkeit der Niederen in *Der Bettler* die Schilderung vom Stolz der Großen dieser Welt in der nächsten Fabel in der Balance. Zugleich aber vollzieht der Autor in der Moral der ersten Fabel eine charakteristische Einengung seiner Perspektive. Während der Tadel an den Bettlern zu einer Verurteilung der Skribenten benutzt wird, die Kritik also auf den engeren Bereich des Literaturbetriebs umgemünzt wird, unterstreicht der Schlußtext dieser Motivkette die Warnung an die Herrschenden gerade in ihren sozialen Konsequenzen. An solchen Gemeinsamkeiten und Überschneidungen wird deutlich, daß alle Fabeln das zentrale Thema der literarischen Frühaufklärung behandeln: die vernunftmäßige Ordnung des privaten und öffentlichen Raumes im Medium der Literatur.

Gellerts Komödien, etwa gleichzeitig mit den *Fabeln und Erzählungen* entstanden, führen das rührende Lustspiel als neues Genre in die deutsche Literatur ein und markieren gleichzeitig dessen Höhepunkt. Wie viele andere Gattungen in der Literatur des 18. Jahrhunderts ist auch das rührende Lustspiel keine originär deutsche Erscheinung, sondern geht – Gellerts Berufung auf die französischen Vorbilder Destouches, Nivelle de la Chaussée und Marivaux in seiner Programmschrift *Pro commoedia commovente* macht dies deutlich – auf die französische Comédie larmoyante zurück, die wiederum von englischen Vorbildern abhängig ist. Innerhalb der deutschen Entwicklung nehmen Gellerts Komödien eine Mittelstellung ein. Sie folgen noch der älteren Tradition, wenn sie in didaktischer Absicht die lebenspraktische Nachahmung der auf der Bühne dargestellten bürgerlichen Alltagsmoral empfehlen. Von der satirischen Typenkomödie Gottschedscher Prägung heben sie sich jedoch dadurch ab, daß sie an die Stelle der Kritik an einzelnen Lastern die Darstellung von empfindsam moralischen Charakteren setzen. Statt zum distanzierenden Lachen soll der Zuschauer zu Rührung und Mitgefühl gegenüber den tugendhaften Helden angeregt werden. Diese neue Wirkintention ermöglicht die Entfaltung des Konflikts zwischen empfindsamer Privatheit in der Familie und dem Gewinn- und Besitzstreben im öffentlichen Raum. Er wird zugunsten der moralisch-tugendhaften Liebes- und Familienbeziehungen gelöst und verweist damit auf die das bürgerliche Trauerspiel kennzeichnende Problematik voraus.

Mit seinen frühesten Theaterstücken, den Schäferspielen *Das Band* (1744) und *Sylvia* (1745), bleibt Gellert dem traditionellen Muster der bukolischen Schäferdichtung verpflichtet. Wie sich an seiner später nachgelieferten Apologie dieser Stücke, der Vorrede zum *Band* von 1756, ablesen läßt, in der er die wenigen von Zeitgenossen als allzu realistisch verurteilten Momente gegenüber Gottscheds strengen poetologischen Anweisungen verteidigt, wurden sie jedoch von den Zeitgenossen schon als eine Überschreitung der Gattungsnorm angesehen. Seine drei großen, eigenständigen Komödien sowie das Nachspiel *Die kranke Frau* (1747) lassen eine immer deutlichere Ausprägung des empfindsamen Tugendideals erkennen. In *Die Betschwester* (1745) steht die Entlarvung eines lasterhaften Charakters, in diesem Falle der falschen Frömmigkeit und des Geizes, noch im Vordergrund, während die empfindsame Moral nur in einer Nebenhandlung entfaltet wird. In *Das Loos in der Lotterie* (1746) stellen die beiden weiblichen Hauptcharaktere, Frau Damon und Carolinchen, ihre Tugend durch gegenseitigen Verzicht auf das gewinnbringende Los unter Beweis. Das Ehepaar Orgon, Herr Damon und Simon hingegen sind noch traditionelle Charaktertypen, die Mißgunst, Klatsch- und Gefallsucht, Faulheit, Hypochondrie, Geiz und adeliges Stutzertum verkörpern. In den *Zärtlichen Schwestern* (1747) ist das satirische Element schließlich auf unbedeutende Nebenfiguren wie den Magister zurückgedrängt. In der Haupthandlung sollen Lottchen und ihre Schwester

Julchen durch Großmut, Selbstlosigkeit und den tugendhaften Verzicht auf einen untreuen Liebhaber den Zuschauer von der Notwendigkeit einer auf Liebe begründeten Ehe überzeugen. Damit ist das zentrale Thema der aufklärerisch-bürgerlichen Literatur angeschlagen, und die Tränen der Rührung, die in den letzten Szenen die Hauptpersonen über ihre eigene moralische Vollkommenheit weinen, gleichen schon denen, die fünf Jahre später in den ersten Szenen von Lessings bürgerlichem Trauerspiel *Miß Sara Sampson* vergossen werden.

Am deutlichsten hat Gellert die Positionen der neuen bürgerlichen Moral in seinem Roman *Leben der schwedischen Gräfinn von G ...* (1747–48) artikuliert, indem er sie dem Handlungsverlauf des barocken Staats- und Liebesromans eingeschrieben hat. Diese Umdeutung eines traditionellen Schemas ist vor allem am Ausgang der Haupthandlung abzulesen. Der rasche Wechsel der Liebespartner, den der barocke Roman nur durch den mechanischen Behelf sukzessiver Scheinehen glaubhaft machen konnte, wird von Gellert ernst genommen und durch die Konstellation eines Zusammenlebens zu viert moralisch aufgelöst: Die Gräfin kehrt zu ihrem aus Rußland heimgekommenen ersten Gatten zurück. Ihr zweiter Gatte, Herr R., verzichtet großmütig auf seine erworbenen Rechte und will sich entfernen. Doch der Graf hält ihn zurück, so daß sie schließlich in einer Vierergemeinschaft zusammenwohnen: der Graf und die Gräfin als Eheleute, Caroline, die ehemalige Geliebte des Grafen, und Herr R. als Freunde des Hauses. Je drastischer und unwahrscheinlicher so die Situationen sind, in die Gellert im Gefolge der barocken Traditionen seine Helden führt, desto strahlender bewährt sich ihre Tugend.

Dabei wird das Bild der ehelichen Gemeinschaft im Roman zum utopischen Gleichnis des nach den Regeln der Vernunft und der Religion geordneten Privatlebens und seiner Glückseligkeit, während die leidenschaftliche Liebe, die nicht mehr in das Konzept einer enterotisierten Beziehung von Frau und Mann paßt, dadurch tabuisiert wird, daß ihr fataler Ausgang in der Marianen-Episode unmißverständlich vor Augen geführt wird. Nur in der Ehe, das soll das *Leben der schwedischen Gräfinn* vorführen, kann eine Synthese von geistiger und leiblicher Liebe, von leidenschaftlicher Zärtlichkeit und Beständigkeit, von beschaulichem Leben bei gemeinsamer Lektüre und Gespräch und aktivem Leben im Wirken für Bedürftige und Gefährdete erreicht werden. Zudem sind in ihr die Standesgrenzen aufgehoben, wie die Verbindung der Gräfin mit dem bürgerlichen R. und die Ansiedlung des glücklichen Ausgangs der Geschichte in den Kaufmannsnationen Holland und England beweist. In den Worten des Herrn R.: »Eine recht zufriedene Ehe bleibt nach allen Aussprüchen der Vernunft die größte Glückseligkeit des gesellschaftlichen Lebens« (GS IV,21), ist zum ersten Mal im deutschen Roman der Raum des Privaten umschrieben, dessen Konstituierung zum zentralen Gegenstand der Epik bis ins späte 19. Jahrhundert hinein werden sollte.

Das als Ideal entworfene neue Gesellschaftsmodell beruht auf einer zutiefst persönlichen Erfahrung, der des Todes. Auf den letzten Seiten des Romans häuft Gellert geradezu die Szenen, in denen er seine Helden gefaßt und ohne Furcht sterben läßt. Der Triebverzicht, die Gelassenheit des bürgerlichen Menschen ebenso wie die Tendenz zur Gleichbehandlung aller beruhen demnach auf dem Bewußtsein, daß das Leben nur die Vorbereitung auf einen guten Tod sein kann. In diesem Sinne vollzieht sich die Umwertung der gesellschaftlichen Werte. Im Angesicht des Todes konstituiert sich die »vernünftige« Gesellschaft der zweckrational und zugleich moralisch Handelnden, denen Reichtum und irdisches Glück zufällt. Ihr werden von Gellert auch die bisher als Außenseiter der Gesellschaft geltenden Gruppen, die Frauen, die Juden, die Wilden, zugerechnet, insofern sie sich vernunftgemäß verhalten, während die Figuren, die das triebhafte »natürliche Leben« repräsentieren, ausgeschlossen werden.

Wie sehr die an den Romanfiguren demonstrierte Vertrautheit mit dem Tode auf Gellerts persönlicher Erfahrung beruht, belegen nicht nur seine Briefe und sein *Tagebuch von 1761* allenthalben. Er hat den Tod in der christlichen Sicht des Neuen Testaments auch zu einem zentralen Gegenstand seiner *Geistlichen Oden und Lieder* (1754) gemacht. Von ihm her argumentieren sie gegen sinnliche Lust und Weltlichkeit und suchen als moralische Lehrgedichte gegen die sündhafte Natur anzugehen. Allerdings haben nicht die moralisch belehrenden Gedichte, sondern die Preislieder der Sammlung, so etwa die auch heute noch bekannten *Die Himmel rühmen des Ewigen Ehre* oder *Gott, Deine Güte reicht so weit*, die weiteste Verbreitung und die meisten Vertonungen gefunden.

Was im Roman als Konstituierung eines vernünftig geordneten privaten Raums und in den *Geistlichen Oden und Liedern* als traditionell, d. h. religiös gebundene Innerlichkeitspoesie unverbunden nebeneinander steht, hat in Gellerts Briefen eine erste vorläufige Synthese gefunden. Sein Briefsteller will nicht nur Anleitung zu einem »natürlichen« Prosa- und Briefstil sein; in den angefügten 73 Musterbriefen, die nach Auskunft ihres Autors alle auf wirklichen Briefen beruhen, führt er ein Individuum vor, das in der Lage ist, seine Innerlichkeit mitzuteilen. Man lese nur den 2. Brief, in dem er seine Idiosynkrasien, seine unterdrückten homosexuellen Neigungen mit grimmigem Humor in der Geschichte einer Fahrt mit der Landkutsche preisgibt. Das Individuum, das dem Leser in diesen Briefen vorgeführt wird, ist das des Schriftstellers, der mit seinen Briefpartnern in gesellschaftlicher Kommunikation steht. In diesem Sinne wird der Roman eines Schreibenden, als der sich die Briefsammlung zu verstehen gibt, selber wieder produktiv. Sie regt ihre Leser dazu an, ebenfalls Schreibende, Briefschreiber zu werden und so auch für sich eine Innerlichkeit außerhalb der bisher üblichen Medien der christlichen Gewissenserforschung und des Gebets zu erschließen. Das außerordentliche Echo, das Gellert in den letzten fünfzehn Jahren seines Lebens gefunden hat, seine zahlreichen und umfänglichen Briefwechsel vornehmlich mit Frauen, beweist die innovative Tendenz dieses Schreibens. In Gellerts Briefen eines schreibenden Ich wird eine nicht mehr von Religiosität getragene, sondern im Schreiben inszenierte Innerlichkeit und Individualität zum ersten Mal im deutschen Sprachraum – und kaum fünfzehn Jahre nach seinem großen englischen Vorbild, Samuel Richardsons ebenfalls als Musterbriefsammlung angelegter *Pamela or Virtue Rewarded* – zum Gegenstand der schönen Literatur. Insofern sind sie die unmittelbaren Vorläufer von Goethes zwanzig Jahre später geschriebenem Roman *Die Leiden des jungen Werthers*.

Noch die von der Geniegeneration geübte Kritik an Gellert zeugt unfreiwillig von seinen Verdiensten um eine neue Lesekultur in Deutschland. »Ja selbst das schädliche Lesen der Franzosen und Engländer (der Romanen und anderer dergleichen Schriften) hat Gellert zuerst in Deutschland aufgebracht. Er hat die Nation in diesen Geschmack versetzt, der vor ihm ganz unbekannt war«, lautet der Vorwurf von Mauvillon und Unzer (*Über den Werth einiger deutschen Dichter*, 1. Stück). Sie stellen damit fest, was auch die zahlreichen Anekdoten und Zeugnisse über die Leser Gellerts aus allen Volksschichten vom König bis zum Holzbauern, vom General bis zum gemeinen Soldaten, vom Gelehrten bis zum Frauenzimmer bezeugen, daß Gellert entscheidend zur Herausbildung einer neuen Qualität des Lesens in Deutschland beigetragen und damit zugleich ein Publikum für so etwas wie schöne Literatur überhaupt erst geschaffen hat. An seinen literarischen Texten vor allem vollzieht sich die Umwandlung des Leseverhaltens vom intensiven Studium einiger weniger kanonischer Bücher hin zur extensiven Lektüre der literarischen Neuerscheinungen, die sich in England schon zu Beginn des 18. Jahrhunderts vollzogen hatte und die sich in den städtischen Zentren des deutschsprachigen Raums erst um die Jahrhundertmitte durchsetzt. Gellert vermochte zu diesem Wandel entscheidend beizutragen, weil seine literarischen Texte nur ein Element in einem umfassenderen moralisch-empfindsamen Kommunikationssystem sind, das sich zum anderen auf seine akademische Lehrtätigkeit und seinen umfangreichen Briefwechsel stützen kann. Durch sie schuf er, der auf das Vorhandensein eines allgemeinen Lesepublikums noch nicht rechnen konnte, eine ausgedehnte, dem Autor verpflichtete Lesergemeinde, die sich in ihren Lese- und Lebensgewohnheiten wie in ihrem Gefühlsleben von ihm leiten ließ und die sowohl die Grenzen eines Fachpublikums wie auch Standes- und Staatsgrenzen zum ersten Mal in der deutschen Literatur überwand.

Anmerkungen

1 J. A. Cramer, »Christian Fürchtegott Gellerts Leben«, in: Gellert, *Sämmtliche Schriften*, Leipzig 1774, Tl. 10, S. 37.   2 Ch. H. Schmid, *Nekrolog oder Nachrichten von dem Leben und den Schriften der vornehmsten verstorbenen teutschen Dichter*, Bd. 2, Berlin 1785, S. 524 f.

Bibliographische Hinweise

Sämmtliche Schriften. 10 Bde. Hrsg. von J. L. Klee. Leipzig 1839 [u. ö.].

Sämmtliche Schriften. 10 Bde. Hildesheim / New York / Zürich 1968. (Nachdr. der Ausg. Leipzig 1769–74.)

Werke. 2 Bde. Hrsg. von G. Honnefelder. Frankfurt a. M. 1979.

Gesammelte Schriften. Krit., komment. Ausg. 6 Bde. Hrsg. von B. Witte. Berlin / New York 1988 ff. [Zit. als: GS.]

Fabeln und Erzählungen. Hist.-krit. Ausg. Hrsg. von S. Scheibe. Tübingen 1966.

Schriften zur Theorie und Geschichte der Fabel. Hist.-krit. Ausg. Hrsg. von S. Scheibe. Tübingen 1966.

Briefwechsel. 4 Bde. Hrsg. von J. F. Reynolds. Berlin / New York 1983 ff. [Zit. als: B.]

Leben der schwedischen Gräfin von G***. Hrsg. von J.-U. Fechner. Stuttgart 1968 [u. ö.].

Brüggemann, F.: Gellerts »Schwedische Gräfin«, der Roman der Welt- und Lebensanschauung des vorsubjektivistischen Bürgertums. Aachen 1925.

Coym, J.: Gellerts Lustspiele. Ein Beitrag zur Entwicklungsgeschichte des Lustspiels. Berlin 1899.

Haynel, W.: Gellerts Lustspiele. Diss. Leipzig 1896.

Honnefelder, G.: Christian Fürchtegott Gellert. In: Deutsche Dichter des 18. Jahrhunderts. Ihr Leben und Werk. Hrsg. von B. v. Wiese. Berlin 1977. S. 115–134.

Jacobs, J.: Gellerts Dichtungstheorie. In: Literaturwissenschaftliches Jahrbuch. N. F. 10 (1969) S. 95–108.

Martens, W.: Lektüre bei Gellert. In: Festschrift für Richard Alewyn. Köln/Graz 1967. S. 123–150.

– Über Weltbild und Gattungstradition bei Gellert. In: Festschrift für Detlev Schumann. Hrsg. von A. R. Schmitt. München 1970. S. 74–82.

– Zur Figur eines edlen Juden im Aufklärungsroman vor Gotthold Ephraim Lessing. In: Der Deutschunterricht 36 (1984) H. 4. S. 48–58.

May, K.: Das Weltbild in Gellerts Dichtung. Frankfurt a. M. 1928.

Meyer-Krentler, E.: Der andere Roman. Gellerts »Schwedische Gräfin«: Von der aufklärerischen Propaganda gegen den Roman zur empfindsamen Erlebnisdichtung. Göppingen 1974.

Michael, E.: Aus meinen Gellert-Studien. Leipzig 1913.

Pellegrini, A.: Die Krise der Aufklärung. Das dichterische Werk von Christian Fürchtegott Gellert und die Gesellschaft seiner Zeit. In: Literaturwissenschaftliches Jahrbuch 7 (1966) S. 37–96.

Pütz, P.: Die Herrschaft des Kalküls. Form- und Sozialanalyse von Gellerts »Inkle und Yariko«. In: Festschrift für Herman Meyer. Tübingen 1976. S. 107–121.

Schlingmann, C.: Gellert. Eine literarhistorische Revision. Bad Homburg 1967.

Witte, B.: Der Roman als moralische Anstalt. Gellerts »Leben der schwedischen Gräfin von G ...« und die Literatur des 18. Jahrhunderts. In: Germanisch-Romanische Monatsschrift. N. F. 30 (1980) S. 150–168.

JOHANN ELIAS SCHLEGEL

Von Norbert Altenhofer

Johann Elias Schlegels literarisches Werk umfaßt in der von seinen Brüdern Johann Heinrich und Johann Adolf postum veranstalteten Ausgabe 5 Bände von insgesamt fast zweieinhalbtausend Druckseiten. Die hier gesammelten Trauerspiele, Komödien, Gedichte, Versepen, poetologischen Abhandlungen und moralistisch-journalistischen Arbeiten sind das Ergebnis eines nur dreißigjährigen Lebens und Nebenprodukte der durch keinerlei Exzentrizitäten gefährdeten diplomatisch-akademischen Karriere eines schöngeistigen Juristen aus bürgerlichem Hause. Als Sohn des Stiftssyndikus und Appellationsrats Johann Friedrich Schlegel und seiner Frau Ulrica Rebekka, der ältesten Tochter des Meißnischen Superintendenten Wilkens, am 17. Januar 1719 geboren, genoß er eine ungewöhnlich gründliche humanistische Ausbildung. An die »Privat-Information« im väterlichen und großväterlichen Hause – zu der bereits die Lektüre lateinischer Klassiker im Original gehörte – schloß sich der Besuch der kursächsischen Landesschule Pforta an, einer Eliteanstalt, die mit ihrem »Eingezogenheit und Freyheit, die öffentliche Unterweisung und den Privatfleiß« (W V,IX) verbindenden Erziehungsprogramm den Grundstein zu seinem literarischen und beruflichen Erfolg legte. In diese Jahre fallen nicht nur Übersetzungen aus dem Lateinischen und Griechischen, von denen die Sophokleische *Elektra*, wenn auch nicht in der ursprünglichen Prosafassung, später in die *Theatralischen Werke* aufgenommen wurde; auch eigenständige Bearbeitungen antiker Stoffe entstehen noch während der Schulzeit: *Hekuba* (Neufassung unter dem Titel *Die Trojanerinnen* in den *Theatralischen Werken* von 1747), *Die Geschwister in Taurien* (nach Euripides; unter dem Titel *Orest und Pylades* 1761 in den *Werken* postum gedruckt), *Dido* (nach Vergil; in überarbeiteter Form 1744 von Gottsched in seiner *Deutschen Schaubühne* veröffentlicht).

Als der neunzehnjährige Schlegel 1739 mit dem Studium in Leipzig beginnt, nimmt ihm der Vater – wohl im Bewußtsein der eigenen Verführbarkeit durch die schönen Wissenschaften, die 1741 sogar zu seiner Amtsenthebung wegen Vernachlässigung von Dienstpflichten führen sollte – das Versprechen ab, »die Poesie im ersten akademischen Jahre ruhen zu lassen, um sich indessen ganz der Philosophie, der Rechtsgelahrtheit und der Historie zu widmen« (W V,XIX f.; ein Gelöbnis im übrigen, das ihm noch vor Ablauf des Jahres erlassen wird). Es hätte einer solchen Verpflichtung kaum bedurft, um Schlegels Interesse an diesen Disziplinen, zumindest an Philosophie und Geschichte, zu wecken. Von Anfang an weiß er bei seinem Studium »die deutsche Reichshistorie [...] auch als Dichter zu betrachten« und als Fundgrube für »Charaktere merkwürdiger Personen« (W IV,3) zu nutzen; so dient ihm die Geschichte Heinrichs des Löwen als Stoff für ein Versepos, das er jedoch nach dem 2. Buch abbricht, um »von der poetischen Arbeit zu einer historischen überzugehen« (W IV,6). Dieses – durch Schlegels frühen Tod gleichfalls Fragment gebliebene und nie an die Öffentlichkeit gelangte – historiographische Projekt hätte nach seinen Vorstellungen über das akademische Interesse hinaus übrigens auch einer literarischen Zielsetzung dienen sollen: »nehmlich [...] eine gute und lebhafte Schreibart in die Wissenschaften zu bringen, welche beide nirgends öfter als in Deutschland getrennt sind, und doch niemals getrennt seyn sollten« (W V,XXXXVII).

Schlegels wachsendes Interesse an der dichterischen Auseinandersetzung mit Geschichte ist auch an dem Übergang von mythologischen zu historischen Stoffen in seiner Trauer-

Canut,

Ein

Trauerspiel.

Copenhagen,
Bey Frantz Christian Mumme,
auf der Börse.
1746.

Titelblatt von Schlegels »Canut«, 1746

spiel-Produktion abzulesen. Seit 1740 arbeitet er an einer
Lucretia (als Fragment 1762 veröffentlicht) und an einem
Herrmann, der von der Neuberin aufgeführt und von Gottsched 1743 in der *Deutschen Schaubühne* zum Druck befördert wird. Als er nach Ablegung seiner juristischen Examina
1742 als Privatsekretär in die Dienste des Geheimen Kriegs-
rats von Spener tritt und diesem 1743 nach seiner Ernennung
zum sächsischen Gesandten am dänischen Hof in den Norden folgt, gewinnt er für sein bis dahin noch weitgehend
akademisches Interesse an der Geschichte mit dem Skandi-
navischen nicht nur einen neuen Stoffbereich hinzu, sondern
auch eine kultur- und mentalitätsvergleichende Perspektive,
die seinen späten Trauerspielen bzw. Trauerspiel-Entwürfen
(*Canut*, 1746; *Gothrika*, entst. 1749) wie den theoretischen
Arbeiten der letzten Jahre (*Gedanken zur Aufnahme des
dänischen Theaters*, 1747) den Charakter von Pionierleistun-
gen auf dem Weg zum modernen Geschichtsdrama und zur
historischen Gattungspoetik verleiht.

Doch auch hier ist ihm alles Angestrengte zuwider.
»Fremd« zu sein gilt ihm nicht als abzuarbeitendes Pensum,
sondern als besondere – und besonders reizvolle – Form
der Geselligkeit, wie die 1745/46 von ihm in Kopenhagen
herausgegebene (d. h. von ihm allein bestrittene) Monatsschrift *Der Fremde* schon in ihrer *Vorrede* zu erkennen gibt
(W V,6):

> Ein Gast, welcher den Gesetzen der Höflichkeit
> Genüge zu thun bemühet ist, [...] wird seinen Wirth
> mit angenehmen Gesprächen zu unterhalten suchen,
> ohne sich ein Gesetz daraus zu machen, daß er
> allezeit von ihm selbst sprechen wolle [...]. Nichts
> ist der Ehre der Nationen nachtheiliger, als wenn
> Fremde und Einheimische sich so gegen einander
> aufführen, als ob man sich nicht als Gast bey einem
> Gönner oder guten Freunde, sondern in einem
> Wirthshause befände.

Daß er weder zu den Fremden gehörte, »welche so wenig neugierig sind, daß sie aus keiner andern Ursache an einen fremden Ort gekommen zu seyn scheinen, als um daselbst eben dasjenige zu thun, was sie mit gleicher Bequemlichkeit in ihrem Vaterlande hätten verrichten können«, noch zu den anderen, »welche jedes fremde Land als eine Raritätenkammer ansehen, wohin man nicht Augen genug mitbringen kann, und [...] bey jeglicher Kleinigkeit mit einem bewundernden Ausrufe fertig stehen« (W V,9) muß, hat gewiß dazu beigetragen, daß er, auf Ludvig Holbergs Vermittlung, 1748 zum außerordentlichen Professor an der Ritterakademie von Soröe ernannt wurde. Auch dieses Amt, das die Pflicht zu Vorlesungen »über die neueste Geschichte [...], über das Staatsrecht und das Commerzwesen« (W V,XXXXVI) einschloß und das er bis zu seinem Tod am 13. August 1749 innehatte, empfand er weniger als Belastung denn als produktive Herausforderung für seine literarischen Ambitionen. Daß er nun zunächst »mehr mit den politischen Wissenschaften [...] als mit dem Witze« (W V,XXXXVII) zu tun hat, hindert ihn nicht daran, die Schüler in seinen Vorlesungen »von dem Nutzen der schönen Wissenschaften im gemeinen Leben und in Geschäfften« zu überzeugen und ihnen den literarisch Versierten als Gegenbild jener »bedauernswürdigen Leute« vor Augen zu führen, »welche die Wissenschaften anwenden, sich selbst der Welt dadurch unbrauchbar zu machen« (W III,307, 310). Bei allem Sinn für historische und kulturelle Eigenart bleibt Schlegel einem rhetorisch-wirkungsästhetischen Konzept von Literatur verpflichtet, das die Entwicklung der Gesellschaft und die Weiterbildung der Poesie als ein Verhältnis prästabilierter Harmonie begreift.

Seine Vorstellungen von der erzieherischen Funktion der Dichtung sind am prägnantesten in den dramentheoretischen Schriften entwickelt, die den größeren Teil seines kritischen Werks ausmachen. Die Überzeugung von der zentralen Bedeutung des Theaters teilt er mit Gottsched,

nicht aber dessen moraldidaktische Prämissen. Für ihn ist
»das Vergnügen der Hauptzweck des Theaters«, und nur
wenn es diesem Zweck gerecht wird, kann es im Sinne der
Aufklärung wirken: »Wenn es lehrt so thut es solches nicht
wie ein Pedant, welcher es allemal voraus verkündiget, daß
er etwas Kluges sagen will; sondern wie ein Mensch, der
durch seinen Umgang unterrichtet, und der sich hütet,
jemals zu erkennen zu geben, daß dieses seine Absicht sey.«
Die Kunst gehorcht dem geselligen Ideal der »Absichtslosig-
keit«; sie vermittelt »Kenntniß des Menschen« und der
Vielfalt seiner »Charaktere und Leidenschaften« nicht durch
»Sittenlehren«, sondern durch Mimesis menschlichen »Umgangs«. Nichts absurder in seinen Augen, als »aus der Fabel vom ›Oedipus‹, der, ohne es selbst zu wissen, seinen
Vater erschlagen und seine Mutter geheurathet« hat, wie
Gottsched die Sittenlehre zu extrahieren, »daß man oft
Unrecht thue, ohne es zu wissen, und doch dafür gestraft
werde« – »gleich als ob man große Theaterstücke mit vieler
Kunst deswegen verfertigte, um eine einzige, bekannte,
seichte, und oft sehr unbestimmte Sittenlehre zu sagen, die
man aus der Komödie eines Seiltänzers ebenfalls herleiten
kann« (AW 566 f.).

Auch bei der Konstruktion des Dramas läßt Schlegel
verschiedene Paradigmen gelten; jedes Stück muß »nach den
besonderen Sitten, und nach der Gemüthsbeschaffenheit
einer Nation eingerichtet seyn« (AW 561), wenn es gefallen
und damit auch seine bildende Funktion erfüllen soll. Schon
in seiner *Vergleichung Shakespears und Andreas Gryphs*
(1741) bemerkt er, daß die Schauspiele der Engländer »mehr
Nachahmungen der Personen, als Nachahmungen einer
gewissen Handlung« (AW 462) sind, und beschreibt ihre
Technik, ohne einen Tadel daran zu knüpfen – dies, obwohl
der Aufsatz in Gottscheds *Beyträgen zur critischen Historie
der deutschen Sprache, Poesie und Beredsamkeit* erschien.
Auch gegen die mit vielerlei Legitimationsstrategien betriebene Fetischisierung der anderen dramatischen Einheiten

wird das Argument der Relativität kultureller Normen ins
Feld geführt und das Augenmerk darauf gelenkt, daß die
rationalistische Poetik der Franzosen (und wieder Gottscheds) häufig das logisch Geforderte obsoleten Konventionen opfert, ohne sich dessen bewußt zu sein (AW 582):

> Die Wahrheit zu gestehen, beobachten die Englän-
> der, die sich keiner Einheit des Ortes rühmen, diesel-
> be großentheils viel besser, als die Franzosen, die sich
> damit viel wissen, daß sie die Regeln des Aristoteles
> so genau beobachten. Darauf kömmt gerade am aller-
> wenigsten an, daß das Gemälde der Scenen nicht
> verändert wird. Aber wenn keine Ursache vorhan-
> den ist, warum die auftretenden Personen sich an
> dem angezeigten Orte befinden, und nicht vielmehr
> an demjenigen geblieben sind, wo sie vorhin waren;
> [...] kurz, wenn die Personen nur deswegen in den
> angezeigten Saal oder Garten kommen, um auf die
> Schaubühne zu treten: so würde der Verfasser des
> Schauspiels am besten gethan haben, an Statt der
> Worte: »Der Schauplatz ist ein Saal in Climenens
> Hause«, unter das Verzeichniß seiner Personen zu
> setzen: »Der Schauplatz ist auf dem Theater.«

Schlegels Hinweis auf die verleugnete theatralische Fiktion
ist mehr als nur ein ironischer Seitenhieb. Er steht im
Zusammenhang mit einer ästhetischen Grundthese, die erstmals im Dezember 1741 in Gottscheds »Vormittägiger Red-
nergesellschaft« vorgetragen und dann in der *Abhandlung,
daß die Nachahmung der Sache, der man nachahmet, zuweilen unähnlich werden müsse* (1741; ausführlicher und syste-
matischer in der *Abhandlung von der Nachahmung*, 1742
bis 1743) publik gemacht wurde. Schlegels Argumentation
knüpft an frühere Überlegungen zur Poetik der »Comödie
in Versen« an (*Schreiben an den Herrn N. N. über die
Comödie in Versen*, 1740; AW 408 f.), in denen die naive
Vorstellung einer möglichst täuschenden Nachahmung der

Natur durch den Künstler durch die Reflexion auf die
»Materie«, das von ihm gewählte Medium der Nachahmung, in Frage gestellt wird. Jeder Künstler bestimmt bereits durch diese Wahl, »auf welche Art und wie weit« er die
Natur nachahmen will, und begründet damit zugleich eine
eigenen Gesetzen gehorchende »neue Art der Ordnung«
(AW 413). Diese andere Ordnung hat nicht nur einen formalen Aspekt – im Fall der Verskomödie etwa die »Harmonie der Sylben« (ebd.) –, sie ist vor allem darin begründet,
daß Gegenstand der Nachahmung in Kunstwerken nicht
»Realitäten« sind, sondern die Begriffe, die wir uns von den
Dingen machen; Vorstellungen, die dem Wandel der Zeit
und der Überlieferung unterworfen sind (vgl. AW 480 f.).

Das ästhetische Vergnügen entspringt nicht der Illusion,
daß »Bild« und »Original« zusammenfallen, sondern der
Einsicht in die »Art und Materie« der Nachahmung, durch
welche »die Kunst gleichsam hinter der Ähnlichkeit, die die
nachgeahmte Sache mit der natürlichen hat, hervor schim-
mert« (AW 411).

Aus der Verlagerung des Interesses von der Gegenstands-
auf die Verfahrensseite der Nachahmung ergibt sich noch
eine weitere Konsequenz. Jeder Kunst eignet eine spezifische Formgesetzlichkeit, die ihr wesentlich ist und unabhängig von den Intentionen des einzelnen Künstlers besteht
(AW 508):

> Der Endzweck des Künstlers und der Kunst sind
> öfters sehr von einander unterschieden. Der End-
> zweck der Kunst pfleget eine nothwendige Wirkung
> derselben zu seyn; der Endzweck des Künstlers aber
> kann oftmals in einer Sache bestehen, die der Kunst
> ganz zufällig ist, und von dem Künstler mit derselben
> verbunden wird.

Differenzierungen dieser Art markieren die äußerste Annäherung an einen Begriff von autonomer Kunst, die von
der Position einer Nachahmungstheorie aus denkbar war.

Von Johann Elias Schlegel führt ein kürzerer Weg zu Karl Philipp Moritz und Schiller als von Lessing.

Mit der Feststellung solcher Vorläuferschaft ist einem Verständnis der Werke allerdings nur sehr bedingt gedient. So hat man – wie in Schlegels kulturvergleichenden Bemühungen eine Vorwegnahme des Herderschen Historismus – in der Gestalt seines Ulfo eine Antizipation des Individualanarchismus der Sturm-und-Drang-Helden sehen wollen. Schlegel hat die historische Gestalt Canuts (Knuds des Großen) in der Absicht, seinem Souverän, Friedrich V. von Dänemark, und mit ihm dem Typus des weisen und gütigen Monarchen zu huldigen, von allen negativen Zügen gereinigt und sie auf den Gegenspieler Ulfo übertragen. Das 35. Stück des *Fremden* vom 7. Dezember 1745 berichtet nach alten Quellen noch von einem Canut, der davon überzeugt war, »daß man, um sein Glück zu machen, einen andern wohl hintergehen könnte«, und auf diese Weise seinen Waffengenossen Olaus um den vereinbarten Anteil an einem gemeinsamen Sieg brachte. Damit nicht genug, beraubte er ihn (wie im Drama Ulfo den Godewin) auch noch »seiner Geliebten, und betrog ihn also sowohl um seine Eroberungen im Felde, als bey dem Frauenzimmer« (W V,299).

Schlegel hat den Herrscher des frühen 12. Jahrhunderts zwar anachronistisch zum vorbildlichen Vertreter des aufgeklärten Absolutismus stilisiert, die Geschichte aber dennoch nicht aus dem Trauerspiel eliminiert: In der Verschlagenheit, der Ruhmsucht und der Machtgier des Bösewichts Ulfo begehren noch einmal, wenn auch vergeblich, die Handlungsmotive einer bereits überwundenen vorchristlichen (gemeint ist: voraufklärerischen) Epoche gegen die politische Ethik des neuen Herrschertypus auf, der seine Unsterblichkeit nur noch darin sucht, erster Diener des Staates und Beförderer des Gemeinwohls zu sein. Daß der Titelheld die Ideale der neuen Zeit nicht erst durchsetzen muß, sie also nicht tragisch, sondern eher wie der Protagonist eines Festspiels repräsentiert, während sein Gegen-

spieler alle Aktivität und damit alles dramatische Interesse an
sich zieht – diesem Dilemma war nur noch dadurch einigermaßen abzuhelfen, daß die dämonischen Qualitäten der
Gestalt – sie trägt unverkennbar Züge der einer analogen
Konstellation entsprungenen Satansfigur des Miltonschen
Paradise Lost – durch Elemente komischer Verblendung,
des Lächerlich-Lasterhaften also, entschärft wurden, die den
(generellen) Bedeutungsverlust der Tragödie signalisieren.*
Nicht zufällig gehören von den fünf möglichen Dramen-
typen, die Schlegel in seinen *Gedanken zur Aufnahme des
dänischen Theaters* skizziert, bereits vier dem Genre der
Komödie an (zu der hier neben den »Schäferspielen« auch
das ernste bürgerliche Drama gerechnet wird).²

Daß diese aufklärerische Optik schon in Schlegels frühe-
stem, noch einen mythologischen Stoff verarbeitenden
Trauerspiel *Die Trojanerinnen* (ursprünglich *Hekuba*) die
Voraussetzungen des Tragischen unterminiert, ist – immer
vor dem Hintergrund der Gottschedschen Dramentheorie –
lange Zeit nur einer Ungeschicklichkeit des jungen Autors,
nicht aber dem unlösbar gewordenen Widerspruch zwischen
traditioneller Gattungspoetik einerseits, gewandeltem Geschichtsverständnis und Menschenbild andererseits zugeschrieben worden. Im Fall dieses Trauerspiels, das mit bei-
spielloser Härte das Schicksal der überlebenden trojanischen
Frauen (Hekubas, Andromachas, Cassandras und Polyxe-
nas) und mit nicht geringerer Illusionslosigkeit die Schwäche (Agamemnon), Skrupellosigkeit (Ulyß) und Brutalität
(Pyrrhus) der griechischen Sieger darstellt, schien einzig die
Feststellung von Interesse, daß »zwischen der moralischen
Untadeligkeit der Personen und ihrem leidvollen Schicksal
kein innerer Zusammenhang besteht«,³ einer dramaturgi-
schen Grundforderung der Gottschedschen Poetik also
nicht Genüge getan sei. Mißt man das Trauerspiel nicht an
diesem von außen herangetragenen Kriterium, sondern an
den Abweichungen von Euripides' *Troerinnen*, der wichtigsten Vorlage Schlegels, ergibt sich ein anderes Bild. Mit dem

Verzicht auf den Chor und die Göttermaschinerie vollzieht
sich die Umwandlung realer – weil noch gestalthafter –
übermenschlicher Kräfte in Begriffe, die sich Menschen von
ihnen machen, und zwar ihrer Situation und Interessenlage
entsprechend auf jeweils höchst verschiedene Weise. Daß
bei den Griechen der immer wieder beschworene Wille der
Götter längst zum Alibi für individuelle Grausamkeit oder
Staatsräson geworden ist, machen zahlreiche Dialogpassagen
deutlich. Andromachas Schlußworte lassen keinen Zweifel
daran, daß die Intention des Trauerspiels nicht in der traditionellen Verknüpfung von Schuld und Schicksal liegen
kann, sondern auf eine Thematisierung des geschichtlichen
Wandels zielt, der Psychologie und Politik an die Stelle des
Glaubens, instrumentelle Vernunft an die Stelle des Mythos
treten, das Alte jedoch als scheinhafte Legitimation des
Neuen bestehen ließ (AW 85):

O Himmel willst du stets, wenn uns die Feinde hassen,
Dein heiliges Gebot zum Vorwand brauchen lassen.

In ähnlich souveräner Weise nimmt sich Schlegel in seinem
Lustspiel *Der geschäftige Müßiggänger* das Recht, »Art und
Materie« der Nachahmung des »gemeinen Lebens« unabhängig von poetologischen Reglementierungen »vernünftigen« Lachens zu bestimmen. Die von Gottsched theoretisch
begründete satirische Komödie sächsischen Typs gibt in aller
Regel eindeutige Orientierungen: Dem »lasterhaften«, d. h.
unvernünftigen Außenseiter steht ein durch die Vernünftigen des Spiels repräsentiertes bürgerliches Ordnungssystem
gegenüber, das am Ende entweder den Bekehrten wieder
aufnimmt oder den Verstockten ausgrenzt, in beiden Fällen
aber eine unzweifelhafte Norm rechten Handelns markiert.
In seinem Protagonisten Fortunat stellt Schlegel zwar einen
in allen möglichen Künsten – Malerei, Poesie, Reiten,
Mode, Tanz, Musik – dilettierenden jungen Mann auf die
Bühne, der sich über diese Beschäftigungen eine ihm zuge-
dachte Sekretärsstelle beim Minister verscherzt und aus dem

gleichen Grund bei der für ihn vorgesehenen Braut in
Ungnade fällt, also von der für Vergehen dieser Art vorgesehenen Strafe ereilt wird. Doch sind die Menschen seiner
Umgebung ausnahmslos von Geschäftsinteressen, Karrieris-
mus, Klatschsucht oder Ordnungsfanatismus so sehr defor-
miert, daß Fortunats Versagen vor den Ansprüchen dieser
bürgerlichen Gesellschaft als glückhafte Rettung erscheinen
muß. Entsprechend leicht wird der Verlust einer Position,
die ihn an seinen Lieblingsbeschäftigungen gehindert hätte,
und einer Verlobten von ihm hingenommen, der von ihrer
Mutter nachgesagt wird, »daß ihr die Ordnung fast lieber
ist, als sie sich selber ist: ob das gleich viel gesagt ist« (AW
248). Er wendet sich am Ende, als sei nichts gewesen, wieder
einer von ihm begonnenen Zeichnung zu.

Gottsched hat die äußere Erfolglosigkeit des ›lasterhaften‹
Protagonisten offenbar als ausreichende Strafe im Sinne
seiner rationalistischen ›Sittenlehre‹ empfunden; jedenfalls
hat er die Komödie zusammen mit Schlegels *Herrmann* in
den 4. Teil seiner *Deutschen Schaubühne* (1743) aufgenommen. Aber auch seine Anerkennung kann nicht darüber
hinwegtäuschen, daß keines der Schlegelschen Lustspiele
den in der *Critischen Dichtkunst* verkündeten Grundsätzen
entspricht, vielmehr jedes von ihnen Norm und Abwei-
chung in eine Konstellation rückt, in der sie sich auf jeweils
andere Weise wechselseitig beleuchten, bis zu einem Grad,
der – gewiß nur auf denkspielerische, nie auf revolutionäre
Weise – die Unterscheidung selbst fragwürdig werden läßt.
In der unvollendeten *Pracht zu Landheim* (entst. 1742)
spielen sich zwei unvernünftige Landadelige, die geizige
Mutter und der verschwendungssüchtige Sohn, zum Vorteil
eines lachenden Dritten gegenseitig aus; der Entwurf *Die
drei Philosophen* (entst. 1743) macht ernst mit dem durch die
traditionelle Ständeklausel ausgeschlossenen, von Schlegel in
seinen *Gedanken zur Aufnahme des dänischen Theaters*
gleichwohl propagierten Typus einer Komödie, die »Handlungen hoher Personen, welche das Lachen erregen«, zum

Gegenstand hat, und läßt neben zwei Frauen, der Gemahling Arete und der Geliebten Cleone, auch drei Philosophen unterschiedlicher Denkrichtung und unterschiedlichen Temperaments, keine Geringeren nämlich als Plato, Aristipp und Diogenes, um die Gunst des Dionys, »Königs zu Syrakus«, konkurrieren. Niemand außer Schlegel hat in diesen Jahrzehnten in Deutschland ein Lustspiel zu konzipieren gewagt, das leichter Hand Liebesverwicklungen, Hofintrigen und Philosopheneitelkeiten mit politischen Zynismen verknüpft wie denen des Diogenes, als er Platon die Schuld daran gibt, daß dem König »so viele Grillen sein philosophisch Haupt mit schönen Träumen füllen« (W II,605):

> Denn Garten, Statuen, ein prächtig Marmorhaus,
> Die brüten leicht in ihm dergleichen Wunder aus,
> Drum redet er von nichts, als von Vollkommenheiten.
> Er will die Menschen so, wie Steine, zubereiten,
> Und denkt, ein braver Mann, der in dem Amte steht,
> Müß eine Seele seyn, die nicht vom Flecke geht.
> Doch ich bin andern Sinns, und lern in meinem Fasse;
> Der beste Staat sey der, den man so kollern lasse.

Der Triumph der guten Frauen (1747) ist die einzige Prosakomödie der Epoche, die in ihrer differenzierten Geschlechterpsychologie, in der Ausnützung der erotischen Möglichkeiten von Hosenrolle und Kleidertausch, in der Artifizialität der dramatischen Testsituationen und in der intellektuellen Beweglichkeit der Dialogführung ein – immer gemessen am Entwicklungsstand von Dramaturgie und Literatursprache in Deutschland – dem Marivauxschen Lustspiel (ihrem offensichtlichen Vorbild) vergleichbares Niveau erreicht.

»Unstreitig unser bestes komisches Original, das in Versen geschrieben ist«,[4] nannte Lessing den im gleichen Jahr (1747) entstandenen Einakter *Die stumme Schönheit*. Sein Lob zielt nicht auf den recht bescheidenen gesellschaftskritischen Gehalt des Stücks: Der Versuch der betrügerischen

Frau Praatgern, an Stelle der ihr vor zwanzig Jahren zur
Pflege übergebenen Leonore dem auf Freiersfüßen wandelnden Herrn Jungwitz die eigene Tochter als das zu Verstand
und Schönheit erwachte Ziehkind zu präsentieren, scheitert
trotz der selbstlosen Soufflierhilfe Leonores an Charlottes
intellektueller und sprachlicher Unfähigkeit, während Leonore den jungen Mann schon nach wenigen Worten durch
Gewandtheit des Umgangs und Ausdrucks zu fesseln weiß.
Die beiden Vertreter eines neuen geselligen Bildungs- und
Kommunikationsideals werden ein Paar, während Charlotte
mit dem Philosophen Laconius abgefunden wird (AW 309):

> Das Paar schickt sich recht wohl. Nur Hand in Hand
> geschränket.
> Er spricht nichts, weil er denkt, und sie, weil sie nicht
> denket.

Ungewöhnlich war hier nur die formale Meisterschaft, die
Lessing zu der Bemerkung veranlaßte, es sei ein glücklicher
Umstand, daß Schlegel nur diesen Einakter in Versen vollendet habe, weil eine Übertragung des hier realisierten Form-
anspruchs auf das gesamte Genre die weitere Entwicklung
der Komödie in Deutschland möglicherweise mit einer nicht
einlösbaren Hypothek belastet hätte.[5] Zu der verstechni-
schen Perfektion tritt aber noch ein weiteres Raffinement,
das Lessing nicht erwähnt. Der Reiz der kleinen Komödie
liegt vor allem darin, daß sie, im erklärten Gegensatz zu dem
von Gottsched geforderten satirisch-kritischen ›Realismus‹,
die »Täuschung, die sie schafft, / Aufrichtig selbst zerstört
und ihren Schein / Der Wahrheit nicht betrüglich unter-
schiebt«.[6] Indem sie das Gelingen der Verständigung davon
abhängig macht, daß die Dialogpartner den rechten Reim
aufeinander finden, thematisiert sie ironisch ihre eigene
Form. Sie steht damit, wie auch manches andere in Schlegels
Werk, ohne unmittelbare Nachfolge zwischen den Epochen
führt Witz und Grazie der Rokoko-Kultur zu einem Höhepunkt, löst die vom Autor schon früh formulierte Forde-

rung nach der ›Unähnlichkeit‹ von Kunst und Natur poetisch ein und weist auf eine ästhetische Theorie und Praxis voraus, die sich erst in der klassisch-romantischen Literatur um 1800 entfalten sollte.

Anmerkungen

1 Vgl. dazu die ausgezeichnete Analyse des Stücks bei Schulz, S. 86–116. 2 Vgl. Koopmann, S. 86. 3 Vgl. Schulz, S. 32. 4 G. E. Lessing, *Werke*, hrsg. von H. G. Göpfert, Bd. 4, München 1973, S. 211 (13. Stück der *Hamburgischen Dramaturgie*). 5 Lessing, ebd. 6 F. Schiller, *Sämtliche Werke*, hrsg. von G. Fricke und H. G. Göpfert, Bd. 2, München [6]1981, S. 274 (Prolog zu *Wallenstein*).

Bibliographische Hinweise

Werke. 5 Bde. Hrsg. von J. H. Schlegel. Frankfurt a. M. 1971. (Nachdr. der Ausg. Kopenhagen/Leipzig 1764–1773.) [Zit. als: W.]

Ausgewählte Werke. Hrsg. von W. Schubert. Weimar 1963. [Zit. als: AW.]

Ästhetische und dramaturgische Schriften. Hrsg. von J. v. Antoniewicz. Darmstadt 1970. (Nachdr. der Ausg. Stuttgart 1887.)

Canut. Ein Trauerspiel. Im Anh.: Gedanken zur Aufnahme des dänischen Theaters. Hrsg. von H. Steinmetz. Stuttgart 1967 [u. ö.].

Vergleichung Shakespears und Andreas Gryphs und andere dramentheoretische Schriften. Hrsg. von S. D. Martinson. Stuttgart 1984.

L. A. V. Gottsched: Der Witzling. – J. E. Schlegel: Die stumme Schönheit. Hrsg. von W. Hecht. Berlin 1962.

Die stumme Schönheit. In: Lustspiele der Aufklärung in einem Akt. Hrsg. von G. M. Schulz. Stuttgart 1986. S. 41–77.

Borchmeyer, D.: Staatsräson und Empfindsamkeit. Johann Elias Schlegels »Canut« und die Krise des heroischen Trauerspiels. In Jahrbuch der Deutschen Schillergesellschaft 27 (1983) S. 154–171.

Bünemann, H.: Elias Schlegel und Wieland als Bearbeiter antiker Tragödien. Leipzig 1928.

Eichner, S.: Johann Elias Schlegel. In: Deutsche Dichter des 18. Jahrhunderts. Ihr Leben und Werk. Hrsg. von B. v. Wiese. Berlin 1977.

Koopmann, H.: Drama der Aufklärung. München 1979.

Martini, F.: Lustspiele – und das Lustspiel. Stuttgart 1974.

Paulsen, W.: Johann Elias Schlegel und die Komödie. Bern/München 1977.

Schonder, H.: Johann Elias Schlegel als Übergangsgestalt. Würzburg-Aumühle 1941.

Schubert, W.: Die Beziehungen Johann Elias Schlegels zur deutschen Aufklärung (in seinen frühen Dramen und seiner poetischen Theorie). Diss. Leipzig 1959.

– Der Dichtkunst wahre Spur. Johann Elias Schlegels Lustspiel »Die stumme Schönheit« als kunsttheoretisches Exempel. In Impulse 7 (1984) S. 202–223.

Schulz, G. M.: Die Überwindung der Barbarei. Johann Elias Schlegels Trauerspiele. Tübingen 1980.

Steffen, H.: Die Form des Lustspiels bei Johann Elias Schlegel. In Germanisch-Romanische Monatsschrift. N. F. 11 (1961) S. 413 bis 431.

Wilkinson, E. M.: Johann Elias Schlegel. A German Pioneer in Aesthetics. Darmstadt 1973. (Nachdr. der Ausg. Oxford 1945.)

Wolf, P.: Die Dramen Johann Elias Schlegels. Zürich 1964.

Wolff, E.: Johann Elias Schlegel. Kiel/Leipzig ²1892.

Johann Wilhelm Ludwig Gleim

Von Jürgen Stenzel

Geboren wurde Gleim am 2. April 1719 in Ermsleben am Ostharz, gestorben ist er am 18. Februar 1803 in Halberstadt (zum Vergleich benachbarte Lebensspannen: Klopstock 1724–1803, Kant 1724–1804, Lessing 1729–81, Herder 1744–1803, Schiller 1759–1805). In Gleims Jugend beginnen Brockes' Gedichte zu erscheinen, er erlebt die gesamte Gottsched-Zeit, Sturm und Drang, Klassik und Frühromantik; die Zeit des Soldatenkönigs, die Epoche Friedrichs des Großen, die Französische Revolution und Napoleons Aufstieg. Bis zum 15. Lebensjahr erhielt Gleim Privatunterricht, dann folgte gut vier Jahre der Besuch der Stadtschule von Wernigerode; ab Ende 1738 studierte er in Halle: Jura, aber mehr Philosophie (Baumgarten, Meier, Christian Wolff). In dieser preußischen Hochburg der Aufklärungsphilosophie, aber auch des Pietismus, beginnt er mit Freunden (Götz, Uz) die ›vermeintlichen‹ Gedichte des griechischen Lyrikers Anakreon zu übersetzen und nachzuahmen. 1743 – übliches Schicksal junger Intellektueller im 18. Jahrhundert – wird Gleim Hauslehrer (bei einem Oberstleutnant in Potsdam), Sekretär dann des Prinzen Wilhelm von Brandenburg-Schwedt (in dieser Rolle 1744 am Zweiten Schlesischen Krieg teilnehmend), Stabssekretär beim Fürsten von Dessau, zwischendurch immer wieder ohne Bedienung. 1747 dann die endgültige Stelle: Sekretär des Domkapitels des (seit 1643 säkularisierten) Hochstifts Halberstadt: da wird eigentlich nur Vermögen verwaltet und verteilt. Als zusätzliches Einkommen erhält Gleim ab 1756 ein Kanonikat (etwa eine

Ehrenrente) des nahen Stiftes Walbeck. Beides zusammen
(eine »zwar dunkle aber einträgliche Stelle«, schreibt Goethe
in seiner vielzitierten Charakteristik Gleims im 10. Buch von
Dichtung und Wahrheit; und viel mehr wissen wir über
Gleims Einkünfte bis heute noch nicht) wirft so viel ab, daß
Gleim zu einem bedeutenden bürgerlichen Mäzen seiner
selbst (d. h. seiner zahlreichen Druckwerklein) und vieler
anderer Schriftsteller – auch namhafterer wie Klopstocks,
der Karschin, Bürgers, Heinses, Johann Georg Jacobis, Jean
Pauls, Seumes, Tiedges und Voß' – werden kann, fast eine
Institution. Die äußere Einförmigkeit seines Lebens wird
künftig nur noch durch einige Reisen, eine mißglückte Ver-
lobung, eine Menge von Besuchen und eine Unmenge abge-
schickter und empfangener Briefe unterbrochen (die bis
heute leider nur in Teilen ediert sind). Briefwechselnd und
mit besuchenden oder ansässig gewordenen Freunden –
»Freund« heißt man schnell bei ihm – pflegt Gleim seinen
um die Tugend und Freundschaft, um Friedrich »den Einzigen« und das Gemeinwohl Preußens kreisenden Privatkult.
Mittelpunkt des von seiner Nichte geführten Hauses ist der
»Freundschaftstempel«, eine Sammlung von etwa 130 Porträts enger und entfernterer Freunde, Gönner und verdien-
ter Männer, halb in der Tradition gelehrter Bildnissammlun-
gen, halb in derjenigen adliger Galerien: jetzt zählt der
bürgerliche Tugendadel, versammelt zu einer symbolischen
Akademie der schönen Wissenschaften.

Neben den schon Genannten zählen aber tatsächlich zu
Gleims Freundeskreis so unterschiedliche Figuren wie Wieland und Lavater, Herder, Pyra und Lange, Sulzer, Graun,
Krause und Ramler, Gellert, Johann Benjamin Michaelis
und Klamer Schmidt. Freilich kommt es bei Gleims Freund-
schaftseifer auch oft zu Eifersüchteleien und melodramati-
schen Zerwürfnissen. Die wichtigste und ungetrübteste
Freundschaft ist die mit Ewald Christian von Kleist – dessen
anderer Hauptfreund ausgerechnet Lessing heißt. Dabei ist
Gleim in fast allem der völlige Gegensatz Lessings; vor allem

Johann Wilhelm Ludwig Gleim
1719–1803

ist er – sich selbst und anderen gegenüber – ganz und gar unkritisch und als Theoretiker völlig uninteressiert; ein Enthusiast der gutmütigen Sorte und insofern ein Glücksfall in der Zeit des beginnenden freien Schriftstellertums in Deutschland: ein Bürger als Mäzen, sein »Hüttchen« als vielbenutzter Knotenpunkt der Kommunikation.

Fast erstaunlich, daß dieser eigentlich unbedeutende, geschmacksunsichere Mann der deutschen Literaturentwicklung auch direkte Impulse gegeben hat, einige Male sogar: zuerst 1744–45 mit dem *Versuch in scherzhaften Liedern*, Eröffnung jener anakreontischen Mode, die bis in Goethes Jugendzeit reicht. Reimlose jambische Kurzzeilen über Wein und Mädchen, Kindereien in den Augen vieler Aufklärer, aber doch (im Gefolge Hagedorns) thematische Entschwerung der Lyrik zugunsten des geselligen Scherzes und andererseits Anreiz zu klanglicher und dynamischer Raffinesse – wenn man will, ein, wenn auch sehr stellvertretender, diesseitiger »Ruf nach Freiheit« (Erich Schmidt über Lessings Anakreonteen) und Pendant zu der von Gleims akademischen Lehrern inaugurierten Ästhetik, der Wissenschaft von der sinnlichen Erkenntnis. Gleim wird in dieser Dichtart oft genug sein eigener Epigone, verfällt aber auch hier wieder zunehmender Tugendpredigt. 1756 erscheinen seine *Romanzen* nach französischem Vorbild, die Elemente des Bänkelsangs mit Schauergeschichten verknüpfen und zu drolligen Vorläufern von Höltys und Bürgers Kunstballaden werden. Solche Annäherung ans Volkstümliche schafft dann die überaus erfolgreiche hyperpatriotische Fiktion vom einfachen friderizianischen Soldaten (von Lessing beraten und bevorwortet): *Preußische Kriegslieder in den Feldzügen 1756 und 1757 von einem Grenadier*. Daß sie (neben die man die Schlachtberichte Ulrich Bräkers halten muß) für echt gehalten werden, zeigt, daß man vor Herder mit Volkspoesie noch recht unbekannt ist. *Lieder für das Volk* bringt Gleim 1772 heraus, das Volk soll moralisch gebessert werden. Und so trägt Gleim natürlich auch sein Scherflein zur neu erwachten Fabeldichtung bei. Die unruhige Empfängnisbereitschaft für allerlei Neues läßt ihn ferner an der produktiven Aufnahme mittelalterlicher Poesie, selbst des Korans sich beteiligen. Nach 1789 setzt Gleim sich die Bekämpfung der Französischen Revolution zur schriftstellerischen Hauptaufgabe.

Literatur und Leben werden in diesem »Vater Gleim« eins – freilich eine recht wässerige Literatur meistens (die zahllosen forcierten freundschaftlichen Briefe eingeschlossen) und ein ziemlich anämisches und fiktives Leben: aber in dieser Verschränkung doch bezeichnend für ein neues Dichtungsverständnis. Was der Aufklärer Gleim gedichtet hat (und aufklärerisch dichten heißt, die Dinge über Begriffe vermitteln, namentlich den der Tugend), verdient noch immer kaum mehr als »Duldung« (Goethe), auch wenn es ein breites Spektrum der Lyrik des 18. Jahrhunderts repräsentiert. Wichtiger (und darin ist das Material wohl noch nicht ausgeschöpft) ist Gleim als geschäftiger Teil und Symptom des vielverzweigten, vielfach sich neu orientierenden Literaturbetriebs jener Schwellenzeit.

Bibliographische Hinweise

Freundschaftliche Briefe. 1746. – Lieder. 1749. – Fabeln. 1756. – Lieder nach dem Anakreon. 1766. – Briefe von den Herren Gleim und Jacobi. 1768. – Sinngedichte, als Manuscript für Freunde. 1769. – Gedichte nach den Minnesingern. 1773. – Halladat oder Das rothe Buch. 1774. – Gedichte nach Walter von der Vogelweide. 1779. – Preussische Soldatenlieder in den Jahren von 1778 bis 1790. 1790. – Zeitgedichte vom alten Gleim. 1792. – Das Hüttchen. 1794. – Kraft und Schnelle des alten Peleus. 1797. – Nachtgedichte vom alten Gleim. 1802.

Sämmtliche Werke. Erste Originalausgabe aus des Dichters Handschriften durch W. Körte. 8 Bde. Hildesheim 1970. (Nachdr. der Ausg. Halberstadt 1811–41.)

Preussische Kriegslieder von einem Grenadier von J.W.L. Gleim. Hrsg. von A. Sauer. Stuttgart 1882.

Versuch in Scherzhaften Liedern und Lieder. Nach den Erstausg. von 1744/45 und 1749 mit den Körteschen Fassungen im Anh. krit. hrsg. von A. Anger. Tübingen 1964.

Gedichte. Hrsg. von J. Stenzel. Stuttgart 1969. [Mit Bibliographie.]

Becker, C. / Wappler, G.: Die Bildnisse im Gleimhaus. Halberstadt 1965.

Bohnen, K.: Der »Blumengarten« als »Quell von unserm Wissen«. Johann Wilhelm Ludwig Gleims Gedicht »Anakreon«. In: Gedichte und Interpretationen. Bd. 2: Aufklärung und Sturm und Drang. Hrsg. von K. Richter. Stuttgart 1983 [u. ö.]. S. 114–125. [Mit Bibliographie.]

Carbonnel, Y.: Essai sur la thématique du rêve chez les poètes rococo de l'École de Halle. In: Cahiers et études germaniques 7 (1983) S. 69–91.

Riedel, V.: Gleim-Kolloquium in Halberstadt. In: Weimarer Beiträge 31 (1985) S. 1390–92.

Schönert, J.: Schlachtgesänge vom Kanapee. Oder: »Gott donnerte bei Lowositz«. Zu den »Preußischen Kriegsliedern in den Feldzügen 1756 und 1757« des Kanonikus Gleim. In: Gedichte und Interpretationen. Bd. 2: Aufklärung und Sturm und Drang. Hrsg. von K. Richter. Stuttgart 1983 [u. ö.]. S. 126–139. [Mit Bibliographie.]

Zeman, H.: Friedrich von Hagedorn, Johann Wilhelm Ludwig Gleim, Johann Peter Uz, Nikolaus Götz. In: Deutsche Dichter des 18. Jahrhunderts. Ihr Leben und Werk. Hrsg. von B. v. Wiese. Berlin 1977. S. 135–161.

ANNA LOUISA KARSCHIN

Von Alfred Anger

Anna Louisa Karsch wurde als Tochter des Wirtshauspächters Dürbach am 1. Dezember 1722 auf einer gottverlassenen Meierei im nördlichen Schlesien nahe der polnischen Grenze geboren. Von der Mutter wegen ihrer Häßlichkeit ungeliebt, den liebenden Vater zu bald verlierend, lernte sie bei einem Großonkel lesen und schreiben, mußte jedoch als Zehnjährige zur wieder verheirateten Mutter zurück, wo sie ihre Stiefgeschwister in der Wiege versorgte, das Vieh hütete und als Magd diente. Fünfzehnjährig wurde sie an einen Tuchweber verheiratet und leistete an Wollreißer, Hechel, Rokken und Spinnrad schwerste Arbeit. Doch nach elfjähriger Ehe ließ sich ihr Mann scheiden und jagte die mit einem vierten Kind Schwangere aus dem Haus. Kaum ein Jahr später zwang die Mutter sie, die ›Enthrte‹, den ihr unsympathischen, arbeitsscheuen Schneidergesellen Karsch zu ehelichen, dem sie ins polnische Fraustadt folgen und drei weitere Kinder gebären mußte. Hier lernte sie schließlich, sich und die Ihrigen von Geschenken für Gelegenheitsdichtungen kümmerlich zu ernähren.

Schon als Kind hatte die Karschin ein wahrer Heißhunger zu Büchern getrieben. Wahllos und heimlich verschlang sie alles, was ihr unter die Hände kam: orientalische Märchen, barocke und nachbarocke Romane, Zeitschriften, geistliche und weltliche Gedichte, von denen sie Hunderte auswendig wußte. Eine blühende Einbildungskraft und eine außerordentliche Fähigkeit zu reimen ließen sie schon früh eigene Verse erfinden. So entstanden Geburtstags- und Neujahrsständchen oder Huldigungsgedichte. Am liebsten aber erbaute sie sich an eigenen Trostgesängen in ihren vielen Lebensnöten. Diese lang gehegte Übung und Leidenschaft kam ihr jetzt zugute. Lehrer und Pfarrer waren baß erstaunt über die Verse dieser ärmsten Frau aus unterstem Stande, die nie eine Schule besucht hatte, ein Metrum vom anderen nicht zu unterscheiden wußte, deren Rechtschreibung unmöglich, deren Grammatik höchst fehlerhaft war. Sie bemitleideten ihr hartes Schicksal, suchten ihre Bildung zu fördern und ermöglichten ihr 1755 schließlich die Übersiedlung in die preußische Feste Glogau.

Hier nun traf ihre grenzenlose Begeisterung für Friedrich II., den sie schon 1740 als Befreier ihrer Heimat herbeigesehnt hatte, auf die einquartierten und durchziehenden preußischen Offiziere. Ihre patriotischen Gesänge auf die Schlachten Friedrichs des Großen im Siebenjährigen Krieg wurden ihr bald aus den Händen gerissen und trugen ihren Ruhm nach Berlin, wo kein Geringerer als Moses Mendelssohn ihr öffentlich ein »ungemeines Genie« bescheinigte. Nachdem hohe Gönner sie von ihrem trunksüchtigen und gewalttätigen Mann befreit hatten, indem sie Karsch einfach unter die Soldaten steckten, brachte ein Baron Kottwitz die Karschin im Januar 1761 in die Hauptstadt, wo sie mit ihrem Naturtalent die Sensation der Berliner Salons wurde. Trunken vor Freude über den unerhörten Glückswandel – denn auch in Glogau hatte sie meist noch in bitterer Armut gelebt –, übertraf sie alle Erwartungen. Stets hatte sie neue Gedichte und Huldigungsverse parat; sinnreiche Tisch- und Trinksprüche, Stegreiflieder sprudelten von ihren Lippen. Mit unglaublicher Geschwindigkeit schrieb sie inmitten lärmender Feste Gedichte nach aufgegebenen Endreimen. Doch nicht nur die Berliner Gesellschaft bestaunte (und beschenkte) das Naturwunder. Mit ihren Versen gewann sie auch gelehrte Professoren und Männer vom Fach zu Bewunderern, Gönnern, ja als Freunde, wie den Ästhetiker Sulzer, den Odendichter und Kritiker Ramler, den Verleger Winter

Anna Louisa Karschin (1722–1791)

»Lieber keine Verse machen, als so aussehen!« – Ich bin mit meinem
bißchen Physiognomik viel toleranter und gelinder geworden! Nein!
»lieber so aussehen, und Verse machen« – denn wahrlich, das Gesicht
ist doch, man mag gegen die Schönheit einwenden, was man will,
äußerst geistreich, und zwar nicht nur das ganz außerordentlich helle,
funkelnde, theilnehmende Seherauge – auch die, wie man sagt, häß-
liche Nase! Besonders der Mund – wie auch alle das übrige Muskeln-
und Schattenspiel; nicht zu vergessen den ganzen Umriß von der
Haarlocke auf der hohen männlichen Stirn an bis zum beinernen
Kinne – weiter nicht. Besonders in der Gegend zwischen der Nase
und Unterlippe schwebt unbeschreiblich viel Geist.
Die *Poesie* als Poesie scheint ihren Sitz in den Augen dieses Gesichtes
zu haben – Sonst ist die ganze Form des Kopfes, wenigstens der Stirn
und der Nase, mehr des kaltforschenden Denkers – und, wer weiß –
vielleicht hätte sie, die *Karschinn*, noch mehr Philosophinn, als Dich-
terinn werden können.

J. C. Lavater

oder den Halberstädter Grenadierliedersänger Gleim, der die
Karschin fatalerweise zur »Deutschen Sappho« ernannte.

Nach einem kürzeren Aufenthalt im September/Oktober
in Halberstadt beim ewig tändelnden Gleim, zu dem sie eine
ebenso naive wie wahre und leidenschaftliche Liebe hinriß –
daß diese unerwidert blieb, sollte sie fast das Leben kosten –,
wohnte sie ein Jahr beim einflußreichen Stadtkommandan-
ten von Reichmann im nahen Magdeburg und verschaffte
sich bald eine enge Verbindung zum preußischen Hof, der
vor den russischen Armeen hierher geflohen war. Von der
Königin über regierende Herzöge und Grafen bis hinab zur
adligen Hofdame wurde sie bestaunt, bewundert, wurden
ihre Huldigungs- und Gelegenheitsverse dankbar entgegen-
genommen und reich belohnt. In engster Zusammenarbeit
mit der Schwester des Königs dichtete sie z. B. Kantaten, zu
denen Prinzessin Amalie die Musik komponierte.

Von der Höhe dieses Glücks wurde der Sturz zurück ins
Elend um so tiefer, als sie im Oktober 1762 nach Berlin
zurückkehrte. Die Zeiten waren schwer, die Wohnungsnot
groß. So mußte die Karschin mit Elendsquartieren vorlieb-
nehmen. Zwar erreichte sie mit bäurischer Hartnäckigkeit
im August 1763 eine Audienz bei Friedrich dem Großen,
der ihr ein Haus und eine Jahrespension versprach. Doch
er hielt seine Versprechungen nicht. Zwar erschien Ende
Oktober 1763 ihre von Gleim und anderen veranstaltete
Pränumerationsausgabe der *Auserlesenen Gedichte*. Doch
das Urteil der gelehrten Kritiker über diese und andere
Veröffentlichungen der Jahre 1763–65 fiel so niederschmetternd aus, daß es die flinke Feder der couragierten Karschin
monatelang lähmte. Es ging hier nicht um Wert und
Anspruch ihres Künstlertums, sondern, wie seinerzeit in
Fraustadt und Glogau, ums nackte Überleben. Wie für
keinen anderen Schriftsteller in Deutschland war das Verse-
machen ihr alleiniger Broterwerb, die einzige Möglichkeit
für sie (und zudem als Frau!), zu existieren und für den
wachsenden Kreis der Ihrigen zu sorgen. Eine Tochter, ein

Sohn, zwei Stiefbrüder mit ihren Familien, die Enkel: alle blieben ihrer dauernden Unterstützung bedürftig. Sie mußte einfach weiterdichten, aus äußeren Notwendigkeiten, aber auch aus einem unstillbaren inneren Bedürfnis heraus. So schrieb sie bis zu ihrem Tode am 12. Oktober 1791 Huldigungsgesänge auf Fürstlichkeiten, Gelegenheitsdichtungen für den Bürger und Nachbarn und trat bei Feiern und Festlichkeiten, oft gegen Naturalien, als poetische Unterhalterin auf. Daneben aber sang sie fast täglich auch ein Lied für sich selbst oder enge Freunde und schrieb vor allem unzählige Briefe, die meisten und schönsten an ihren treuen Freund Gleim. Doch auch von Bodmer bis Zachariä und Zimmermann gab es wohl kaum einen bekannteren Zeitgenossen, mit dem sie nicht kürzer oder länger in brieflicher Verbindung stand. Daß Friedrich Wilhelm II. das Versprechen seines Oheims schließlich einlöste, indem er der Karschin in Berlin ein Haus bauen ließ, in das sie 1789 einziehen konnte, brachte ihr keine finanziellen Erleichterungen, sondern nur neue Schuldenlasten!

Um die Leistung der Karschin und ihre Stellung in der deutschen Literaturgeschichte gerecht zu würdigen, muß man Herder folgen (1797 in den *Erfurtischen Nachrichten*) und bei ihr zwischen privater Gelegenheits- und Erlebnisdichtung im Goetheschen Sinne (Herder spricht von »wahren Naturempfindungen«) und professioneller und bezahlter Gelegenheitspoesie und Auftragsdichtung (Kunstprodukten) unterscheiden. Letztere sind Konfektionsware, wie der Geburtstagskuchen vom Bäcker, das Trauerkleid vom Schneider. Doch schon in dieser Gattung können wir einen der Karschin eigenen Ton gelegentlich heraushören. Da sie über keine geregelte Schulbildung, über keinen verfeinerten Geschmack verfügt, finden sich zwar hier und dort unfreiwillige Entgleisungen und Banalitäten; andererseits läßt das Fehlen der tradierten Zwangsjacken, in denen ihre gelehrten Kollegen und Konkurrenten steckten, Freiräume offen für

w a h r e Begeisterung, e c h t e Bewunderung und herzens-
warme Sympathie.

Völlig zum Bereich steriler Kunstprodukte gehört die
Menge ihrer Fabeln, Epigramme, Anakreontika, rokoko-
haften Verserzählungen, Idyllen und Romanzen. Gemäß
den Idealen des Aufklärungsklassizismus war in diesen Gattungen individueller Erlebnisausdruck verpönt, bedeuteten
geschliffene Formen und Rhythmen, meisterlich plazierte
Pointen alles. Kein Wunder, daß die Karschin bei solchen
Werken der Stilkunst versagte! Sie war unfähig, ihre immer
nur rasch hingeworfenen Improvisationen geduldig und ge-
wissenhaft zu verbessern, unwillig, sie vor der Veröffentlichung (als Einzeldrucke oder in Zeitschriften) wohlmeinenden Freunden vorzulegen: »warum laß ich meine Gedichte drucken, ohne sie zuerst seinem [Ramlers] richter-
lichen Ansehen zu unterwerfen [...]? Ich habe niemals so
viel Zeit dazu, und es geht meiner Muse, wie den hebräi-
schen Weibern, sie gebiert ohne den Geburtshelfer« (an
Gleim, 4. September 1770; vgl. 2. Mose 1,19). Schon am
28. März 1762 hatte sie an Gleim geschrieben: »von Stelle zu
Stelle Fehler aufzusuchen, o dazu hab ich nicht Geduld.
Meine Dichtkunst, meine Beurteilung, meine Freundschaft
und meine Liebe, alles ist Empfindung.« Wenn die Dichte-
rin nun diesen Empfindungen freien Lauf läßt, wenn sie sich
im verhaltenen Schmerz wie im plötzlich ausbrechenden
Glücksgefühl an die Sonne, den Mond, die Vorsehung, die
Schöpfung, an Gott, an den Tod wendet, wenn sie neue
Freundschaften besingt oder sich dankbaren Herzens der
Wohltäter ihrer Kindheit erinnert, wenn Sorge und Leid ihre
Seele niederdrücken oder sie über die wunderlich verschlun-
genen Wege ihres Lebens nachsinnt, dann löst sich ihre
Zunge, dann wird sie zu einer der kühnsten Sprachschöpfe-
rinnen (»Blumenschöpferblicke«, »Flehekraft«, »reisgebün-
deltrocken«, »Die Rose drang aus ihrer Knospe leicht« –
Herder 1767 in seiner Sammlung *Ueber die neuere Deutsche
Literatur*: ihre Gedichte haben »wegen ihrer vielen origi-

nalen Züge mehr Verdienst um die Erweckung deutscher Genies als viele Oden nach regelmäßigem Schnitt«!) und berührt uns noch heute unmittelbar, während uns die ›Meister‹ der Zeit, die Gleim, Ramler, Uz, Götz, völlig kalt lassen. Über einen stolpernden Vers, ein hinkendes Gleichnis sehen wir dann nicht nur hinweg, wir achten sie als Zeugnisse der Unmittelbarkeit ihres Singens und wollen sie nicht entbehren. Und wenn gar unter dem Ansturm ihrer Liebe zu Gleim in den Jahren 1761/62 die harte Schale um das Herz dieser leidgeprüften, in zwei Ehen ungeliebten 38jährigen Frau zerspringt und zum ersten Mal Liebesgedichte und Liebesbriefe hervorbrechen von einer Offenheit und Wahrheit, wie man sie vergeblich in der gesamten deutschen Literatur vor 1770 suchen wird, dann kann sich auch der heutige Leser diesem ›Naturereignis‹ kaum entziehen.

Doch nicht nur durch solche Dichtungen nimmt die Karschin einen hervorragenden Platz in der deutschen Literaturgeschichte ein. Reinhard Nickisch hat sie 1976 als »die eindrucksvollste deutsche Briefschreiberin, welche das Aufklärungszeitalter hervorgebracht hat« (S. 49), bezeichnet und sie damit über die hochgebildeten und talentierten, aus wohlhabenden Familien stammenden, berühmten bürgerlichen Briefschreiberinnen gestellt. Sein Urteil beruht mehr auf sicherem Instinkt als auf genauer Kenntnis, denn die Quelle, die er benutzen konnte, ist sehr getrübt. Elisabeth Hausmann veröffentlichte 1933 nur einen kleinen Teil der über 1500 erhaltenen Briefe und Briefgedichte an Gleim, kürzte die wiedergegebenen Stücke zum Teil ganz erheblich und höchst willkürlich, oft ohne die Auslassungen überhaupt zu kennzeichnen, und veränderte gelegentlich sogar den Inhalt. Trotzdem läßt sich schon jetzt sagen: Die Karschin war eine hochintelligente Frau, nicht ohne Humor und Selbstironie, mit außerordentlicher psychologischer Einfühlungsgabe, sicherer, selbständiger Urteilsfähigkeit, großem Realitätssinn und scharf sehenden Augen. In ihren Briefen spiegelt sich das reale Leben der Zeit, vor allem auch der unteren Stände, wie in keinem anderen Briefwechsel des Aufklärungszeitalters. Ist der Schatz dieser Briefe einmal gehoben, so wird sie sich als das erweisen, was sie ist: die interessanteste Frau der deutschen Literatur-, Kultur- und Sozialgeschichte des 18. Jahrhunderts.

Bibliographische Hinweise

Neue Gedichte. Mietau/Leipzig 1772.

Gedichte. Nach der Dichterin Tode nebst ihrem Lebenslauff herausgegeben von Ihrer Tochter C. L. v. Kl[enke] geb. Karschin. Berlin 1792.– 2. [Titel-]Aufl. Berlin 1797. [Der vorangestellte und gesondert paginierte Lebenslauf, S. 1–128, ist höchst unzuverlässig.]

Ausgewählte Gedichte. Hildburghausen / New York 1834. – Nachdr. u. d. T.: Gedichte. Leipzig 1845.

Anna Luise Karsch. In: Anakreontiker und preußisch-patriotische Lyriker. Hrsg. von F. Muncker. 2 Tle. in 1 Bd. Stuttgart [1894]. Tl. 2. S. 285–334.

Auserlesene Gedichte. Mit einem Nachw. von A. Anger. Stuttgart 1966. (Nachdr. der Ausg. Berlin 1764.)

O, mir entwicht nicht, was die Menschen fühlen. Gedichte und Briefe. Hrsg. und mit einem Nachw. vers. von G. Wolf. Berlin [Ost] 1981. – Lizenzausg. Frankfurt a. M. 1982.

Gedichte und Lebenszeugnisse. Hrsg. von A. Anger. Stuttgart 1987.

Leben der A. L. Karschin, geb. Dürbach. Von ihr selbst, in Briefen an Sulzer. Mit Erg. von W. Körte. In: Zeitgenossen. Ein biographisches Magazin für die Geschichte unserer Zeit. Hrsg. von F. Ch. A. Hasse. R. 3. Bd. 3. Nr. 18. Leipzig 1831. S. 3–42.

Proehle, H.: Aus dem handschriftlichen Briefwechsel zwischen der Karschin, Gleim und Uz. In: Zeitschrift für preußische Geschichte und Landeskunde 12 (1875) S. 641–723.

Die Karschin. Friedrichs des Großen Volksdichterin. Ein Leben in Briefen. Eingel. und hrsg. von E. Hausmann. Frankfurt a. M. 1933. [Verwertet vor allem den reichen Briefwechsel mit Gleim aus dem Gleimhaus zu Halberstadt.]

Chézy, H. v.: Meine Großmutter A. L. Karschin. In: Unvergessenes. Denkwürdigkeiten aus dem Leben von H. v. Ch. Von ihr selbst erzählt. Bd. 1. Leipzig 1858. S. 3–110. [Unzuverlässig, legendenbildend.]

Heinze, Th.: Anna Luise Karschin. Eine biographische und literaturhistorische Skizze. Anclam 1866.

Kastinger Riley, H. M.: Wölfin unter Schäfern. Die sozialkritische Lyrik der Anna Louisa Karsch. In: H. M. K. R.: Die weibliche Muse. Sechs Essays über künstlerisch schaffende Frauen der Goethezeit. Columbia (S. C.) 1986. S. 1–25.

Kohut, A.: Die Deutsche Sappho (Anna Luise Karschin). Ihr Leben und Dichten. Ein Litteratur- und Culturbild aus dem Zeitalter Friedrichs des Großen. Dresden/Leipzig 1887.

Nickisch, R. M. G.: Die Frau als Briefschreiberin im Zeitalter der deutschen Aufklärung. In: Wolfenbütteler Studien zur Aufklärung. Bd. 2. Wolfenbüttel 1976. S. 29–65.

Seuffert, B.: Die Karschin und die Grafen zu Stolberg-Wernigerode. In: Zeitschrift des Harz-Vereins für Geschichte und Alterthumskunde 13 (1880) S. 189–208.

Friedrich Gottlieb Klopstock

Von Klaus Hurlebusch

Für R. H.

Klopstock wurde am 2. Juli 1724 als erstes Kind des Stifts-advokaten und fürstlich-mansfeldischen Kommissionsrates Gottlieb Heinrich Klopstock und seiner Ehefrau Anna Maria geb. Schmidt in Quedlinburg geboren. Er besuchte nach dem dortigen Gymnasium von 1739 bis 1745 die Landesschule Pforta und studierte dann bis 1748 Theologie an den Universitäten Jena und Leipzig. Hier lernte er die ›Bremer Beiträger‹ kennen, literarisch tätige Studenten, die 1748 in ihrer Zeitschrift *Neue Beyträge zum Vergnügen des Verstandes und Witzes* die ersten 3 Gesänge seines *Messias* veröffentlichten und damit den Grund legten zum außerordentlichen Ruhm des jungen Dichters. 1748 wurde Klopstock Hauslehrer in der Familie von Verwandten in Langensalza. Zu seiner Kusine Maria Sophia Schmidt – in seinen Oden als »Fanny« besungen – faßte er hier eine unglückliche Liebe. Im Juli 1750 reiste Klopstock, einer Einladung des Zürcher Literaturtheoretikers Bodmer folgend, in die Schweiz. Das Verhältnis zu Bodmer wurde bald gespannt, da der lebensfrohe Dichter des *Messias* den asketischen Erwartungen seines Wohltäters nicht entsprach. Im Frühjahr 1751 ging Klopstock nach Dänemark, nachdem ihn im August 1750 die Nachricht erreicht hatte, daß der Staatsmann Johann Hartwig Ernst von Bernstorff ihm bei König Friedrich V. von Dänemark eine jährliche Pension erwirkt hatte, mit keiner anderen Auflage als der, den *Messias* zu vollenden. Das Jahresgehalt betrug zunächst 400, später 600 Taler, was für Kopenhagener Verhältnisse nicht viel war.

Friedrich Gottlieb Klopstock
1724–1803

Auf dem Wege nach Kopenhagen lernte Klopstock bei einem Aufenthalt in Hamburg die Kaufmannstochter Margareta (Meta) Moller kennen und bald lieben. Er heiratete sie, die »Cidli« seiner Dichtung, 1754 und verlor sie nach nur vierjähriger Ehe durch den Tod. Klopstocks Aufenthalt in Dänemark dauerte – von einigen zum Teil längeren Besuchen in Deutschland unterbrochen – bis 1770. Im Herbst dieses Jahres wurde sein Gönner und Freund Bernstorff durch den dänischen König Christian VII. seiner Ämter enthoben und ging nach Hamburg. Klopstock begleitete ihn und blieb – von einigen Reisen abgesehen – bis zu seinem Tode in dieser Stadt. Hier wurde der Berühmte der geistige und gesellige Mittelpunkt eines großen Freundeskreises, zu dem u. a. Claudius, Voß, Gerstenberg und die Geschwister Stolberg gehörten. Namhafte Besucher der Stadt suchten ihn auf, z. B. Lichtenberg, Lavater, Herder, Wilhelm von Humboldt, Coleridge und Wordsworth, Friedrich V. von Hessen-Homburg, Karl Eugen von Württemberg, Lord Nelson und Lady Hamilton. 1792 wurde er zum Ehrenbürger der Französischen Republik ernannt. Am 4. März 1803 starb Klopstock. Ehren, wie sie Hamburg und Altona ihm bei seinem Begräbnis erwiesen, sind keinem anderen Dichter von diesen Städten jemals zuteil geworden.

Klopstocks Hauptwerk *Der Messias* benötigte zu seiner Fertigstellung mehr als 25 Jahre (der letzte Band erschien 1773) und wurde in weiteren zweieinhalb Jahrzehnten noch vielfach überarbeitet. Daneben veröffentlichte Klopstock außer zahlreichen Aufsätzen zu Themen der Morallehre und der Dichtungstheorie drei biblische Dramen (*Der Tod Adams*, 1757; *Salomo*, 1764; *David*, 1772), *Geistliche Lieder* (1757 und 1769) und drei vaterländische Dramen (*Hermanns Schlacht*, 1769; *Hermann und die Fürsten*, 1784; *Hermanns Tod*, 1787). 1771 erschien die erste authentische Ausgabe der *Oden*, 1774 *Die deutsche Gelehrtenrepublik*, 1779–80 *Ueber Sprache und Dichtkunst*, 1793 der 1. Teil der *Grammatischen Gespräche*. Von der Ausgabe der *Werke* erschie-

nen von 1798 bis zu Klopstocks Tod 6 Bände, danach
weitere 6 Bände bis 1817.

Zur Person – ein »sanftes und starkes Herz«. Klopstock hat
sein Leben nicht beschrieben. Wenige Jahre vor seinem
Tode notierte er, warum nicht: »Wie ich geschrieben habe,
wissen Verschiedene, und mit der Zeit werden's noch Mehrere [...]; wie ich gelebt habe, wissen meine noch übrigen
Freunde, auch meine Feinde können's« (SW, Erg.-Bd. III,
S. 7). Das sind Worte eines Menschen, der überzeugt davon
ist, sein Werk und seine Person berge kein Geheimnis und
kein Rätsel. Zur Abfassung einer Autobiographie fehlte eine
wichtige Motivation: das Interesse an der eigenen Individualität. Natürlich kannte auch Klopstock solches Interesse,
aber in zu starker Ausprägung bewertete er es als Selbstüberhebung. Mangelt es nun aber an Aufmerksamkeit für die
eigene unverwechselbare Person, so ist auch das Erinne-
rungsvermögen für die eigene Biographie nicht stark entwik-
kelt. Das Tagebuch, das Klopstock über eine kurze Zeit
(November 1755 bis August 1756) führte, ist weitgehend
ein ›Arbeitstagebuch‹ mit Niederschriften literarischer Arbeiten; Spuren eines Interesses an der eigenen persönlichen Art der Daseinserfahrung und -deutung weist es nicht
auf (HKA, Addenda II, S. 2–4). Als er sich 1776 vorübergehend mit dem Gedanken einer Autobiographie befaßte,
tat er es bezeichnenderweise nicht sua sponte, sondern
veranlaßt von falschen Nachrichten, die über ihn kursierten. So erbat er denn zu dieser Arbeit die Hilfe seiner
Freunde. Klopstock begriff aber die Arbeit des Erinnerns
auch als ein Medium geistiger Gemeinschaftsbildung mit
diesen Freunden und mit Unbekannten: »Vorzüglich angenehm werden mir auch Nachrichten von Eindrücken, die
meine Arbeiten auf Ungelehrte gemacht haben, und Erinnerungen an Zeiten seyn, da wir so recht von Grunde des
Herzens mit einander glükselig gewesen sind. Ich erkenne
es mit inniger Dankbarkeit, daß ich es so oft in meinem

Leben, und in so hohem Grade gewesen bin« (an Ebert u. a.,
3. September 1776).

Solche Erfahrungen fielen Klopstock freilich nicht bloß
zu; er stellte vielmehr auch durch Anstrengungen des Wil-
lens und Wünschens die inneren Voraussetzungen dafür bei
sich her. Die größte Glückserfahrung wurde ihm wohl in
der Liebe mit Meta Moller zuteil – »Ach die Glückseligkeit
meines Lebens die war Sie!« –,[1] wie ihr früher Tod wohl
auch die größte Erschütterung war, die er erlitten hat.
Neben der Liebe waren es die zahlreichen Freundschaften,
die Klopstock das Bewußtsein erleichterten, vor der Bewäl-
tigung des Lebens ganz allein zu stehen, eines Lebens, das
von Sorgen um die materielle Unterstützung seiner Mutter
und seiner vielen Geschwister häufig schwer belastet war.
Freundschaft erfuhr und erstrebte Klopstock als beseligende
Überwindung des bedrückenden Wissens, ein endliches, an
Raum und Zeit gebundenes Einzelwesen zu sein. Im Blick
auf dieses Ziel versuchte er, sein Leben so einzurichten, daß
es ausreichend Muße gewährte, der Berufung zum Sänger
des Messias zu folgen.[2]

Glückseligkeit als Lebensziel[3] konnte gewiß nur eine
empfindsame, »sanfte«, zum Kontemplativen neigende Natur wählen, der Geborgenheit in physischen und geistigen
Gemeinschaften und die davon ausgehende Seelenruhe Bedürfnis waren. Zugleich setzte aber die Entschiedenheit und
Ausdauer, mit der Klopstock im Leben wie im Schaffen
dieses Ziel anstrebte, ungewöhnlich starke Willens- und Tat-
kraft voraus. Beide Eigenschaften geben seinem Charakter
das besondere Gepräge.

Zeitgenossen Klopstocks brachten verschiedentlich diese
durchaus spannungsvolle Einheit von Tugenden der Passivi-
tät (Empfänglichkeit, Weltvertrauen, Fähigkeit zur Anteil-
nahme, Begabung zu heiterer Gemütsstimmung) und von
solchen der Aktivität (Entschlußkraft, Zielstrebigkeit, Mut,
Selbstbeherrschung, Führungswille) zum Ausdruck. Sie bezeugen sein »starkes Herz«[4] in der Treue zu seinen Freun-

den, in der Entschiedenheit seiner Überzeugungen, in der Zurückweisung geistiger Bevormundung. Am treffendsten hat vielleicht der dänische Dichter Jens Baggesen die geistige Physiognomie Klopstocks bezeichnet als eine »besondere Mischung von Majestät und Kindlichkeit«, die es fast unmöglich mache zu bestimmen, »ob mehr Naives oder Feyerliches, mehr vom Kinde oder vom Helden in seinem Wesen ist«.[5]

Wie die konträren Eigenschaften von anziehender, heitermitteilsamer Unbefangenheit und von großem, distanzierendem Selbstgefühl Klopstocks Verhalten bestimmten, ist an vielen Beispielen zu veranschaulichen, etwa an seiner zwiespältigen Einstellung zum brieflichen Austausch mit Freunden, dieser für das 18. Jahrhundert so wesentlichen Kommunikationsform. Während er, ein Feind der Zerstreuung,[6] das Schreiben von Briefen für »eine Schwachheit«, für eine Abschweifung der Seele von ihrem Ziel der Heiligung des Lebens hielt – er galt als »Nichtschreiber« –, war das Empfangen von Briefen ihm prinzipiell willkommen.[7] Sein »sanftes Herz« führte ihm vor allem die Gesellschaft von Kindern und Jugendlichen zu – ein Freund nannte ihn den »Mann von Hameln«[8] – und von Frauen. Er band sie an sich durch Erzählen von Geschichten, durch Vorlesen oder durch Erfindung von Spielen, »wobei er Gesetzgeber und Nomophylax« war.[9] Ein charakteristischer Ausdruck dieser zwei Seelen Klopstocks ist seine Freude an Spiel und sportlicher Bewegung. Er liebte besonders die »gesellschaftlichen Spiele« (Sprichwörterspiel, Ballspiel auf dem Feld), aber auch Spiele, die starke Konzentration erfordern, wie Schach.[10] Beidemal geht die emotionale Verlockung zum Spiele wohl von der eigentümlichen Gelöstheit des Verhaltens aus, davon, daß jeder Spieler sich freiwillig, auf Widerruf, an Spielobjekt und Mitspieler bindet. Die Lust an sportlicher Bewegung, an schnellem Reiten, am Schwimmen und vor allem am Schlittschuhlaufen, dürfte das gleiche Motiv haben: die Lösung des leibhaften Selbstgefühls von der Körperschwere, »dieser Endlichkeit Loos« (*Dem Allgegenwärtigen*). Aber auch hier wollte Klopstock nach Möglichkeit nichts subjektiver Willkür überlassen: Beim Schlittschuhlaufen, dessen »großer Apostel«[11] er war, sollte sich »Begeisterung« (*Braga*) nach s e i n e n Gesetzen einstellen, sollten sie den Eislauf zu schwungvollem Eistanz gestalten und dabei den Genuß des Schwebens, einer von der »Schwere der Erde« gelösten Kraft, intensivieren.[12]

Als ein zentrales Motiv in Klopstocks Religiosität ist die Erlösung im Sinne der »Entgrenzung des Menschen von den Schranken seiner irdischen Natur, Lösung vom Leib des Todes« (Kaiser, S. 82) erkannt worden. Es hatte offensichtlich seinen tiefen »Sitz im Leben« Klopstocks ebenso wie der prophetische Anspruch, durch seine Dichtung den Erlösungsweg zu weisen. Die individuelle Symbiose beider Triebkräfte machte den Autor wählerisch bei der Aufnahme geistiger Bildungseinflüsse – sein rezeptiver Eklektizismus ist immer wieder festgestellt worden;[13] sie sicherte ihn übrigens auch vor historischen Zuordnungen zu bestimmten Tendenzen des 18. Jahrhunderts.

Der Poet als Seelsorger für alle Menschen. Der Messias, ein Epos in 20 Gesängen und fast 20000 Versen, ist Klopstocks Hauptwerk, nicht nur weil er länger als 50 Jahre daran arbeitete und seiner Wirkung die materielle Sicherung seiner Existenz verdankte, sondern auch und vor allem, weil er wußte, daß er mit diesem Werk seine Lebensbestimmung erfüllte. Die durch die Passion und Auferstehung Jesu vollbrachte Erlösung »der sündigen Menschen« zu singen, nannte Klopstock 1772 – als das Werk vollendet war – den »Hauptzwek meines Lebens« (an Dietrichstein, 9. Dezember 1772). Ursprünglich, am Beginn seiner Laufbahn als Dichter, scheint er jedoch noch nicht nach dem Vorgenuß himmlischer Unsterblichkeit getrachtet zu haben, sondern nur nach einer lebhaften Vorwegnahme ihrer irdischen Variante in Gestalt des dichterischen Nachruhms. Er wollte zunächst ein Heldenepos schaffen, das ihn der Gesellschaft Homers und Vergils würdig mache, und zugleich ein Nationalepos – als Helden dachte er sich Heinrich den Vogler –, ein Werk also, das die Nation noch nicht besaß und das geeignet schien, seinem Autor die Wertschätzung und Liebe der deutschen Nachwelt einzutragen und ausländische Zweifel an den dichterischen Fähigkeiten der Deutschen zu widerlegen (vgl. Brief an Johann Heinrich Meister, 26. Januar 1749). Die Entscheidung für den Erlöser scheint schließlich auf ihn wie eine inspirative Befreiung aus der Unruhe, Unsicherheit und »Schwermuth« (*An Freund und Feind*) der Sujetwahl gewirkt zu haben. Die Intensität dieses Befreiungserlebnisses spiegelt sich noch in Mimik und Gestik des greisen Autors, als er einem Besucher von der »plötzlichen Eingebung«, die Messiade zu schreiben, berichtete: »des Sprechenden Auge und Stimme und ganzes Gebehrdenspiel erhob sich auch sichtbar bey dieser Rede.«[14] Dieses Zeugnis beweist, daß Klopstock in der Darstellung seiner inspirativen Berufung zum »Messias«-Sänger[15] das Engagement seiner ganzen Seele, d. h. seines Verständnisses von der Bestimmung des Menschen, zum Ausdruck brachte. Er beglaubigt damit gewissermaßen auch die in Poetiken tradierte Dichter- und Dichtungsapologie[16] in seiner Person.

Der »Messias«, der dem Geiste des jungen Klopstock erschien, trug wohl bereits Züge von dessen starkem Erlösungsbedürfnis. Dieser Christus ist weder der vorbildliche Tugendlehrer, wie ihn vor allem die Aufklärungstheologen sahen, noch der »Schmerzensmann«, der »Seelenbräutigam« der Pietisten (vgl. Kaiser, S. 105–122, 161). Er ist »Gottmensch«, »Mittler« von Gottes Unendlichkeit und Ewigkeit; als solcher Weltschöpfer, Weltrichter und Gottversöhner von Anbeginn der Welt für die gesamte Schöpfung. Klopstock hat den Erlösungsratschluß seines Christus auf »alle Geschlechte der Menschen« (*Messias* I,110), ja sogar auf reuige Teufel, wie das Beispiel Abbadonas zeigt (*Messias*

II, V, IX, XIII, XIX), ausgedehnt, d. h. universalisiert.
Damit wich er auch von der orthodoxen Christologie ab
(vgl. Kaiser, S. 113, 174). Sein Bild von Gottes Sohn, dessen
Göttlichkeit seine Menschlichkeit stark überwiegt, unterscheidet sich von dem der Evangelienberichte, die die
Menschlichkeit Christi gerade in den Stationen seiner tiefsten Erniedrigung schildern. Die Gottheit seines Erlösers ist
also von der Innerlichkeit ihres Verfassers mit geprägt, von
seinem Streben nach einem gotterfüllten Bewußtseinszu-
stand, das des Rückhaltes und Vorbildes bedurfte. Um die
seelische Wirksamkeit dieses Christus-Bildes zu erhalten,
suchte Klopstock ihm Dauer in der Zeit zu verleihen durch
eine Dichtung, die das innerliche Offenbarungserlebnis der
Gottheit Jesu im Wort verewigte und es zugleich als leben-
dige Botschaft für alle wiederholbar machte, eine Dichtung,
die sich wesentlich in demjenigen Ausdrucksmedium verwirklichte, das auf Haltung und Gemütsverfassung des
Menschen bezwingenden Einfluß übt: die Stimme. Dieses
Erlebnis wollte der Dichter in einer Fülle von Stimmen und
durch eindringliche Gehörsempfindungen auch in anderen
Seelen jederzeit hervorrufen. Klopstocks religiös-ekstatische
Christus-Erfahrung bedurfte, um existentiell verändernde
Botschaft werden zu können, der lebhaft gehobenen dichterischen Darstellung. Sie sollte – vor allem durch ihre Vers-
sprache, den bis dahin ungewohnten deutschen Hexameter –
den Hörer zu einem andächtig ergriffenen Zuhörer machen,
d. h. ihn in einen selbstvergessenen Zustand gesammelter
Empfänglichkeit entrücken, in dem er ganz von der vernom-
menen Botschaft durchdrungen wird. Dieser Prozeß gänz-
licher Überwältigung und Erfüllung von der christlichen
Heilsgewißheit in einem ästhetischen Empfindungszustand,
der selbst zugleich als Vorgenuß ewiger Teilhabe an Gott,
als »Vorschmack der künftigen Welt« (*Die Glückseligkeit
Aller*) erfahren wird, ist wohl gemeint, wenn Klopstock
sagt, die Bewegung der ganzen Seele sei der Hauptzweck der
»höhern«, »heiligen« Poesie (*Von der heiligen Poesie*).

Der *Messias* ist deshalb ein Werk, in dem nicht – wie z. B.
in Miltons *Paradise Lost* – Charaktere in anschaulichen
Handlungszeiträumen, sondern mehr oder weniger körper-
lose Stimmen in unendlichen Erlebnisräumen dargestellt
sind. Die Zeiterfahrung normalen Ich-Bewußtseins wird
immer wieder aufgehoben. Dies geschieht insbesondere
dadurch, daß die Stimme des »Sängers«, der die Geschichte
der Passion und der Auferstehung erzählt, sie zugleich als
ein von ihr selbst tief Betroffener reflektiert (*Messias* I,15 f.:
»So darf ich, obwohl mit der bebenden Stimme | Eines
Sterblichen, doch den Gottversöhner besingen«). Episo-
disch verstärkend wirken andere Stimmen, die das Geschehen aus der Perspektive der unmittelbar Betroffenen verge-
genwärtigen und seinen Sinn im reflektierenden Ausdruck
(Selbstgespräch, Wechselrede, Gebet, Gesang) verdeutli-
chen. Vor allem durch diese Stimmen betrachtender Anteil-
nahme am Erlösungswerk Christi spricht der Autor; vor
allem auf sie, auf Stimmen aller Zeiten, aller Räume: Engel,
Teufel, Geister der Gestorbenen (Adams und Evas, der
Väter und Propheten des alten Bundes) und Seelen noch
ungeborener Christen verteilt er die Verkündigung seines
christozentrischen Gottes- und Menschenbildes. Im letzten
Gesang sind diese Stimmen zu Chören vereinigt, deren
Hymnus (»Triumphgesang«) den Messias bei seiner Him-
melfahrt preist. Für Klopstock war er der Höhepunkt seines
Epos: Er erfand für ihn – um der akustischen Eindringlich-
keit willen – neue Versmaße und wollte eine Auswahl von
Strophen vertont haben (z. B. von Hasse und Telemann).
Der singende Chor, in dem die Selbständigkeit der Einzel-
stimme aufgehoben und vom kollektiven Klangkörper getragen wird, ist für ihn die Inkarnation größtmöglicher, inter-
subjektiver Übereinstimmung, ein Abbild himmlischer Harmonie, die höchste Form menschlichen Daseins, in der das
körpergebundene Bewußtsein des Subjekt-Objekt-Zwie-
spaltes schwindet. Es ist also ein Zeugnis dichterischer Konsequenz des Autors, daß er den XX. Gesang des *Messias* fast

gänzlich des epischen Charakters entkleidete und ihm eir
außerordentliche lyrische Klang- und Rhythmenfülle gal
Sie sollte die Hörer des XX. Gesangs in das um den aufe
standenen Christus versammelte Triumphheer spirituell hir
einziehen. Diese Erwartung wurde nicht immer erfüllt; vie
len war dieser Gesang »sehr dunckel, oder besser s e h
hoch.«[17]

Hingegen eigneten sich Klopstocks für den kirchliche
Gottesdienst gedachten geistliche Lieder, die zu schreiben
als seinen »zweyten Beruf« bezeichnete (an den Vater, zw
schen 3. und 6. November 1756), schon eher dazu, ch
risch-spirituelle Vergemeinschaftung zu bewirken. Sie w
ren in Inhalt und Sprachgestaltung schlichter, eingängige
mehr für die sanft gerührte als für die vehement hingerisser
Andacht bestimmt. Sie sollten das fördern, was Klopstock
im Unterschied zum orthodoxen wie auch zum neolog
schen Liturgieverständnis – als das »Wesentlichste d
öffentlichen Gottesdienstes« ansah: das Singen, das »lau
Gebet der Gemeine [...], welches sie mit mehr Lel
haftigkeit bewegt, und zu längerm Anhalten erhebt, als d
still nachgesprochne oder nur gedachte Gebet« (Einleitur
zu *Geistliche Lieder*, T. 1).

Klopstocks religiöse Dichtung ist ein Beispiel dafür, da
und wie er die literarischen Gattungsgeseze rigoros de
eigenen Ausdruckswillen unterordnete, der wesentlic
durch die neu entdeckte Poesie der Bibel autorisiert war. E
anderes Beispiel bieten seine Dramen, insbesondere sein
drei vaterländischen »Bardiete« über Armirius.

Der Barde als Seelsorger für alle Deutschen. Der oben e
wähnte Zeuge von Klopstocks Erinnerung an seine Insp
ration zur Dichtung der Messiade berichtet, der greise Dic
ter habe geäußert: Wäre er zu jener Zeit mit »Herrmanr
und seiner Geschichte vertraut gewesen, »er hätte wo
diesem den Vorzug geben können. So aber, als er sich fi
dieses Sujet später begeistert gefunden, [war er] in d

Messiade so weit vorgerückt, [und] weil er zwey Epopeen zu schreiben nicht rathsam geglaubt, hätte er es vorgezogen, in einer eigenthümlichen dramatischen Behandlung die Resultate seiner Contemplation und seines Studiums dieser großen Vaterlandsbegebenheit dem deutschen Vaterlande aufzustellen«.[18] Hermann der Cherusker also ein profaner Heiland der Deutschen, unter denen in den sechziger Jahren des 18. Jahrhunderts das kulturelle Nationalbewußtsein merklich zunahm?[19] Klopstock scheint die seit dem Humanismus des 16. Jahrhunderts in Deutschland bekannte »eindrucksvollste Symbolfigur des deutschen Patriotismus«,[20] die Titelgestalt der Trilogie *Hermanns Schlacht*, *Hermann und die Fürsten* und *Hermanns Tod*, so verstanden zu haben. Diese »Bardiete für die Schaubühne«, die den Sieg des Cheruskerfürsten über die Römer unter Varus, die Niederlage im Kampf gegen Germanicus und seinen Tod durch Stammesgenossen zum Thema haben, standen für ihn in einem inneren Zusammenhang mit seinen drei biblischen »Trauerspielen« *Der Tod Adams*, *Salomo* und *David*.[21] So wie der altjüdische Glaube des Stammvaters und der Könige Israels dem »Vorhof zu dem Heiligthume« (Vorrede zu *Der Tod Adams*), dem Evangelium, angehört, hat auch der heidnische Glaube der alten Germanen präfigurative Bedeutung. Da für Klopstock Christus von Beginn der Welt an der Gottversöhner ist, können auch Heiden – wie im *Messias* gezeigt – erlöst werden.[22] Hinter dem ersten unter den Göttern Walhallas, »Allvater« oder »Wodan«, den Hermann und seine Getreuen verehren, verbirgt sich in ähnlicher Weise der christliche Gott des ewigen Lebens wie hinter dem Vatergott der Juden.[23] Wie die Trauerspiel-Helden aus dem Alten Testament ist Klopstocks Hermann in seinem Wesen passiv. Auf ihn trifft mutatis mutandis zu, was Klopstock von seinem Messias sagt: Er »handelt leidend« (*Über den Messias*). Hermanns Leidensgeschichte, deren tödlichen Ausgang dieser von Anfang an voraussieht, ist Ausdruck seines Sendungsbewußtseins: der Befreiung der

Welt von römischer Herrschaft.[24] Denn diese bedeutet die
Herrschaft einer menschlichen Lebensweise, die ausschließlich von weltlich-immanenten Antrieben bestimmt wird
vor allem von Selbstsucht, die, da sie fern von Gott ist
zur Selbstüberhebung und Menschenverachtung, zu Neid
Zwietracht, Raubgier und Unterjochung führt. Hermanns
Kampf gegen die Römer ist ein heiliger Kampf gegen eine
entartete Daseinsform.[25] Die Verführungsmacht dieser Daseinsform ist jedoch nicht nur der römischen Zivilisation
eigen, wie Beutegier, Mißachtung des Gottesurteils, Stam-
mesrivalität, Neid und Hinterlist unter Hermanns Bundes-
genossen zeigen; sie ist vielmehr eine Mitgift der körperlich
endlichen Existenz des Menschen, also überall da wirksam
wo den egozentrischen Neigungen nicht der Wille zu ihrer
theozentrischen Überwindung entgegengesetzt wird. Eben
dieses aber geschieht durch Klopstocks Hermann, ein Vorbild hingebungsvoller Vaterlandsliebe, die – besonders wenn
sie die Bereitschaft einschließt, fürs Vaterland zu sterben –
einen Inbegriff profaner Überwindung der Selbstbefangen-
heit darstellt; dieser Held muß jedoch mit seiner Erlösungs-
mission letztlich als Märtyrer scheitern, da er nicht »Gottmensch« ist. Um eine religiöse Dimension also hat der
Dichter des *Messias* das humanistische Arminius-Bild bereichert.

Klopstock nennt seine Hermann-Dramen »Bardiete«, um
damit vor allem ihre vermeintlich nationale Urtümlichkeit
zu kennzeichnen. Der Begriff drückt den Anspruch des
Dichters aus, mit diesen untheatralischen Werken die angeblich altdeutsche Bardendichtung nachgeahmt zu haben,
selbst also Nachfolger der von ihm in Gesängen dargestellten Barden zu sein. Die Dialoge der »Bardiete« gipfeln in
freirhythmischen, reimlosen Bardengesängen, die die Liebe
zum Vaterland anfeuern und patriotischen Kampfes- und
Opfermut beflügeln sollen. Hierbei kommt den Chorgesän-
gen, durch deren Häufigkeit sich *Hermanns Schlacht*, ihrer
Triumphthematik entsprechend, auszeichnet, besondere Be-

leutung zu; auch hier versinnbildlicht der Chor bereits das, voran der Inhalt der Gesänge nur appellieren kann: die deale Gemeinschaft.[26]

Klopstock verstand die Barden als »handelnde« Personen, denn sie helfen siegen« (an Herder, 5. Mai 1773). In diesem inne begriff er auch sich selbst. Er wollte dem patriotischen Gemeinschaftsgeist zum Durchbruch verhelfen über Individualismus und Partei-Interesse. In bezug auf *Hermanns chlacht* gründete sich dieses Selbstverständnis allerdings icht nur auf die zu erwartende dichterische Intensivierung aterländischer Gesinnung, sondern auch auf die Widmung les Dramas an den Kaiser. Hierin teilt Klopstock öffentlich len – angeblichen – Entschluß Josephs II. mit, die Wissenchaften in Deutschland zu unterstützen. Nur dieser – nterstellte – patriotische Wille konnte den Dichter, der loßes Fürstenlob prinzipiell als entwürdigend verabcheute, zur Dedikation (»An den Kaiser«) überhaupt bevegen. Einen Plan zu einer kaiserlichen Unterstützung ler »schönen« Wissenschaften (Poesie, Beredsamkeit, Gechichtsschreibung) sowie von Theologie, Philosophie, Naturwissenschaft und Jurisprudenz hatte Klopstock entvorfen und vor Drucklegung von *Hermanns Schlacht* im rühjahr 1768 an den Wiener Hof geschickt.

)er Dichter als Wegweiser für die deutsche Gelehrtenrepulik. Der Plan zur Unterstützung der Wissenschaften in Deutschland ist ganz im dichterischen Geist seines Urhebers eschrieben: Er vergegenwärtigt Abwesendes, nämlich in er Zukunft erhoffte Taten des Kaisers dadurch, daß diese n der antizipierten Rückschau eines Geschichtsschreibers es 19. Jahrhunderts als Tatsachen gepriesen werden.[27] Er vandte gewissermaßen die von ihm immer wieder hervorgeobene Gabe des Dichters, zu verewigen, auf den jungen, trebsamen Mitregenten der Kaiserin Maria Theresia an, ndem er von ihm das Idealbild eines guten, patriotischen Herrschers zeichnete. Er setzte dabei voraus, daß dies auf

den Kaiser ebenso anfeuernd wirke, wie es ihn selbst begei
sterte. Der Plan blieb aber wohl in der Kanzlei bzw. beim
Staatskanzler Kaunitz liegen, der in ihm nur einen Punkt
wahrnahm: die Förderung der nationalen Geschichtsschrei
bung. Zu anderen Punkten, z. B. zur Errichtung einer kai
serlichen Druckerei zwecks Drucklegung der »besten Werke
Deutschlands, zum Vortheile ihrer Verfasser«, zur Grün
dung eines subventionierten Nationaltheaters zwecks Auf
führung deutscher Dramen und eines »Singhauses« zwecks
musikalischer Deklamation deutscher Dichtungen, hat Kau
nitz jedenfalls nicht Stellung genommen.[28]

Der Inhalt des Plans ist durchaus auch vom spannungsvol
len Geist Klopstocks geprägt, von seinem Bestreben, der
Selbstbestimmung des einzelnen auf selbstbestimmte Weise
ein erlösendes Ende in der Gemeinschaft zu bereiten. Die
Unterstützung der Wissenschaften hat er sich vor allem als
eine solche der Wissenschaftler gedacht, als eine vom Ober
haupt des Reiches veranlaßte Auszeichnung von Dichtern
und Gelehrten. Durch Belohnungen für verdienstvolle
Arbeiten, in besonderen Fällen durch Besoldungen, sollten
Dichter und Gelehrte von Sorgen um ihre materielle Exi
stenz befreit werden. Wer unter ihnen der kaiserlichen
Auszeichnungen würdig sei, sollten nur wenige kompetente
Männer entscheiden, die ausschließlich dem Kaiser und den
Autoren Rechenschaft schuldeten und die mit ihren Ent
scheidungen in erster Linie dem Ansehen des Vaterlandes
dienen sollten (vgl. HKA, Werke VII,1, S. 220 f.). Einer
dieser geheimen Entscheider, zuständig für die Werke der
»schönen Wissenschaften«, wünschte Klopstock zu sein,
der – wie er wiederholt betonte – für sich selbst nichts
suchte und sich daher für unparteiisch hielt (an Kaunitz
28. April 1768).

Gewiß war das ausschlaggebende Motiv des »Wiener
Plans« die Befreiung der deutschen Dichter und Gelehrten
vom Zwang zum Broterwerb und der daraus resultierenden
vereinzelnden Konkurrenz um materielle Einkünfte. Aber

die Tatsache, daß der Plan uneigennützig konzipiert worden war, machte ihn nicht schon »unpartheiisch«. Auch hier blieb Klopstock sich treu, d. h. seiner entschiedenen Parteinahme für die Auffassung des Menschen als Gemeinschaftswesen, seiner Absicht, in diesem Sinne den prinzipiell unaufhebbaren existentiellen Zwiespalt zwischen dem Daseinsaspekt der Individualität und dem der Sozialität zu überwinden. Der »Wiener Plan« war im wesentlichen ein Plan zur Förderung der Gemeinschaftsbindungen von deutschen Dichtern und Gelehrten. Sie von der Notwendigkeit des Verdienenmüssens zu entlasten hieß für Klopstock, ihr eudämonistisches Streben nach Gemeinschaft, nach Verdienst um die überindividuellen Mächte und Medien der Übereinstimmung (Liebe zu Gott, zu den Menschen, zum Vaterland und zu seiner Sprache, Achtung der Wissenschaften und ihrer Träger), freizusetzen von den Fesseln der Individualität, des Selbsterhaltungswillens des einzelnen.

Um seine Ehre als »Unschmeichler« und Verächter leichtfertiger Ankündigungen[29] zu wahren, veröffentlichte Klopstock 1774 Auszüge seiner Korrespondenz über den »Wiener Plan« in der *Deutschen Gelehrtenrepublik*, dem Werk, das umfassend wie kein anderes seinen Anspruch bezeugt, Wegweiser der deutschen Dichter und Gelehrten zum gemeinsamen hohen Ziel zu sein, andere Nationen in Literatur und Wissenschaft zu übertreffen. Um diesem subjektiven Anspruch intersubjektive Glaubwürdigkeit zu verschaffen, gab er seinem Buch die fiktive Autorität eines überlieferten Werkes, das er lediglich herausgebe.[30] Dessen Kernstücke sind der gesetz- und ratgebende Teil einerseits, der sich auf die Zukunft der Republik bezieht, wobei die Gesetzessammlung das bestimmt, was zu unterlassen, der »Gute Rath« daran erinnert, was zu tun sei, und der historische Teil andererseits, der richtungweisende Leistungen in der Vergangenheit des Gelehrtenstaates vergegenwärtigt. Dabei bringt auch dieser Teil eine negative und eine positive Einstellung zum Ausdruck: Kritik und Abwehr geistiger Entartungstendenzen[31] wie auch Darstellung beispielhafter, zur Nachahmung reizender Leistungen, wozu u. a. Fragmente »Zur Poetik« oder Teile »Aus einer neuen deutschen Grammatik« gehören. Dieser Doppelaspekt sowie das – für die prophetische Haltung kennzeichnende – unalltägliche, auf Zukunft und Vergangenheit ausgespannte Zeitbewußtsein, das sich in voraussehender Rückschau (z. B. in der Altersfiktion des gesetz- und ratgeberischen Teils) oder in rückschauender Voraussicht (z. B. in den Gericht haltenden Passagen oder in zukunftsträchtigen Werkentwürfen des historischen Teils) manifestiert, sind Charakteristika von Klopstocks Geschichtsverständnis, das die weltliche Geschichte im Blick auf ein übergeschichtliches Ziel transzendiert.

Den Gemeinschaftsgeist der Gelehrten und der Freunde der Literatur, den Klopstock durch seine *Deutsche Gelehrtenrepublik* vervollkommnen wollte, stellte er zugleich mit diesem Buch erfolgreich auf die Probe: Er bot es unter Ausschaltung der Buchhändler auf Subskription an und brachte es dabei auf die erstaunliche Anzahl von fast 3600 Subskribenten. Jedoch mit Ausnahme weniger »Schriftsteller und Literatoren«, die, wie z. B. Goethe, Inhalte des Werkes sich anzueignen verstanden, war die Bestürzung darüber allgemein, »die Achtung gegen den Mann aber so groß, daß kein Murren, kaum ein leises Murmeln entstand« (*Dichtung und Wahrheit* III, 12). Man hatte erwartet, von dem großen Dichter in einer vaterländischen Sache unterwiesen zu werden, und fand nun statt Belehrung ein Buch, das für einen Leser, der Neues erfahren wollte, nicht geschrieben zu sein schien. Der Aufnahme des Werks hinderlich war auch die hintergründige Ironie und der skurrile Humor, womit Kritik am zeitgenössischen Literatur- und Wissenschaftsbetrieb vorgetragen ist. Der eigentümliche Zug zum knappen Ausdruck gedrängter Gedanken, zum Sentenziösen, Spruchhaften, Lakonischen, Fragmentarischen, in altertümlicher Verfremdung, bestimmte das Werk eher für eine Gemeinschaft von Eingeweihten, die an das, was sie bereits wußten, nur evozierend erinnert zu werden brauchten.

Klopstock war sich der esoterischen Wirkung seines Prosa-Ideals der Kürze, wie er es in der *Deutschen Gelehrtenrepublik* veranschaulichte, durchaus bewußt (vgl. HKA, Werke VII,1, S. 78, 86). Der Hang zur gedanklichen Kurzfassung ist bei ihm Ausdruck intuitiv erworbener Gewißheiten. Solche Geisteshaltung hat diskursive Gedankenentwicklung nicht nötig, sie vertraut auf die Erinnerungen weckende Kraft sinngeladener Ausdrücke. Selbst durch den Vorwurf der Dunkelheit ließ Klopstock sich nicht von diesem Ausdrucksprinzip abbringen, zumal er davon überzeugt war, die deutsche Sprache eigne sich ganz besonders gut für sein Ideal der Kürze.

Die Kürze seiner Prosasprache wie die komplizierten metrisch-rhythmischen Fügungen seiner Poesie sollten nach Klopstocks Absicht dazu dienen, dem Ausdruck Nachdruck und damit dem Ausdrucksinhalt eindringliche Kraft zu geben. Diesen Nachdruck zu verwirklichen, waren Stimme und Gehör des Rezipienten zuständig, nicht gliedernder Verstand und selbsttätige Einbildungskraft. Für den H ö r e r , der sich unmittelbar dem Andrang und Verlauf des Gesprochenen unterwirft, nicht für den stillen L e s e r , der visuell über das Geschriebene hin- und herschweifend und Stellung nehmend frei verfügen kann, ist Prosa wie Poesie dieses Autors eigentlich geschaffen. Die stille Lektüre, in der ein Leser Herr über seine Wahrnehmung und über das Wahrgenommene blieb, wurde nun aber im 18. Jahrhundert die entscheidende Form der Rezeption von Literatur.[32] Insofern mußte Klopstock, der als genuin religiöser Autor gerade das Bewußtsein subjektiver Selbstmächtigkeit überwinden wollte, schon zu seiner Zeit in wachsendem Maße unzeitgemäß werden. Die Art und Weise, wie er dichterisch zu Werke ging, sichert ihm jedoch über die Zeit hinweg Aufmerksamkeit und Bewunderung.

Dichter lebendiger Vergegenwärtigung und Entrückung:
Wiederholt hat Klopstock bekundet, daß erst im mündlichen Vortrag, in der guten Vorlesung oder Deklamation, sich der Ausdruck eines Gedichts vollende:

> Wird das Gedicht nicht gesprochen; so seht ihr die Seelen nicht, denen
> Inhalt, treffendes Wort mit zu erscheinen gebot.
> Spricht man's nicht gut; so entbehrt ihr nicht jene Seelen nur, anders
> Zeigt sich der Inhalt auch, ist euch der wahre nicht mehr.[33]

Ihm war bewußt, daß zu »unsern Zeiten, da man so sehr aufgehört hat, sich aus der guten Vorlesung ein Geschäft zu machen«,[34] die Kunst des Vorlesens, die eine »richtige Aussprache des Deutschen«, »Biegsamkeit der Stimme«, verständige Empfindung und Begeisterung weckende Aufgeschlossenheit erfordert,[35] eigens geübt und gepflegt werden müsse. Klopstock selbst hat es häufig und meisterhaft getan: »Er reißt das Herz des Zuhörers mit fort, wenn er liest, wie ein Strom den leicht schwimmenden Nachen.«[36] Die »Lese-Gesellschaft«, die er 1770 in Hamburg gründete, sollte dem Vorlesen deutscher Schriften, »die der Deklamation fähig und würdig sind«, dienen:

> Man entbehrt [...] sehr viel, wenn man sich in einen einsamen Winkel sezt, u. den Schall sieht. Man entzieht sich auf diese Weise schnellern, genauern u. lebhaftern Vorstellungen, von denen Dingen, durch welche uns gute Schriften unterhalten, u. zugleich das Vergnügen des Ohrs, u. der gemeinschaftl. Theilnehmung.[37]

Klopstock wollte also die Rezeption von Dichtung, auch und vor allem, der Stimme und dem Gehör anvertrauen. Sein eigenes dichterisches Schaffen ist ebenfalls weniger vom Sehen als vom Hören bestimmt. Das lyrische Ich sieht (und läßt sehen) nur das, was es sprechend bezeichnet. Die Antriebskraft dieses Sprechens ist aber in ihrem Ursprung nicht etwas Geschautes, sondern etwas Gehörtes, das verinnerlicht wurde: die Botschaft der Erlösung. Das Ich der Oden, Elegien und Hymnen spricht daher nicht stimmlos – es denkt nicht bloß –, sondern redet, innerlich bewegt von der geoffenbarten Daseinsbestimmung des Menschen, mit lebendiger Stimme. Dieser von der Sprachauffassung der biblischen Verkündigung beeinflußte Viva-vox-Habitus des lyrischen Subjekts stellt sich in verschiedenen Formen dar: der Anrede, des Ausrufs, des Zwiegesprächs von Frage und Antwort, aber auch in der Bezugnahme auf das jeweilige Gedicht: »Kom, und lehre mein Lied jugendlich heiter seyn, | Süße Freude« (*Der Zürchersee*), »Laß denn, Muse, den Hain« (*Friedensburg*). Von der Bewegung der Stimme, dieses unmittelbarsten Organs unwillkürlicher Ausdrucksimpulse, wird der sich hörende Sprecher selbst ergriffen und mitgerissen. Er spricht aus der Fülle des Herzens sozusagen unter dem Eindruck seiner eigenen Stimme, die neue, wiederum zum Ausdruck drängende Gedanken und Empfindungen weckt. Das u. a. gibt der Klopstockschen Lyrik den Charakter wechselvoller Bewegung. Die Verse sind nach dem Ideal rhythmischer Mannigfaltigkeit gestaltet. Dadurch werden diejenigen Worte, die ihre inspiratorische Kraft im Bewußtsein entfalten sollen, aus der Wortfolge herausgehoben, sei es durch syntaktische Inversion oder durch Wiederholung, sei es durch gegenrhythmische ›harte‹ Fügung.[38] Diese Versgestaltung, die einerseits den Abfall der Stimme in den am Satzsinn orientierten Sprechfluß der Prosa, andererseits ihre Loslösung vom Inhalt durch alternierende Gleichmaße und Gleichklänge (Reime) vermeidet, hat Klopstock in verstheoretischen Abhandlungen erläutert, deren Einsichten in die Ausdruckshaftigkeit des Silbenmaßes als bahnbrechend gelten können (vgl. Hellmuth).

Schiller urteilte über Klopstock, der für ihn ein musikalischer Dichter war: »Man möchte sagen, er ziehe allem, was er behandelt, den Körper aus, um es zu Geist zu machen«.[39]

Dies ist letztlich begründet in dem Streben des Autors nach
verklärter Erhebung des Menschen durch die Stimme, z. B.
in der Ode *Die Chöre*:

             O es weiß der
Nicht, was es ist, sich verlieren in der Wonne!
Wer die Religion, begleitet
Von der geweihten Musik,

Und von des Psalms heiligem Flug, nicht gefühlt hat!
Sanft nicht gebebt, wenn die Schaaren in dem Tempel
Feyrend sangen!

Der Wille zur Vergegenwärtigung des idealen Selbst im
lebendig gesprochenen oder im gesungenen Gedicht geht
einher mit der Tendenz, in der Darstellung das Ich seinem
Hier und Jetzt zu entrücken in himmlische Sphären, in
Zukünftiges oder in Vergangenes. Die gedankliche Vorwegnahme des Todes einer künftigen Geliebten und von Freunden in der berühmten frühen Elegie *An Ebert* ist eine – bis
ins Äußerste getriebene – wehmutvolle kathartische Erpro-
bung der Freundschaft und Liebe fühlenden Seele.

   Die zentralen Motive der Klopstockschen Lyrik sind solche der Vereinigung der einzelnen zu Gemeinschaften: An-
betung Gottes, Liebe, Freundschaft, Patriotismus, Würdigung von Regenten, die Herrscherlob verdienen, Stellungnahme zu Dichtung und Dichtungstheorie und – im höheren
Alter des Autors häufiger – zu politischem Geschehen, vor
allem zur Französischen Revolution. Zunächst feierte er sie
als »des Jahrhunderts edelste That« (*Kennet euch selbst*), als
Anbruch eines Äons des Heils, insbesondere des Friedens;
später, nach der Hinrichtung des französischen Königs und
vor allem wegen der Eroberungskriege der Republik, verur-
teilte er die Führer und Parteien der Revolution als »Hoch-
verräther der Menschheit« (*Das Denkmal*), als Schänder des
Namens »der heiligen Freyheit« (*Die Erinnerung. An Ebert
nach seinem Tode*).

Tragische Wirkungsgeschichte eines untragischen Autors:
Klopstock hat sein Publikum auf eine authentische Sammlung seiner Gedichte lange warten lassen. Erst 1771 gab er
selbst seine Oden heraus, nachdem sie vorher unter Freunden und Bewunderern in einer Vielzahl von Abschriften und
nichtautorisierten Drucken verbreitet worden waren. Zunächst war Klopstock vor allem als Dichter des *Messias*
bekannt und berühmt geworden, was er wesentlich der
literaturkritischen Avantgarde der fünfziger Jahre verdankte, in erster Linie Bodmer, dem einflußreichen Gegner
der von Gottsched propagierten rationalistischen Literaturtheorie, aber auch den »Bremer Beiträgern« und nicht
zuletzt Lessing, der das Genie des *Messias*-Dichters früh
erkannte, wenngleich er die ersten Gesänge nicht ohne
Vorbehalt gewürdigt hat.[40] Zum frühen Ruhm Klopstocks
dürfte es auch beigetragen haben, daß führende Aufklärungstheologen (Jerusalem, Sack, Spalding) die Messiade
liebten und priesen.[41] Vom Ende der sechziger Jahre – seit
Erscheinen von *Hermanns Schlacht* – bis in die siebziger
Jahre sind es wiederum die Wegbereiter neuer literarischer
Geistesströmungen (Claudius, Gerstenberg, Goethe, Her-
der, Merck, der Göttinger Hainbund), die öffentlich Klop-
stocks Ruhm verkünden. Ihr Idol ist der vaterländische
Autor und der Lyriker. Anfang 1772 heißt es in Johann
Heinrich Mercks Besprechung der Oden-Ausgabe in den
Frankfurter gelehrten Anzeigen (Nr. 8, 28. Januar 1772):
»Bei einem Werke der Ewigkeit, wie dieses, gilt weder Lob
noch Tadel, und alles, was der Liebhaber und Verehrer am
Altar sagen kann, ist dieses: H i e r s t e h t e s.« Merck
schließt: »wir überlassen es unsern Lesern zur Überlegung,
ob nicht eine Zeit bei der Nachwelt möglich ist, daß das
Rad der Dinge da stehenbleibt, wo es heißt: K l o p s t o c k,
der größte lyrische Dichter der Neuern, s c h r i e b a u c h
d e n M e s s i a s.« Ein weitsichtiger Gedanke, denn in der
Tat wurde dieses Klopstock-Bild, das sich im wesentlichen
mit dem Herders und Goethes deckte, für die weitere

Wirkungsgeschichte das maßgebliche. In Eichendorffs *Geschichte der poetischen Literatur Deutschlands* von 1857 heißt es z. B.: »Das Wahrste in Klopstocks Dichtung sind seine Oden. In der Lyrik ist diese subjektive Gefühlspoesie in ihrer angeborenen Heimat, und daher fast überall hinreißend, erschütternd oder erhebend.«[42] Diese Einschätzung fand ihren Niederschlag auch darin, daß im 19. Jahrhundert lediglich die Oden als würdiger Gegenstand einer kritischen Ausgabe erachtet wurden.[43]

Die seit dem Sturm und Drang vorherrschende Auffassung von Klopstock als Lyriker des individuellen Gefühls war das Gegenteil von dem, was der Autor, der sich vor allem als Dichter des *Messias* verstand, eigentlich wollte. Als Vermittler christlicher Vervollkommnung des Menschen wollte er mit seinem Werk, d. h. auch mit seinen Oden, gerade das verhindern, was geschichtlich sich schließlich durchgesetzt hat: die Lösung des Gefühls aus den Bindungen an die überindividuellen, überzeitlichen Bildungsmächte der Religion. Wenn also Klopstock, Gegner der Egozentrik, der »Ichheit« (*Die Egoisten*), mit zur Individualisierung des dichterischen Gefühls beigetragen hat, so ist das durchaus eine Wirkung wider Willen. Klopstock wollte seine Dichtung als Vereinigungsmedium gleichstrebender Seelen rezipiert wissen, was ihm, insbesondere bei unbelesenen, nur mit der Bibel und vielleicht mit Erbauungsbüchern vertrauten Stillen im Lande, gelang. Bereits zu seinen Lebzeiten polarisierte sich jedoch schon das größere Lesepublikum in »Freund und Feind«, und mit wachsender Gottvergessenheit fand er Interesse schließlich nur noch bei anspruchsvollen Belesenen. Zeugen von Klopstocks Fortwirken sind unter den Dichtern die großen einzelnen wie Hölderlin, Kleist, George, Bobrowski. Daß dieser Autor aufhören wird, ein Autor für wenige zu sein, ist nicht abzusehen. Zu fremd ist er einer Zeit geworden, die seinen Glauben und für seine erhabene Sprache den Sinn verloren hat.

Anmerkungen

1 *Hinterlaßne Schriften von Margareta Klopstock*, Hamburg [o. J.],
S. VIII.　2 Vgl. Klopstocks Briefe an Johann Andreas Cramer,
4. Juli 1748; an Haller, 11. Juli 1748; an Bodmer, 19. Oktober,
5. November, 2. Dezember 1748; an Hagedorn, 19. April 1749.
3 Vgl. C. F. Cramer, *Klopstock. Er; und über ihn*, Tl. 5, Leipzig/
Altona 1792, S. 136: »Glückseligkeit! Prägnanter Begriff; in dem der
D[ichter] gleichsam wohnt; den er zuerst philosophisch von Glück
geschieden hat.«　4 Ebd., Tl. 4, Leipzig/Altona 1790, S. 18.　5 J.
Baggesen, *Labyrinten eller Reise giennem Tydskland, Schweitz og
Frankerig*, Tl. 1, Kopenhagen 1792–93, dt. von C. F. Cramer,
*Baggesen oder das Labyrinth. Eine Reise durch Deutschland, die
Schweiz und Frankreich*, St. 3, Altona 1794, S. 50.　6 C. F. Cra-
mer, *Klopstock. In Fragmenten aus Briefen von Tellow an Elisa*, 2
Tle., Hamburg 1777–78, Tl. 1, S. 99.　7 Ebd., S. 54 f.　8 H. P.
Sturz, »Klopstock«, in: H. P. S., *Schriften*, Leipzig 1779, S. 183.
9 C. A. Böttiger, »Klopstock im Sommer 1795«, in: *Minerva* 6
(1814) S. 326.　10 Vgl. Cramer (s. Anm. 6) Tl. 1, S. 90.　11 Cra-
mer (s. Anm. 6) Tl. 2, S. 271.　12 Vgl. Cramer (s. Anm. 6) Tl. 2,
S. 290, Sturz (s. Anm. 8) S. 185 f., und Klopstocks Ode *Der Eislauf*,
V. 13–16. Hierzu: T. K. Thayer, »Intimations of Immortality:
Klopstock's Ode ›Der Eislauf‹«, in: *Goethezeit. Festschrift für Stuart
Atkins*, hrsg. von G. Hoffmeister, Bern/München 1981, S. 40–42.
13 Vgl. Kaiser, S. 82; ferner: K. Hurlebusch, »Dänemark – Klopstocks ›zweites Vaterland‹?«, in: *Deutsch-dänische Literaturbezie-
hungen im 18. Jahrhundert*, München 1979, S. 84 f.　14 Mitgeteilt
in der Rezension von Heinrich Doerings Klopstock-Biographie
(*Klopstocks Leben*, Weimar 1825), in: *Allgemeine Literatur-Zeitung*,
1827, Nr. 4 (Erg.-Bl.), S. 404.　15 Vgl. auch seine Ode *An Freund
und Feind*, V. 51–60; ferner: *Tagebuch Wilhelm von Humboldts
von seiner Reise nach Norddeutschland im Jahre 1796*, hrsg. von A.
Leitzmann, Weimar 1894, S. 96.　16 Vgl. J. Dyck, *Ticht-Kunst.
Deutsche Barockpoetik und rhetorische Tradition*, Bad Homburg
1966; J. Dyck, *Athen und Jerusalem. Die Tradition der argumen-
tativen Verknüpfung von Bibel und Poesie im 17. und 18. Jahrhundert*, München 1977.　17 So Klopstocks Schwägerin Elisabeth
Schmidt in einem Brief (Hs.: Staats- und Universitätsbibliothek
Hamburg: Klopstock-Nachlaß 47b17). Sie fährt fort: »Ich sagte in
der ersten Durchlesung, Klopst[ock] hat vergessen daß er u wir noch

nicht unter die Engel wären.«   18 *Allgemeine Literatur-Zeitung*
(s. Anm. 14) S. 405.   19 Unter dem Einfluß des Siebenjährigen
Krieges, des Ossianismus und der durch Gerstenberg und Mallet
vermittelten »nordischen Renaissance«. Vgl. K. v. See, *Deutsche
Germanen-Ideologie*, Frankfurt a. M. 1970, S. 27–33. – Zur religiösen Deutung der Hermann-Trilogie vgl. G. Kaiser, »Klopstock als
Patriot«, in: *Nationalismus in Germanistik und Dichtung. Doku-
mentation des Germanistentages in München vom 17.–22. Oktober 1966*, hrsg. von B. v. Wiese und R. Henss, Berlin 1967,
S. 145–169.   20 See (s. Anm. 19) S. 16.   21 W VIII–X. Zur
Begründung vgl. Klopstocks Vorrede, W VIII, V f.   22 *Der Messias* XIII, 855 ff., XVI, 69 ff. 137 ff. 320 ff. 549 ff., XX, 1040 ff.
23 Vgl. Klopstocks zweite Anmerkung zu *Hermanns Schlacht*
sowie 14. Szene: »Ich kenne Wodan! und ich weiß, daß er das
Mitleid liebt!«, in: W VIII, 246, 235. – Die christlich-typologische
Deutung Wodans befreit die Germanen von dem alten lateinisch-
romanischen Verdacht, sie seien Barbaren.   24 Hermanns Ziel ist
ein Feldzug nach Rom.   25 *Hermanns Schlacht*, 2. Szene: »Entar-
tet, Romulus' Enkel, und gleicht | Bey dem Wollustmahle dem
Thier! [. . .] | Bildet Eure Götter Euch immer gleicher und feyert, |
Also getäuscht, das taumelnde Fest!«   26 Auch hier ist der Chor
Abbild der jenseitigen Harmonie (in Walhalla). – Die Gesänge in
Hermanns Schlacht hat Gluck, »ungefehr der Klopstock für die
Musik« (F. J. Riedel) vertont; seine Kompositionen sind aber wohl,
weil sie nicht aufgezeichnet wurden, verloren.   27 Der Entwurf
des Plans hat die Überschrift: »Fragment aus einem Geschichtschrei-
ber des neunzehnten Jahrhunderts« (auszugsweise wiedergegeben
in: HKA, Werke VII, 1, S. 220–222).   28 Kaunitz an Klopstock,
28. August 1769, abgedr. in: R.-M. Hurlebusch / K. L. Schneider,
»Die Gelehrten und die Großen. Klopstocks ›Wiener Plan‹«, in: *Der
Akademiegedanke im 17. und 18. Jahrhundert*, hrsg. von F. Hart-
mann und R. Vierhaus, Bremen 1977, S. 72.   29 Hurlebusch/
Schneider (s. Anm. 28) S. 75.   30 *Die deutsche Gelehrtenrepublik.
Ihre Einrichtung. Ihre Geseze. Geschichte des lezten Landtags. Auf
Befehl der Aldermänner durch Salogast und Wlemar. Herausge-
ben von Klopstock*, Tl. 1, Hamburg 1774. – Der geplante 2. Teil, eine
Fortsetzung der *Geschichte des lezten Landtages*, ist nicht erschienen.   31 Verbannung z. B. der Scholiasten, d. h. der Philolo-
gen.   32 Vgl. R. Engelsing, *Der Bürger als Leser. Lesergeschichte
in Deutschland 1500–1800*, Stuttgart 1974, S. 182–215.   33 Epi-

gramm *Wird das Gedicht nicht gesprochen*; vgl. HKA, Werke II, Nr. 201.   **34** *Von der Nachahmung des griechischen Sylbenmasses im Deutschen*; vgl. SW XV,18.   **35** Ebd. – Vgl. Brief an Heimbach, 14. Mai 1800.   **36** Ch. F. Rinck, »Studienreise 1783–84 nach seinem Tagebuch«, in: *Zur Geschichte des deutschen Wesens von 1300–1848. Kulturhistorische Darstellungen aus älterer und neuerer Zeit*, ausgew. von G. Liebe, Berlin 1912, S. 303. – Vgl. auch Cramer (Anm. 6) S. 106–108.   **37** *Einrichtung der Lese-Gesellschaft* (abgedr. in: *Euphorion* 27 1926, S. 348 f.).   **38** Zum Begriff der ›harten Fügung‹ vgl. N. v. Hellingrath, *Hölderlin-Vermächtnis*, München 1936, S. 20–41, bes. S. 22 f.   **39** *Über naive und sentimentalische Dichtung* (Abschn. »Elegische Dichtung«).   **40** Vgl. P. Großer, *Der junge Klopstock im Urteil seiner Zeit*, Würzburg/ Aumühle 1937, S. 64–84.   **41** Ebd., S. 42–44.   **42** Eichendorff, *Sämtliche Werke*, hist.-krit. Ausg., Bd. 9: *Geschichte der poetischen Literatur Deutschlands*, hrsg. von W. Mauser, Regensburg 1970, S. 214.   **43** *Friedrich Gottlieb Klopstocks Oden*, hrsg. von F. Muncker und J. Pawel, 2 Bde., Stuttgart 1889.

Bibliographische Hinweise

Werke. 12 Bde. Leipzig 1798–1817. [Zit. als: W.]

Sämmtliche Werke. 18 Bde. Hrsg. von A. L. Back und A. R. C. Spindler. 1 Suppl.-Bd., 3 Erg.-Bde. Hrsg. von H. Schmidlin. Leipzig/Weimar/Stuttgart 1823–39. [Zit. als: SW.]

Sämmtliche Werke. Erste vollständige Ausgabe. 10 Bde. Leipzig 1844–45.

Werke und Briefe. Hist.-krit. Ausg. (Hamburger Klopstock-Ausgabe.) Bd. 1 ff. Begr. von A. Beck, K. L. Schneider, H. Tiemann. Hrsg. von E. Höpker-Herberg, H. Gronemeyer, K. und R. Hurlebusch. Berlin / New York 1974 ff. [Abt. Addenda, Bd. 1 und 3: Bibliographie.] [Zit. als: HKA.]

Briefwechsel zwischen Klopstock und den Grafen Christian und Friedrich Leopold zu Stolberg. Hrsg. von J. Behrens. Mit einem Anh.: Der Briefwechsel zwischen Klopstock und Herder. Hrsg. von S. Jodeleit unter Mitw. von E. Trunz. Neumünster 1964.

Friedrich Gottlieb Klopstock. Werk und Wirkung. Wissenschaftliche Konferenz der Martin-Luther-Universität Halle-Wittenberg im Juli 1974. Hrsg. von H.-G. Werner. Berlin [Ost] 1978.

Alewyn, R.: Klopstocks Leser. In: Festschrift für Rainer Gruenter. Hrsg. von B. Fabian. Heidelberg 1978. S. 100–121.

Blume, B.: Orpheus und Messias: Zur Mythologie der Unsterblichkeit in Klopstocks Dichtung. In: Jahrbuch der Deutschen Schillergesellschaft 6 (1962) S. 21–34.

Böger, I.: Bewegung als formendes Gesetz in Klopstocks Oden. Berlin 1939. – Nachdr. Nendeln 1967.

Dräger, J.: Typologie und Emblematik in Klopstocks »Messias«. Diss. Göttingen 1971.

Hellmuth, H.-H.: Metrische Erfindung und metrische Theorie bei Klopstock. München 1973.

Hilliard, K.: Philosophy, Letters, and the Fine Arts in Klopstock's Thought. London 1987.

Kaiser, G.: Klopstock. Religion und Dichtung. Kronberg i. T. [2]1975.

Kaußmann, E.: Der Stil der Oden Klopstocks. Diss. Leipzig 1931.

Krummacher, H.-H.: Bibelwort und hymnisches Sprechen bei Klopstock. In: Jahrbuch der Deutschen Schillergesellschaft 13 (1969) S. 155–179.

Lohmeier, D.: Herder und Klopstock. Bad Homburg 1968.

Muncker, F.: Friedrich Gottlieb Klopstock. Geschichte seines Lebens und seiner Schriften. Stuttgart 1888.

Pape, H.: Die gesellschaftlich-wirtschaftliche Stellung Friedrich Gottlieb Klopstocks. Diss. Bonn 1961.

Schneider, K. L.: Klopstock und die Erneuerung der deutschen Dichtersprache im 18. Jahrhundert. Heidelberg [2]1965.

Just Friedrich Wilhelm Zachariä

Von Anselm Maler

Just Friedrich Wilhelm Zachariä, am 1. Mai 1726 geboren, entstammt einer älteren Thüringer Beamtenfamilie. Schon sein Vater Friedrich Siegmund Zachariä, Fürstlich Schwarzburgischer Kammersekretär und Regierungsadvokat zu Frankenhausen, war als emsiger Gelegenheitsdichter hervorgetreten und verband mit der Neigung zur Poesie das Talent zu unterhaltsamer Privatgeselligkeit. So wurde der Sohn im Elternhaus mit Werthaltungen bekannt, deren Ausbau sein eigenes Œuvre als Zeugnis bürgerlicher Kultur der Aufklärungszeit nachhaltig bestimmte. Als Dichter galanter Scherzes und geselliger Freude besang ihn der junge Goethe in einer *Ode an Herrn Professor Zachariä* nach dessen Besuch in Leipzig 1767: »Schon wälzen schnelle Räder rasselnd sich und tragen | Dich [...] | Und [...] | Die Freude mit dir fort. | Du bist uns kaum entwichen, und schwermütig ziehen | Aus dumpfen Höhlen [...] | Verdruß und Langeweile.« Das Kompliment des Leipziger Studenten, der in den *Oden und Liedern* des Älteren die Muster für seine Annette-Lieder fand, bezeugt eine damals schon überholte Wertschätzung. Berühmt war Zachariä in den fünfziger und beginnenden sechziger Jahren durch seine scherzhaften Versepyllia, die auch er als Leipziger Jurastudent zu schreiben begonnen hatte. 1743 war er in die reiche und elegante Metropole Sachsens gekommen, in deren geistigem Leben er wie viele Altersgenossen entscheidende Anregungen für die spätere literarische Tätigkeit empfing. Zachariä gehörte zum Schülerkreis um Gottsched. Beeindruckt von Popes *Rape of*

the Lock, dessen Übersetzung Luise Adelgunde Gottschedi
damals besorgte, schrieb er sein erstes Werk, *Der Renommt*
ste. Gottsched ließ das komisch-heroische Kleinepos in de
von ihm geführten Monatsschrift *Belustigungen des Verstan*
des und des Witzes 1744 erscheinen und verhalf damit der
achtzehnjährigen Verfasser zu frühem Erfolg. Dennoch ent
zog sich Zachariä dem Patronat Gottscheds, als seine Leipzi
ger Dichterfreunde sich gegen das dogmatische Literatur
programm ihres gemeinsamen Lehrers verbanden und m
den sogenannten *Bremer Beiträgen* (1744–48) eine Gegen
zeitschrift gründeten. Hier ließ Zachariä seine dem literari
schen Rokoko zugehörigen Jugenddichtungen erscheinen
Der Wechsel zur Göttinger Universität 1747 führte nich
zum akademischen Titel, wohl aber zu neuen, teils lebens
langen literarischen Freundschaften. Über die Göttinge
Deutsche Gesellschaft fand Zachariä 1748 am Braunschwei
ger Carolinum, einem Bildungsinstitut zwischen Gymna
sium und Universität, seine Lebensstellung. Er lehrte, all
seits beliebt, »bon sens und guten Geschmack«, las Poeti
und Mythologie und übernahm später die Leitung de
Schule. Viele Nebentätigkeiten als Redakteur schönwissen
schaftlicher Zeitschriften, als Journalist und Verlagsdirekto
der bekannten Braunschweiger Waisenhausbuchhandlun
öffneten ihm einen beachtlichen Wirkungskreis. Briefwech
sel und Begegnungen mit zahlreichen Größen der Zei
bekunden die Vielfalt der Beziehungen, in die sich sei
Leben verzweigte. Zachariä traf den Philosophen Haman
und den Orientalisten Michaelis, er korrespondierte mi
Gleim, Gellert und Johann Elias Schlegel, und er unterhiel
enge Freundschaften mit Giseke, Ebert und Gärtner, dre
Bremer Beiträgern, die neben ihm lehrten, sowie mit Gem
mingen und mit Lessing, der seit 1770 als Bibliothekar ir
benachbarten Wolfenbüttel lebte. Eine spät und nicht ohn
Gespür für die nahende Zeit der Krankheit geschlossen
Versorgungsehe mit der Gastwirtstochter Henriette Wege
ner blieb kinderlos. Vier Jahre nach seiner Heirat, a

Just Friedrich Wilhelm Zachariä
1726–1777

30. Januar 1777, erlag Zachariä, erst fünfzigjährig, der Was
sersucht.

Ein bescheidenes, bürgerlich stilisiertes Gelehrtenlebe
erscheint in diesen Daten dokumentiert. Zachariä hat ni
versucht, den ihm vorgemessenen Rahmen zu sprengen. 2
Jahre verbrachte er fast ununterbrochen in seinem Braun
schweiger Kreis, den gesellig vergnügten Geist bewährend
den seine Schriften einfallsreich und anpassungsfähig ver
künden. Dabei macht er keine provinzielle Figur. Sein Wer
umgreift eine Fülle von Themen und Formen, deren Beher
schung auf aktuellem Niveau die mehrfachen Auflagen sei
ner Schriften, die zeitgenössischen Nachahmungen und de
– seit Mitte der sechziger Jahre jedoch nachlassende – Beifa
der Kritiker bestätigen.

Literaturgeschichten beschreiben Zachariä gern als Mode
dichter des literarischen Rokoko im heroisch-komische
Fach und wiederholen dem Sinne nach das lakonische Urte
Goethes in *Dichtung und Wahrheit* (II,6): »Popes Locker
raub hatte viele Nachahmungen erweckt; Zachariä kult
vierte diese Dichtart auf deutschem Grund und Boden, [. .
aber es erregt doch Verwunderung, wenn man bei Betrach
tung einer Literatur, besonders der deutschen, beobachte
wie eine ganze Nation von einem einmal gegebenen und i
einer gewissen Form mit Glück behandelten Gegenstan
nicht wieder loskommen kann, sondern ihn auf alle Weis
wiederholt haben will; da denn zuletzt, unter den angehäuf
ten Nachahmungen, das Original selbst verdeckt und er
stickt wird.« Doch die Versepen entziehen sich dieser pau
schalen Bewertung. Zachariä schrieb 7 Epyllia, die sic
entsprechend dem Wandel des Zeitgeschmacks stark vonein
ander abheben. Er wurde berühmt mit seinen Gesellschaft
gedichten, dem *Renommiste* (1744), den *Verwandlunge*
(1745) und dem *Schnupftuch* (1754). Sie alle standen in lose
Beziehung zur Tradition des komischen Heldengedicht
wirkten aber neu wegen der Aktualität ihrer Thematik und

wie im zweiten Gedicht der Rekurs auf Ovids *Metamorphosen*
andeutet – ihrer hellenistisch-neoterischen Stilisierung. Freilich gilt es, sie sorgfältig voneinander zu unterscheiden, will
man ihren poetischen Reichtum genießen. Dies kann nicht nur
über stoffliche Kategorien geschehen, nach denen etwa der
Renommiste, der Deutung Munckers folgend, gern als kulturhistorische Quelle zum Jena-Leipziger Studentenleben angesehen wird. Realistisch ist diese auf Über- und Untertreibung
gestützte Satire nicht gedacht. Sie verarbeitet vielmehr im Stil
Homers grobianische Traditionen mit Anspielungen auf die
im nachbarocken Bühnenklassizismus propagierte Helden-
idee und betreibt mit den Mitteln der Epenparodie die Des-
illusionierung eines von der Renaissance bis zum Ende des
Absolutismus geltenden Personideals: das des höfischen
Heros. Auf dem sensationellen Kitzel, den die Entdeckung
vermittelte, daß dieses Ideal in seiner hohl gewordenen
Prätention getroffen wurde, beruht nicht zuletzt der zeitgenössische Erfolg des Gedichtes in der ersten Fassung.

Dagegen verzichtet das *Schnupftuch* auf laute Komik und
verschreibt sich der Ironie und dem Scherz der zeitgenössischen Gesellschaftsdichtung. Ähnlich wie die *Verwandlun-
gen* und *Der Phaëton* (1754) entlarvt das Gedicht das heroische Wertsystem (also das adlige Standesethos), in dem es
seine Anwendung auf den Alltag vorführt. Daran zeigt sich
ein allgemeines Prinzip. Zu den wenig beachteten Leistungen der Gedichte Zachariäs wie der Epylliendichter des
Rokoko überhaupt gehört es nämlich, noch vor der Blüte
des humoristischen Romans den Sinn für das scheinbar
Geringe geweckt, der deutschen Literatur über den Bereich
der Satire hinaus das alltägliche Leben erschlossen zu haben.

Die Zeitgenossen haben die Botschaft der Gedichte entsprechend gewertet. *Das Neueste aus der anmuthigen Gelehrsamkeit* (1754) und die *Briefe zur Bildung des Geschmacks* von Johann Jakob Dusch stellen das *Schnupftuch*, Johann Joachim Eschenburg alle drei Epyllia Zachariäs
mit Nachdruck über den *Renommisten*. Dabei werden die

beträchtlichen Anleihen Zachariäs bei Pope oder antiken Mustern nicht getadelt. Nachahmung, selbst Kompilation erregten in der Aufklärungszeit noch nicht so viel Anstoß wie nach der Geniezeit, als Originalität und Individualität des Werks zu ausschlaggebenden Kriterien wurden. Die stilistischen Repliken und stofflichen Anleihen Zachariäs dienten denn auch als Mittel, seiner poetischen Sprache die Eleganz und Leichtigkeit zu gewinnen, die der Zeitstil des Rokoko verlangte.

Zachariä folgte ihm auch in den *Scherzhaften epischen Poesien nebst einigen Oden und Liedern* (1754), gewann aber bald sentimentale, ja pathetische Töne hinzu. Die nach Thomsons *Seasons* verfaßten *Tageszeiten* (1755), die Milton-Übersetzung (1760) und das davon angeregte religiöse Epos *Die Schöpfung der Hölle* (1761) wie schließlich die Übersetzungen von Werken Thomas Wartons und Mark Akensides wandten sich an ein Publikum, das mindestens Klopstock und Gellert kannte. Auch seine geistlichen Libretti und dilettantischen Liedkompositionen bezeugen Zachariäs Empfänglichkeit für empfindsame Stimmung und Reize.

Sie findet Ausdruck im Übergang zur Idylle in den Epyllia der fünfziger Jahre. Im *Phaëton* nach Ovid wird das urbane Gesellschaftsmilieu durch das gemütliche eines ländlichen Adelssitzes ersetzt, weicht der heroische Alexandriner dem wie in Klopstocks *Messias* Gefühl signalisierenden Hexameter, ein Rezept, dessen Erfolg übrigens die mehrfache Übersetzung des Gedichtes ins Französische, hier von Fallet, bezeugt –

> O mon cher maitre! o Zacharie [...]
> A la flâme de ton génie
> Le mien osa puiser les feux.

Ähnliches begegnet bei *Murner in der Hölle* (1757), einem Hexameter-Gedicht, dessen ländlich-kleinmalende Schilderungen die parodistische Beziehung zur Elpenor-Episode der *Odyssee* nahezu verdecken. Den Weg zur humoristischen Idylle geht Zachariä mit seiner *Lagosiade* (1757), die in poetischer Prosa das törichte Jagdabenteuer eines seiner Zöglinge erzählt, und mit *Hercynia* (1763), der dürftigen Schilderung einer Harz-Reise im gemischten Stil. Zachariäs Talent versagte bei seinen Versuchen im hohen Epos. *Die Schöpfung der Hölle* und *Cortes* (1766), nach Bodmers *Colombona*, blieben Fragmente. Sie und empfindsame Dichtungen wie das späte Lustspiel *Der Adel des Herzens* (1770) oder *Taÿti* (1777) lassen erkennen, daß Zachariä es nicht unternahm oder nicht vermochte, den Standard seines Frühwerks zu überbieten. Moralisierende Ironie und spielender Witz, Anpassung an die geltenden Konventionen, Empfänglichkeit für den Reiz des Intimen, Sinn für das Kleine in Stoff und Form, das sind die Merkmale seines Dichtens geblieben.

Bibliographische Hinweise

Hinterlassene Schriften. Ein Anhang zu der neuesten rechtmäßigen Auflage seiner poetischen Werke. Hrsg. und mit einer Nachricht von des Verfassers Leben und Schriften begleitet von J. J. Eschenburg. Braunschweig 1781.

Der Renommiste. Das Schnupftuch. Mit einem Anhang zur Gattung des komischen Epos hrsg. von A. Maler. Stuttgart 1974.

Sämmtliche Poetische Schriften. 9 Bde. Braunschweig 1763–65.

Lichem, K.: Die französischen Übersetzungen des Phaëton von Just Friedrich Wilhelm Zachariä. In: Germanisch-Romanische Monatsschrift 19 (1969) S. 241–261.

Maler, A.: Der Held im Salon. Zum antiheroischen Programm deutscher Rokoko-Epik. Freiburg i. B. 1973.

Meyen, F.: F. W. Zachariae. 1726–1777. In: F. M.: Bremer Beiträger am Collegium Carolinum. Braunschweig 1962. S. 49–58.

Schiller, C. G. W.: Braunschweigs schöne Literatur in den Jahren 1745–1800. Die Epoche des Morgenroths der deutschen schönen Literatur. Wolfenbüttel 1845.

Gotthold Ephraim Lessing

Von Norbert Altenhofer

Als im Lessing-Jubiläumsjahr 1879 der damalige Hauptpastor zu St. Nicolai, ein Nachfolger Johann Melchior Goezes im Amt, mit einer Denkschrift in den Streit um das geplante Lessing-Denkmal auf dem Hamburger Gänsemarkt eingriff, hatte der Prozeß der nationalen Kanonisierung des Klassikers im Gefolge der Reichsgründung seinen Höhepunkt erreicht: Es stand nicht mehr zur Debatte, o b, sondern nur noch w i e Lessing seinen Platz im deutschen Pantheon einnehmen sollte. Auf die im Titel der Denkschrift formulierte Frage: »Das projektierte Lessing-Denkmal auf dem Hamburger Gänsemarkt – soll es ein genrehaftes Sitzbild des Hamburger Dramaturgen oder ein monumentales Standbild des Deutschen Geisteshelden sein?«, konnte es nur eine Antwort geben: »Diesen« – nämlich den von Goethe und Schiller in einer Xenie als »Achilles« begrüßten – »Lessing kann nur ein m o n u m e n t a l e s S t a n d b i l d d e s d e u t -s c h e n G e i s t e s h e l d e n zu erhebender Anschauung bringen.«[1] Dem Hauptpastor Goeze war Lessing noch ein ernstzunehmender Gegner gewesen; er hatte in dessen »närrischen Einfällen« und seiner »Theaterlogik« den »Samen der Rebellion« gewittert und die Obrigkeit aufgefordert, »diesem unsinnigen Unfuge ein Ende« zu machen (W VIII, 115, 170 f.). Dem späten 19. Jahrhundert standen andere Mittel zu Gebote. Es schlug Lessing dem nationalen Erbe zu, ohne sich der Frage nach der Legitimität dieses Anspruchs zu stellen.

Gotthold Ephraim Lessing
1729–1781

Es ist ein weiter Weg von der Selbstsicherheit solcher Vereinnahmung zu der selbstkritischen Formel »Ein Mann wie Lessing täte uns not«, mit der ein Jubiläumsalmanach von 1979 zu einem neuen Blick auf den Klassiker ermutigen will.[2] Zu viel steht mittlerweile in Frage – nicht nur Lessing und seine nationale Repräsentanz, sondern auch das »Wir«, dessen sich die öffentlichen Redner so gern bedienen. Lessings einst so ehern wirkende Identität scheint im gleichen Maße hypothetisch zu werden wie die nationale und kulturelle Identität derjenigen, die sich auf ihn berufen.

Es läge in seinem Sinn, diese Situation nicht zu beklagen, sondern sie zu nutzen. Nichts liebte Lessing mehr als hypothetische Fragen, und zwar solche, in denen nicht nur die Sache, vielmehr das fragende Ich selbst als Hypothese figuriert. So bedurfte er auch keiner nationalen Identität, um zu werden, was er war; wenn er, angesichts des Scheiterns seiner Nationaltheater-Idee, im letzten Stück der *Hamburgischen Dramaturgie* (1767–69) mit einer gewissen Bitterkeit feststellte, daß »wir Deutsche noch keine Nation sind«, so sprach er »nicht von der politischen Verfassung, sondern bloß von dem sittlichen Charakter« (W IV,698). Was er n o c h n i c h t sah, ist heute n i c h t m e h r erkennbar – ein Tatbestand, der auch sein Gutes hat: Legt doch der Blick auf vergangene Formen der Besitzergreifung die Vermutung nahe, daß die Chance, sich Lessing zu nähern, in historischen Phasen fragwürdig werdender kollektiver Identität größer ist als in Perioden nationaler Konsolidierung.

Auf die Frage, wer er sei, hat Lessing schon 1752 auf seine Weise Auskunft zu geben versucht. Der Dreiundzwanzigjährige, seit einem halben Jahr Magister der Universität Wittenberg, zuvor aber schon in Leipzig und Berlin als lyrischer Poet, Lustspieldichter und Kritiker hervorgetreten, schreibt am 11. Oktober einem Freund, und mit ihm allen künftigen Denkmalpflegern, unter dem Titel *Ich* (W I,127) diese 3 Strophen ins Stammbuch:

Die Ehre hat mich nie gesucht;
Sie hätte mich auch nie gefunden.
Wählt man, in zugezählten Stunden,
Ein prächtig Feierkleid zur Flucht?

Auch Schätze hab ich nie begehrt.
Was hilft es sie auf kurzen Wegen
Für Diebe mehr als sich zu hegen,
Wo man das wenigste verzehrt?

Wie lange währts, so bin ich hin,
Und einer Nachwelt untern Füßen?
Was braucht sie wen sie tritt zu wissen?
Weiß ich nur wer ich bin.

Ist dies Gedicht eine Antwort, so nicht durch irgendeine positive Auskunft, die es am Ende erteilte, sondern nur durch das, was sich an seiner formalen Bewegung, bis ins grammatische Detail, ablesen läßt. Auf Negationen lassen die beiden ersten Strophen jeweils Fragen folgen, wobei das sprechende Ich hier noch mit der sozialen Instanz eines »Man« verknüpft bleibt. Die 3. Strophe, bis auf die letzte Zeile bloß aus Fragen bestehend, gibt auch diesen Bezug auf – zugunsten eines rein reflexiven Verhältnisses zwischen einem Ich, das weiß, und einem, das ist – und suspendiert die Antwort in der lakonischen Pointe des verkürzten Schlußverses: auch er kein Aussage-, sondern ein frageabhängiger Konditionalsatz, der auf die Gesamtbewegung des Gedichts zurückverweist. Das Ich, vom Titel als Gegenstand exponiert, realisiert sich nur im Spiel von Frage und Negation, nicht als ein Substantielles.

Lessings dialektische Selbsterfahrung ist zentriert um einen Punkt, von dem der Blick sich zugleich in Vergangenheit und Zukunft richtet und der durch die skeptische Frage »Wie lange währts«? als der einer knapp bemessenen, ständig sich verlagernden Gegenwärtigkeit markiert ist. Die Lebensstationen sind – im wörtlichen Sinn – als Flucht-

punkte, nicht als Standpunkte entworfen. Kein Schriftsteller
des 18. Jahrhunderts hat Aufklärung so sehr als Bewegung,
als Handlung verstanden wie Lessing; keiner sich ähnlich
bedingungslos auf das Risiko eingelassen, das ein institutionell nicht abgesichertes Schriftstellertum unter den Bedingungen seiner Zeit bedeutete. Der Preis seines Begriffs von
Aufklärung als eines permanenten Selbstexperiments (nicht
nur eines didaktischen Programms zur Aufklärung der anderen) war die Verwandlung der bürgerlichen in eine literarische Existenz. Um der privaten wie der literarischen Bewegungsfreiheit willen auf »Schätze« und »Feierkleid« verzichten hieß: ein Leben auf Abruf führen.

Gotthold Ephraim Lessing wurde am 22. Januar 1729 in
Kamenz (Oberlausitz) geboren. Seine frühen und mittleren
Jahre sind von spontanen Orts- und Berufswechseln, von
abrupten Unterbrechungen menschlicher und intellektueller
Kontakte bestimmt. Im September 1746 schreibt er sich an
der Universität Leipzig als Student der Theologie ein,
bewegt sich aber schon nach wenigen Monaten mehr im
Milieu der Leipziger Literaten und der Neuberschen Schauspieltruppe als in den Hörsälen (und wenn dort, so in den
Kollegs und Kolloquien des Altertumswissenschaftlers
Johann Friedrich Christ oder des philosophisch interessierten Mathematikers Abraham Gotthelf Kästner). Nach einer
Aussprache mit den über seinen Lebenswandel beunruhigten Eltern wechselt er im April 1748 zur Medizin über, flieht
aber im Juni vor seinen Gläubigern nach Wittenberg, um
schon im November das dort fortgesetzte Medizinstudium
abzubrechen und als Redakteur der *Berlinischen privilegirten Zeitung* in die preußische Hauptstadt überzusiedeln.
Ende 1751 nimmt er das Studium in Wittenberg wieder auf,
erwirbt im April 1752 den Grad eines Magisters der freien
Künste und ist vom November dieses Jahres an wieder als
Redakteur in Berlin tätig. Im Oktober 1755 kehrt er nach
Leipzig zurück, verläßt die Stadt aber wieder im Mai 1756,

um den Patriziersohn Johann Gottfried Winkler auf einer vierjährigen Bildungsreise durch Europa zu begleiten. Der Ausbruch des Siebenjährigen Krieges zwingt sie jedoch, schon im August von Amsterdam aus den Rückweg anzutreten. Im Mai 1758 siedelt er wieder nach Berlin über, verläßt die Stadt aber inmitten vielfältiger literarischer Aktivitäten am 7. November 1760 über Nacht, ohne seine Wohnung zu kündigen und ohne von seinen Freunden Abschied zu nehmen, um in Breslau als Sekretär in die Dienste des Generals Tauentzien zu treten. In einem Brief an Ramler kommentiert er den plötzlichen Entschluß mit dem Satz: »Die Wahrheit zu gestehen, ich habe jeden Tag wenigstens eine Viertelstunde, wo ich mich selbst darüber wundere« (B 206). Ende 1764 quittiert er den Dienst und ist ab Mai 1765 wieder in Berlin. Im April 1767 schließt er sich als Dramaturg und Kritiker dem Nationaltheater-Unternehmen Abel Seylers in Hamburg an. Drei Jahre später, im April 1770, verläßt er Hamburg und tritt die Stelle eines Hofbibliothekars in Wolfenbüttel an, das er nur noch zu gelegentlichen Reisen, darunter einer längeren Italien-Reise von April bis Dezember 1775, verläßt. Mehrere Male während seines unsteten Lebens trägt der leidenschaftliche Bücherliebhaber bedeutende Bibliotheken zusammen, um sie bei seinen Ortswechseln ganz oder teilweise wieder zu verkaufen – oder zu verlieren.

Alles deutet darauf hin, daß Lessing das Stimulans eines permanenten Risikos, der immer erneuten Preisgabe aller Pläne an den Zufall einer ungeregelten Existenz so notwendig brauchte wie den unaufhörlichen Wechsel der intellektuellen Sphären und literarischen Medien. Sein lebenslanger Hang zu Glücksspiel und Lotterie, der sich nach seiner Etablierung als Bibliothekar und Ehemann – im Oktober 1776 heiratet er Eva König, die Witwe eines Bekannten – eher noch steigert, ist das Symptom dieses in der letzten Lebensphase nur domestizierten, nie wirklich überwundenen »Landstreicher«-Instinkts.[3] Der mit der Übersiedlung

nach Wolfenbüttel unternommene Versuch einer dauernden
beruflichen und familiären Bindung endet mit einer Katastrophe, aus der er zunächst mit dem bitteren Freiheitsge-
fühl dessen wieder auftaucht, der nach dem Tod von Kind
und Frau im Dezember 1777 und im Januar 1778 nichts
mehr zu verlieren hat – »Ich freue mich, daß mir viel
dergleichen Erfahrungen nicht mehr übrig sein können zu
machen; und bin ganz leicht« –, um dann zu erkennen, daß
mit dem verlorenen Einsatz nicht nur das private Glück,
sondern auch die Chance einer erneuten Flucht in die Bin-
dungslosigkeit endgültig verspielt ist (B 768, 795):

> Ich muß ein einziges Jahr, das ich mit einer vernünf-
> tigen Frau gelebt habe, teuer bezahlen. [...] Wie oft
> möchte ich es verwünschen, daß ich auch einmal so
> glücklich sein wollen, als andere Menschen! Wie oft
> wünsche ich mir, mit eins in meinen alten isolierten
> Zustand zurückzutreten; nichts zu sein, nichts zu
> wollen, nichts zu tun, als was der gegenwärtige Au-
> genblick mit sich bringt!«

Äußerungen dieser Art deuten auf ein Selbstverständnis, das
mit der vielstrapazierten Formel vom bürgerlichen Streiter
gegen feudale Unterdrückung in seiner Einzigartigkeit nicht
erfaßt wäre, auch wenn die beklemmende Misere des letzten
Lebensjahrzehnts mit ihrem zermürbenden Kampf gegen
ökonomische Ausbeutung und Zensur für eine solche Sicht
zu sprechen scheint. Lessing, der am 15. Februar 1781 bei
einem Besuch in Braunschweig starb, verkörpert als einer
der ersten den »europäischen Typus des großen Schriftstellers« (Thomas Mann) und antizipiert über das emanzipatorische Engagement des »bürgerlichen« Autors hinaus in seiner
Art zu leben und zu schreiben bereits Formen des Wider-
stands gegen Zwänge, deren eigentliche Stunde erst mit dem
Sieg des Bürgertums kommen sollte.

Anders als bei den großen Systembegründern Wolff und
Gottsched, anders auch als bei den Mitstreitern Mendels-

sohn und Nicolai, ist Aufklärung bei Lessing ein zugleich öffentliches, individuelles und ästhetisches Ereignis. Sie wird da wirksam, wo ein einzelner sie an sich für andere vollzieht, dabei immer neue Formen findet oder erfindet, in denen er dem Publikum und sich selbst gegenübertritt. Aufklärung muß sich objektivieren, öffentlich werden; sie darf aber, soll sie nicht wiederum zum Dogma erstarren, nie aufhören, in jedem Akt ein durch Erfahrung und Selbstreflexion gewonnenes Individuelles zum Ausdruck zu bringen. Der Schritt an die Öffentlichkeit impliziert ethische wie ästhetische Verantwortung: Dem literarisch sich objektivierenden Autor gesteht Lessing eine Unverbindlichkeit, wie Alltagskommunikation sie noch beanspruchen darf, nicht mehr zu: »Ich vergebe tausend gesprochene Worte, ehe ich e i n gedrucktes vergebe« (B 740). Er ist auch in dem Sinne eine durch und durch literarische Existenz, daß er selbst sein privates Sprechen und Handeln diesem Anspruch der Schrift unterstellt: »ich bin mir nicht bewußt, an jemanden jemals eine Zeile geschrieben zu haben, welche nicht die ganze Welt lesen könnte« (B 565). Man darf das mindestens so sehr als ästhetische wie als moralische Maxime lesen: Es gibt kein Zeugnis von Lessings Hand, das nicht wie ein öffentliches Dokument rhetorisch ausgefeilt wäre, so als gäbe es keine Freude und kein Leid, die nicht durch Sprache verwandelt und bewältigt werden könnten. In einer radikalen, fast hybriden Weise ist Lessing selbst da noch Literat, wo er von der tiefsten Wunde spricht, die das Leben ihm geschlagen hat, vom Tod seines eben geborenen Sohnes, dem wenige Tage später der seiner Frau folgen sollte (B 765 f.):

Meine Freude war nur kurz: Und ich verlor ihn so ungern, diesen Sohn! denn er hatte so viel Verstand! so viel Verstand! – Glauben Sie nicht, daß die wenigen Stunden meiner Vaterschaft mich schon zu so einem Affen von Vater gemacht haben! Ich weiß, was ich sage. – War es nicht Verstand, daß man ihn mit

eisern Zangen auf die Welt ziehen mußte? daß er so
bald Unrat merkte? – War es nicht Verstand, daß er
die erste Gelegenheit ergriff, sich wieder davon zu
machen? – Freilich zerrt mir der kleine Ruschelkopf
auch die Mutter mit fort! – Denn noch ist wenig
Hoffnung, daß ich sie behalten werde.

Selbst vor dem guten Freund, an den dieser Privatbrief
gerichtet ist, darf der Schmerz sich nur in der Totenmaske
beinahe witziger Stilisierung zeigen, und es gehört zur Konsequenz dieser Haltung, wenn der gleiche Mann, der als
Dramatiker seinen ganzen Ehrgeiz darein setzte, die Rührung des Publikums exakt zu kalkulieren, eine Woche darauf
den eigenen Brief mit der Bemerkung kommentiert, er
könne sich »kaum erinnern, was für ein tragischer Brief« das
gewesen sein könne, den er solle geschrieben haben; er
schäme sich herzlich, wenn er »das geringste von Verzweif-
lung« verrate (B 767 f.).

Auf den ersten Blick ist sein Werk das eines Polyhistors.
Anakreontik, Verserzählung und Epigrammatik, Fabel und
Lehrgedicht, Komödie und Trauerspiel, Poetik und Kunst-
theorie, Literaturkritik und sokratischer Dialog, Textkritik,
Edition und Lexikographie, Übersetzung und Bearbeitung,
Literatur- und Theatergeschichtsschreibung, philosophischer Traktat und theologiekritisches Pamphlet: es gibt fast
keine Gattung und keine Disziplin im Bereich der schönen
Wissenschaften und Künste, der sich Lessing im Laufe
seines Lebens nicht mit hinreichender Intensität gewidmet
hätte, um bleibende Spuren in ihr zu hinterlassen. Dennoch
liegt das Unveraltete seiner Leistung weniger im enzyklopädischen Format des Gesamtwerks oder in der Originalität der Einsichten als in dem unerschöpflichen Reichtum
an erhellenden Konfigurationen und produktiven Brücken-
schlägen zwischen Gegenstands- und Problembereichen,
Genres und Sprachformen. Daß einer heute fast unvorstellbaren Versenkung in chaotisch-amorphe Stoffmassen, ins

oft periphere Detail neue Möglichkeiten poetischer und wissenschaftlicher Sprache, dem toten Buchstaben einer dogmatisch erstarrten Überlieferung dringliche Fragen an den einzelnen, an die Gegenwart abgewonnen wurden, ist ein Ereignis, das in erster Linie ästhetisch gewürdigt werden muß. Die virtuose Dramaturgie Lessingscher Aufklärung hat ihren Reiz und ihre intellektuelle Brisanz auch dort bewahrt, wo das Interesse an Gegenständen, Anlässen und Mitakteuren längst verblaßt ist.

Die häufigen Orts- und Rollenwechsel im Leben dieses Autors haben ihre Entsprechung in der Form seiner literarischen Produktion. Der Eindruck des Heterogenen, den sie zunächst vermittelt, verliert sich erst, wenn man die einzelnen Werke wie die Lebensstationen als ›Fluchtpunkte‹ begreift, von denen aus sich Perspektiven auf ein – stets vorläufiges – ›Ganzes‹ eröffnen. Nicht zufällig gilt Lessings ganze Leidenschaft gattungs- oder kunsttheoretischen Grenzbestimmungen – eine Vorliebe, die ihn mit dogmatischen Kunstrichtern vom Schlage Gottscheds zu verbinden und schlecht zu seiner geistigen und sprachlichen Agilität zu passen scheint. Sein Interesse zielt jedoch nicht auf normative Regulierung der Vielfalt dichterischer Formen. Die Trennungslinien werden scharf gezogen, nicht weil poetologische Konventionen dies verlangen, sondern weil nur die klare Markierung von Gattungs- und Diskursgrenzen die Präsentation von Gegenständen und Problemen als perspektivische – also standortbedingte und damit variable – sichtbar zu machen erlaubt. Die S a c h e gewinnt ihre Konturen erst durch die F o r m : das perspektivierende Genre, die Situation und die personelle Konfiguration der Rede.

Für den »kritischen Schriftsteller« hat Lessing sein Verfahren auf die knappe Formel gebracht: »Er suche sich nur erst jemanden, mit dem er streiten kann: so kömmt er nach und nach in die Materie, und das übrige findet sich« (W IV,559). Die kritische Rede – auch die poetische, und die dramatische ohnehin – kommt nicht aus der Position eines

Ich, das sein Zentrum immer schon kennt, und geht nicht
auf einen bereits fixierten Gegenstand; sie eröffnet eine
Spielsituation mit mehreren Variablen, zu denen außer dem
sprechenden Ich und der verhandelten Sache auch der Kon-
trahent und das Publikum gehören. Die Zeitgenossen haben
dieses Vexierspiel ihrerseits perspektivisch bewertet: als
»amphibisch« im negativen oder positiven Sinn. Für die
Gegner blendet, wer seine Identität derart ausblendet, das
Publikum in moralisch verwerflicher Weise: »Leßing [...]
ist ein Amphibion. – Er blendet die Leser. – Man soll
glauben; er schlage sich zu keiner Parthey. – – Und doch
ist er sein eigener Verräther.«[4] Johann Arnold Ebert, ein
Freund Lessings, erkennt den ästhetischen Charakter dieser
»amphibischen« Natur; ihm ist Lessings »Stil« ein magisches
Instrument der Metamorphose, das es seinem Besitzer
erlaubt, sich auf dem Weg von einem Genre zum andern
dem Leser zu offenbaren, indem er sich ihm zugleich entzieht (Dvoretzky I, S. 28):

> Der allgewalt'ge Zauberstab,
> Den Phöbus in dem Stil ihm gab,
> Kann, was er will, zu Gold berühren
> Und Dorngesträuch mit Rosen zieren.
> Er mag, wohin er will, mich führen;
> Er mag sich metamorphosiren:
> Ich folg' ihm, ohn' ihn zu verlieren,
> Vom Trauerspiel zum Epigramm,
> Und von der Poesie zur Prose,
> In jegliche Metamorphose.

Eberts kleiner Lessing-Mythe zufolge wäre man dem Zaube-
rer erst da auf der Spur, wo man ihn in der Virtuosität
wiedererkennt, mit der er sich seinen Verfolgern, auch den
Verehrern unter ihnen, entzieht. Allerdings nie ins Unver-
bindliche oder Ungreifbare: die Absenz des Autors besiegelt
die Präsenz der Werke.

Schon als zu Ostern 1753 mit den *Schriften* erstmals ein mit vollem Namen gezeichnetes Werk Lessings in Buchform an die Öffentlichkeit tritt, ist dieses literarische Profil ausgeprägt – und dem Autor selbst voll bewußt. Die beiden ersten Teile, so eröffnet der eben Vierundzwanzigjährige »dem Publico ganz im Vertrauen«, seien »nichts als ein Paar verwegne Kundschafter«: »So sind die Schriftsteller. Das Publikum gibt ihnen einen Finger, und sie nehmen die Hand« (W III, 515,517). Der Schritt von der völligen oder halben Anonymität der ersten schriftstellerischen Versuche zur namentlichen Geburt des neuen Autors wird ironisch als literarischer Handstreich qualifiziert, der ein Vertragsverhältnis mit dem Publikum begründet. Die Vorrede macht auch die Bedingungen klar, unter denen der Autor bereit ist, sich als solcher zu erkennen zu geben. Von seinen *Liedern*, die neben *Oden*, *Fabeln*, *Sinngedichten* und *Fragmenten* (d. h. Fragmenten von Lehrgedichten) den 1. Band füllen, sagt er (W III,516):

> Diese Lieder enthalten nichts, als Wein und Liebe, nichts als Freude und Genuß; und ich wage es, ihnen vor den Augen der ernsthaften Welt meinen Namen zu geben? Was wird man von mir denken? – Was man will. Man nenne sie jugendliche Aufwallungen einer leichtsinnigen Moral, oder man nenne sie poetische Nachbildungen niemals gefühlter Regungen; man sage, ich habe meine Ausschweifungen darinne verewigen wollen, oder man sage, ich rühme mich darinne solcher Ausschweifungen, zu welchen ich nicht einmal geschickt sei; man gebe ihnen entweder einen allzuwahren Grund, oder man gebe ihnen gar keinen: alles wird mir einerlei sein. Genug sie sind da, und ich glaube, daß man sich dieser Art von Gedichten, so wenig als einer andern, zu schämen hat.

Lessing gibt seine Identität im Druck also nur preis, um sie
sogleich ästhetisch zu suspendieren: Das Gesetz der Anonymität soll weiter gelten, nur in anderer Form. Als Gegen-
leistung für die Bereitschaft zur öffentlichen Adoption
der »kleinen Denkmäler seiner Arbeit« verlangt er die Anerkennung einer ästhetischen Autor-Identität, die mit der
privaten nicht zusammenfällt. Diese prinzipielle Forderung
verbindet sich jedoch mit einem publikumstaktischen Moment. Es liegt auf der Hand, daß dem jungen Autor Spekulationen des Lesers über den persönlichen Anteil des
Dichters an den pikanten Situationen seiner Lieder keineswegs unwillkommen sind; er provoziert sie geradezu, indem
er selbst die gängigen Erlebnis-, Kompensations- und Nach-
bildungshypothesen durchspielt, mit denen sich der Hiatus
zwischen lebendem Autor und gedrucktem Werk überbrük-
ken ließe, ohne einer von ihnen den Vorzug zu geben. Der
irritierende Effekt ist gewollt, weil er einen Perspektiven-
reichtum erzeugt, der letztlich dem Gedicht selbst zugute
kommt. Das poetische Gebilde soll in der Schwebe verhar-
ren. Seine Realität ist die des ›Als ob‹, des freien Spiels
denkbarer Bezüge zwischen Werk, Urheber, Tradition und
umgebender Welt. Sinn des Vertrags zwischen Autor und
Publikum ist, den Leser zu jener Einstellung zu bewegen,
die das Verhältnis des Dichters zu seinen Gebilden bestimmt: »Genug sie sind da.«

Wie konsequent schon der junge Autor diese ästhetische
Konzeption verfolgt, ist an der Präsentation seiner didaktischen Poeme abzulesen. An die Stelle des systematischen
Vortrags gesicherter Wahrheiten läßt er eine Dialektik von
Ich und Gegenstand treten, die jede Gewißheit in Frage
stellt und die Möglichkeit objektiver Erkenntnis allenfalls
am Ende eines verschlungenen Weges durch das Dunkel
radikalen Zweifels aufscheinen läßt. In der *Vorerinnerung*
zu dem großangelegten Lehrgedicht *Die Religion*, das die
Abteilung *Fragmente* abschließt, gilt nicht das dogmatische
Zentrum eines geoffenbarten Heilswissens, sondern der

Nullpunkt der psychophysischen Existenz des Individuums als Ursprungsort der Wahrheit (W I,170):

> Man glaube nicht, daß er seinen Gegenstand aus den Augen läßt, wenn er sich in den Labyrinthen der Selbsterkenntnis zu verlieren scheint. Sie, die Selbsterkenntnis, war allezeit der nächste Weg zur Religion, und ich füge hinzu, der sicherste. Man schieße einen Blick in sich selbst; man setze alles was man weiß, als wüßte man es nicht, bei Seite; auf einmal ist man in einer undurchdringlichen Nacht. Man gehe auf den ersten Tag seines Lebens zurück. Was entdeckt man? Eine mit dem Viehe gemeinschaftliche Geburt; ja, unser Stolz sage was er wolle, eine noch elendere.

Lessing hütet sich jedoch, dem pessimistischen »Blick in sich selbst« seinerseits objektive Verbindlichkeit zuzusprechen; auch er markiert nur eine mögliche Position, nämlich die der Zweifel, »welche wider alles Göttliche aus dem innern und äußern Elende des Menschen« geltend gemacht werden können. Das Lehrgedicht wird bestimmt als »ein Selbstgespräch« des Autors, »welches er, an einem einsamen Tage des Verdrusses, in der Stille geführt« (W I,170).

Aber nicht genug mit diesen Einschränkungen. Lessing gibt nur »den Anfang des ersten Gesanges zur Probe« und schließt die *Vorerinnerung* mit der Ankündigung: »Man stoße sich hier an nichts. Alles dieses sind Einwürfe, die in den folgenden Gesängen widerlegt werden, wo das jetzt geschilderte Elend selbst der Wegweiser zur Religion werden muß« (W I,171) – ein schon beim Erstdruck in der *Berlinischen privilegirten Zeitung* gegebenes, aber nie eingelöstes Versprechen, das beim Wiederabdruck im 1. Teil der *Schriften* in eigentümlichen Kontrast zu einem Passus der *Vorrede* tritt, in dem die *Fragmente* vom Autor als Stücke qualifiziert werden, die er »entweder nicht ganz zu Stande gebracht« habe oder »dem Leser nicht ganz mitzuteilen für

gut befinde« (W III,519). Der Widerspruch zwischen aufrechterhaltenem Versprechen und Eingeständnis des Scheiterns deutet auf ein objektives Problem: das Unzeitgemäße
der gewählten poetischen Gattung, die dem Autor folgerichtig nur mehr zum Selbstgespräch, nicht mehr zur Lehre
taugt. Das »Fragment« avanciert hier zur Genrebezeichnung
für das nicht mehr mögliche weltanschauliche Lehrgedicht.
Im Falle des (Abteilung und Band beschließenden) Religionspoems gewinnt dieser ironische Kunstgriff grundsätzlichere Bedeutung: Die Stelle der positiven »Wegweisung
zur Religion« bleibt leer, weil der hierzu erforderte Typus
des systemverpflichteten Lehrgedichts einen philosophischen und künstlerischen Anachronismus darstellt; der von
Lessing am Ende des 1. Teils der *Schriften* dennoch belassene Hinweis auf die »folgenden Gesänge« zielt nun in ein
Vakuum, das – mit den nächsten Bänden – von zeitgemäßeren – kritischen und dramatischen – Formen erfüllt wird.
Nicht zufällig steht das F r a g m e n t im Schnittpunkt vergangener und zukünftiger Werkgeschichte.

Lessings aufklärerische Kritik ist sich in ungewöhnlichem
Maße der Medien bewußt, in denen und durch die sie sich
vollzieht. Reflexion auf die Gattungs- und Sprachform findet nicht nur in seinen kunst- und gattungstheoretischen
Schriften statt; sie ist Teil einer immanenten Poetik der
Werke selbst. Als erster hat Friedrich Schlegel in Lessings
kombinatorischer und konfigurativer Schreibart, in seinen
Techniken des Fragmentarismus und des Genrewechsels
eine Dynamisierung und Potenzierung der Aufklärung und
damit zugleich eine Revolutionierung konventioneller
Formbegriffe gesehen: »Überall aber [...] zeigt sich eine
ihm ganz eigentümliche Kombination der Gedanken, deren
überraschende Wendungen und Konfigurationen sich besser
wahrnehmen als definieren lassen. Wenn er auch da, wo er
des Faches ganz Meister war, in dem angefangenen Wege
nicht zu einem befriedigenden Schluß kommen konnte, so
ward ein kühner Sprung in eine andere Gattung genommen

und eine Auflösung gegeben von einer ganz andern Seite her, wo man es gar nicht erwartete«.[5]

Die innere Einheit von Poesie und Reflexion, die Schlegel als Vorahnung romantischer Programmatik erscheinen mußte, legitimiert sich in Lessings eigener Sicht als zeitgemäße Erneuerung des Gedankens der Artes liberales aus dem Geist des »Witzes« – der »Fertigkeit, die Übereinstimmungen der Dinge gewahr zu werden« (W III,83). Sein poetisch-publizistisches Programm, dem noch die späten theologiekritischen Arbeiten folgen werden, ist bereits voll ausgebildet, als er Anfang 1751 die Redaktion des »gelehrten Artikels« der Berlinischen privilegirten Zeitung übernimmt. Das Editorial der vom April dieses Jahres an erscheinenden kritisch-belletristischen Beilage Das Neueste aus dem Reiche des Witzes grenzt seine Position zunächst vom zünftigen Selbstverständnis der »Gelehrten« ab, denen der Witz so fremd ist, daß sie ihn für einen »Teil der Rechenkunst«, wenn nicht »gar ein Stücke von der Algebra« halten müssen, und die – wenn nicht ihr Stolz sie daran hinderte – »die Wissenschaften längst in ein Handwerk verwandelt hätten«. Es geht aber um mehr als die Unterhaltung derjenigen, die im Gegensatz zu den Pedanten wissen, »daß die schönen Wissenschaften und freien Künste das Reich des Witzes ausmachen« (W III,83). Nichts belegt den Experimentcharakter des von Lessing annoncierten Forums für Kritik und Poesie eindringlicher als die Tatsache, daß er es mit der Vorstellung eines kulturkritischen Textes eröffnet, der den Sinn und die Legitimität des Unternehmens selbst grundsätzlich in Frage stellt. Lessing konfrontiert seine erst noch zu gewinnenden Leser – »die andern [...], für die wir eigentlich schreiben« (ebd.) – in der Eröffnungsnummer mit Rousseaus erstem Discours, der nur zwei Monate zuvor im Druck erschienen war und in der französischen Öffentlichkeit als Sensation diskutiert wurde, weil er die Preisfrage der Akademie von Dijon, »ob die Wiederherstellung der Wissenschaften und Künste zur Reinigung der Sitten etwas beigetragen habe«, mit einem entschiedenen Nein beantwortet hatte. Lessing nimmt Rousseaus kulturkritische Argumentation bis in die Wortwahl auf, trennt aber im Gegensatz zu ihm zwischen »ernsthaften« (›sciences‹) und »schönen Wissenschaften« (›lettres‹ und ›arts‹), um letzteren ein höchst ambivalentes Zeugnis auszustellen (W III,84):

> Zeigen die ernsthaften Wissenschaften, welche man im engern Verstande die Gelehrsamkeit nennet, von nichts als von dem Elende und Verderben der Menschen, von der Mühseligkeit ihres Lebens, diese beweinenswürdigen Stützen der Gesellschaft, so sind es allein die schönen Wissenschaften, welche durch bezaubernde Reize die ursprüngliche Empfindung der Freiheit in uns ersticken, und unsre schimpflichen Ketten mit Blumenkränzen umwinden. [...] Sie sind die Erfinderinnen von tausend Bequemlichkeiten, Ergötzungen, und eingebildeten Notwendigkeiten, durch welche einzig kluge Monarchen ihre Throne unerschüttert zu erhalten wissen.

Auch in Lessings Sicht ist demnach den schönen Wissenschaften und Künsten eine Tendenz zur Affirmation des Bestehenden eigen, der sie erliegen k ö n n e n aber nicht m ü s s e n. Sie besitzen gerade im Prinzip des Witzes, das es erlaubt, die »Übereinstimmungen der Dinge gewahr zu werden«, eine Gegenkraft, die jene reflexive, selbstkritische Leistung möglich macht, von der nicht zuletzt Rousseaus *Discours* exemplarisch zeugt. Die Auseinandersetzung mit ihm mündet in die Erneuerung der auf Seneca zurückgehenden Legitimation der Artes liberales als solcher Beschäftigungen, die »eines freien Mannes würdig sind«, auf der Stufe eines modernen Problem- und Formbewußtseins.

Daß Rousseaus Bestreitung der Legitimität der Wissenschaften und Künste zum eigentlichen Beweis der diesen innewohnenden kritischen Potenz werden kann, setzt voraus, daß die Beziehung des Subjekts zum Gegenstand als perspektivisch, nicht als dogmatisch garantiertes Besitzverhältnis aufgefaßt, seine Bemühung um Wahrheit als individuelle (und gerade darin authentische) Annäherung begriffen werden kann. Fragen die »ernsthaften Wissenschaften« nach der systematischen Konsistenz einer Schrift (die oft genug nur ein anderes Wort für Konformität mit der herrschenden Lehrmeinung ist), so gilt im Bereich der schönen Wissenschaften und Künste das fühlbare, das heißt in der Regel: ästhetisch vermittelte Ethos der je eigenen Intention auf Wahrheit im Werk als das entscheidende Kriterium. Die Gefahr der Unverbindlichkeit oder subjektiven Willkür ist gering zu veranschlagen gegenüber dem Schaden, den »Dogmatici« und »Schullehrer« im intellektuellen Leben anrichten. Ein Passus über Diderot – dem Lessing sich unmittelbarer verbunden fühlt als Rousseau, weil seine auch stilistisch deutlich ausgeprägte »Ungebundenheit« (W III,115) im Kampf gegen geheiligte Vorurteile nicht wie bei diesem schon wieder Spuren eines neuen Dogmatismus an sich trägt – anläßlich einer Besprechung der *Lettre sur les sourds et muets* spricht das mit provokativer Deutlichkeit aus (W III,123):

> Ein kurzsichtiger Dogmaticus, welcher sich für nichts mehr hütet, als an den auswendig gelernten Sätzen, welche sein System ausmachen, zu zweifeln, wird eine Menge Irrtümer aus dem angeführten Schreiben des Herrn Diderot heraus zu klauben wissen. Unser Verfasser ist einer von den Weltweisen, welche sich mehr Mühe geben, Wolken zu machen als sie zu zerstreuen. Überall, wo sie ihre Augen hinfallen lassen, erzittern die Stützen der bekanntesten Wahrheiten, und was man ganz nahe vor sich zu sehen glaubte, verliert sich in eine ungewisse Ferne. Sie führen uns
>
> In Gängen voll Nacht zum glänzenden Throne der
> Wahrheit;   v. Kleist

wenn Schullehrer, in Gängen voll eingebildeten
Lichts zum düstern Throne der Lügen leiten. Gesetzt
auch ein solcher Weltweise wagt es, Meinungen zu
bestreiten, die wir geheiliget haben. Der Schade ist
klein. Seine Träume oder Wahrheiten, wie man sie
nennen will, werden der Gesellschaft eben so wenig
Schaden tun, als vielen Schaden ihr diejenigen tun,
welche die Denkungsart aller Menschen unter das
Joch der ihrigen bringen wollen.

Bliebe es beim bloßen Einspruch gegen eine sterile akademische Wissenschaftspraxis, wäre Lessings Position zweifellos
nicht ausreichend begründet und begründbar. Seine Formulierungen verlieren jedoch ihren relativistischen Beigeschmack, wenn man die Hinweise auf das teleologische und
das kommunikative Moment seines Wahrheitsbegriffs
beachtet. Wahrheit ist – was immer sie für ein höchstes
Wesen bedeuten mag – für die Menschheit ein Weg, ein
Prozeß der Annäherung, ist damit zugleich eine an freien
geistigen Verkehr gebundene gemeinsame Aufgabe. Die
schönen Wissenschaften und Künste, als Formen solcher
Annäherung und Kommunikation, sind zu ihrer Begründung verwiesen auf eine Geschichtsphilosophie und auf
einen liberalen Begriff von Öffentlichkeit. Die Legitimation
ihres Wahrheitsanspruchs kann nicht mehr dogmatisch oder
systematisch, sie kann nur noch perspektivisch, über die
ständig erneuerte Reflexion auf den Standpunkt des Spre-
chers und den historischen Ort seiner Rede erfolgen.

Das teleologische und das öffentlichkeitsbezogene Moment der Lessingschen Kritik verschränken sich von Anfang
an in zwei Konzepten: dem der Erziehung und dem der
Rettung. Zwischen dem ersten literarhistorisch-ästhetischen
Versuch, den Abhandlungen über Plautus von 1749/50, und
dem auch von Lessing selbst nicht mehr übertroffenen
Meisterstück der *Rettungen des Horaz* (1754) bildet sich
das Grundmuster aus. Die Vorrede zu dem Plautus-Kom-

lex, der 1750 in den 4 Nummern der *Beiträge zur Historie
nd Aufnahme des Theaters* (der ersten deutschen Theater-
eitschrift) erschien und seinen Gegenstand in der Form der
iographisch-bibliographischen Abhandlung, der Übersetzung, des philologisch-ästhetischen Kommentars, der Kritik
nd Antikritik umkreist, deutet dreißig Jahre vor der *Erzie-
ung des Menschengeschlechts* für den weltlichen Bereich der
chönen Wissenschaften und Künste den Gedanken einer
ädagogik der Vorsehung an, innerhalb derer die Literatur
n die Stelle der Offenbarung, die Gesamtheit der literarisch
Virkenden an die Stelle des göttlichen Lehrmeisters tritt.
lle vorangegangenen publizistischen Bemühungen seien,
ie auch diese neue Unternehmung, Beiträge zu dem Ver-
ich, den »guten Geschmack allgemein zu machen«; da
iese Entwicklung sich nur »stufenweise« vollziehen könne
nd – nach dem bekannten Paulus-Wort – »Kindern [...]
Iilch, und nicht starke Speise« (W III,355) gehöre, sei auch
as weniger Gelungene auf diesem Gebiet sinnvoll und ge-
chichtlich legitimiert.

   Die historische Aufgabe der Kritik liegt für Lessing in der
erknüpfung des Vergangenen mit dem gegenwärtigen
ewußtsein und den Interessen der Zukunft. Es geht darum,
Jngleichzeitigkeiten des Entwicklungsgangs – das heißt:
ationale und soziale Bildungsrückstände – auszugleichen,
icht minder aber darum, den Zugang zu vergessenen oder
erkannten Traditionen neu zu eröffnen. Es soll dabei kein
ntiquarisches Interesse befriedigt, sondern gerettet wer-
en, was eine unausgeschöpfte Überlieferung an Zukunft-
eisendem bereithält. Die Ankündigung etwa, besonderes
Augenmerk auf das englische und spanische Theater rich-
en« (W III,358) zu wollen, läuft auf eine stillschweigende
.evision des von Gottsched etablierten klassizistischen
.anons hinaus und bereitet den Paradigmenwechsel vor,
en Lessing dann im 17. der *Briefe, die neueste Literatur
etreffend* (1759) in einem Frontalangriff auf den Verfasser
er *Critischen Dichtkunst* fordern und mit einem Fragment

seines *D. Faust* als Probestück illustrieren wird: »Da
ist gewiß, wollte der Deusche in der dramatischen Poes
seinem eignen Naturelle folgen, so würde unsre Schau
bühne mehr der englischen als der französischen gleichen
(W III,359).

Das Verhältnis des ›rettenden‹ Kritikers zur Geschichte i
nicht das indifferente Interesse des Antiquars, nicht d
epische Gelassenheit des Historikers. Ihm ist Geschichte ei
Drama voll Peripetien, mit Szenen des Vergessens, Verker
nens und Wiedererkennens, die noch der endgültigen Auflö
sung harren und in die er selbst als Mithandelnder eintrit
Der Gegenstand der Rettung gehört der Vergangenheit ar
die Rettung als polemischer Akt entspringt gegenwärtiger
oft persönlichen Motiven und dem Konflikt mit Lebendei
In Lessings Vorrede zur Sammlung seiner *Rettungen* i
3. Teil der *Schriften* wird diese Konstellation ironisch glo
siert (W III,522):

> Es ist Schade, daß ich mit diesem Bändchen nicht
> einige zwanzig Jahr vor meiner Geburt, in lateini-
> scher Sprache, habe erscheinen können! Die wenigen
> Abhandlungen desselben, sind alle, R e t t u n g e n ,
> überschrieben. Und wen glaubt man wohl, daß ich
> darinne gerettet habe? Lauter verstorbne Männer, die
> mir es nicht danken können. Und gegen wen? Fast
> gegen lauter Lebendige, die mir vielleicht ein sauer
> Gesichte dafür machen werden. Wenn das klug ist,
> so weiß ich nicht, was unbesonnen sein soll. – –

Die Annahme, daß eine höhere Weisheit die Geschich
lenkt, taugt hier nicht zur Beruhigung. Da sie sich selb
nicht zeigt, schon gar nicht in Systemen und Dogmen, blei
es menschliche Aufgabe, ihr Bild und ihren Gang aus den i
der Geschichte hinterlassenen Zeichen zu rekonstruiere
›Rettende‹ Kritik ist Suche nach Zeichen, in denen d
Vernunft sich geschichtlich offenbart, angesichts des ve
worrenen Bildes, das die Überlieferung bietet, aber oft nic

mehr als ein von Hoffnung bewegtes Entziffern flüchtiger »Spuren« (W III,591 f.):

> Auch Tugenden und Laster wird die Nachwelt nicht ewig verkennen. Ich begreife es sehr wohl, daß jene eine Zeitlang beschmitzt und diese aufgeputzt sein können; daß sie es aber immer bleiben sollten, läßt mich die Weisheit nicht glauben, die den Zusammenhang aller Dinge geordnet hat, und von der ich auch in dem, was von dem Eigensinne der Sterblichen abhangt, anbetungswürdige Spuren finde.

Sich im Zeichen der Zukunft mit den Toten gegen die Lebenden zu verbünden war Lessing nicht von Anfang vorgezeichnet. Dem Zögling der Fürstenschule St. Afra mußte das Ideal der Polyhistorie näher liegen als das einer »rettenden« Kritik, die sich die Störung des gelehrten Konsenses zur dauernden Aufgabe macht. Erst der mit dem Wechsel von der Schule zur Universität vollzogene Eintritt ins großstädtische literarische Leben ermöglicht einen distanzierteren Blick auf den Bildungstypus, dem Lessing eine seiner frühen Komödien gewidmet hat: den *Jungen Gelehrten*. Die Vorrede zum 4. Teil der *Schriften* (in dem das Lustspiel, zusammen mit den *Juden*, 1754 erstmals publiziert wurde) stellt – rückblickend aus einem Abstand von nur acht Jahren – Glück und Elend dieser Existenzform hart nebeneinander (W III,522):

> Theophrast, Plautus und Terenz waren meine Welt, die ich in dem engen Bezirke einer klostermäßigen Schule, mit aller Bequemlichkeit studierte – – Wie gerne wünschte ich mir diese Jahre zurück; die einzigen, in welchen ich glücklich gelebt habe. [...] Ein »Junger Gelehrte«, war die einzige Art von Narren, die mir auch damals schon unmöglich unbekannt sein konnte. Unter diesem Ungeziefer aufgewachsen, war es ein Wunder, daß ich meine ersten satyrischen Waffen wider dasselbe wandte?

Das gelehrte Bildungsprivileg, von dem Schüler noch genossen in der »gewissen Überzeugung«, daß sein »ganzes Glück in den Büchern bestehe« (B 10), wird angesichts der intellektuellen und geselligen Verkehrsformen der Universitäts- und Messestadt Leipzig zum Ausweis der Rückständigkeit: »Ich lernte einsehen, die Bücher würden mich wohl gelehrt, aber nimmermehr zu einem Menschen machen«, heißt es in einem Rechtfertigungsbrief an die »hochzuehrende Frau Mutter« vom Januar 1749. Er beschreibt auch die ersten Stationen des neuen Bildungsgangs (B 10 f.):

> Ich lernte tanzen, fechten, voltigieren [...], ich suchte Gesellschaft, um nun auch leben zu lernen. Ich legte die ernsthaften Bücher eine zeitlang auf die Seite, um mich in denjenigen umzusehn, die weit angenehmer, und vielleicht eben so nützlich sind. Die Komödien kamen mir zur erst in die Hand. [...] Ich lernte mich selbst kennen [...].

Zur Schule des Lebens und zum Medium der Selbsterkenntnis wird Lessing die Komödie, indem er sich selbst ins Spiel bringt. Richtete sich der Ehrgeiz des Schülers noch auf »Nachbildungen von Toren, an deren Dasein mir nichts gelegen war« (W III,522), so rückt der Leipziger Student den überlieferten Typus des Pedanten in die Nähe eigener Erfahrung; das Lachen zielt nicht mehr, nach Gottscheds Rezept, auf die Laster von Gestalten, deren Unvernunft immer nur die der anderen ist; es gilt einem Stück eigener Sozialisation. Damis, der »junge Gelehrte«, ist wie sein Schöpfer »ein Philolog, ein Geschichtskundiger, ein Weltweiser, ein Redner, ein Dichter – –« (W I,343); einer, der in traditionell polyhistorischer Manier den Nachweis führen will, »daß sich Kleopatra die Schlangen an den Arm, und nicht an die Brust, gesetzt hat« (W I,344), zugleich aber – im Geist der Lessingschen »Rettungen« – den Undank derjenigen auf sich zu nehmen bereit ist, denen »wir [...] aus ihren Irrtümern helfen wollen«, etwa »dem pöbelhaften Vorurteile, daß Xantippe eine böse Frau gewesen sei« (W I,336). Auch der Ausgang der Komödie ist nicht so beschaffen, daß den Zuschauern oder Lesern am Ende die vernünftige Verhaltensnorm klar vor Augen geführt würde. Zwar steht Damis als ein mit seinen Ambitionen Gescheiterter da, doch wird er keineswegs gänzlich ins Unrecht gesetzt, nicht gegen seinen geldgierigen und kannegießernden Vater, der täglich die »Zeitung auswendig« lernt, »damit er [...] in seinem Kränzchen den Staatsmann spielen kann«, und vielleicht nicht einmal gegen seinen erfolgreichen Konkurrenten Valer, der »seit einigen Jahren die Bücher bei Seite gelegt« hat und »sich das Vorurteil in den Kopf« hat setzen lassen, »daß man sich vollends durch den Umgang, und durch die Kenntnis der Welt, geschickt machen müsse, dem Staate nützliche Dienste zu leisten« (W I,331 f.).

Auch in Lessings anderen frühen Komödien gibt es nicht mehr den ›lasterhaften‹ Protagonisten, jenen Sündenbock, an dem die satirische Verlachkomödie ihren Exorzismus der Unvernunft zu exekutieren liebte. Das Lustspielschema wird dezentriert; der Konfliktstoff verlagert sich von der Titelfigur in die Spielkonfiguration, wie es Lessing anläßlich einer Wiederaufführung seines 1749 entstandenen *Freigeist* 1767 in der *Hamburgischen Dramaturgie* selbst beschrieben hat: »Adrast ist [...] nicht einzig und allein der Freigeist; sondern es nehmen mehrere Personen an diesem Charakter Teil« (W IV,297). Auch sonst hält dieses Lustspiel einige Überraschungen bereit: Nicht die Freigeisterei erweist sich als das zu korrigierende Laster, sondern das Festhalten an einmal gefaßten Vorurteilen, wobei ausgerechnet der Freigeist und nicht der Theologe sich in dieser Hinsicht versündigt. Wenn Adrast sich über fünf Akte weigert, in dem geduldig um seine Freundschaft werbenden Theophan etwas anderes als einen Heuchler zu sehen – und dies erklärtermaßen, weil er mit »Schwarzröcken« mehrfach schlechte Erfahrungen gemacht hat –, so beruht diese Blindheit nicht so sehr auf wohlbegründeten Überzeugungen als vielmehr auf erlittenen Kränkungen und, wie sich im Fortgang des Spiels erweist, auf der Tatsache, daß Theophan der von Adrast insgeheim geliebten Juliane versprochen, also sein Nebenbuhler ist. Ihre intellektuellen Wortgefechte um Weltanschauungsfragen können nicht zuletzt deshalb zu keiner Lösung führen, weil die Motive der Kontroverse wenig oder nichts mit dem sachlichen Dissens zu tun haben. Eine Verständigung wird erst in dem Augenblick möglich, als Theophan die Geduld verliert und verärgert die sich im Kreis bewegende Auseinandersetzung abbrechen, einfach »weggehen« will (W I,544).

Nicht die argumentative, die logische Überzeugungskraft der Rede verhilft zur Einsicht in die Wahrheit, sondern die Wiedergewinnung ihrer emotionalen Dimension und ihres Zusammenhangs mit persönlichen Lebensinteressen. Der Verstand darf erst wieder in seine Rechte eintreten, wenn er seinen theoretischen Hochmut durch die Einsicht in seine Korrumpierbarkeit durch verleugnete oder verdrängte Motive abgebüßt hat (W I,545):

> Das Herz nimmt keine Gründe an, und will in diesem, wie in andern Stücken, seine Unabhängigkeit von dem Verstande behaupten. Man kann es tyrannisieren, aber nicht zwingen. Und was hilft es, sich selbst zum Märtyrer seiner Überlegungen zu machen, wenn man gewiß weiß, daß man keine Beruhigung dabei finden kann?

In der auf den ersten Blick bloß äußerlich scheinenden Verknüpfung zweier disparater Handlungsstränge – Lessing kombiniert Weltanschauungskonflikt und Vorurteilsproblematik mit dem konventionellen Komödienmotiv der Liebe über Kreuz und der wechselseitigen Attraktion konträrer Temperamente – vollzieht sich ein Stück selbstkritisch-praktischer Aufklärung über die Schwierigkeit, allgemeine (durch Deduktion oder Generalisierung empirischer Erfahrung gewonnene) Wahrheiten mit dem Recht des Mitmenschen und den Ansprüchen des eigenen Herzens zu vermitteln.

»Meine Lust zum Theater war damals so groß, daß sich alles, was mir in den Kopf kam, in eine Komödie verwandelte«, schreibt Lessing 1754 (W III,525). Der Reiz des Genres lag nicht nur in seiner Beliebtheit und Publikumsnähe. Es war in einem so hohen Maße konventionalisiert, daß sich ein Spiel mit Motiven und Formen, vor allem aber mit den daran geknüpften Erwartungen des Publikums anbot. Selbst ein so heikles, kaum lustspielgemäßes Thema wie die Judenfeindschaft seiner Zeit bringt ihn auf den »Einfall, zu versuchen, was es für eine Wirkung auf der Bühne haben werde, wenn man dem Volke die Tugend da zeigte, wo es sie ganz und gar nicht vermutet« (ebd.). Zu diesem Zweck erfindet er eine abenteuerliche Handlungskonstruktion, die es ermöglicht, erst am Ende des Stücks die Identität des Protagonisten, eines mit Vermögen, Bildung und allen menschlichen Qualitäten ausgestatteten anonymen »Reisenden«, zu lüften: Der Fremde, der durch einen mutigen Einsatz seinen christlichen Kontrahenten, einen Baron, zu tiefstem Dank verpflichtet hat, enthüllt sich in der vorletzten Szene, als dieser ihm seine Tochter zur Frau geben will, als Jude.

Schon der Titel der Komödie – *Die Juden* – ist Teil der Irritationsstrategie. Als Plural bezeichnet er weder einen lasterhaften Charaktertypus noch den Reisenden, den einzigen im Stück auftretenden Juden, sondern das Phantom, auf das sich das kollektive Vorurteil der Mitakteure (die Tochter des Barons ausgenommen) wie des Publikums richtet. Lessing verzichtet auf die obligate Hochzeit und läßt das Lustspiel mit dem Austausch von Höflichkeiten und einem Abschied enden – das nicht erfüllte Gattungsgesetz verweist auf ein anderes Gesetz, das Ehen zwischen Christen und Juden verbietet.

Auch in der öffentlichen Debatte, die sich an den Druck der Komödie im 4. Band der *Schriften* anschloß, verbindet

sich der gesellschaftskritische Impetus mit poetologischen
Überlegungen, in denen die dem Stück bereits innewoh-
nende Reflexion auf die Gattungsform im publizistischen
Medium weitergeführt wird. Lessing nimmt den von seinem
prominenten Rezensenten Johann David Michaelis vorge-
brachten Einwand, der Protagonist des Stücks sei – als
Jude – zu »gut« und zu »edelmütig«, um als »wahrscheinlich« gelten zu können (Braun I, S. 36), zum Anlaß, diesen
Wahrscheinlichkeitsbegriff nach seinem Realitätsgehalt (und
den sich daraus ergebenden gesellschaftlichen Konsequenzen) wie unter poetologischen Aspekten (mit Blick auf die
daraus zu ziehenden literarischen Folgerungen) zu analysie-
ren, nicht ohne das unterschiedliche Gewicht der beiden
Fragen deutlich zu akzentuieren:

> Es ist offenbar, daß der eine Punkt den andern hier
> nicht nach sich zieht, und es ist ebenso offenbar, daß
> ich mich eigentlich nur des letztern wegen in Sicher-
> heit setzen dürfte, wenn ich die Menschenliebe nicht
> meiner Ehre vorzöge und nicht lieber eben bei die-
> sem als bei dem erstern verlieren wollte.

Wenn er sich im Folgenden »gleichwohl [...] über den
letztern zuerst« erklärt, so geht es ihm nur um den Nachweis, daß Handlungskonstruktion und Personencharakteri-
stik seiner Komödie die Kriterien poetologischer (immanen-
ter) Wahrscheinlichkeit erfüllen, diese also nur aufgrund
eines von außen herangetragenen Vorurteils gegen die Juden
bestritten werden kann (W I,416).
   Die literarische Seite der Kontroverse ist Lessing schon
deshalb nicht gleichgültig, weil es dabei um das Recht der
Dichtung geht, eine eigene ›mögliche‹ Welt zu entwerfen,
eine poetische Fiktion, die im 34. Stück der *Hamburgischen
Dramaturgie* emphatischer als eine Welt »andrer Ordnung«
beschworen wird, als »Welt eines Genies, das [...], um das
höchste Genie im Kleinen nachzuahmen, die Teile der
gegenwärtigen Welt versetzet, vertauscht, verringert, ver-

mehret, um sich ein eigenes Ganze daraus zu machen, mit dem es seine eigene Absichten verbindet« (W IV,386). Erst nachdem die Forderung nach Anerkennung der Eigengesetzlichkeit poetischer Welten bekräftigt ist, bricht Lessing die kunsttheoretische Auseinandersetzung ab, weil sie offenbar nicht geeignet ist, Vorurteile zu widerlegen, denen gegenüber sich schon das Lustspiel als zu schwach erwies. Er schöpft die Möglichkeit des publizistischen Mediums aus, anstelle ›wahrscheinlicher‹ Fiktionen die Wirklichkeit selbst für seine Sache sprechen zu lassen: einen Brief Moses Mendelssohns an einen jüdischen Freund, in dem mit großer Schärfe auf Michaelis' Rezension Bezug genommen wird. Lessing läßt Mendelssohn nicht nur deshalb selbst zu Wort kommen, weil er als lebender Beweis dafür dienen soll, daß ein Jude sich selbst unter ungünstigen Umständen zu »einem ebenso witzigen als gelehrten und rechtschaffenen Manne« (W I,418) heranbilden kann. Er zieht den Brief auch deshalb an die Öffentlichkeit, weil er – wie schon in seinem Stück – die Überzeugung vermitteln will, daß die Juden ihre Sache selbst vertreten können; sie selbst vertreten müssen, wenn ihre Emanzipation gelingen soll.

Lessings Rekurs auf ein authentisches Dokument bedeutet das Ende jener poetischen Unverbindlichkeit, die konkretes Unrecht nur unter allgemein moralkritischen Gesichtspunkten beurteilt wissen will und die Michaelis dem jungen Autor ansinnen wollte, als er ihm vorschlug, in einer weiteren Komödie »Christen unter eben der Bedrängniß« vorzustellen, »unter der die Juden sind« (Braun I, S. 37). Daß Lessing den genau umgekehrten Weg geht, verdeutlicht noch einmal seine dramatische Intention: Er paktiert nicht mehr, nach dem Rezept der Gottschedschen *Critischen Dichtkunst*, mit dem ›vernünftigen‹ Publikum gegen ›Lasterhafte‹ und Außenseiter, sondern plant das Lustspiel von vornherein als Anschlag auf den Bescheid wissenden Zuschauer. Hierzu bedarf es nicht nur eines thematischen

Zündstoffs, sondern vor allem der ironischen Reflexion auf eingespielte Gattungsformen.

Beide Momente: gesellschaftskritische Pointierung und spielerische Thematisierung der Form, gehen erst in *Minna von Barnhelm* (1767) eine Verbindung ein, die das kritische und das artistische Interesse gleichermaßen zu befriedigen vermag. Schon Goethe bezeichnete das Lustspiel als die »erste aus dem bedeutenden Leben gegriffene Theaterproduktion von spezifisch temporärem Gehalt« und als »wahrste Ausgeburt des Siebenjährigen Krieges« – »zwischen Krieg und Frieden, Haß und Neigung erzeugt« (W II,677). Nie zuvor in der Geschichte der Komödie war historische Zeit mit derart bedrängender Unmittelbarkeit und Detailgenauigkeit in den Ablauf des Spiels und die Beziehungen zwischen den Personen eingedrungen.

Thema sind die Verwüstungen, die der Krieg in den Gemütern der Überlebenden, in ihrem Selbstverständnis und ihrer Verständigung mit den anderen angerichtet hat. Sein Ende bedeutet noch nicht, daß das Wort »Frieden« schon wieder einen Sinn gewonnen hätte (W I,626):

> Wunderbar! der Friede sollte nur das Böse wieder gut machen, das der Krieg gestiftet, und er zerrüttet auch das Gute, was dieser sein Gegenpart etwa noch veranlasset hat. Der Friede sollte so eigensinnig nicht sein! – Und wie lange haben wir schon Friede? Die Zeit wird einem gewaltig lang, wenn es so wenig Neuigkeiten gibt. – Umsonst gehen die Posten wieder richtig; niemand schreibt; denn niemand hat was zu schreiben.

Als Minna endlich ihren geliebten Tellheim als Kriegsheimkehrer wiederfindet, präsentiert er sich ihr in höhnischer Selbstverachtung als Bankerotteur auf der ganzen Linie: als mittelloser, arbeitsloser, unter dem Verdacht der Bestechlichkeit in Unehren aus dem Militär entlassener Krüppel. Seine Starrheit ist nicht mehr das mit traditionellen Komödienmitteln kurierbare Fehlverhalten eines übertriebenen Ehrbewußtseins; durch die Einbeziehung des Kriegs- und Nachkriegselends, vor allem aber durch die psychologisch-individualgeschichtliche Profilierung seines Charakters wird Tellheims Kommunikationsunfähigkeit zum Symptom einer tiefen Traumatisierung, als deren äußeres Zeichen sein verkrüppelter Arm fungiert.

Mehr noch als in den *Juden* steht also hier die Komödie als Gattung auf dem Spiel. Der Ausgang des Spiels entscheidet nicht nur über Glück oder Unglück beider Protagonisten – *Minna von Barnhelm oder Das Soldatenglück* lautet der volle Titel der Komödie –, sondern auch über die Angemessenheit des Genres. Auf vielfältige Weise wird signalisiert, daß in Minnas und Tellheims Verhalten und Sprache nicht nur unterschiedliche Temperamente, Geschlechtscharaktere und Erfahrungswelten aufeinandertreffen, sondern auch die Gattungsperspektiven von Komödie und Trauerspiel. Mehr als einmal muß Minna, die »Komödiantin« (W I,701), feststellen, daß Tellheim mit Ton und Gestus der Tragödie auftritt – »Das klingt sehr tragisch!« (W I,641) – und sie selbst in Gefahr gerät, unter seinem Einfluß das Genre zu wechseln: »In was für einen Ton bin ich mit Ihnen gefallen! Ein widriger, melancholischer, ansteckender Ton« (W I,640). Im Disput der beiden über den emotionalen und kognitiven Wert des Lachens klingen unverkennbar auch gattungspoetische Momente an (W I,676 f.): »Sie wollen lachen, mein Fräulein. Ich beklage nur, daß ich nicht mit lachen kann.« – »Warum nicht? Was haben Sie denn gegen das Lachen? Kann man denn auch nicht lachend sehr ernsthaft sein? Lieber Major, das Lachen erhält uns vernünftiger, als der Verdruß. Der Beweis liegt vor uns. Ihre lachende Freundin beurteilt Ihre Umstände weit richtiger, als Sie selbst.« Kurz darauf die Umkehrung (W I,678): »Sie sind ernsthaft, mein Fräulein? Warum lachen Sie nicht? Ha, ha, ha! Ich lache ja.« – »O, ersticken Sie dieses Lachen, Tellheim! Ich beschwöre Sie! Es ist das schreckliche Lachen des

Menschenhasses!« Auch die beiden episodischen Szenen im
1. und 4. Akt, Tellheims Zusammentreffen mit der Rittmei-
sterin Marloff und Minnas Begegnung mit dem Chevalier
Riccaut, sind den Protagonisten – wie Zitate aus dem bürgerlichen Trauerspiel und der satirischen Komödie – als eine
Art gattungsspezifischer Index zugeordnet.

Lessings ironische Distanz tritt im Schluß des Stücks am
deutlichsten hervor. Hier ist bewußt alles auf Verwirrung
und die Verhinderung eines geradlinigen Happy-End angelegt. Zweifellos bedarf es der von Minna in komödiantischer
Absicht inszenierten Ring-Intrige, um die Entwicklung vor-
anzutreiben, aber erst als der »Scherz zu weit getrieben«
wird (W I,700) und das Spiel eine tragische Wendung zu
nehmen droht, bahnt sich die Lösung an: Der Punkt, an
dem Tellheim zutiefst gekränkt den äußersten Zustand der
Blindheit und Taubheit erreicht – »vor Wut an den Fingern
naget, das Gesicht wegwendet, und nichts höret« (ebd.) –,
markiert in der Komik seiner infantilen Regression zugleich
einen möglichen Neubeginn, dem allerdings allerlei glückliche Umstände und Zufälle zu Hilfe kommen müssen: die
moralische Rehabilitierung durch das Handschreiben des
Königs, die Ankunft des Grafen von Bruchsall – nach vielen
Enttäuschungen etwas Soldatenglück.

Lessing ist der erste Autor, der die Komödie nicht mehr
als Organon einer zeitlosen Vernunft betrachtet. Sie ist
jedoch nicht das einzige Genre, das ihm angesichts des
Krieges und gesellschaftlicher Veränderungen problematisch
wird. In Philotas, dem kindlichen Helden des gleichnamigen
Trauerspiels (1759), wird die selbstzerstörerische Konsequenz des Ehrbegriffs wirksam, die im Falle Tellheims
dadurch verhindert werden kann, daß ihm die Chance
gewährt wird, aus den Diensten des obersten Kriegsherrn in
die seiner unbeirrt um ihn kämpfenden Freundin überzu-
wechseln. Philotas, dem Protagonisten eines Trauerspiels
ohne Frauen, der nach seinen eigenen Worten »nie mit etwas
anderm gespielt« hat als mit dem Schwert (W II,123), ist

dieser Weg versperrt. Er gibt sich – mit diesem einzig geliebten Gegenstand – selbst den Tod, ein »schönes Ungeheuer« (W IV,173) und Identifikationsobjekt für heroische Affekte, denen Lessing zutiefst mißtraut. Es gehört zu den Ironien der Wirkungsgeschichte Lessings, daß diese dramatische Pathographie bis ins 20. Jahrhundert als patriotisches Trauerspiel verstanden werden konnte.

In Lessings Freundeskreis ist gerade in den Kriegsjahren viel über die Funktion der Affekte im Drama nachgedacht worden; die Korrespondenz zwischen ihm und den Berliner Freunden Mendelssohn und Nicolai in den Jahren 1756 und 1757 ist fast ausschließlich der Bemühung um funktionale Distinktionen zwischen den für die Theorie des Trauerspiels zentralen Kategorien Furcht, Schrecken, Schmerz, Trauer, Rührung, Bewunderung, Mitleid gewidmet. Im Gegensatz zu seinen Briefpartnern läßt Lessing für das moderne Drama nur das Mitleid als legitimen Affekt gelten; dem heroischen Trauerspiel und seinem stoischen Pathos wird der Kampf angesagt: »Ich will [...] diejenigen großen Eigenschaften ausgeschlossen haben, die wir unter dem allgemeinen Namen des Heroismus begreifen können, weil jede derselben mit Unempfindlichkeit verbunden ist, und Unempfindlichkeit in dem Gegenstande des Mitleids, mein Mitleiden schwächt« (W IV,173). Eine pragmatisch-pädagogische Überlegung kommt hinzu. Da die »Bewunderung [...] vermittelst der Nacheiferung« bessert, die Nacheiferung aber eine »deutliche Erkenntnis der Vollkommenheit, welcher ich nacheifern will«, voraussetzt – eine Fähigkeit, die nicht allen gegeben ist –, ist dem Mitleiden der Vorzug zu geben: »Das Mitleiden [...] bessert unmittelbar; bessert, ohne daß wir selbst etwas dazu beitragen dürfen; bessert den Mann von Verstande sowohl als den Dummkopf« (W IV,175).

Lessing geht noch einen Schritt weiter. Er erhebt das Mitleiden zu einer Psychotechnik, einer »Fertigkeit«, die trainiert werden und sogar unabhängig von der moralischen

Qualität des bemitleideten Gegenstands jederzeit abrufbar
sein soll (W IV,189 f.):

> Gesetzt auch, daß mich der Dichter gegen einen
> unwürdigen Gegenstand mitleidig macht [...]. Dar-
> an ist nichts gelegen, wenn nur mein Mitleiden rege
> wird, und sich gleichsam gewöhnt, immer leichter
> und leichter rege zu werden. Ich lasse mich zum
> Mitleiden im Trauerspiele bewegen, um eine Fertig-
> keit im Mitleiden zu bekommen.

Beherrschung der Affekte ist also das Ziel, virtuoser Umgang mit dem Instrumentarium der Emotionen. Charakteristisch für diese Art des Affiziertwerdens ist die Tatsache,
daß die Empfindung nicht auf einem unmittelbaren Berührt-
werden, sondern auf einem Mitschwingen beruht: »Die erste
Saite [...], die durch die Berührung erbebt, kann eine
schmerzliche Empfindung haben; da die andre, der ähnlichen Erhebung ungeachtet, eine angenehme Empfindung
hat, weil sie nicht (wenigstens nicht so unmittelbar) berührt
worden. Also auch in dem Trauerspiele« (W IV,203) – wo
der Zuschauer den unangenehmen Affekt, unter dem die
spielende Person leidet, auf angenehme Weise mitleidet.
  Noch eine weitere Eigentümlichkeit der menschlichen
Affektökonomie kommt der Ausbildung der erstrebten
»Fertigkeit« entgegen. Aus der Beobachtung, daß »alle Leidenschaften, auch die allerunangenehmsten, als Leidenschaften angenehm« sind, weil »wir uns bei jeder heftigen
Begierde oder Verabscheuung eines größeren Grads unserer
Realität bewußt sind und [...] dieses Bewußtsein nicht
anders als angenehm sein kann«, zieht Lessing den Schluß,
»daß die Lust, die mit der stärkern Bestimmung unsrer
Kraft verbunden ist«, vor dem Hintergrund einer primä-
ren Unlusterfahrung sich erst zu voller Stärke entfaltet
(W IV,202). Der eigentliche Selbstgenuß liegt nicht im
bewußten Auskosten eines angenehmen Gefühls – das ver-
möchte die unmittelbare Lustempfindung nur unwesentlich

zu steigern –, sondern in der Kultivierung derjenigen Affekte, die – allerdings nur im Hinblick auf ihren Gegenstand – Leid und Schmerzen implizieren.

Die »Fertigkeit« des Mitleidens läuft also auf eine Kunst der Aufspaltung und Potenzierung von Empfindungen hinaus, die ästhetisch erlernt und erprobt werden soll, um in quantitativ und qualitativ gesteigerter Form moralisch praktiziert werden zu können. Lessing war von diesem zunächst auf das Verhältnis des Zuschauers zur spielenden Person berechneten Modell der Affektmodellierung und -intensivierung zu sehr fasziniert, als daß er der Versuchung hätte widerstehen können, es auf den Umgang der Akteure mit ihren eigenen Gefühlen zurückzuprojizieren. Zumindest in seiner das Genre des bürgerlichen Trauerspiels begründenden *Miß Sara Sampson* (1755) gerät das Verfahren, jedes Gefühl in seine subjektiven und objektiven Komponenten zu zerlegen und der Kontrastempfindung von Unlustaffekt und Affektintensität immer neue Varianten des ›Sich-Fühlens‹ abzugewinnen, zum – eher schon ästhetischen als moralischen – Selbstzweck.

Was von der Titelheldin an Erfindungskraft aufgewendet wird, um eine untragische Lösung ihres Konflikts zu verhindern, ist staunenerregend. Bereits mit dem Auftritt des alten Sampson in der 1. Szene und seinem an keine Bedingung geknüpften Liebesbekenntnis zu der gefallenen Tochter ist deutlich, daß der Versöhnung eigentlich nichts mehr im Wege steht. Aber Sara scheint mehr daran gelegen, »sich zu fühlen«, als der väterlichen Liebe und Verzeihung entgegenzukommen. Es entspricht der Logik dieser Affektstruktur, wenn sie den alten Diener, der die frohe Kunde überbringt, als Unglücksboten apostrophiert – droht er doch ihrem Selbstgefühl jenen doppelten Resonanzboden zu entziehen, den nur die Reue über einen nie zu vergebenden Fehltritt zu erzeugen vermag (W II, 48):

> Was sagst du? Du bist ein Bote des Unglücks, des
> schrecklichsten Unglücks unter allen, die mir meine
> feindselige Einbildung jemals vorgestellt hat! Er ist
> noch der zärtliche Vater? So liebt er mich ja noch? So
> muß er mich ja beklagen? Nein, nein, das tut er
> nicht; das kann er nicht tun!

Dem Diener scheinen die Motive dieses Verhaltens nicht »so
recht natürlich«; er kann aus der Sicht des »gemeinen einfältigen Mannes« (W II,52) nicht nachvollziehen, daß Sara eher
bereit ist, die Liebe ihres Vaters zurückzuweisen als eine
Affektkonstellation preiszugeben, innerhalb derer konträre
emotionale Tendenzen zu einer intensivierten Selbsterfahrung zusammenwirken. Der selbstgeschaffene Schmerz
unterliegt ihrer Verfügungsgewalt; das von einem anderen
ihr angetragene Glück entzöge sich ihrer Kontrolle. So setzt
Sara, als sie sich im Anschluß an das Gespräch mit dem
Diener entschließt, ihrem Vater zu schreiben, ihr Affektkal-
kül nur in einer variierten, nunmehr monologischen Form
der Selbstanalyse fort.

Angst vor der Unmittelbarkeit des Gefühls bestimmt das
Handeln der zweiten Heldin Lessings, die einem bürger-
lichen Trauerspiel den Namen gab: 1772 erschien *Emilia
Galotti*. Auch der auf den ersten Blick heroisch anmutende
Tod Emilias erweist sich, betrachtet man die Motive ihres
vom Vater Odoardo exekutierten Selbstmords genauer, als
Flucht vor der Überwältigung durch inkalkulable Kräfte im
eigenen Innern. Bei ihr, der in klarer Abgrenzung zur
Libertinage des Hofes nach streng christlich-bürgerlichen
Tugendmaximen Erzogenen, liegt die zu bannende Gefahr
in der eigenen Sinnlichkeit.

Auch hier gilt der Kampf der Bewahrung einer inneren,
psychischen Ordnung. Im 1. Akt berichtet Emilia, am Morgen ihrer Trauung mit dem Grafen Appiani von einem
Kirchenbesuch zurückkehrend, der Mutter von einem An-
näherungsversuch des Prinzen. Lessing ist der dramati-

schen Gestaltung des Unbewußten nie näher gekommen als
in diesen Passagen, die den Eindruck vermitteln, es sei hier
nicht von der Belästigung durch einen notorischen Frauenjä-
ger die Rede, sondern von der panischen Schrecken verbrei-
tenden Bedrohung durch ein mythisches »Es« (W II,150 f.):

> Eben hatt' ich mich [...] auf meine Knie gelassen.
> Eben fing ich an, mein Herz zu erheben: als dicht
> hinter mir etwas seinen Platz nahm. So dicht hinter
> mir! – Ich konnte weder vor, noch zur Seite rücken –
> so gern ich auch wollte; aus Furcht, daß eines andern
> Andacht mich in meiner stören möchte. – Andacht!
> das war das Schlimmste was ich besorgte. – Aber es
> währte nicht lange, so hört' ich, ganz nah' an meinem
> Ohre, – nach einem tiefen Seufzer, – nicht den
> Namen einer Heiligen – den Namen, – zürnen Sie
> nicht, meine Mutter – den Namen Ihrer Tochter!
> [...] Es sprach von Schönheit, von Liebe – Es klagte,
> daß dieser Tag, welcher mein Glück mache, – wenn
> er es anders mache – sein Unglück auf immer ent-
> scheide. – Es beschwor mich – hören mußt' ich dies
> alles. Aber ich blickte nicht um; ich wollte tun, als ob
> ich es nicht hörte. – Was konnt' ich sonst? – Meinen
> guten Engel bitten, mich mit Taubheit zu schlagen;
> und wann auch, wann auch auf immer! – Das bat ich;
> das war das einzige, was ich beten konnte.

Gebet und Abtötung der Sinne – in ihrer Bedrängnis sucht
Emilia im Arsenal christlicher Erziehung nach Waffen gegen
den bösen Feind. Aber erst als sie sich nach der Ermordung
ihres Verlobten auf dem Lustschloß des Prinzen wiederfindet, der sie, um dem Schein des Rechts Genüge zu tun, bis
zum Abschluß der Untersuchungen in das Haus seines
Kanzlers Grimaldi bringen lassen will, gesteht sie sich ein,
daß die gefährlichere, die eigentlich unwiderstehliche Gewalt von Strebungen ausgeht, die ihren Ursprung im »Blut«,
in lebenslang verdrängten Wünschen haben (W II,202):

Gewalt! Gewalt! wer kann der Gewalt nicht trotzen?
Was Gewalt heißt, ist nichts: Verführung ist die
wahre Gewalt. – Ich habe Blut, mein Vater; so
jugendliches, so warmes Blut, als eine. Auch meine
Sinne, sind Sinne. Ich stehe für nichts. Ich bin für
nichts gut.

Gegen die Unkalkulierbarkeit der eigenen Natur ist das
einzig sichere Mittel der Tod. Die Gewalt, die Emilia sich
willentlich antut, rettet sie vor der sanften Gewalt der
Verführung, der sie unwillentlich erliegen könnte. Den
zögernden Odoardo, der ihr die Waffe wieder entwindet,
kann sie nur durch den beschwörenden Hinweis auf das
Vorbild jenes Virginius zur Tat treiben, »der seine Tochter
von der Schande zu retten, ihr den ersten den besten Stahl
in das Herz senkte« (W II,203). Ganz bewußt hat Lessing
eine »bürgerliche Virginia« konzipiert, die »Geschichte der
römischen Virginia von allem dem abgesondert, was sie für
den ganzen Staat interessant machte«. Während in der
Quelle auf ihr Opfer noch der »Umsturz der ganzen Staats-
verfassung« (W II,702) folgte, zitiert Emilia mit ihrem
kunstvoll inszenierten Tod nur noch äußerlich die Tradition
römischer Republikanertugend. Das wahre Motiv ist ein von
christlichem Erbsündenbewußtsein genährtes Mißtrauen
gegen sich selbst; nicht zufällig beruft sie sich auf jene
Heiligen, von denen »Tausende in die Fluten« (W II,203)
sprangen, nur um der Versuchung zur Sünde nicht zu erliegen.

Es ist gerade dieser – Lessing oft vorgehaltene – Verzicht
auf das politische Motiv, der aus der römischen Vorlage ein
modernes Drama macht, in dem die internalisierten Zwänge
eines noch nicht einmal zur Macht gelangten Bürgertums
(und des bürgerliche Tugendnormen übernehmenden niederen Adels) die Tyrannis der Monarchen und Feudalher-
ren abzulösen beginnen. Das bürgerliche Trauerspiel stellt
jedoch nur e i n Modell dar. Innerhalb seines Bezugsrah-

mens – einer von der Prämisse grundlegender Verderbtheit der menschlichen Natur bestimmten anthropologischen Konzeption – endet der Ausbruch aus dem Haus des Vaters tödlich (Sara), muß die als innerer Prozeß erfahrene Zerrüttung seiner Autorität – sogar gegen den zweifelnden Vater – mit unerbittlicher Konsequenz geahndet werden (Emilia), während die Komödie selbst gravierende Verletzungen des weiblichen Wohlverhaltenskodex mit der Erfüllung ganz unverhohlen geäußerter Liebeswünsche honoriert (Minna).

Einen Widerspruch kann darin nur sehen, wer die Konflikte und Lösungen nicht vor dem Hintergrund der gewählten Gattungsperspektive sieht, sondern von einem identifikatorischen Verhältnis des Autors zu seinen Geschöpfen ausgeht. Nichts trennt Lessing jedoch deutlicher von der auf ihn folgenden literarischen Generation als diese Betonung der distanzierenden Funktion von Gattungsformen und sein ›technisches‹ Verständnis der Affekte. ›Kälte‹ ist für diese Einstellung eine durchaus adäquate Bezeichnung, wenn man sein Urteil über Goethes *Werther* zugrunde legt: »Wenn [. . .] ein so warmes Produkt nicht mehr Unheil als Gutes stiften soll: meinen Sie nicht« – der Adressat ist Johann Joachim Eschenburg – »daß es noch eine kleine kalte Schlußrede haben müßte? Ein Paar Winke hintenher, wie Werther zu einem so abenteuerlichen Charakter gekommen« (B 614). Lessings Mißtrauen richtet sich gegen den Briefroman, weil er den Leser einlädt, die Gefühle des Helden unmittelbar zu teilen, eine Gefahr, die er bei dem Typus der »sich fühlenden« Empfindsamkeit im bürgerlichen Trauerspiel offenbar nicht gegeben sieht. Aus dem gleichen Grund scheint es ihm wohl undenkbar, daß seine kritische Analyse der Motive und des sozialisationsgeschichtlichen Hintergrunds von Werthers Selbstmord auch auf Emilia Galotti angewendet werden könnte (B 614 f.):

Glauben Sie wohl, daß je ein römischer oder griechi-
scher Jüngling sich s o und d a r u m das Leben
genommen? Gewiß nicht. [. . .] Solche kleingroße,
verächtlich schätzbare Originale hervorzubringen,
war nur der christlichen Erziehung vorbehalten, die
ein körperliches Bedürfnis so schön in eine geistige
Vollkommenheit zu verwandeln weiß. Also, lieber
Goethe, noch ein Kapitelchen zum Schlusse; und je
zynischer je besser!

Dem Absolutismus des individuellen Gefühls in der Literatur gilt Lessings Skepsis nicht minder als den totalitären
Ansprüchen der philosophischen oder theologischen Dogmatici. Sie alle versuchen die Einsicht zu verdrängen oder zu
unterlaufen, daß jede Gattungsform und jede Kunstart nur
einen bestimmten Blick auf Wirklichkeit und Wahrheit zu
vermitteln, jedes Individuum, jede Epoche und jede Lehre
nur eine bestimmte Ansicht des Höchsten zu gewinnen
vermag. Lessings gattungs- und kunsttheoretische Reflexionen suchen einen Weg zwischen den beiden Übeln einer
pragmatisch-didaktischen Reduktion und einer enthusia-
stisch-metaphysischen Überforderung der Künste abzu-
stecken. So kann es etwa in seiner Sicht nicht Aufgabe des
Fabeldichters sein, dem Dramatiker Konkurrenz zu machen. Den Dramatiker muß die verwirrende Vielfalt und
Widersprüchlichkeit menschlicher Handlungsmotive interessieren, und er muß sie in seinen Werken »unter eine
Hauptabsicht so zu bringen wissen, daß verschiedene Leidenschaften neben einander bestehen können« (W V,376).
Dem Fabeldichter (Lessings *Fabeln* erschienen 1759), der
sich auf dem »gemeinschaftlichen Raine der Poesie und
Moral« (W V,353) bewegt, sind diese Aspekte des Handelns
nebensächlich, ja sie könnten seine eigentliche Intention
sogar stören (W V,376 f.):

Der Fabuliste [. . .] hat mit unsern Leidenschaften
nichts zu tun, sondern allein mit unserer Erkenntnis.

Er will uns von irgend einer einzeln moralischen Wahrheit lebendig überzeugen. [...] So bald er sie erhalten hat, ist es ihm gleich viel, ob die von ihm erdichtete Handlung ihre innere Endschaft erreicht hat, oder nicht. Er läßt seine Personen oft mitten auf dem Wege stehen, und denket im geringsten nicht daran, unserer Neugierde ihretwegen ein Genüge zu tun.

Im *Laokoon* (1766) und in den Entwürfen zu seiner Fortsetzung werden analoge Unterscheidungen für das Verhältnis der Dichtung zu den bildenden Künsten getroffen, die nach der traditionellen Regel des ›Ut pictura poesis‹ den Poeten als Vorbild dienen sollten. Lessings Reflexion auf den unterschiedlichen Charakter und die unterschiedlichen Leistungen der in den bildenden und den sprachlichen Künsten verwendeten Zeichen hat gravierende poetologische und kritische Konsequenzen. Im Gegensatz zu Malerei und Plastik operiert die Poesie mit aufeinander folgenden und (jedenfalls weit überwiegend) willkürlichen – anstelle von simultanen und natürlichen – Zeichen. Zum Spezifischen der sprachlichen Zeichen gehört die Absenz des bezeichneten Gegenstandes und ihr nichtmaterialer Charakter: »Die Poesie zeigt uns die Körper nur von einer Seite, nur in einer Stellung, nur nach einer Eigenschaft, und läßt alles übrige derselben unbestimmt« (W VI,576) – gewissermaßen transparent für andere Bedeutungen und offen für die zeitliche Modifikation durch andere Zeichen einer Zeichenkette. Nur weil die Malerei dies nicht kann – »bei ihr ziehet ein Teil den andern, eine Eigenschaft die andere nach; sie muß alles bestimmen« (W VI,576 f.) –, spielt das »idealische Schöne« in Lessings Sicht hier eine weit bedeutsamere Rolle; da es »sich mit keinem gewaltsamen Stande des Affekts verträgt: so muß der Maler diesen Stand vermeiden. Daher die R u h e , d i e s t i l l e G r ö ß e , in Stellung und Ausdruck« (W VI,576). Die mechanische Übertragung dieser

einzig durch die spezifische Zeichenstruktur der bildenden
Künste begründeten Verfahrensweise auf die Dichtkunst
hat »die falsche Regel von den vollkommenen moralischen Charakteren, wo nicht veranlasset, doch
bestärkt«. Das »idealische Schöne« des Dichters erfordert
jedoch »keine Ruhe; sondern grade das Gegenteil von
Ruhe«: »Denn er malt Handlungen und nicht Körper; und
Handlungen sind um so viel vollkommener, je mehrere, je
verschiednere, und wider einander selbst arbeitende Triebfedern darin wirksam sind« (ebd.). Die poetologischen und
kritischen Konsequenzen expliziert Lessing an Miltons viel-
beschriener Darstellung des Satan. Daß er als der eigentliche
Held des Epos erscheint, liegt nicht daran, daß Milton »den
Teufel zu groß, zu mächtig, zu verwegen geschildert« hätte;
»der Fehler liegt tiefer«: »Es kömmt daher, weil der All-
mächtige die Anstrengung nicht braucht, die der Teufel zur
Erreichung seiner Absicht anwenden muß, und er mitten
unter den gewaltigsten Bewegungen und Anstalten seines
Feindes ruhig bleibt, welche Ruhe zwar seiner Hoheit
gemäß, aber keinesweges poetisch ist« (ebd.).

Indem Lessing seine zeichentheoretischen Überlegungen
auch auf die biblischen Urkunden ausweitet, eröffnet er
einen Zugang zu der geschichtlichen (nicht nur der immanenten) Zeitdimension der Werke. Er führt von dem
systematischen Perspektivismus des *Laokoon* (der etwa die
dichterische Größe Homers darin sieht, daß »alle seine
Einschaltungen [...] perspektivisch, und besonders
[...] seine Gleichnisse alle perspektivisch ausgeführet«
(W VI,575) sind) zu der geschichtstheologisch fundierten
Semiotik, die Lessings Spätwerk beherrscht. In den Entwürfen zur Fortsetzung des *Laokoon* findet sich eine an Überlegungen Mendelssohns anknüpfende Reflexion darüber, daß
»nicht schön sein muß, was biblisch ist«. Den Grund für die
Existenz »schlechter Bilder« in der Schrift vermutet er mit
Mendelssohn im »Mangel der Malerei«, in der Tatsache also,
daß eine bildende Kunst mit idealisierenden Tendenzen dem

jüdischen Kulturkreis fremd ist und für den »orientalischen Stil« nicht prägend werden konnte. Konsequenz dieses Gedankens ist eine Historisierung der Offenbarung: »Der h. Geist hat sich [...] nach dem leidenden Subjekte gerichtet; und wann die Offenbarung in den nordischen Ländern geschehen wäre, so würde sie in einem ganz andern Stile und unter ganz andern Bildern geschehen sein« (W VI,604).

Lessings perspektivischer Gattungspoetik und Theorie der Künste korrespondiert eine perspektivische Hermeneutik, die sich in den theologiekritischen Debatten seiner letzten Jahre gegen die Position der Orthodoxen vom Schlag Johann Melchior Goezes wie gegen die rationalistische Neologie behaupten muß. Die Folge der *Anti-Goeze*-Pamphlete (1778) und anderer kleiner Streitschriften ist ein Versuch, mit der ›Theaterlogik‹ des Dramatikers auf dem Schauplatz des erstarrten theologischen Akademismus ein Forum kontroverser Meinungen zu eröffnen, die *Erziehung des Menschengeschlechts* (1780) das noch paradoxere Unterfangen, der konservativen Form des theologischen Traktats eine konsequent perspektivische Behandlung angedeihen zu lassen. Zur Debatte stehen nicht nur die dogmatischen Gehalte, sondern vor allem die Formen, in denen die Offenbarung sich historisch objektivierte, aber auch die Formen, in denen sich die Bemühungen um ihr Verständnis manifestieren. Aus diesem Grund kann eine bloße Inhaltsanalyse der Lessingschen Intention nicht gerecht werden: Die Wahl des Genres und seine Handhabung sind Teil der von ihm vorgetragenen Kritik.

Die *Erziehung des Menschengeschlechts* konstruiert die Weltgeschichte am Leitfaden der jüdisch-christlichen Überlieferung. Der Zusammenhang zwischen dem Alten und dem Neuen Bund wird zunächst nach dem traditionellen Modell typologischer Interpretation als Verhältnis von Präfiguration und Einlösung gefaßt, doch tritt vom § 85 an die von Joachim von Fiore übernommene Vorstellung eines dritten Zeitalters, der »Zeit eines neuen ewigen Evange-

liums« (W VIII,508) hinzu, mit der Konsequenz, »daß der
Neue Bund eben so wohl a n t i q u i e r e t werden müsse, als
es der Alte geworden« (ebd.). Diese Vorstellung wird jedoch
nicht als dogmatische Gewißheit, sondern nur als Hoffnung
vorgetragen; stilistisch gesprochen: nicht in diskursiver
Argumentation, sondern in einem affektiv bewegten Selbstgespräch voller Interjektionen und Fragen. In dieser sprachlichen Form kommt die Überzeugung zum Ausdruck, daß
jedem Zeitalter seine eigene Sprache gehört und daß die
Sprache des gegenwärtigen Zeitalters – geschweige denn
die ihrer offiziellen Theologie – nicht über die Zeichen verfügt, dem Künftigen angemessene Gestalt zu verleihen. Die
Wahrheit des Kommenden ohne Scheu begrifflich antizipie-
ren zu wollen, wäre Hybris. Die Aufgabe besteht vielmehr
zunächst darin, die Vergangenheit von der Gegenwart her
zu deuten, die Stimmen der Überlieferung »meine Sprache
sprechen zu lassen« (W VIII,508 f.).

Diese geschichtstheologisch modifizierte Sprachauffas-
sung wird ergänzt durch ein Textarrangement, das die Folge
der 100 Paragraphen vom vorangestellten *Vorbericht des
Herausgebers* her als bloße »Aussicht« eines Wanderers
qualifiziert, der von der Zwischenstation eines »Hügels« aus
»etwas mehr, als den vorgeschriebenen Weg seines heutigen
Tages zu übersehen glaubt«, jedoch nicht erwartet, »daß die
Aussicht, die ihn entzücket, auch jedes andere Auge entzük-
ken müsse« (W VIII,489). Das den *Soliloquia* des Augusti-
nus entnommene Motto – »All dies ist aus denselben Gründen in gewisser Hinsicht wahr, aus denen es in gewisser
Hinsicht falsch ist« – verstärkt den perspektivischen Effekt
(ebd.).

Aus der Hoffnung auf die »Zeit der Vollendung« begründet sich das Studium der Vergangenheit, denn immer wieder
erweisen sich die Texte der Überlieferung mit ihren »Fin-
gerzeigen« (W VIII,499 f.) als unausgeschöpft; begründen
sich auch Poesie und Kritik als Suche nach sprachlichen
Formen, die künftiger Vollkommenheit angemessen sein

könnten. Es ist dieser Blickwinkel, aus dem die Forderung nach Toleranz sich ohne den Beigeschmack der Indifferenz von selbst ergibt: »Warum wollen wir in allen positiven Religionen nicht lieber weiter nichts, als den Gang erblikken, nach welchem sich der menschliche Verstand jedes Orts einzig und allein entwickeln können, und noch ferner entwickeln soll?« (W VIII,489).

Nathan der Weise (1779), Lessings »dramatisches Gedicht«, steht wie die Erziehungsschrift und die theologischen Streitschriften in dem doppelten Kontext aktueller Polemik und weiträumiger geschichtstheologischer Spekulation. Die Wiederaufnahme und Vollendung eines alten Entwurfs ist der vom Großherzog im Juli 1778 über Lessings Schriften verhängten Zensur zumindest mitzuverdanken; die Arbeit an dem Stück war von dem Wunsch beflügelt, »den Theologen einen ärgern Possen damit zu spielen [...] als noch mit zehn Fragmenten« (W II,719), und zu erproben, »ob man mich auf meiner alten Kanzel, auf dem Theater wenigstens, noch ungestört will predigen lassen« (ebd.). Es ist gewiß kein Zufall, daß das Drama an einem entscheidenden Punkt des 3. Aktes eine Erinnerung an diese Umstände der Entstehung aufbewahrt. Die dramatische Genese der Ringparabel führt noch einmal exemplarisch die Geburt der Freiheit aus der Bedrängnis, der Weisheit aus der List, der Wahrheit aus dem situativen Interesse vor Augen. Der Sultan hat Nathan zu sich kommen lassen, um ihn darüber zu befragen, »was für ein Glaube, was für ein Gesetz« ihm am meisten »eingeleuchtet« habe. Mit Nathans lakonischer Replik »Sultan, ich bin ein Jud!« gibt er sich nicht zufrieden: Ein Mann wie er bleibe nicht da stehen, »wo der Zufall der Geburt ihn hingeworfen« habe; oder wenn er bleibe, so tue er dies »aus Einsicht, Gründen, Wahl des Besseren«. Immerhin gewährt er Nathan einen Augenblick des Alleinseins, sich zu »bedenken« (W II,274). In einem Monolog erwägt dieser, ob es dem Sultan tatsächlich um Wahrheit gehe oder ob er »die Wahrheit nur als Falle brauche«, um

den reichen Juden zu erpressen. Die Situation ist heikel:
»Stockjude sein zu wollen, geht schon nicht. – / Und ganz
und gar nicht Jude, geht noch minder. / Denn, wenn kein
Jude, dürft er mich nur fragen, / Warum kein Muselmann?«
Nathan findet eine Lösung, die ihn dieser Alternative ent-
hebt; für den Sultan eine Auskunft auf seine Frage, für ihn
selbst eine ›Auskunft‹ aus der Klemme. Er erzählt ein Märchen, erdichtet eine Geschichte – »Das kann / Mich retten! –
Nicht die Kinder bloß, speist man / Mit Märchen ab« –, die,
so zynisch Nathans Begründung klingt, am Ende doch
unendlich viel mehr leistet, als den mächtigen Herrn »abzu-
speisen« und dem Bedrängten Luft zu schaffen. Die
Geschichte entfaltet ihre eigene poetische Logik und fördert
eine Wahrheit zutage, deren Geltung sich keineswegs im
Bezug zu der Situation erschöpft, von der sie gezwungener-
maßen ihren Ausgang nahm. Ein Erweis liegt darin, daß der
Dialog, der sich aus der Erzählung entwickelt, nicht mehr
als Falle fungiert, sondern als Spielraum einer anderen,
freieren Art von Kommunikation. Er rückt nicht nur die zur
Debatte stehende Sache in ein neues Licht, sondern setzt
auch die Redenden zueinander in eine neue, angstfreie und
deshalb produktive Beziehung. Die Szene ist eine erste
Einlösung der am Schluß der Ringparabel erhobenen Forderung, die Echtheit des Ringes solle nicht theoretisch dedu-
ziert, sondern praktisch, an den Früchten einer »unbestoch-
nen von Vorurteilen freien Liebe« (W II,280) zu den Menschen, erwiesen werden. Zugleich jedoch reflektiert sie auf
subtile Weise eine Urszene der Lessingschen Schriftstellerei
von den Anfängen bis zum Spätwerk: seinen Versuch, dem
Zwang freie Rede, den Konflikten Dialoge für die Zukunft
abzugewinnen; sich vergessenem Wissen und alter Weisheit
zuzuwenden, um sie seine Sprache sprechen zu lassen.

Anmerkungen

1 K. Hirsche, *Das projektirte Lessing-Denkmal auf dem Hamburger Gänsemarkt – soll es ein genrehaftes Sitzbild des Hamburger Dramaturgen oder ein monumentales Standbild des Deutschen Geisteshelden sein? Eine kunstkritische Zeitstudie über Professor Schaper's Denkmal-Entwurf,* Hamburg 1879, S. 42 f.   2 *Ein Mann wie Lessing täte uns not,* hrsg. von H. Günther, Frankfurt a. M. 1978. 3 Vgl. dazu K. S. Guthke, »Der Glücksspieler als Autor«, in: *Euphorion* 71 (1977) S. 353–382.   4 J. G. Reichel in der Vorrede zur *Bodmerias* (1754); vgl. K. S. Guthke, *Literarisches Leben im 18. Jahrhundert in Deutschland und in der Schweiz,* Bern/München 1975, S. 28.   5 F. Schlegel, *Kritische Schriften,* hrsg. von W. Rasch, München ²1964, S. 388 f.

Bibliographische Hinweise

Sämtliche Schriften. 23 Bde. Hrsg. von K. Lachmann. 3. Aufl. bes. durch F. Muncker. Stuttgart / [ab Bd. 12:] Leipzig 1886–1924. – Nachdr. Berlin 1968.

Werke. 25 Bde. Hrsg. von J. Petersen und W. v. Olshausen. Berlin/Wien 1925–35. – Nachdr. Hildesheim 1970.

Gesammelte Werke. 10 Bde. Hrsg. von P. Rilla. Berlin 1957. [Bd. 9: Lessings Briefe. Zit. als: B.] – 2. Aufl. Berlin/Weimar 1968.

Werke. 8 Bde. Hrsg. von H. G. Göpfert. München 1970–79. [Zit. als W.]

Werke und Briefe. 12 Bde. Hrsg. von W. Barner [u. a.]. Frankfurt a. M. 1985 ff.

Lessing-Yearbook. Jg. 1 ff. 1969 ff.

Lessing im Urtheile seiner Zeitgenossen. Zeitungskritiken, Berichte und Notizen, Lessing und seine Werke betreffend, aus den Jahren 1747–1781. 3 Bde. Hrsg. von J. Braun. Berlin 1884–97. – Nachdr. Hildesheim 1969. [Zit. als: Braun.]

Gotthold Ephraim Lessings Gespräche nebst sonstigen Zeugnissen aus seinem Umgang. Hrsg. von F. v. Biedermann. Berlin 1924.

Lessings Leben und Werk in Daten und Bildern. Hrsg. von K. Wölfel. Frankfurt a. M. 1967.

Gotthold Ephraim Lessing. Hrsg. von G. und S. Bauer. Darmstadt 1968. (Wege der Forschung. 211.)

Lessing – ein unpoetischer Dichter. Dokumente aus drei Jahrhunderten zur Wirkungsgeschichte Lessings in Deutschland. Hrsg. von H. Steinmetz. Frankfurt a. M. / Bonn 1969.

Lessing im Gespräch. Berichte und Urteile von Freunden und Zeitgenossen. Hrsg. von R. Daunicht. München 1971.

Lessing. Dokumente zur Wirkungsgeschichte 1755–1968. 2 Bde. Hrsg. von E. Dvoretzky. Göppingen 1971–72. [Zit. als: Dvoretzky.]

Lessing in heutiger Sicht. Hrsg. von E. P. Harris und R. Schade. Bremen/Wolfenbüttel 1977.

Lessing-Konferenz Halle 1979. 2 Tle. Hrsg. von H. G. Werner. Halle a. d. S. 1980.

Humanität und Dialog. Lessing und Mendelssohn in neuer Sicht. Hrsg. von E. Bahr, E. P. Harris und L. G. Lyon. Detroit/München 1982.

Nation und Gelehrtenrepublik. Lessing im europäischen Zusammenhang. Hrsg. von W. Barner und A. M. Reh. Detroit/München 1984.

Bausteine zu einer Wirkungsgeschichte: Gotthold Ephraim Lessing. Hrsg. von H. G. Werner. Berlin 1984.

Barner, W.: Produktive Rezeption. Lessing und die Tragödien Senecas. München 1973.

Barner, W. / Grimm, G. E. / Kiesel, H. / Kramer, M.: Lessing. Epoche – Werk – Wirkung. München [5]1987. [Mit umfangreicher, kommentierter Bibliographie.]

Bohnen, K.: Geist und Buchstabe. Zum Prinzip des kritischen Verfahrens in Lessings literarästhetischen und theologischen Schriften. Köln/Wien 1974.

Bollacher, M.: Vernunft und Geschichte. Untersuchungen zum Problem religiöser Aufklärung in Lessings Spätschriften. Tübingen 1978.

Briegleb, K.: Lessings Anfänge 1742–1746. Zur Grundlegung kritischer Sprachdemokratie. Frankfurt a. M. 1971.

Danzel, Th. W. / Guhrauer, G. E.: Gotthold Ephraim Lessing. Sein Leben und seine Werke. 2 Bde. 2. Aufl. bes. von W. v. Maltzahn und R. Boxberger. Berlin 1880–81.

Guthke, K. S.: Der Stand der Lessing-Forschung. Ein Bericht über die Literatur von 1932–1962. Stuttgart 1965.

– Gotthold Ephraim Lessing. 3., erw. und überarb. Aufl. Stuttgart 1979. (Sammlung Metzler. 65.)

Hildebrandt, D.: Lessing. Biographie einer Emanzipation. München 1979.

Kommerell, M.: Lessing und Aristoteles. Untersuchung über die Theorie der Tragödie. Frankfurt a. M. [4]1970.

Leisegang, H.: Lessings Weltanschauung. Leipzig 1931.

Mehring, F.: Die Lessing-Legende. Eine Rettung. Nebst einem Anhange über den historischen Materialismus. Stuttgart 1893.

Neumann, P. H.: Der Preis der Mündigkeit. Über Lessings Dramen. Stuttgart 1977.

Pelters, W.: Lessings Standort. Sinndeutung der Geschichte als Kern seines Denkens. Heidelberg 1972.

Pons, G.: Gotthold Ephraim Lessing et le Christianisme. Paris 1964.

Pütz, P.: Die Leistung der Form. Lessings Dramen. Frankfurt a. M. 1986.

Rempel, H.: Tragödie und Komödie im dramatischen Schaffen Lessings. Berlin 1935. – Nachdr. Darmstadt 1967.

Riedel, V.: Lessing und die römische Literatur. Weimar 1976.

Schilson, A.: Geschichte im Horizont der Vorsehung. G. E. Lessings Beitrag zu einer Theologie der Geschichte. Mainz 1974.

Schmidt, E.: Lessing. Geschichte seines Lebens und seiner Schriften. 2 Bde. Berlin [3]1909.

Schneider, H.: Lessing. Zwölf biographische Studien. Bern 1951.

Schneider, J.: Lessings Stellung zur Theologie vor der Herausgabe der »Wolfenbüttler Fragmente«. 's-Gravenhage 1953.

Schröder, J.: Gotthold Ephraim Lessing. Sprache und Drama. München 1972.

Schultze, H.: Lessings Toleranzbegriff. Göttingen 1969.

Seeba, H. C.: Die Liebe zur Sache. Öffentliches und privates Interesse in Lessings Dramen. Tübingen 1973.

Seifert, S.: Lessing-Bibliographie. Berlin/Weimar 1973.

Strohschneider-Kohrs, I.: Vom Prinzip des Maßes in Lessings Kritik. Stuttgart 1969.

Thielicke, H.: Offenbarung, Vernunft und Existenz. Studien zur Religionsphilosophie Lessings. Gütersloh [5]1967.

Wellbery, D. E.: Lessing's Laocoon. Semiotics and Aesthetics in the Age of Reason. Cambridge 1984.

Wessell, L. P.: G. E. Lessing's Theology. A Reinterpretation. A Study in the Problematic Nature of the Enlightenment. The Hague / Paris 1977.

SALOMON GESSNER

Von Martin Bircher

Salomon Gessner wurde am 1. April 1730 in Zürich als Sohn eines Buchdruckers und Verlegers geboren. Die Familie hatte sich in seiner Vaterstadt seit Mitte des 16. Jahrhunderts in diesem Metier verdient gemacht; die künftige Beschäftigung mit Büchern konnte somit auch Salomon als dem einzigen Sohn an der Wiege vorausgesagt werden. Ein guter Schüler war er nicht, weshalb man den verträumten Fünfzehnjährigen aus der Schule nahm, um ihn zu einem Bekannten der Familie zu schicken, zu einem Pfarrer der kleinen Gemeinde Berg am Irchel, im Norden Zürichs, unfern des Rheins. Salomon Gessner war hier weniger am Sport oder an Theologie als an intensiver Lektüre interessiert, und seine Phantasie fand hier reichliche Nahrung. War vorher Defoes *Robinson Crusoe* seine liebste Lektüre gewesen, dem er kindlich nachzueifern versuchte, so war es nun der Erfolgsautor Barthold Heinrich Brockes aus Hamburg, der mit seinem neunbändigen, im Erscheinen begriffenen *Irdischen Vergnügen in Gott* Salomons Denken nachhaltig beeinflußte. Nach Meinung seiner Lehrer taugte er nicht »zu den Wissenschaften« und sollte daher nach gründlicher Lehre den väterlichen Verlag weiterführen. Mit neunzehn Jahren reiste er in das von Zürich bewunderte Berlin Friedrichs des Großen, um in der Verlagsbuchhandlung Haude & Spener eine Lehre zu absolvieren. Schon nach wenigen Wochen beendete er sie, mehr oder weniger freiwillig. Jedenfalls fühlte er sich nun herausgefordert, wollte seine Fähigkeiten unter Beweis stellen, schloß sich für Wochen in seine Kammer ein und kam erst wieder zum Vorschein, als er einem befreundeten Maler stolz die Produkte seiner Klausur zeigte: in Öl gemalte, talentierte Landschaftsdarstellungen. Schon aus der Berliner Zeit datieren wichtige, dauerhafte Freundschaften; er besuchte den berühmten Winterthurer Landsmann und Ästhetiker Johann Georg Sulzer, er befreundete sich mit Karl Wilhelm Ramler, dem er zwanzig Jahre später einmal in einem Brief gesteht, er sei »der einzige Deütsche Dichter, an dem ich mich niemahls satt lese«. Auf der Rückreise von Berlin traf er in Halberstadt den Dichter Gleim, den er zeitlebens verehrte, sowie Klopstock, dann in Hamburg Hagedorn; das Element der Pflege der Freundschaft ist ihnen allen Gegenstand des Dichtens und Singens wie des Lebens in ihrem Alltag.

Im Herbst 1750 nach Zürich zurückgekehrt, half Gessner fortan in der väterlichen Firma mit, nahm am gesellschaftlichen Leben der Stadt teil, indem er Mitglied einer Zunft wie auch der Physikalischen Gesellschaft wurde. Er kümmerte sich um die Redaktion der Zeitschrift *Crito*, zu der er erste kleine Beiträge beisteuerte. Sein künstlerisches Talent förderte er, indem er Buchschmuck für Verlagswerke entwarf und ausführte, etwa als erstes eine Vignette für das Epos *Noah* seines Lehrers Bodmer (1752) sowie für seine eigene erste Publikation *Die Nacht*, die er 1753 veröffentlichte. So wuchs er in das geistige Zürich jener Zeit hinein. Es sind die wichtigsten Jahre des Wirkens seiner Lehrer Bodmer und Breitinger, die wegen ihrer Fehde mit den Leipzigern um Gottsched Schlagzeilen machten und Jahr für Jahr neue Publikationen vorlegten. Der junge Klopstock weilte 1750/1751 in Zürich, dichtete seine berühmte Ode auf den Zürcher See; Wieland verbrachte im Hause Bodmers, oft in Gesellschaft des nur drei Jahre älteren Gessner, wichtige Jahre seines dichterischen Werdegangs. Ewald von Kleist besuchte 1752 die Stadt als preußischer Werbeoffizier – Gessner illustrierte später eine Ausgabe des Kleistschen *Frühling*. Berühmtheit erlangte Gessners Jugendfreund, der

Salomon Gessner
1730–1788

Arzt Johann Caspar Hirzel, durch sein Buch über den
philosophischen Bauern Kleinjogg. Nur elf Jahre jünger als
Gessner sind Johann Heinrich Füssli, der anfänglich dichtete
und später in London als Maler bekannt wurde, wie auch
dessen Freund Johann Caspar Lavater, der lebenslange Kon-
trahent Gessners. Sechzehn Jahre jünger ist ein anderer
großer Zürcher, Heinrich Pestalozzi, der Pädagoge. Gessners (noch unpublizierter) Briefwechsel zeigt ihn im freundschaftlichen Kontakt mit den verschiedensten Persönlichkeiten, deren Werke er später verlegt, und erweist ihn als
kritischen und aufmerksamen Leser der zeitgenössischen
Literatur.

Gedankenaustausch und Geselligkeit pflegte er in der sich
wöchentlich vor den Toren der Stadt an der Sihl treffenden
sogenannten Dienstags-Compagnie, einer losen Vereinigung
junger literaturbeflissener Zürcher. Die Sihl-Schäfer mani-
festierten, gleich denjenigen ähnlicher Vereinigungen im
Barockzeitalter, ihre Distanzierung vom »Getümmel der
Städte«, vom Betrieb des Establishments und gleichzeitig
ihre Verbundenheit zur Natur, zu einer einfachen Lebens-
form, zur Idee eines Goldenen Zeitalters, zur Geselligkeit.
Gessners *Daphnis*-Roman beschreibt diese Welt, die in der
spätantiken Darstellung eines Theokrit und Longus dieselbe
Bewunderung erfahren hatte wie im Schäferroman des Barock. In der literarischen und gesellschaftlichen Fiktion
dieser Geselligkeit verwirklichte man Szenen, die »mit unsern seligsten Stunden, die wir gelebt, Ähnlichkeit zu haben
scheinen« (*Idyllen*, 1756, »An den Leser«). Diese Vorrede
liest sich wie eine Programmschrift des kleinen, sechs Jahre
zuvor gegründeten Dichterbunds. An den Ufern des kleinen
Flusses, in einer echt zürcherischen Landschaft, die Gessner
nie müde wurde in Wort und Bild einzufangen und darzustellen, bewunderten die Jünglinge »die Gegend im Gras«
(wie der Titel einer seiner besten Idyllen heißt), und Daph-
nis-Gessner sang dabei im Gedenken an die Brockes-Lek-
türe: »O wie schön bist du, Natur! In deiner kleinsten

Verzierung, wie schön!« Man schwamm in der Wonne des
Glücks, der Zuneigung einer Schäferin, in der Beobachtung
eines Käfers, einer Mücke, der Sonne und der einbrechenden
Nacht; z. B. in *Die Nacht*:

> Schüchtern durchstreifet mein Blick den dunkeln
> Wald, ruht auf lichten Stellen, die der Mond durch
> das dichte Gewölb zitternder Blätter, hier am mos-
> sigten Stamm, dort auf dem winkenden Gras, oder an
> zitternden Ästen ins schwarze Dunkel hinstreut;
> [...] Luna fährt über die glänzenden Gipfel der
> Bäume hin, von zartgeschänkelten Rehen oder von
> Drachen mit rauschenden Flügeln und schlankzir-
> kelndem Leibe gezogen.

In diesen wenigen Jahren der Freiheit und Ungebundenheit
von beruflichen Verpflichtungen und vom Broterwerb entstanden Gessners Dichtungen: 1753 das Prosagedicht *Die
Nacht*, im folgenden Jahr der Hirtenroman *Daphnis* und im
Abstand von je zwei Jahren die *Idyllen* und das biblische
Prosaepos *Der Tod Abels*. 1762 erschienen noch zwei Schä-
ferspiele *Evander und Alcimna* sowie *Erast* nebst den beiden Erzählungen *Ein Gemähld aus der Syndfluth* und *Der
erste Schiffer*, Gessners Lieblingsstück. Es berichtet die Geschichte der jungen Melida, die mit ihrer Mutter auf einer
einsamen Insel lebt, bis ein Jüngling, eben jener »erste
Schiffer«, den Weg zu ihr findet. 1772 erschien nur noch ein
schmaler Band *Neue Idyllen*, der kaum neue Aspekte zu den
früheren Dichtungen brachte. Zu Gessners literarischem
Schaffen gehören noch ein paar Vorreden zu fremden Werken, die Fortsetzung von *Inkel und Yariko* (1756), einer von
Bodmer begonnenen Erzählung der damals weltberühmten
Geschichte eines schnöden Weißen, der die ihn liebende
und rettende Indianerin verrät; ferner eine bei der Helvetischen Gesellschaft 1756 gehaltene Rede, nebst der Übersetz-
zung zweier Erzählungen von Denis Diderot: *Die beyden
Freunde von Bourbonne* und *Unterredung eines Vaters mit*

seinen Kindern (beide 1772); endlich der *Brief über di Landschaftsmalerei* (1770). In Gessners nicht erhaltener literarischen Nachlaß soll sich noch ein Lustspiel *Die Reis nach dem Tollhaus* befunden haben. Insgesamt ein nich eben umfangreiches Œuvre des Dichters, dessen Erzählflu offenbar mit dem Eintritt ins Mannesalter versiegte.

Gessners Biograph und Freund Johann Jakob Hottinge lobt an dem frühen kleinen Werk *Die Nacht* das Phänome der Gessnerschen Prosa, ihre »Ründung, und den klangrei chen, harmonischen Fall, welcher das Ohr nicht minde entzückt, als der liebliche Wohllaut einer zauberhaften Ver sifikation« (S. 88 f.). Schon mit diesem Werk bringt er »de vollen Klang jenes Idyllentons [...], der, nur wenig meh verändert und eher gemildert als gesteigert, ganz Europ eine zeitlang über alles entzückte«, wie ein moderner Inter pret feststellt (Wehrli, in: *Salomon Gessner*, ²1982, S. 67) Gessner ist ein Meister der neuen Prosa, die er ebenso in Epos wie in den Schauspielen und den Idyllen gleicherma ßen anwendet. Er bemüht sich von Ausgabe zu Ausgab seiner Schriften um Verbesserung des sprachlichen Wohl klangs auch in bescheidensten Details. Die Umsetzung sei ner Werke in Verse, die andere Autoren versucht haben beeinträchtigten durchweg die Intention des Dichters. I seiner Prosa zeichnet er sich vor den anakreontischen Lie derdichtern seiner Zeit aus, in deren Tonlage er sich ganz z Beginn auch geübt hatte. Zugleich hält er aber auch Abstan zu den ihm durchaus befreundeten Dichtern des gewaltige Hexameters und des neuen Odenverses. Seine Prosa ist i einer Sprache verfaßt, »die nichts anderes als ruhig, zwang los und unschuldig dem Ablauf schlichter Empfindunge und Wahrnehmungen folgen will – Sprache der Natur, de Goldenen Zeitalters, eines anspruchslosen Glücks, eine spielerischen Utopie, die den Zeitgenossen auf der Höhe de Jahrhunderts nun möglich und wirklich geworden schien (Wehrli, in: *Salomon Gessner*, ²1982, S. 68). Gessner selbs spricht in der Vorrede zu den *Idyllen* jene »stille Ruhe un sanftes ungestöhrtes Glück« an, worin er sie – als »Früchte einiger meiner vergnügtesten Stunden« – konzipiert hat.

Ton und Sprache der Idyllen sind in seinem Epos wie in den Schäferspielen und Erzählungen unverändert; sie bleiben stets in einer ähnlichen Umgebung, unter gleichgesinnten Menschen, die ohne Geschichte zu leben scheinen. Spannung und Handlung finden sich kaum; Wohlklang der Sprache und Harmonie der Menschen beherrschen jedes Geschehen. Gessners Leistung ist das Evozieren dieses neuen Tons, das Schaffen von mustergültigen Idyllen, auf die sich die Poetik beziehen und an denen sich Nachfolger üben konnten. Die Geschichte der deutschen Idylle, meint Renate Böschenstein, lasse man nicht selten mit Gessner beginnen, »hier erst kristallisiert sich die Gattung deutlich aus Schäferpoesie und ländlicher Dichtung heraus« (S. 21). Schon Hottinger hatte festgestellt, der Schriftsteller sei an »die Betrachtung des Schönen gewöhnt«, seine Seele lebe »meistens in Gefühlen« und weide sich »an den Geschöpfen seiner Phantasie, wovon er die Formen im täglichen Leben nur selten wieder findet. Daher hat das Gewühl der Menschen, und ihre thörichten Wünsche für ihn keinen Reitz« (S. 99). Dem nach Gefühl und Empfindsamkeit lechzenden Zeitalter war solche Dichtung willkommen; Gessners Ruhm gründet sich hauptsächlich auf die Vertiefung der Naturempfindung. Albrecht von Haller und Ewald von Kleist waren ihm vorangegangen; es war nicht das Großartige der Alpen, was ihn bewegte, vielmehr das Liebliche, das »sanftes Entzücken« erregte; überall stellte man seine rokokohafte Vorliebe für das Kleine und Zierliche fest.

Anders bei seinem großen Vorbild Brockes, wie Heinrich Wölfflin in seiner für die Gessner-Forschung und -Rezeption bedeutenden Dissertation von 1889 ausführt: Brockes »zählt auf, was es alles für schöne Dinge gebe, lobt Gott und ist fertig«. Gessners Fortschritt ist eine »bis dahin unbekannte Intimität des Mitfühlens mit den Naturdingen«. Es gelingt ihm, die »mythologische Beseelung durch eine rein

poetische zu ersetzen« (S. 100 f.). Gessner wird nicht müde,
mit Feder oder Pinsel reizende Motive zu entwerfen: Wald-
ränder, lauschige Plätzchen an einsamer Quelle, stille
Büsche, Wiesen mit Blumen und blauem Himmel, Ährenfel-
der, einzelne Bäume auf sanftem Hügel, in deren Schatten
eine Quelle rauscht, Rosenlauben, Bäche, die zwischen Stei-
nen mit sanftem Moos hinrieseln und durch blumige Auen
sich schlängeln. Der Idylle *Mein Wunsch* (1756) wird das
Schema des Horazischen Lehrgedichts eingegliedert; auf
dem Hintergrund des Vorbehalts gegen Hof- und Stadtleben
malt hier der Dichter den Inbegriff idealen Lebens in seinem
Landhaus mit dem schönen Garten, bei Unterhaltungen mit
Landleuten, mit Freunden, bei Betrachtung und Lektüre.
Kein weiterer Wunsch bleibt unerfüllt: »wäre der reichste
König dann gegen mir beneidenswerth?«

Am begierigsten haben Gessners Zeitgenossen, vorab die
Franzosen, den *Tod Abels* verschlungen. Der Dichter wagte
sich hier, nach Bodmers Wunsch, »an einen höheren Gegenstand«, an einen biblischen Stoff, wie Milton, Klopstock
und Bodmer vor ihm. Beim Thema des Brudermords stand
er vor der schwierigen Aufgabe, »gerade das Modell
menschlicher Aggression i n n e r h a l b einer idyllischen
Welt zu schildern: denn die ›Geschichte der Patriarchen‹ ist
ihm ja Bürgschaft für die einstige Existenz des idealischen
Hirtenlandes, und den Idyllencharakter der frisch erschaffe-
nen Erde auch nach dem Sündenfall betont die Möglichkeit,
daß die ersten Menschen sich einen ›Schatten des Paradieses‹
als Wohnsitz erschaffen, dessen Naturnähe auch den ›Gefallenen‹ noch genug Anlaß zum Lob des Schöpfers gibt«
(Böschenstein, in: *Salomon Gessner*, [2]1982, S. 72.). Wiederum verdankte das Werk seinen Erfolg weit weniger dem
Inhalt als dem Gessnerschen »Idyllenton«, seiner Sprache
des Herzens, mit der er die rührendsten Episoden des
Geschehens schildert. Das zeitgenössische Verlangen nach
Idealität wie nach Natürlichkeit des Ausdrucks hat Gessner
im *Tod Abels* gleichermaßen zu befriedigen gewußt.

In seinem Roman *Daphnis* sind Liebe und Unschuld die Hauptthemen; es wird hier »die Geschichte einer frohen, kindlichen, reinen Liebe, die weder geistreich noch unsinnlich sein will«, erzählt. Gessner verwirklicht das Ideal des gefühlvollen Naturmenschen, dessen zärtliche Seele für jeden leisesten Reiz empfindlich ist, dem schon die Trübung eines reinen Bächleins ein Frevel erscheint (vgl. die Idylle *Das Gelübde*). Indem nun aber alle gleich fein empfinden und ihr Leben lang nur empfinden, entsteht eine gewisse Einförmigkeit und Unbestimmtheit der Typen, die schon zeitgenössische Kritiker tadelten. Herder fand bei Gessner »lauter Schäferlarven, keine Gesichter, Schäfer, nicht Menschen«. Goethe sprach in einer berühmten, 1772 erschienenen Rezension von den »Schattenwesen Gessnerschen Menschen«, die »kein wahres Interesse an- und miteinander« zeigten. Die Argumente zielen stets in die nämliche Richtung und geißeln die Schwächen je nach Standpunkt der Kritiker mehr oder minder scharf. Hegel macht für das langweilige Leben der Schäfer Gessners »Mangel der Entwicklung des Geistes« verantwortlich: »Der Mensch darf nicht in solcher idyllischen Geistesarmuth hinleben, sondern er muß arbeiten« (*Vorlesungen über die Ästhetik* I,3, B 3,2).

In der Vorrede zu seinen *Idyllen* (1756) formuliert Gessner ein paar Gedanken, die sich wie ein Leitmotiv durch seine Dichtungen ziehen und die nach ihm zahllose Leser mitempfunden und sich selbst gewünscht haben:

> Oft reiß ich mich aus der Stadt los, und fliehe in einsame Gegenden, dann entreißt die Schönheit der Natur mein Gemüth allem dem Ekel und allen den wiedrigen Eindrüken, die mich aus der Stadt verfolgt haben; ganz entzükt, ganz Empfindung über ihre Schönheit, bin ich dann glüklich wie ein Hirt im goldnen Weltalter, und reicher als ein König.

Darauf basiert Rousseau, wenn er Gessner »un homme selon mon cœur« nennt und ihm zubilligt: »je trouve une touchante et antique simplicité qui va au cœur«.

Hatten zu Beginn von Gessners literarischer Tätigkeit die Mitbürger, allen voran Bodmer, wenig auf sein schriftstellerisches Talent gegeben und hatte sich die Zensur in lächerlicher Weise bei der Drucklegung des *Daphnis* eingemischt (er durfte nur ohne Angabe des Verfassers und des Druckorts erscheinen), so haben die Werke doch sofort einen gewaltigen Erfolg buchen können: eine Auflage folgte der andern, überall druckte man die Bücher nach, übersetzte sie unverzüglich in über zwanzig andere Sprachen. Die schwärmerischen Aussagen der Rezensenten müssen dem helvetischen Autor mindestens Freude und Selbstsicherheit vermittelt haben und verliehen ihm bei seinen Mitbürgern einen besonderen Nimbus von Bedeutung und Wichtigkeit. Die Hirten- und Schäferwelt an der Sihl und im Phantasiebereich seiner arkadischen Dichtung übte indessen auf Gessner nur so lange ihre Anziehungskraft aus, bis er selber die schönste Schäferin freite, um mit ihr ein bürgerliches Leben, nicht in Arkadien, sondern im Haus zum Schwanen an der Münstergasse in Zürich zu führen: Judith Heidegger, auch sie einer Verlegerfamilie entsprossen. Sie heirateten – wider den Willen seines Vaters – am 3. März 1761. Salomon Gessner war wenig später, zusammen mit seinem Schwager, Teilhaber einer ansehnlichen Verlagsbuchhandlung Orell, Gessner und Compagnie.

Goethe hat zehn Jahre später in den *Frankfurter Gelehrten Anzeigen* dem Verlagshaus bescheinigt, es habe »bisher der wahren Literatur mehr Dienste gethan, als der halbe Buchhandel Deutschlands«, und auch Gessner selbst war überzeugt, »daß seit Adams Zeiten, keine redlicheren und geraderen Buchhändler in der Welt gewesen sind, als Orell, Gessner und Comp.« (an J. G. Zimmermann, 23. Februar 1768). Jedenfalls wird Gessners Leben nach seiner Eheschließung von großem beruflichen Erfolg begleitet, und seine Tätigkeit als Verleger gehört mit zur Bedeutung seiner Persönlichkeit. Er führte die Verhandlungen und den Briefwechsel mit den Autoren, er kümmerte sich um die Buchgestaltung und steuerte oft eigene Illustrationen bei. Wieland vertraute ihm Jahr für Jahr seine Werke an; mit ihm führte Gessner das epochale Werk jener Jahre durch: die erste Ausgabe von Shakespeares *Theatralischen Werken* in 8 Bänden (1762–66). Viele Werke englischer Autoren folgten: Swift, Thomson, Butler, Milton u. a. Auch die antiken Autoren wurden in neuen deutschen Übersetzungen verbreitet, und Bodmers Homer-Übersetzung (1778) erlangte allgemeinen Ruhm.

Ein anderer Freund aus frühen Jahren war Johann Georg Zimmermann aus Brugg, der spätere königliche Leibarzt in Hannover. Er hat kaum mit einem anderen Partner so herzliche und spontane Briefe gewechselt. Dem freundschaftlichen Verkehr mit Isaak Iselin in Basel folgte Gessners Verlegung von dessen *Vermischten Schriften* (1770) in Zürich; beide waren Gründungsmitglieder der Helvetischen Gesellschaft, einer Vereinigung der schweizerischen Elite, die zum Treffpunkt aller patriotischen und gemeinnützigen Bestrebungen der vorrevolutionären Epoche werden sollte. Johann Joachim Winckelmann in Rom zählte zu den großen Verehrern Gessnerscher Idyllen. Gessner verlegte später, nach Winckelmanns Ermordung, dessen *Briefe an seine Freunde in der Schweiz* (1778); für die Entwicklung der Ästhetik Gessners war Winckelmann das große Vorbild gewesen.

Reisebücher, Bibelausgaben, aber auch Titel brisant politischen Inhalts verlegte Gessner, z. B. Josef von Sonnenfels' Abhandlung *Über die Abschaffung der Tortur* und Schubarts *Gedichte aus dem Kerker*. Als das vielleicht zukunftsträchtigste Verlagsunternehmen entwickelte sich die *Zürcher Zeitung*, deren 1. Nummer am 12. Januar 1780 von Gessner verlegt wurde und die sich heute noch als *Neue Zürcher Zeitung* seiner Patenschaft würdig erweist. Das Verzeichnis

der von 1761 bis Ende 1788, Gessners Todesjahr, erschienenen Publikationen zählt rund 450 Titel.

Gessner widmete sich mit zunehmenden Jahren auch
anderen Tätigkeiten: 1763 wird die Zürcher Porzellanmanu-
faktur im Schooren bei Kilchberg gegründet. Gessner war
Teilhaber, entwarf Dekorationen und Bilder für das Por-
zellan, kümmerte sich um künstlerische wie geschäftliche
Leitung. Die Manufaktur hatte indessen nicht den erhofften
Erfolg, so daß sie 1791, mit großem Verlust für Gessners
Familie, liquidiert werden mußte. In der Zürcher Politik
spielte Gessner eine nicht unbedeutende Rolle, nachdem er
1765 als »Zunftherr zur Meise« Mitglied des Großen, später
des Kleinen Rats wurde, ebenso ernannte man ihn zum
Obervogt verschiedener Herrschaften im Kanton, auch zum
Aufseher der stadteigenen Wälder an der Sihl, wo er in
seinen letzten Lebensjahren stets die Sommermonate verbrachte. Im Maße, in dem Gessner sich der Literatur und
dem Schreiben entfremdete, wandte er sich der Kunst und
dem Malen und Zeichnen zu. Gessner hinterließ 461 Radie-
rungen aus den Jahren 1752–87 – etwa zur Hälfte Illustrationen zu eigenen und zur andern Hälfte zu Werken anderer
Autoren –, gegen 600 Zeichnungen und ungefähr 5 bis 6
Dutzend Gemälde, fast ausschließlich Ideallandschaften in
Aquarell und Gouache auf Papier aus den Jahren 1768–88.
Die Summe seiner Anschauungen über die Kunst legte er in
einem *Brief über die Landschaftsmalerei* (1770) nieder, den
er an Johann Caspar Füssli richtet, den Verfasser der
Geschichte der besten Künstler in der Schweiz. In diesem
Brief handelt er nur von den Grundsätzen, die ihn zur
Produktion von Kunst leiteten, er fordert immer wieder
Wahrheit und Schönheit, Wahrheit und Natur, in der Land-
schaftsmalerei »das Große, das Edle, die Harmonie«, und er
beurteilt die Maler der Gegenwart und der Vergangenheit
an dem Maß der Realisierung dieser Forderungen. Solche
Ermahnungen schreibt er auch oft seinem Sohn Conrad, den
er zur künstlerischen Ausbildung zu seinem Freund Anton

Graff nach Dresden, später nach Rom geschickt hatte. Die-
en Briefwechsel mit Conrad, der es zu einem talentierten
Pferdemaler gebracht hat, edierte 1801 Gessners zweiter
ohn Heinrich, der Wielands Tochter heiratete, dessen ver-
egerischen Unternehmungen aber infolge der Revolutions-
ahre der Erfolg versagt blieb. Jeder illustre Besucher
Zürichs machte auch Gessner seine Aufwartung; man kennt
Schilderungen solcher Begegnungen aus verschiedenen
Federn. Die Familie Mozart besuchte ihn ebenso wie
Goethe, Herzog Karl-August von Weimar und der nach-
malige Zar Paul I., nebst vielen deutschen, französischen, italienischen hohen Herrschaften, Literaten, Künst-
ern und Wissenschaftlern. – Salomon Gessner starb im
Alter von knapp 58 Jahren am 2. März 1788 in seiner Va-
erstadt.

Bibliographische Hinweise

Sämtliche Schriften. 3 Bde. Hrsg. von M. Bircher. Zürich 1972–74.
Idyllen. Krit. Ausg. Hrsg. von E. Th. Voss. Stuttgart 1973 [u. ö.].
Eine Gesamtausgabe der Briefe befindet sich, hrsg. von M. Bircher
  unter Mitw. von I. Metzger, in Vorbereitung.

Salomon Gessner. Ausstellungskatalog. Zürich 1930.
Salomon Gessner. Gedenkbuch zum 200. Geburtstag. Hrsg. vom
  Lesezirkel Hottingen. Zürich 1930.
Salomon Gessner. Maler und Dichter der Idylle. 1730–1788. Aus-
  stellungskatalog. Wolfenbüttel 1980. [2]1982.
Bergemann, F.: Salomon Gessner. Eine literarhistorisch-biographi-
  sche Einleitung. München 1913.
Bircher, M. / Weber, B.: Salomon Gessner. Zürich 1982.
Böschenstein-Schäfer, R.: Idylle. Stuttgart [2]1977. (Sammlung Metz-
  ler. 63.)
– Gessner und die Wölfe. Zum Verhältnis von Idylle und Aggres-
  sion. In: Salomon Gessner. [2]1982. S. 71–73.

Bürger, Th.: Der Zürcher Verlag »Orell, Geßner, Füßli & Comp.« in der zweiten Hälfte des 18. Jahrhunderts und seine Bedeutung für den deutschen Buchhandel. Ms. Fachhochschule für Bibliotheks- und Dokumentationswesen. Köln 1985.

Burk, B.: Elemente idyllischen Lebens. Studien zu Salomon Gessner und Jean-Jacques Rousseau. Frankfurt a. M. 1981.

Gsteiger, M.: Préromantisme et classicisme chez Gessner. In: Préromantisme en Suisse? Vorromantik in der Schweiz? Hrsg. von E. Giddey. Fribourg 1982. S. 55–71.

Hämmerling, G.: Die Idylle von Gessner bis Voss: Theorie, Kritik und allgemeine geschichtliche Bedeutung. Frankfurt a. M. 1981.

Hibberd, J.: Salomon Gessner, his creative achievement and influence. Cambridge 1976.

Hottinger, J. J.: Salomon Gessner. Zürich 1796.

Kesselmann, H.: Die Idyllen Salomon Geßners im Beziehungsfeld von Ästhetik und Geschichte im 18. Jahrhundert. Ein Beitrag zur Gattungsgeschichte der Idylle. Kronberg i. T. 1976.

Leemann-van Elck, P.: Salomon Gessner, sein Lebensbild mit beschreibenden Verzeichnissen seiner literarischen und künstlerischen Werke. Zürich 1930.

– Salomon Gessners Beziehungen zu Zeitgenossen. In: Zürcher Taschenbuch für das Jahr 1931. S. 143–208.

Rychner, M.: Rückblick auf vier Jahrhunderte. Entwicklung des Art. Institut Orell Füssli in Zürich. Zürich 1925.

Wölfflin, H.: Salomon Geßner. Mit ungedruckten Briefen. Frauenfeld 1889.

Sophie von La Roche

Von Barbara Becker-Cantarino

Mit der Veröffentlichung ihres ersten Romans, der *Geschichte des Fräuleins von Sternheim* (1771), wurde Sophie von La Roche zur berühmtesten deutschen Schriftstellerin in der zweiten Hälfte des 18. Jahrhunderts. Die begeisterten Leser identifizierten die Autorin sogar mit der Hauptfigur ihres Romans, einer ›schönen Seele‹, einem neuen Frauentyp: sie mache »bei jeder Gelegenheit die Güte ihres Herzens tätig«, wie Jacobi die »Sophie« im Sinne der zeitgenössischen Leser charakterisierte. In dieser Rolle löste La Roche die ›gelehrte‹ Luise Gottsched, die »Gottschedin«, als weibliche literarische Berühmtheit Deutschlands ab.

Geboren am 6. Dezember 1731 als ältestes Kind eines gelehrten Arztes, wuchs Sophie (geb. Gutermann) in Augsburg auf, wurde vom Vater in die Welt der Bücher und des Wissens, vom ersten Verlobten ins Italienische, in Musik und Kunstgeschichte und vom Vetter und zweiten Verlobten Christoph Martin Wieland in die schöne Literatur eingeführt. Die Mutter vermittelte eine strenge pietistische Erziehung und die »weiblichen Fertigkeiten«. Mit ihrer schnellen Auffassungsgabe, ihrem ausgezeichneten Gedächtnis und ihrem lebendigen Wissensdurst bildete sich Sophie ihr Leben lang selbst weiter und konnte ein für eine Frau ihrer Zeit ungewöhnlich vielseitiges und später weitgehend von ihr selbst bestimmtes Leben führen. Die Konvenienzehe mit dem Verwaltungsbeamten und Staatsmann Frank von La Roche verlief harmonisch und zufriedenstellend. Sie ermöglichte der bürgerlichen Sophie eine gesellschaftliche Stellung im Kreise des Grafen Stadion am Hofe des Erzbischofs von Mainz – von 1753 bis 1761 – und nach kurzer Unterbrechung auf dem Landgut Warthausen bei Biberach glänzende Jahre am Hof des Kurfürsten von Trier mit Sitz in Koblenz-Ehrenbreitstein, von 1770 bis 1780, wo sich in ihrem Haus führende Literaten der Empfindsamkeit, der Aufklärung und des Sturm und Drang trafen.

Sophie La Roche hatte schon in Warthausen, auf frühere literarische Versuche zurückgreifend, ihren Erstlingsroman *Geschichte des Fräuleins von Sternheim* ausgearbeitet, bei dem der zu der Zeit im benachbarten Biberach lebende Wieland als Berater und dann als Herausgeber fungierte. Sie wollte »nun einmal ein papiernes Mädchen erziehen«, wie sie später über ihren Roman sagte, weil ihre Töchter – von acht Kindern erreichten fünf das Erwachsenenalter – ihrer Fürsorge entzogen waren; da half ihre »Einbildungskraft aus der Verlegenheit und schuf den Plan zu Sophiens Geschichte« (*Briefe über Mannheim*, 1791). Der Roman wird eingeleitet von Wielands Vorrede, die behutsam die Autorschaft einer Frau entschuldigt und sie gegen die gestrengen Literaturkritiker in Schutz zu nehmen versucht mit dem nachdrücklichen Verweis auf das »liebenswürdige Geschöpf« der Heldin: »Gutes will sie tun; und Gutes wird sie tun«. Damit sind die engen Grenzen der weiblichen Autorschaft und Fiktion gezogen.

Im Mittelpunkt des Romans steht eine junge Landadelige, die nach dem Tode ihrer Eltern an den Hof geschickt, dort von ihrer Tante dem Fürsten als Mätresse zugespielt werden soll. Ahnungslos läßt sich Sophie auf dieses Spiel ein, aus dem sie dann ihre (nur scheinbar) verlorene Tugend durch eine heimliche Ehe mit dem Engländer Derby retten zu können glaubt. Ihr überstürztes, eigenmächtiges Handeln erweist sich als Fehlentscheidung, die Ehe als Scheinehe. Sophie faßt nun selbst den Entschluß, ihr Leben als bürgerliche Madam Leidens in den Dienst an anderen zu stellen;

Sophie von La Roche
1731–1807

sie widmet sich der Erziehung junger Mädchen (Gründung einer Gesindeschule) und intensiviert ihre karitative Tätigkeit. Mit Lady Summers will sie in England ein weiteres Wirkungsfeld finden, wird jedoch nach Schottland entführt, von wo sie endlich durch ihre »übende Tugend« und Lord Seymor erlöst wird, auf dessen Landgut das glückliche Paar Sophies »Gesinnungen in Handlungen« umsetzen wird.

Die Autorin La Roche hat das Schema des Liebesromans entscheidend durchbrochen, indem sie ihre Heldin, eine den Erwartungen der bürgerlichen Gesellschaft entsprechend tugendhafte, empfindsame Frau, in der Selbstbehauptung gegen diese Gesellschaft zeigt, die eigenwillig (und zunächst falsch) handelt, sich der Bevormundung durch Männer entzieht und in der Tätigkeit für sozial schwächere Frauen eine Lebensaufgabe findet, bevor sie in einer idealen, partnerschaftlichen (nicht patriarchalen) Ehe in die patriarchale Gesellschaft zurückkehrt. Aktive Betätigung und Reisen, eigenes Empfinden als Frau und eigene Entscheidung, das waren neue Themen im Familien- und Liebesroman, in denen Frauen auch in Hauptrollen nur als Objekte männlicher Wünsche, Bedürfnisse und Ängste – etwa in Gellerts *Schwedischer Gräfin* oder Rousseaus *Nouvelle Héloïse* – konzipiert worden waren.

Von Richardsons auch in Deutschland viel gelesenen Romanen hatte Sophie La Roche die Briefform zu einer vielschichtigen Verflechtung der Erzählperspektiven weiterentwickelt, indem sie mehrere Briefschreiber, tagebuchartige Passagen und den Bericht der als Herausgeberin fungierenden Freundin benutzt und zueinander in Beziehung setzt. Noch wichtiger war ihre psychologisch einfühlsame Darstellung der Charaktere, besonders der gefühlvollen Sophie. Die Autorin schrieb aus der Perspektive der Frau und schuf, im Gegensatz zu den zumeist hölzernen Frauentypen der männlichen Autoren ihrer Zeit, eine empfindsame Seele. Diese »Menschenseele«, ein »ganzes Ideal von einem Frauenzimmer, sanft, zärtlich, wohltätig, stolz und

tugendhaft, und betrogen« (so Caroline Flachsland am
22. Juni 1721 an Herder), beeindruckte die Zeitgenossen,
wie auch der junge Goethe diesen Roman der »Mama La
Roche« und deren jungverheiratete Tochter Maximiliane
Brentano beim Schreiben des *Werther* vor Augen hatte.

Die späteren Romane und Erzählungen der Sophie La
Roche erfreuten sich anhaltender Beliebtheit, doch die zeitgenössischen Kunstrichter von Wieland bis Goethe standen
ihnen distanziert gegenüber. *Rosaliens Briefe an ihre Freundin* (1779–81) oder etwa *Geschichte von Miß Lony und der
schöne Bund* (1789) wurden als Frauenromane, aus denen
Frauen Gutes für ihr Leben lernen können, betrachtet. Die
sentimentalen Frauengestalten und das Tugendgebot, dem
diese (groß)bürgerlichen Frauen unterworfen sind, leisteten
dieser Trivialisierung Vorschub wie auch die gefühlvolle, oft
blasse Darstellung. Doch die Fiktionen der Sophie La Roche
brachten dabei auch moderne Themen, die besonders ihre
Leserinnen interessiert haben, wie Freundschaft, Erziehung,
Hof- und Landleben, Krankheit und Armut. Zwischen-
menschliche Beziehungen, Konflikte und deren harmonische Lösungen stehen im Mittelpunkt; die Folgen der Französischen Revolution geben den Hintergrund ab für *Schönes
Bild der Resignation* (1795).

Mit ihrer Zeitschrift *Pomona. Für Teutschlands Töchter*
(1783–84) schuf Sophie La Roche die erste Frauenzeitschrift
in Deutschland, die von einer Frau und dazu noch nach
ihren eigenen Vorstellungen herausgegeben wurde, während
die Moralischen Wochenschriften und auch später die Flut
der Damenkalender von männlichen Literaten redigiert und
größtenteils auch beliefert wurden. Die Zeitschrift brachte
Aufsätze zu allgemeinbildenden Gegenständen (u. a. Geschichte, Dichtkunst, Medizin), Reiseberichte, Beiträge von
namentlich genannten anderen Autorinnen (u. a. Elisa von
der Recke, Caroline von Wolzogen), Frauenthemen (Mode,
Tanz, »moralische Schönheit«) und einen direkten Dialog
mit den Leserinnen. Diese teils authentischen, teils fingier-

ten Briefe und Antworten bringen eine persönliche Note in die Zeitschrift, besonders wenn Sophie La Roche bereitwillig Fragen über ihr Leben und ihre Interessen beantwortet (»Das Bild meiner Arbeit und Sorgen«). In den »Briefen an Lina« berät die Herausgeberin ein junges Mädchen über ihre Aufgaben und Pflichten im Hause, gibt Ratschläge zur eigenen Bildung und praktische Anleitungen zur Lebensführung sowie Hinweise auf karitative Betätigung. Hier schon wird das Leitbild der (idealen) bürgerlichen Frau des 19. Jahrhunderts entwickelt; keineswegs kommen jedoch Emanzipation oder Autonomie der Frau in den Blick.

Als die La Roches 1780 sich nach Speyer und dann nach Offenbach am Main ins Privatleben zurückgezogen hatten und die Kinder versorgt waren, konnte Sophie La Roche mehrere große Reisen unternehmen, in die Schweiz, nach Paris, nach Holland und England. Sie ermittelte selbst eine passende Begleitung, denn allein hätte sie als Frau nicht reisen können; es war schon gänzlich ungewöhnlich, daß sie als bürgerliche Frau ihren Horizont durch Reisen erweitern konnte. Von diesen Reisen brachte sie neuen Stoff zu zahlreichen Reisebeschreibungen und Tagebüchern mit. Sie war eine gute Beobachterin von Menschen, Gegenständen und Verhältnissen, wenn sie z. B. ihre Eindrücke vom vorrevolutionären Paris (im *Journal einer Reise durch Frankreich*, 1787) oder von ihrem Besuch bei der englischen Autorin Fanny Burney (*Tagebuch einer Reise durch Holland und England*, 1788) beschreibt.

Im letzten Jahrzehnt ihres Lebens hielt sie Rückschau in mehreren Erinnerungswerken; dann fungierte Wieland noch einmal als ihr Herausgeber mit *Melusinens Sommerabende* (1806), ihrer Autobiographie. In einer Zeit der strengen Geschlechtertrennung und der eindeutigen Herrschaft männlicher Gesichtspunkte und Interessen in der deutschen Literatur fand das Werk der Greisin kein Interesse mehr bei den großen Dichtern; in das Weimarer Literaturprogramm paßte sie weder als Geliebte noch als Muse. Ihre Enkelin

Bettina von Arnim, die nach dem frühen Tode ihrer Mutter zusammen mit ihrem Bruder Clemens Brentano einige Jahre bei ihr in Offenbach verbracht hat, war die erste, die warme Worte für die phantasievolle, liebenswerte Großmutter fand – und an ihr Werk anknüpfte. Am 18. Februar 1807 ist Sophie La Roche in Offenbach gestorben.

Bibliographische Hinweise

Erscheinungen am See Oneida. 1798. – Reise von Offenbach nach Weimar und Schönebeck. 1800.

Sophie La Roche. Ihre Briefe an die Gräfin Elise zu Solms-Laubach 1787–1807. Offenbach 1965.
Wielands Briefwechsel. Bd. 3–5. Berlin [Ost] 1974-79.
Geschichte des Fräuleins von Sternheim. Hrsg. von K. Ridderhoff. Berlin 1907.
Geschichte des Fräuleins von Sternheim. Hrsg. von B. Becker-Cantarino. Stuttgart 1983 [u. ö.].

Becker-Cantarino, B.: Muse und Kunstrichter. Sophie La Roche und Wieland. In: Modern Language Notes 99 (1984) S. 571–588.
– Der lange Weg zur Mündigkeit. Frauen und Literatur in Deutschland 1500–1800. Stuttgart 1987.
Bovenschen, S.: Die imaginierte Weiblichkeit. Frankfurt a. M. 1979.
Hohendahl, P. U.: Empfindsamkeit und gesellschaftliches Bewußtsein. In: Jahrbuch der Deutschen Schillergesellschaft 16 (1972) S. 176–207.
Jansen, H.: Sophie La Roche im Verkehr mit dem geistigen Münsterland. Münster 1931.
Maurer, M.: Ich bin mehr Herz als Kopf. Sophie La Roche, ein Lebensbild in Briefen. München 1983.
Milch, W.: Sophie La Roche. Frankfurt a. M. 1935.
Plato, K. Th.: Sophie La Roche in Koblenz-Ehrenbreitstein. Koblenz 1978.
Touaillon, Ch.: Der deutsche Frauenroman des 18. Jahrhunderts. Leipzig/Wien 1919.

FRIEDRICH NICOLAI

Von Bernd Witte

In seiner 1799 publizierten autobiographischen Skizze *Über meine gelehrte Bildung* berichtet der am 18. März 1733 geborene Friedrich Nicolai, daß er im Alter von fünfzehn Jahren 1748 die Lateinschule des Waisenhauses in Halle verließ, um in seiner Heimatstadt Berlin die neugegründete Heckersche Realschule zu besuchen. Dort habe er Unterricht in Botanik, Anatomie, Ökonomie, Naturlehre und Mathematik bekommen und so aus eigener Anschauung in einem Jahr »weit mehr von den Anfangsgründen wahrer Gelehrsamkeit« gelernt »als vorher in fünf Jahren auf zwei berühmten gelehrten Schulen«. Dieser frühen Entscheidung für das praktische Leben ist Nicolai bis in sein hohes Alter hinein treu geblieben. 1749 ging er als Buchhandelslehrling nach Frankfurt an der Oder, um sich auf die Mitarbeit im väterlichen Geschäft vorzubereiten. Während seiner dreijährigen Ausbildungszeit widmete er sich zugleich autodidaktischen Studien. Er las Nachschriften der Vorlesungen des in Frankfurt lehrenden Philosophen Alexander Baumgarten über Metaphysik und Ästhetik, lernte Englisch, um Miltons *Paradise Lost* in der Ursprache lesen zu können, studierte erneut die griechischen Klassiker und arbeitete sich durch Bayles *Dictionnaire critique*. Mit unermüdlicher Wißbegier durchforschte er den Bücherfundus des Geschäfts, in dem er arbeitete, sowie die privaten Frankfurter Gelehrtenbibliotheken und legte so das Fundament zu der umfassenden »Bücherkenntniß«, die ihm später als Buchhändler, Verleger und Zeitschriftenherausgeber zugute kommen sollte. 1752

Friedrich Nicolai
1733–1811

kehrte er nach Berlin zurück, um nach dem Tode seines Vaters die elterliche Buchhandlung zu übernehmen. Am 8. Januar 1811 ist er in Berlin gestorben.

Auch als Autor hat Nicolai seine Tätigkeit stets unter dem Primat der gesellschaftlichen Praxis gesehen, den er in seiner Autobiographie abschließend auf die Formel bringt: »Leben ist, in und für die menschliche Gesellschaft thätig wirken«. Nachdem er im Alter von zwanzig Jahren anonym eine Verteidigung Miltons hatte erscheinen lassen, nahm er 1755 mit seinen *Briefen über den itzigen Zustand der schönen Wissenschaften in Deutschland* zum ersten Mal öffentlich zu Fragen der aktuellen literarischen Situation Stellung. Diese kritische Bestandsaufnahme der deutschen Literatur der Jahrhundertmitte, die ihm die Freundschaft Lessings und Mendelssohns einbrachte, kann als Programmschrift für seine gesamte spätere literarische Tätigkeit gelten. Mit jugendlicher Unbekümmertheit attackiert er die literarischen Autoritäten der Zeit. Seine satirische Polemik richtet sich sowohl gegen die Regelgläubigkeit Gottscheds, den er immer nur als den »Hrn. P[rofessor]« apostrophiert, wie gegen die altertümelnde religiöse Epik Bodmers, deren Schulhaftigkeit diesem die Bemerkung einträgt, er müsse »alle seine Leser für Professores poeseos emeritos halten«. Gegen die vorherrschende gelehrte Dichtung führt Nicolai die Moral von Gellerts berühmter Fabel *Die Nachtigall und die Lerche* ins Feld, in der den Dichtern geraten wird, nur so lange zu schreiben, wie sie von »Natur und Geist« beseelt seien.

Für den neuen Dichtungsbegriff, der sich hier ankündigt, beruft er sich im Theoretischen auf Shaftesbury und in der Praxis mit polemischer Wendung gegen Gottscheds *Deutsche Schaubühne* auf Shakespeare:

> Die Charaktere sind es, durch die ein Lustspiel am meisten glänzet, und deren richtige Verbindung und Beobachtung, die glükklichsten Wirkungen hat;

> Shakespeare, ein Mann ohne Kenntniß der Re-
> geln, ohne Gelehrsamkeit, ohne Ordnung, hat der
> Mannigfaltigkeit und der Stärke seiner Charaktere,
> den grösten Theil des Ruhmes zu danken [...].

Nicolais Poetik, in der Lessings Bemühungen um eine
Reform des deutschen Theaters teilweise schon vorweggenommen sind, gipfelt folgerichtig im Begriff des Genies, das
er als »die vivida vis animi« und als den »wahren Probier-
stein eines schönen Geistes« bezeichnet.

Mehr noch als in diesen von der englischen Debatte
inspirierten Schlagworten erweist sich Nicolais Originalität
in den literatursoziologischen Einsichten seiner Schrift. Er
sieht die Gründe für Deutschlands literarische Rückständigkeit darin, daß den Deutschen im Vergleich mit Franzosen
und Engländern die kulturelle Einheit ebenso fehlt wie die
zentralisierende Kraft einer Hauptstadt. Daher seine Dia-
gnose, den deutschen Dichtern mangele es am »Umgang mit
der Welt«. »Sie kennen nichts als ihr Cabinet, ihr Collegium, ihre Universität.« Man wird Nicolais Verlagsarbeit
und seine über vierzig Jahre währende Tätigkeit als Zeitschriftenherausgeber unter anderem als den Versuch verstehen müssen, den von ihm konstatierten Mangel an kultureller Einheit zu beheben und Berlin als geistige Hauptstadt des
deutschsprachigen Raumes zu etablieren. Als Mittel hierzu
bestimmt er vorzüglich die Kritik. Ist sie doch »die einzige
Helferin, die, indem sie unsere Unvollkommenheiten auf-
deckt, in uns zugleich die Begierde nach höheren Vollkom-
menheiten anfachen kann«. Kritik als die öffentliche Auseinandersetzung mit gesellschaftlichen, geistigen und literarischen Mißständen und damit als die treibende Kraft der
Aufklärung, das ist das Programm, dem künftig alle Texte
Nicolais, auch die im engeren Sinne literarischen, folgen.

Zum ersten Mal hat er dieses Programm im beinahe
täglichen Umgang und Gespräch mit Lessing und Mendelssohn seit 1756 in die Wirklichkeit umgesetzt, wobei es den

drei Freunden vor allem um die Ausarbeitung einer Theorie des bürgerlichen Trauerspiels ging. Aus dieser kontinuierlichen Diskussion über literarische Gegenstände erwuchs die Publikation der *Briefe, die neueste Literatur betreffend*, in denen Nicolai zwischen 1759 und 1765 seine Ansichten über Literatur in der Auseinandersetzung mit seinen Freunden überprüfte, so daß dieses Periodikum zur ersten realen Inszenierung literarischer Öffentlichkeit in Deutschland wurde. Ab 1765 wurden die *Literaturbriefe* abgelöst von der von Nicolai allein redigierten *Allgemeinen Deutschen Bibliothek*, die es sich zum Ziel gesetzt hatte, alle deutschsprachigen Neuerscheinungen zu rezensieren. Obwohl sie diesem Anspruch nie voll genügen konnte, wurden in der *Allgemeinen Deutschen Bibliothek*, die es auf eine durchschnittliche Auflage von 2000 Exemplaren brachte, bis 1806 insgesamt etwa 80000 Bücher von über 150 Mitarbeitern besprochen. Sie machte Nicolai zum erklärten, wenn auch heftig umstrittenen Haupt der literarischen Aufklärung. Die Verdienste seines Unternehmens um die Herstellung eines einheitlichen literarischen Kommunikationsraums in Deutschland sind kaum zu überschätzen. Wie Biester, einer der Berliner Mitarbeiter Nicolais, feststellt: »Nun erst erfuhr Deutschland, was überhaupt literarisch in ihm vorging.«[1]

Auch die im engeren Sinne literarischen Texte Nicolais, seine Romane und parodistischen Kontrafakturen, stehen ganz im Dienste seines selbstgesetzten kritisch-aufklärerischen Erziehungsauftrags. Dies gilt insbesondere für seinen ersten, überaus erfolgreichen Roman *Das Leben und die Meinungen des Herrn Magisters Sebaldus Nothanker*, der in 3 Bänden zwischen 1773 und 1776 erschien und es bis zur Jahrhundertwende zu 4 Auflagen mit insgesamt etwa 12000 Exemplaren brachte. Er ist – auch was die ungeheure, durch Nachahmung, Fortführungen, Parodien und Gegenschriften belegte Resonanz angeht – das genaue bürgerlich-rationalistische Gegenstück zu Goethes 1774 publizierten *Leiden des ungen Werthers*. Wie diese kritisiert er die aktuellen gesellschaftlichen Verhältnisse in Deutschland, aber statt einer Liebesgeschichte macht er bewußt die Darstellung des Ehelebens zum Ausgangspunkt seiner Handlung. An Thümmels komisches Epos *Wilhelmine* anknüpfend, erzählt Nicolai die unglücklichen Verwicklungen, die aus der Heirat des Landpfarrers Sebaldus mit der ehemaligen Kammerjungfer Wilhelmine entstehen. Mit dieser programmatischen Hinwendung zum privaten Raum, zu den Schwierigkeiten und Freuden des Alltags realisiert er zum ersten Mal die »bürgerliche Prosa«, die Hegel als den eigentlichen Gegenstand des Romans definiert hat. Zugleich macht er den Roman mit seiner Vielfalt der einander entgegengesetzten »Meinungen« zum fiktionalen Austragungsort des rationalen Diskurses. Beides geschieht im Geiste der Kritik, als Satire.

Bedingt durch die Unzulänglichkeiten der gesellschaftlichen Verhältnisse, bricht das private Harmonie-Ideal der Ehe schon im 1. Buch des Romans katastrophal in sich zusammen. Sebaldus wird auf Irrfahrten durch Deutschland und Holland geschickt, um erst am Ende in der Ehe seiner Tochter Mariane mit dem zum Kartoffelbauern bekehrten empfindsamen Dichter Säugling einen sicheren Hafen zu finden. Aber auch der für die Aufklärung zentrale Prozeß der rationalen Auseinandersetzung wird von Nicolai satirisch relativiert. Erweist sich doch gerade der »öffentliche Gebrauch der Vernunft«, als der Sebaldus' gelehrter Apokalypsenkommentar anzusehen ist, als überaus irrational in seinen Motiven und als die Quelle seines häuslichen Unglücks. Indem Nicolai einen wohlmeinenden, aber naiven Landpfarrer zum Helden der Erzählung macht, stellt er die theologische Debatte der Zeit, die auch mehr als die Hälfte der Kritiken in der *Allgemeinen Deutschen Bibliothek* beherrscht, in den Mittelpunkt seines Romans und weitet ihn so zu einer umfassenden Religionssatire aus, in der er alle Formen des Protestantismus von der Orthodoxie bis zum Pietismus kritisch Revue passieren läßt. Dadurch, daß er die Worte ihrer Repräsentanten mit deren Taten konfrontiert, entlarvt er die Kirchen als Herrschaftssysteme, die ihre geistige Botschaft zur Festigung der eigenen Machtansprüche mißbrauchen. Wie in der etwas späteren Auseinandersetzung Lessings mit dem Hamburger Hauptpastor Goeze geht es auch in Nicolais fiktionalen, aber durchaus auf die aktuelle geistige Situation der Zeit bezogenen Debatten stets um die Abweisung des Totalitätsanspruchs der Theologie und um die Gewinnung eines möglichst unbeschränkten Freiraums für den Gebrauch der Vernunft.

Nicolais satirisch-kritischer Impetus macht selbst vor der Literatur nicht halt. Der erfolgreiche Buchhändler und Verleger von gelehrten Werken und schöngeistiger Literatur, der sich selber in der Figur des Buchhändlers Hieronymus porträtiert hat, gibt in erstaunlich genauen soziologischen und ökonomischen Exkursen sein Wissen über die wirtschaftlichen Zusammenhänge des merkantilistischen Systems preis, wobei das Buch als »fabrikmäßig« hergestellte Ware und der Autor als ein um seinen Lebensunterhalt kämpfender Tagelöhner dekuvriert wird: »Der größeste Haufen der Schriftsteller von Profession treibt ein Gewerbe, so gut als die Tapetenmaler.« Allerdings erweist sich an diesem Gegenstand auch die Beschränktheit von Nicolais Blick, wenn er in dem empfindsamen Autor Säugling, der wie viele andere Figuren dieses Schlüsselromans eine reale Person, nämlich den Dichter Johann Georg Jacobi, porträtieren soll, die Schriftsteller der Sturm-und-Drang-Generation zu treffen meint. Im letzten Buch des Romans bekehrt er ihn gar zum exemplarischen Hausvater, der statt gefühlvoller Liebesgedichte einen Traktat über den Kartoffelanbau schreibt.

Solcherart Übertreibungen haben Nicolai in den Augen der jungen »Genies«, deren Literaturauffassung ab 1770 epochemachend wurde, zum archetypischen Vertreter des verhaßten »Philisters« und Spießbürgers werden lassen, zumal er in seinen Literatursatiren *Freuden des jungen Wer-*

thers (1775) und *Eyn feyner kleyner Almanach vol schoenerr echterr liblicherr Volckslieder* (1777–78) zwei ihrer zentralen Ausdrucksformen zum Gegenstand des öffentlichen Gespötts machte. Die wirkmächtige Parodie von Goethes Erfolgsroman, die Nicolai die fortwährende Feindschaft des Weimarers einbrachte, zieht den Selbstmordentschluß Werthers ins Lächerliche, indem sie ihn auf groteske Weise mißlingen läßt, so daß der Held weiterleben muß, um die Freuden und Leiden des Ehelebens zu erfahren. Nicht anders sind Nicolais spätere Romane, *Geschichte eines dikken Mannes* (1794), *Leben und Meinungen Sempronius Gundibert's eines deutschen Philosophen* (1798) und *Vertraute Briefe von Adelheid B** an ihre Freundin Julie S*** (1799), als ausgedehnte literarische Satiren zu lesen, in denen sich der Autor wie in der aus derselben Periode stammenden Autobiographie mit der Kantischen Philosophie auseinandersetzt.

Das literarische Hauptwerk aus Nicolais Spätzeit, zu dem die zahlreichen von ihm verfaßten historischen und biographischen Monographien Vorarbeiten und Seitenstücke darstellen, ist seine *Beschreibung einer Reise durch Deutschland und die Schweiz im Jahre 1781* (1783–96). In 12 umfangreichen Bänden wird dem Leser ein Kompendium enzyklopädischer Daten, insbesondere bevölkerungspolitischer und ökonomischer Statistiken, über das katholische Süddeutschland und Österreich geboten. Neben dem praxisbezogenen Zweck der Information für den Reisenden und Kaufmann verfolgt Nicolai hier dasselbe Ziel, das schon seine Redakteurs- und Verlegertätigkeit für die *Allgemeine Deutsche Bibliothek* leitete. Er möchte eine möglichst große deutschsprachige Öffentlichkeit organisieren, indem er die kulturellen Schranken zwischen dem protestantischen Norden und dem katholischen Süden durch wechselseitige Information durchlässig zu machen versucht. So sind die Bände 2–6 eines Werkes, die topographische und physiognomische Beobachtungen, sozial- und wirtschaftsgeschichtliche Daten sowie die politischen und kulturellen Zustände Wiens behandeln, das genaue Gegenstück zu seiner schon fünfzehn Jahre zuvor erschienenen *Beschreibung der Königlichen Residenzstädte Berlin und Potsdam und aller daselbst befindlichen Merkwürdigkeiten* (1769).

Auch hier erweist sich Nicolai wieder als der vor allem an einer Verbesserung der konkreten sozialen und kulturellen Situation interessierte praktische Aufklärer. Seine polemische Auseinandersetzung mit den Herrschaftspraktiken des katholischen Klerus dient diesem Ziel ebenso wie seine Vorschläge zur Verbesserung der Schulbildung und der medizinischen Versorgung, wie überhaupt sein vorzügliches Interesse der Hebung des Bildungsstandes und der Verbesserung der Lebensbedingungen des einfachen Volkes gilt. Dabei setzt er sich vor allem mit den Spuren des Irrationalismus auseinander, die er als Überbleibsel des Mittelalters brandmarkt, wenige Jahre vor dessen bedingungsloser Idealisierung durch die Romantik.

Aus den gleichen Beweggründen heraus ist auch seine Polemik gegen die Weimarer Klassik, insbesondere gegen Schiller, zu verstehen, dessen *Horen* er im 11. Band seiner Reisebeschreibung anläßlich der Schilderung eines Besuchs bei seinem Verlegerkollegen Cotta in Tübingen kritisiert, weil sie nichts als »Aufsätze voll scholastischer Spitzfindigkeiten in dunkler Schreibart verhüllt« enthielten. Goethe und Schiller antworteten auf diesen Angriff mit den im *Musenalmanach für das Jahr 1797* veröffentlichten Xenien, mit denen sie den alten Aufklärer in »pöbelhaftem Ton« attackierten, wie dieser zu Recht in seiner Replik anmerkt. In dieser Auseinandersetzung ging es weniger um eine durch persönliche Animositäten geschärften Kampf einer jüngeren Generation von Autoren gegen eine ältere. Schon gar nicht ging es, wie Nicolai glaubte, wenn er Schiller vorwarf, »die trockensten Terminologien der Kantschen Philosophie sogar in Gedichten« zu brauchen, um den Einfluß der kritischen Philosophie auf die neuere Literatur

Vielmehr ist in der Debatte zwischen Nicolai auf der einen
Seite und Schiller und Goethe auf der anderen der epochale
Umbruch zwischen einem funktionalen, am rhetorischen
Ideal der Claritas und an der poetischen Zielsetzung des
»prodesse et delectare‹ orientierten Literaturbegriff und der
klassischen Auffassung von der Literatur als einem autono-
men Kunstwerk gegenwärtig. Als der Unterlegene ging
Nicolai in die literaturgeschichtlichen Darstellungen des
19. Jahrhunderts, als »der geborene Feind des Schönen, der
Antipoet« schlechthin ein, wie Jakob Minor das allgemeine
Vorurteil 1883 zusammenfaßte.[2] Erst die Forschungen der
jüngsten Zeit haben diese völlige Verkennung der historischen Zusammenhänge zurechtgerückt und erneut die Frage
gestellt, ob die Berliner Variante der Auffassung von Wesen
und Funktion der Literatur gegenüber der Weimarer nicht
auch ihre aktuelle Bedeutung haben könnte.

Anmerkungen

1 *Friedrich Nicolai's Leben und literarischer Nachlaß*, hrsg. von
L. F. G. v. Goeckingk, Berlin 1820, S. 33.   2 *Lessings Jugend-
freunde*, hrsg. von J. Minor, Stuttgart 1883, S. 277.

Bibliographische Hinweise

Untersuchung, ob Milton sein verlohrnes Paradies aus neuern lateinischen Schriftstellern ausgeschrieben habe. 1753. – Ehrengedächtniß Herrn Ewald Christian von Kleist. 1760. – Ehrengedächtniß
Herrn Thomas Abbt. 1767. – Leben Justus Mösers. 1797. – Anhang
zu Friedrich Schillers Musen-Almanach für das Jahr 1797. [1797.] –
Ueber den Gebrauch der falschen Haare und Perrucken in alten und
neuern Zeiten. Eine historische Untersuchung. 1801. – Einige
Bemerkungen über den Ursprung und die Geschichte der Rosen-

kreuzer und Freymaurer. 1806. – Gedächtnißschrift auf Johann Jakob Engel. 1806. – Philosophische Abhandlungen. Größtentheils vorgelesen in der Königlichen Akademie der Wissenschaften zu Berlin. 2 Bde. 1808.

Gesammelte Werke. [Repr.-Ausg.] Bd. 1 ff. Hrsg. von B. Fabian und M.-L. Spieckermann. Hildesheim / Zürich / New York 1985 ff.

Herders Briefwechsel mit Nicolai. Hrsg. von O. Hoffmann. Berlin 1887.

Aus dem Josephinischen Wien. Geblers und Nicolais Briefwechsel 1771–1786. Hrsg. von R. M. Werner. Berlin 1888.

Lessings Briefwechsel mit Mendelssohn und Nicolai über das Trauerspiel. [. . .] Hrsg. und erl. von R. Petsch. Darmstadt 1967 (Nachdr. der Ausg. Leipzig 1910.)

Briefe über den itzigen Zustand der schönen Wissenschaften in Deutschland. Hrsg. von G. Ellinger. Berlin 1894. (Nachdr. der Ausg. Berlin 1755.)

Das Leben und die Meinungen des Herrn Magisters Sebaldus Nothanker. Hrsg. von F. Brüggemann. Darmstadt 1967 (Nachdr. der Ausg. Leipzig 1933.)

Freuden des jungen Werthers. Leiden und Freuden Werthers des Mannes. Voran und zuletzt ein Gespräch. Hrsg. von C. Grützmacher. München 1972. (Nachdr. der Ausg. Berlin 1775.)

Eyn feyner kleyner Almanach vol schoenerr echterr liblicherr Volckslieder [. . .]. Hrsg. von G. Ellinger. Berlin 1888. (Nachdr. der Ausg. Berlin/Stettin 1777–78.)

Geschichte eines dicken Mannes. [. . .] 2 Bde. Frankfurt a. M. 1970 (Nachdr. der Ausg. Berlin/Stettin 1794.)

Über meine gelehrte Bildung, über meine Kenntniß der kritischen Philosophie und meine Schriften dieselbe betreffend [. . .]. Brüssel 1968. (Nachdr. der Ausg. Stettin 1799.)

Friedrich Nicolai: Leben und Werk. Ausstellungskatalog. Hrsg. von P. J. Becker. Staatsbibliothek Preußischer Kulturbesitz. Berlin 1983.

Friedrich Nicolai 1733–1811. Essays zum 250. Geburtstag. Hrsg von B. Fabian. Berlin 1983.

Friedrich Nicolai. Die Verlagswerke eines preußischen Buchhändlers der Aufklärung. 1759–1811. Hrsg. von P. Raabe. Wolfenbüttel 1983.

Möller, H.: Aufklärung in Preußen. Der Verleger, Publizist und Geschichtsschreiber Friedrich Nicolai. Berlin 1974.

Mollenhauer, P.: Friedrich Nicolais Satiren. Ein Beitrag zur Kulturgeschichte des 18. Jahrhunderts. Amsterdam 1977.

Ost, G.: Friedrich Nicolais Allgemeine Deutsche Bibliothek. Nendeln 1967. (Nachdr. der Ausg. Berlin 1928.)

Philips, F. C. A.: Friedrich Nicolais literarische Bestrebungen. Den Haag 1926.

Schwinger, R.: Friedrich Nicolais Roman »Sebaldus Nothanker«. Ein Beitrag zur Geschichte der Aufklärung. Weimar 1897.

Sichelschmidt, G.: Friedrich Nicolai. Geschichte seines Lebens. Herford 1971.

Sommerfeld, M.: Friedrich Nicolai und der Sturm und Drang. Ein Beitrag zur Geschichte der deutschen Aufklärung. Mit einem Anh.: Briefe aus Nicolais Nachlaß. Halle a. d. S. 1921.

CHRISTOPH MARTIN WIELAND

Von Walter Hinderer

Er war ein Weltbürger und fand nichtsdestoweniger manchmal selbst das kleine Weimar zu groß. Er war ein überzeugter Republikaner und bewegte sich bei Hofe mit selbstverständlicher aristokratischer Grazie. Er war in vielen Sprachen und Ländern zu Hause und scheute doch das Reisen. »Eine Reise nach Frankfurt ist für mich eine Reise nach Mexiko«, erklärte er beispielsweise 1790 abweisend, als man ihn zur Kaiserkrönung einladen wollte. Er galt als diplomatisch, zuweilen gar als opportunistisch, und stellte sich doch ebenso mutig wie munter literarischen Fehden. Er plädierte in Sachen Psyche für die goldene Mitte und war bekannt für seine heftigen Launen und seine Empfindlichkeit. »Reizbarkeit und Beweglichkeit [...] beherrschten ihn in einem hohen Grade«, so porträtierte ihn Goethe 1813 in seiner *Gedenkrede*, »aber eine mehr angebildete als angeborene Mäßigung hielt ihm das Gleichgewicht.«

Christoph Martin Wieland steckte in der Tat voller Gegensätze und Widersprüche: da steht der religiöse Schwärmer, Idealist, Mystiker und Platoniker, der die deutschen Anakreontiker in frommem Übereifer als »Prediger der Wollust und Ruchlosigkeit« denunziert, neben dem heiteren Lebenskünstler und frivolen Sensualisten; der Zyniker, Skeptiker und Menschenkenner neben dem verträumten Idylliker; der literarische Repräsentant des Weimarer Hofes neben dem aktuellen Tagesschriftsteller und Journalisten; der virtuose Vers- und Sprachkünstler neben dem kulturpolitisch engagierten Essayisten und Romancier. »Der

Christoph Martin Wieland
1733–1813

Mensch, so wie er der plastischen Hand der Natur entschlüpft«, formuliert er gezielt gegen Jean-Jacques Rousseau in seinen *Beyträge zur geheimen Geschichte des menschlichen Verstandes und Herzens* (1770), »ist beinahe nichts als Fähigkeit. Er muß sich selbst entwickeln, sich selbst ausbilden, sich selbst diese letzte Politur geben, welche Glanz und Grazie über ihn ausgießt – kurzum der Mensch muß gewissermaßen sein eigener zweiter Schöpfer sein.« Mit diesem Programm der ästhetischen Erziehung durch die »Kunst der Grazie« bereitete Wieland neben Herder, Klopstock und Lessing die verspätete Klassik in Deutschland vor, deren Gefahren er dann nicht nur diagnostiziert, sondern auch noch bekämpft hat.

In seinem Roman *Agathon*, nach Lessing »für das deutsche Publikum noch viel zu früh geschrieben«, führte er eine solche Entwicklung und Ausbildung über eine Reihe von ideologischen Gegensätzen und Wechselfällen des Lebens am Exempel seines Helden vor, und im *Aristipp* (IV,5) drückt die Hauptfigur folgende demokratische Forderung Wielands aus:

> Alle Menschen haben, als Menschen, gleiche A n -
> s p r ü c h e an den Gebrauch ihrer Kräfte, und an die
> Mittel, welche die Natur, der Zufall und ihr eigener
> Kunstfleiß ihnen zu ihrer Erhaltung und zu Beförderung ihres Wohlbefindens darreichen.

Als Aufklärer mißtraute er wie Lichtenberg der falschen »Tiefe«, als Psychologe relativierte er philosophische, politische und religiöse Systeme auf ihre trivialen Beweggründe hin. Dogmatik und Schwärmerei waren für ihn Namen eines Begriffes, den er bereits 1775 in einem Essay über *Enthusiasmus und Schwärmerei* dergestalt der Kritik aussetzte: »Ich nenne Schwärmerei eine Erhitzung der Seele von Gegenständen, die entweder g a r n i c h t in der Natur sind, oder wenigstens d a s n i c h t s i n d, wofür die berauschte Seele sie ansieht [...] dem Wort Schwärmerei [...] entspricht das

Wort Fanatismus ziemlich genau.« Er liefert damit Ansätze zu einer Grundsatzkritik der idealistischen Übergriffe seiner Zeit in Literatur, Politik und Philosophie.

Wenn Wieland die forcierte Schreibweise der Stürmer und Dränger so wie später Goethe die romantische als »krank« bezeichnete, so führte er deutlich eine Stilrichtung auf eine Seinsweise zurück, die Fehler eines Werkes auf Mängel der Person oder der ungenügenden Ausbildung des Künstlers. Deshalb beobachtete er auch, wie Karl August Böttiger glaubhaft überliefert, an seinem jungen Landsmann Friedrich Schiller folgende Syndrome: »Er hat nie die Alten kennengelernt, darum ist seine Schreibart so ungeheuer [...] wenn der gute Schiller weniger Krämpfe hätte, würden auch seine Darstellungen weniger convulsivisch sein. Was er Gutes schrieb, entfloß ihm in heitren Stunden.« Seinen Schwiegersohn, den Kantianer Karl Leonhard Reinhold, warnte er eindringlich vor der Verstand und Herz zerrüttenden Afterfilosofie, die seit etlichen Jahren die Welt verpestet«, und ermahnte ihn, »aus den übersinnlichen Höhen der Transcendental-Philosophie herabzutauchen und [...] die Philosophie wieder zu humanisieren« (Brief vom 5. September 1802). Er möchte außerdem wissen, »ob denn die Kantische Schule auch die Vernunft in dem Sinne nehme, wie Cicero seine ratio. So lange diese Herren nicht Allen verständlich sind, ist und bleibt ihre Philosophie leere Terminologie«.[1]

Jeder Absolutheitsanspruch im Denken und Dichten war ihm fremd. »Wahrheit«, so formulierte er 1778 in dem Essay *Was ist Wahrheit?*, ist »weder hier noch da«, sondern »allenthalben«: »Keinem offenbart sie sich ganz; jeder sieht sie nur stückweise, nur von hinten, oder nur den Saum ihres Gewandes – aus einem anderen Punkt, in einem anderen Lichte«. Das bedeutete nicht Relativismus als Programm, sondern Kritik an jeder Art von doktrinärer Starrheit und Einseitigkeit. Deshalb plädierte er immer wieder für Offenheit, für den Dialog, für den Austausch von Meinungen.

Obwohl die »Idee der Humanität« die bestmögliche Vervollkommnung der »Menschengattung«, eine Art Richt-
schnur für seine ästhetische Erziehung darstellte, machte er
sich selten Illusionen über den ständigen Widerspruch zwischen Idee und Wirklichkeit. Auf der einen Seite wollte er
die Menschen, das »Affengeschlecht«, zivilisieren, auf der
anderen fragte er sich, ob man am Ende »doch immer nur
leeres Stroh dresche, Wasser mit einem Sieb schöpfe, in den
Sand schreibe, Böcke melke und Mohren bleiche« (*Gedanken von der Freiheit über Gegenstände des Glaubens zu
philosophieren*).

Gerade weil er wie Lessing die Relativität der menschlichen Erkenntnis als anthropologische Grundbedingung
anerkannte, empfahl er den Perspektivenwechsel als bestes
Heilmittel gegen Täuschungen. »Wir weben und leben«, so
furmulierte Wieland im Jahr 1788, »in einem Ocean von
Phänomenen, Ideen und Phantomen; wir werden von ihnen
auf unzählige Art getäuscht, aber unser Interesse ist, so
wenig als möglich getäuscht zu werden« (W III, 495).
Wahrheitsfindung ist sozusagen nur möglich durch das
Experiment, durch die ständige Revision des Standpunktes.
»Der wahre Seher ist«, so heißt es deshalb ebenso schlicht
wie lakonisch in seiner politischen Satire en miniature, dem
Schach Lolo (1778), »der sich auf den rechten Standpunkt
stellt.« In seinen Verserzählungen, Romanen und Dialogen
eröffnet der Meister der »Poesie des Stils«, bei der sich über
die Form der richtige Inhalt zeigt, seine »geistreichen Debatten«, um im Spiel der Standpunkte verschiedene Zipfel jener
Wahrheit aufblitzen zu lassen, die sich eben nur »stückweise« offenbart. Doch er hält selbst den in solchem Spiel
erkannten richtigen Standpunkt, von dem aus Despotismus,
Aberglauben, Herrschaftsegoismus, falsche Gefühls- und
Denkhaltungen kritisiert werden, für eine mögliche Korrektur offen; denn er glaubte wie der Engländer Laurence
Sterne, daß die Menschen weniger von Tatsachen und Fakten als vielmehr von den Meinungen und Ansichten über

Tatsachen und Fakten bewegt werden. In seinem Roman *Die Geschichte des weisen Danischmend* (1775) läßt er deshalb seinen Helden sagen:

> Facta sind Alles, was man daraus machen will, aus jedem neuen Augenpunkte scheinen sie etwas Anderes, und in zehn Fällen gegen einen ist das vermeinte Factum, worauf man mit großer Zuversicht seine Meinung gestützt hatte, im Grunde eine bloße Hypothese.

Wie in seinen politischen und moralischen Auffassungen unterschied sich Christoph Martin Wieland auch in den ästhetischen von seinen Zeitgenossen. Während Lessing die »Formkultur des Witzes«, bereits als »ein Spielwerk der Mode« zugunsten des »Ernstes der Gesinnung, des Gefühls, des Herzens, der Leidenschaft« abzuwerten begann, Klopstock Dichtung mit religiösem Pathos verknüpfte und die antike Lehre vom Erhabenen in seiner »idealistischen Ausdruckspoesie« schwungvoll praktizierte, blieb der Meister des Kolorits, der zarten Impression, der fließenden Zwischentöne und der beziehungsreichen Anspielung einer Tradition treu, die ihn notwendig von seiner Zeit entfernen mußte; denn wie Goethe am 13. Februar 1769 in anderem Zusammenhang an Friederike Oeser schrieb: »Grazie und das hohe Pathos sind heterogen.«

Mit seiner »Kunst der Grazie«, die eine Kunst der augenblicklichen Wirkung ist, und seiner »Poesie des Stils«, der es mehr um die Art und Weise der Darstellung als um den Gegenstand der Darstellung geht, reicht Wieland noch in die Ausläufer einer älteren Formkultur hinein, deren Merkmale mit den Begriffen Witz, Scherz, Anmut und Geschmack wenigstens angedeutet seien. In der »Kultur des Witzes« wird der witzige Einfall, die schöpferische Kombinatorik zwischen Intelligenz und Imagination, zwischen Bild und Sache, zur ästhetischen Schlüsselfunktion – aber auch zur ethisch-moralischen, da mit der »geistigen Heiterkeit« gleich

die »anmutige Nutzbarkeit« (Gottsched) aufleuchten soll.
Johannes Elias Schlegel formuliert das in seiner *Abhandlung
von der Nachahmung* (1742) folgendermaßen: »Es vergnügt
den Verstand des Menschen nichts so sehr, als was ihn lehrt,
zumal ohne daß es ihn zu lehren scheint.« Wieland knüpft
an diesen Horazischen Grundsatz in dem Versepos *Idris und
Zenide* (1768) mit einer versifizierten Variante an:

> Ergetzen ist der Musen erste Pflicht,
> Doch spielend geben sie den besten Unterricht.

Schon bei Schlegel wird die Nachahmungslehre, derzufolge
der Dichter die Natur nicht »nachäffen«, sondern ihre »sittlichen Absichten [...] frei und verständig« (Sulzer) nachbil-
den soll, mit der Leibnizschen Glückseligkeitstheorie in
Verbindung gebracht und dem Leser oder Zuhörer zwischen
Natur und Kunst, Vorbild und Abbild eine entscheidende
Rolle zugewiesen, denn nur durch die aktive Mitwirkung
des Lesers oder Zuhörers, durch sein »Mitdenken und Mit-
vergleichen« (zwischen Vorbild und Abbild) entsteht nach
der Auffassung Schlegels das Vergnügen, der Genuß. Und
gerade die Einbeziehung des Lesers mit seinen potentiellen
Erfahrungen, Empfindungen und Vorstellungen in den Vorgang des Erzählens selbst wird bei Wieland zum tragenden
Element der Erzähltechnik.

Wie sehr seine Dichtung noch von der Nachahmungspoetik und der »Kultur des Witzes«, deren Höhepunkt in der
Epoche des Rokoko liegt, geprägt wurde, läßt sich leicht
belegen. Wenn etwa Wieland in *Idris und Zenide* (I,5) vom
»Wunderbaren«, von »Feerei und Wundern« sagt, »daß
Natur sogar im Märchen rührt, | Und daß Geschmack und
Witz mit allem sich verbinde«, so scheint sich das dem Sinne
nach auf den 6. Abschnitt von Johann Jakob Breitingers
Critische Dichtkunst zu beziehen, wo es beispielsweise
heißt: »das Wunderbare muß immer auf die würckliche oder
die mögliche Wahrheit gegründet seyn, wenn es von den
Lügen unterschieden seyn und uns ergetzen soll.« Auch von

Breitingers Unterscheidung zwischen der »Materie« und der »Weise« der Nachahmung, was auf den Gegensatz von »Poesie der Sachen« und »Poesie des Stils« in der Poetik von Charles Batteux (1751 übersetzt von Johann Adolf Schlegel, 1758 nochmals von Karl Wilhelm Ramler) hinweist, zeigen sich Spuren in *Idris und Zenide* (I,6):

> Und finde, still beschämt, daß deine Schilderei
> Nicht halb so viel als die Erfindung lüge.

Hier entwickelt sich der Kern von Wielands ästhetischer Auffassung, mit dem er sich deutlich von den Avantgarden seiner Zeit unterscheidet: nicht in der Erfindung des Stoffes, des Erzählgegenstandes liegt für ihn die künstlerische Leistung, sondern in der »Schilderei«, im »Ton«, in der Erzählweise. Dahinter steht die alte rhetorische Gegenüberstellung von Sache und Diktion, wobei Wieland wie die Nachahmungspoetik den Akzent auf die letztere legt. Die vielerorts geborgten Erzählstoffe, die aus Bereichen der Mythologie, der Sage, des Märchens entlehnten Phantasiewelten, dienen nur als Unterlage für den »schöpferischen Witz« des Dichters, der die Materialien, die ausgewählten toten Gegenstände erst zum Leben erweckt und ihnen Gestalt und Form verleiht. Daß hier alles Gelingen von der »poetischen Schreibart« (Johann Elias Schlegel) abhängt, hat Wieland immer wieder betont, gerade auch im Hinblick auf seine leichten »Spielwerke«, wie er seine Verserzählungen zuweilen nannte. Sie sind der reinste Ausdruck seiner »Poesie des Stils«, die freilich voraussetzt, »daß man«, so mahnt Wieland mit hörbarem Engagement, »in der Kunst Gedichte zu lesen nicht so ganz ungeschickt und ungeübt sei, als es (nicht zur Ehre unsrer Schulverfassungen!) noch auf diesen Tag sogar die meisten unsrer Gelehrten – zu sein beschuldiget werden« (*Der Neue Amadis*, 2. Vorwort, 1794). Schon die Zeitgenossen waren also ästhetisch oft nur mangelhaft vorbereitet und hatten mit den »Spielwerken« ihre Probleme. Das geht auch aus einem Brief an den Erfurter Professor

Friedrich Just Riedel hervor, dem Wieland am 2. Juni 1768 schreibt: »Die Deutschen scheinen noch nicht zu fühlen, was attisches Salz, sokratische Ironie, und echte Grazie ist.«

Wielands 21 Verserzählungen lassen sich, wie Hans Werner Seiffert vorgeschlagen hat, in drei Gruppen gliedern: komische Verserzählungen, Versmärchen, Verserzählungen und Versparodien aus ritterlichem Bereich. Die Entwicklung führt von den *Comischen Erzählungen* (1765), von *Musarion* (1768), den Versepen *Idris und Zenide* (1768) und *Der neue Amadis* (1771) über das *Wintermärchen* (1776), *Gandalin* (1776), *Geron der Adeliche* (1777), das *Sommermärchen* (1777), *Hann und Gulpenheh* (1778), *Schach Lolo* (1778) bis hin zu *Pervonte* (1777–96), dem vielbewunderten *Oberon* (1780), *Celia und Sinibald* (1783) und der *Wasserkufe* (1795). Innerhalb dieser Gattung, deren Geschichte in Deutschland nur etwa fünf Jahrzehnte dauert, stellen Wielands Arbeiten von Anfang an einen einsamen Höhepunkt dar. Sie reichen aber mit den schöpferischen Umformungen und Variationen bereits über diese Gattung hinaus und in andere hinein. Nicht umsonst hat Wolfgang Preisendanz davon gesprochen, daß sich in Wielands Verserzählungen »schon die Geschichte des deutschen Romans spiegele«.

Um die Mitte der siebziger Jahre des 18. Jahrhunderts veränderten sich in Wielands »Spielwerken« Ton und Struktur. In Gebilden wie *Geron der Adeliche*, *Sommer-* und *Wintermärchen*, auch *Pervonte* reduzierte der Autor den artistischen Einsatz, zügelte er die »Wendungen und Sprünge« des »Geistes Capriccio«, wurde er schlichter, direkter und auch volkstümlicher. Es waren die Jahre, in denen er Einflüsse Herders, auch des Sturm und Drang, vor allem Goethes zu verarbeiten begann, in denen er sich vom keineswegs intrigenfreien Leben am kleinen Hofe zu Weimar in sein »Schneckenhaus«, in die Horazische Aurea mediocritas zurückzog, die *Geschichte des weisen Danischmend* (1775), das Dokument dieser Wandlung, schrieb, sein Erasmus-Bild (*Ein Fragment über den Charakter des*

Erasmus von Rotterdam, 1776) veröffentlichte und seine ästhetischen Grundgedanken in der Abhandlung *Gedanken über die Ideale der Alten* (1777) niederlegte.

Sein »Zwillingsbruder im Geiste«, dem er »vollkommen glich, ohne nach ihm gebildet zu sein«, war – wie Goethe in der *Gedenkrede* über Wieland ausführt – der Engländer Shaftesbury. In dessen Philosophie der adeligen Lebenskunst, der »vollkommenen Harmonie aller Kräfte«, die der bürgerliche Cortegiano aus Biberach im *Agathon* und in anderen Werken zum Ziel einer ganzen Epoche erhob, in der Versöhnung von Egoismus und Altruismus, von Ich und Welt, Pflicht und Neigung durch das Ideal des Virtuoso fand er auch Prinzipien der griechischen und römischen Paideia wieder. Die für die Klassik so bezeichnende Auffassung, daß der Mensch erst durch Kunst zu seiner Existenzbestimmung finde, enthält schon Wielands *Musarion*: »Was die Natur entwirft, wird von der Kunst vollführt.« In dem »Gedicht« *Die Grazien* (1770), welches die ästhetische Gegenkategorie zum Erhabenen betont, steht der für Wielands Auffassung so bezeichnende Satz: »Aber ohne die G r a z i e n und A m o r n in i h r e r G e s e l l s c h a f t ist selbst den Musen nicht gegeben, die Verschönerung des Menschen zu vollenden.« Wenn Wieland hier sagt, daß »unter den Händen der Grazien [...] die W e i s h e i t und die T u g e n d der Sterblichen das Übertriebene und Aufgedunsene, das Herbe, Steife, und Eckige« verlören, so wiederholt er nicht nur das Prinzip der mühelosen Produktion, der »sprezzatura«, die Tatsache, daß »die Grazien [...] ein mühsames nach der Lampe riechendes Werk« hassen, sondern nimmt die klassischen Verhaltensmuster vorweg, wie sie dann Goethe im *Wilhelm Meister*, in *Iphigenie* oder *Tasso* und Schiller in den *Kallias-Briefen* und in *Über Anmut und Würde* nachzeichnen.

Wieland unterstellt der Grazie ebenso die »Wissenschaften, Künste und Sitten« und »die Tugend« wie die »Handlungen, den Karakter und das Leben eines weisen und guten Mannes«, weil nur sie den »Glanz der Vollendung verleihen« kann. Obwohl dieses Gedicht voller sokratischer Ironie steckt, mit der auch Winckelmanns Griechenschwärmerei bedacht wird, enthält es programmatische Äußerungen zu Wielands Kunst und Lebensphilosophie. Es rückt auch insofern vom Nachahmungszwang des griechischen Kunstideals ab, als es von dem Geheimnis der Kunst spricht, die Natur zu übertreffen. Gerade dieser Punkt bildet den äußeren Anlaß für Wielands ausführlichste Demonstration seines Klassik-Bildes in den *Gedanken über die Ideale der Alten* (1777). Er setzt sich hier mit Lavaters 25. Fragment der *Physiognomik* auseinander, das mit dem Titel *Über Ideale der Alten, schöne Natur, Nachahmung* nicht ohne Prätention an Winckelmann anknüpft. Der Stürmer und Dränger Lavater führt die »hohe, wie man sagt, überirdische Schönheit« der Griechen auf die sie umgebende »vollkommene Natur« zurück und erklärt damit nach der Nachahmungstheorie die Kunst als eine Art Widerspiegelung der Wirklichkeit (Natur). Sein Gedankengang ist ebenso schlicht wie konsequent: die Tatsache, daß es keine den Alten zu vergleichende vollkommene Kunst in der Gegenwart gibt, führt er auf Mängel in der Wirklichkeit zurück. Seiner Ansicht nach hatten die Alten eine »schönere Natur vor sich« und waren sowohl von schöneren als auch von besseren Menschen umgeben. Auf die Apotheose nach rückwärts folgt bei Lavater zunächst der Kulturpessimismus nach vorwärts: »Also waren die Griechen schönere Menschen, bessere Menschen, und das jetzige Menschengeschlecht ist sehr gesunken!«, und dann die Klage: »Hefe der Zeit sind wir, ein abscheuliches Geschlecht im Ganzen, kaum angehaucht mit der Tugendschminke.«

Diesen verblasenen Idealismus stellt nun Wieland mit ein paar gezielten realistischen Fragen auf die Füße. Er fragt: war etwa die Sonne bei den Griechen »wärmer und geistiger, oder ihre Luft milder als in den schönsten Provinzen von Frankreich, Italien und Spanien? War nicht ein ziemlicher Teil von Griechenland rauher und wenig fruchtbarer Boden? Waren ihre Eichelnfressenden Vorfahren etwan Menschen von edlerer Art als die unsrigen?« Die Antwort kann nach Wieland nur lauten: »es ist wider die Erfahrung, daß die Schönheit mit der Einfalt der Lebensart und Sitten in gleichem Verhältnis gehe«. Der Verfasser von *Musarion* und *Agathon* hatte wohl selbst, wie er offen gesteht, über diesen Punkt früher ein wenig geschwärmt, aber schon sein gesunder Menschenverstand sagte ihm, daß man von der Kulturelite eines Landes nicht schon auf die Beschaffenheit und die Verhältnisse einer ganzen Nation schließen könne. Im Gegenteil: Wieland weiß, daß die Griechen »als sittliche Menschen betrachtet, ein noch sehr rohes und allen Excessen der wildesten Leidenschaften überlassenes Volk« gewesen sind, sogar »ein so heilloses Volk, als irgend ein Europäisches es itzo ist«.

Er kritisiert aber nicht nur den idealistisch einseitigen und falschen Ansatz Lavaters und konfrontiert dessen oberflächliche Spekulation mit seiner weitaus differenzierteren und kenntnisreicheren Perspektive (durch die er indirekt die in seiner Zeit geläufigen Vorstellungen Winckelmanns korrigiert), sondern er wertet grundsätzlich die produktive Leistung von Kunst auf, indem er ihre Fähigkeit, Wirklichkeit zu schaffen, weit über die stellt, bloß Natur nachzuahmen. Mit anderen Worten: Kunst ist in Wielands ästhetischer Auffassung weniger Imitation als Imagination; sie kann eben auch das erzeugen, was der Wirklichkeit fehlt. In dieser Beziehung zumindest gehört er zu den Weggefährten der im 18. Jahrhundert erfolgreicheren Poetik der Schweizer Bodmer und Breitinger; ja er bereitet sogar mit seiner Behauptung der Eigengesetzlichkeit der Kunst die Vorstellung von ihrer Autonomie vor, die sich in den Auffassungen sowohl der Klassik als auch der Romantik findet. In den *Beiträgen* von 1770 hatte Wieland den Sachverhalt schon dergestalt thesenhaft zugespitzt: »Was die Kunst [...] an dem Menschen zu seinem Vorteil ändern« kann, sind »entweder Ergänzungen der mangelhaften Seiten, oder Verschönerungen«.

Gerade um die Zeit von Wielands *Gedanken über die Ideale der Alten* befand sich die deutsche Literatur in einer Art Sackgasse und herrschte eine allgemeine ästhetische Richtungslosigkeit. Mit dieser programmatischen Schrift gab Wieland 1777 der schreibenden Generation ebenso neue Impulse wie fünf Jahre später in einer ebenfalls kritischen Situation mit den *Briefen an einen jungen Dichter*. Man kann ohne Übertreibung behaupten, daß der »Genius der Sokratischen Ironie, der Horazischen Satire, des Lucianischen Spottes« (*Die Grazien*, 6. Buch) mit seinen *Gedanken*, wie es Sengle ausdrückt, sich und anderen Mut »zu eigener Klassik machen« wollte (S. 327). Wieland demonstrierte hier, daß das Prinzip der Nachahmung auch in der Kunst der Antike notwendig auf der schöpferischen Fähigkeit beruhte; denn jedes Kunstprodukt kann immer nur die Perspektive von Wirklichkeit vorstellen, die der Künstler »sah und sehen wollte«. Idealisierung ist, so verstanden, nach Wieland nichts anderes als Verschönerung »durch Weglassung oder Verstecken des Tadelhaften und Unvollkommenen«, das schöpferische Herstellen idealer Muster, an denen sich dann der Mensch erfreuen kann.

Den Wettkampf zwischen Natur (›natura‹) und Kunst (›ars‹) entscheidet Wieland auf andere Weise als später Goethe und Schiller. So wie Kunst auf einer persönlichen, produktiven Sehweise beruht, ist auch die Natur (Wirklichkeit), von der wir sprechen, nach Wieland nicht die Natur selbst, »sondern bloß die Natur, wie sie sich in unsern Augen abspiegelt«, also wiederum ein Reflex von Vorstellungen, Ideen, Schatten. Was von der Natur gilt, trifft auch auf die Idee der Wahrheit zu: jeder sieht sie nur »stückweise«. Diese Einsicht kennzeichnet Wielands ästhetische Ansicht so gut wie seine philosophische, und er praktiziert sie mit überlegener Kennerschaft in seinen »Spielwerken«,

Romanen und Gesprächen. Was den produktiven ästhetischen Prozeß selbst betrifft, so führt er in den *Gedanken* nicht gerade im Stile eines Aufklärers aus: »Die Imagination eines jeden Menschenkindes, und die Imagination der Dichter und Künstler insonderheit, ist eine dunkle Werkstatt geheimer Kräfte, von denen das armselige A b c buch, das man Psychologie nennt, gerade so viel erklären kann als die Monadologie von den Ursachen der Vegetation und der Fortpflanzung.«

In den *Briefen an einen jungen Dichter* (1782–84) entwirft Wieland eine Art Ars poetica für junge Schriftsteller, vor allem auf dramatischem Gebiet, und durchsetzt seine Erziehung in Sprache, Stil, Versifikation, Geschmack, Sensibilität und Korrektion mit Einblicken in die Geschichte der europäischen Literatur und mit belehrenden Beispielen. Hierbei kommt es ihm nicht so sehr auf Kritik an als vielmehr auf Überzeugung und Ermunterung. Wieland setzt vor allem auf den Einzelgänger, der »ohne von einer Clique zu sein« oder Parteigänger zu haben, »ohne alle [...] Hülfsmittel«, auf Grund von »eigen Verdienst und Würdigkeit« zu »Ruhm und Ansehen« gelangt. Er warnt vor Mittelmäßigkeit und rät ab, die ganze Hoffnung auf die launische und der Mode unterworfene Gunst des Publikums zu setzen (W III, 447 f.):

Erheben Sie sich über die Menge, und bereichern Sie, unzufrieden mit einem gemeinen Preis, unsre Litteratur durch Werke, die, anstatt nur auf einen Augenblick zu ergötzen, sich der ganze Seele des Lesers bemächtigen, alle Organen seiner Empfindung ins Spiel setzen, seine Einbildungskraft erwärmen, bezaubern, und in ununterbrochner Täuschung erhalten, seinem Geiste Nahrung und seinem Herzen den so süßen Genuß seiner besten Gefühle, seines moralischen Sinnes, seiner Teilnehmung an Andrer Leiden und Freuden, seiner Bewunderung für alles was edel,

schön und groß in der Menschheit ist, gewähren –
und verlassen Sie sich darauf, das Publikum wird
Ihnen soviel Dank dafür wissen, als Sie billigerweise
nur immer verlangen können.

In Hinblick auf das Handwerk (noch an Goethe wird er eine
gewisse Sprunghaftigkeit tadeln und an Herder, daß dieser
sich nie Zeit nehme, »ein Ganzes, Vollendetes auszuarbei-
ten«) dient ihm Horaz als Demonstrationsobjekt, und er
beschreibt in Anlehnung an den Römer die »wesentlichen
Eigenschaften« eines guten poetischen Werkes folgendermaßen:

> Wenn es bei der feinsten Politur die Grazie der
> höchsten Leichtigkeit hat [. . .], kurz, wenn Alles wie
> mit Einem Guß gegossen, oder mit Einem Hauch
> geblasen dasteht, und nirgends einige Spur von Mühe
> und Arbeit zu sehen ist.

Gerade diese »sprezzatura« kostet nämlich den Dichter,
»wie groß auch sein Talent sein mag, unendliche Mühe«.
Nicht zuletzt diese Kunstleistung meinte Goethe, als er
Wielands *Oberon* bewunderte und mit einem Lorbeerzweig
auszeichnete.

Überblickt man Wielands Romane – von der *Geschichte des
Agathon* (1766–67, 1773, 1794), der ebenso geistreichen wie
amüsanten Auseinandersetzung mit dem zeitgenössischen
Phänomen der Schwärmerei in *Die Abenteuer des Don
Sylvio von Rosalva* (1763–64), dem raffiniert erzählten und
erfolgreichen Staatsroman *Der goldene Spiegel oder die
Könige von Scheschian* (1772), in den politische Ideen von
Plato bis Montesquieu, Rousseau und Thomas Abbt eingegangen sind, und dessen Korrektur in der *Geschichte des
weisen Danischmend und der drei Kalender* (1775), der
launigen gesellschaftlichen Satire *Geschichte der Abderiten*
(1781) bis zu den Dialogromanen *Peregrinus Proteus* (1791)

und *Agathodämon* (1799), dem großen, mit vielen gelehrten Einlagen und Digressionen versehenen Brief- und Gesprächsroman *Aristipp und einige seiner Zeitgenossen* (1801) und den beiden straff erzählten Kleinromanen *Menander und Glycerion* (1804) und *Krates und Hipparchia* (1805) –, so zeigt der Meister der »Poesie des Stils« eine formale Vielseitigkeit und einen Einfallsreichtum, die ihm einen festen Platz in der Geschichte des deutschen Romans sichern. Nicht von ungefähr hat Friedrich Sengle moniert, die deutsche Literaturgeschichte spreche zu wenig davon, »daß Wieland für die Geschichte der epischen Formen eine ganz ähnliche Bedeutung hat wie Lessing für die Geschichte des Dramas und Klopstock für die Entwicklung der Lyrik« (S. 199). Mit seiner epischen Produktion regte er nicht nur den klassischen Bildungsroman an, sondern stellte er auch Muster für die enzyklopädischen Erzähltechniken der Romantiker und eines Jean Paul bereit. Durch seine ironische Ästhetik und sprachliche Artistik nahm er Züge von Heinrich Heine, Theodor Fontane, Thomas Mann und Robert Musil vorweg. Er verfügte bereits über ein modernes, differenziertes Bewußtsein, das sich über Stile, Formen und Weltanschauungen erhob und mit ihnen ironisch spielte, um aus diesem Spiel didaktische Funken für die Zivilisierung des »Affengeschlechts« zu ziehen und Lanzen für eine humane Aufklärung zu brechen, die jede Art von Dogmatik und Fanatismus ablehnte.

Mit seinen Shakespeare-Übersetzungen (1762–66), seinem lyrischen Drama *Die Wahl des Herkules* (1773), dem Trauerspiel *Lady Johanna Gray* (1758), dem ersten deutschen Drama in Blankversen, und dem Singspiel *Alceste* (1773) wirkte er überdies praktisch – wie theoretisch mit seinen *Briefen an einen jungen Dichter* – entscheidend auf die Entwicklung des deutschen Dramas ein. Er plädierte nicht nur für die richtige Nachahmung der ausländischen Vorbilder, betonte gegen die formalen Äußerlichkeiten des klassizistischen Dramas die Leistungen Shakespeares, sondern wies auch am Beispiel Goethes auf die Notwendigkeit einer produktiven Rezeption hin, welche die »Natur«, die in Shakespeares Werken ist, »mit der schönen Einfalt der Griechen, und mit der Kunst und dem Geschmacke, worauf die Franzosen sich so viel zu gute tun«, verbinden (W III, 474).

Neben der Form lenkte er auch den Blick auf die erwünschten Inhalte eines bürgerlichen deutschen Dramas. Er versuchte das Theater an der bürgerlichen Gesellschaft und ihren Bedürfnissen zu orientieren und forderte vom Dramatiker unter anderem Imagination, Empfindung, Verstand, Geschmack, Genie und Talent für die Versifikation. Zwischen pathetischer und ethischer Stilhaltung, zwischen den ästhetischen Kategorien des Erhabenen und Anmutigen nahm er eine Mittelstellung ein. Als in den siebziger Jahren des 18. Jahrhunderts die Shakespeare-Manie und die pathetische Schreibweise extreme Formen annahmen, konterte Wieland mit entsprechenden Gegenrezepten, während er in den achtziger Jahren klassizistischen Übergriffen mit gezielten Hinweisen auf Shakespeare und Goethes *Götz* entgegenzusteuern versuchte. Ähnlich wie Herder, die Stürmer und Dränger und die Romantiker, die ihm nicht nur in seiner Shakespeare-Begeisterung, sondern auch in seiner frühen Neigung zum Kunstmärchen (neben dem *Prinzen Biribinker* aus *Don Sylvio* dokumentiert dies Wielands Sammlung *Dschinnistan oder auserlesene Feen- und Geistermärchen*, 1786–89) mehr oder weniger bewußt gefolgt sind, versteht Wieland Shakespeares Stücke als »natürliche Abbildungen des menschlichen Lebens«.

Der einflußreiche Romancier, Essayist und Journalist war außerdem, wie nicht zuletzt Goethe noch im Alter Wielands deutschem Shakespeare bescheinigt, ein vorzüglicher Übersetzer. Außer dem britischen Dramatiker wären in diesem Zusammenhang vor allem folgende Werke antiker Autoren zu nennen, die der Biberacher Literator übertragen hat: Horazens Briefe (1782) und Satiren (1786), Lukians Werke

(1788–89), die panegyrische Rede des Isokrates (1769), *Die Acharner*, *Die Ritter*, *Die Wolken* und *Die Vögel* des Aristophanes (1794, 1797–98, 1805–06), Sokratische Gespräche aus Xenophons *Memorabilien* (1799–1800), Xenophons *Gastmahl* (1802), *Ion* und *Helena* des Euripides (1802–05) und sämtliche Briefe des Cicero (1808–12). Goethe hat Wielands besondere Übersetzungstechnik, und zwar durchaus in positiver Konnotation, als »parodistisch« bezeichnet. Zu einem solchen Verfahren sind nach Goethe nur »geistreiche Menschen« berufen, und er skizziert Wielands Leistung in seiner Gedenkrede folgendermaßen: »er hatte einen eigentümlichen Verstandes- und Geschmackssinn, mit dem er sich dem Altertum, dem Auslande nur insofern annäherte, als er seine Konvenienz dabei fand. Dieser vorzügliche Mann darf als Repräsentant seiner Zeit angesehen werden: er hat außerordentlich gewirkt, indem gerade das, was ihn anmutete, wie er sichs zueignete und es wieder mitteilte, auch seinen Zeitgenossen angenehm und genießbar begegnete.«

Was die Person Wielands betraf, so gab noch der vierundsechzigjährige Dichter augenzwinkernd zu bedenken, daß er »immer eine forcierte Treibhauspflanze gewesen sei«. »Von meinem vierten Jahre an saß ich so (die Brust an die Schärfe des Tischrandes, nach Art kurzsichtiger Schreiber, klemmend) und in solcher Positur habe ich einen großen Theil meines Lebens zugebracht«.[2] Am 5. September 1733 in Oberholzheim zwischen Ulm und Bodensee als Sohn eines Pfarrers geboren, seit 1736 in der damals freien Reichsstadt Biberach aufgewachsen, begann er in der Tat mit drei Jahren den Unterricht, las in seinem achten bereits »des Nepos Lebensbeschreibungen von Helden Griechenlands und Roms mit den feurigsten Gefühlen« (Gruber I, S. 12), studierte mit zehn Horaz und Vergil, erhob mit elf »Gottsched zu seinem M a g n u s Apollo«, wie er seinem Gönner Bodmer treuherzig gesteht, und machte den Hamburger

Brockes, den Verfasser von *Irdisches Vergnügen in Gott*, zu
seinem »Leibautor«.

Um diese Zeit schrieb er bereits eine »unendliche Menge
von Versen, sonderlich kleine Opern, Cantaten, Ballette
und Schildereyen«, stand schon »in der ersten Morgen-
röthe« auf, weil er tagsüber keine Verse machen durfte
(Gruber I, S. 15). Ab 1747 finden wir ihn in einem pietistischen Internat im Kloster Berge bei Magdeburg, wo er
nicht nur die »Autoren des goldenen und silbernen Alters«
(Livius, Terenz, Vergil, Horaz und zumal Cicero) liest
(Gruber I, S. 21; Sengle, S. 22), sondern vor allem die
wichtigsten Werke der französischen und deutschen Aufklärung kennenlernt. »Ich prüfte [. . .] alles«, so bekannte er am
6. März 1752, »war eine Zeitlang ein Materialist, und kam
endlich auf die Spuren einer wahren Philosophie.« Zum
Mißvergnügen seiner Lehrer argumentierte er in einem philosophischen Aufsatz, daß »die Venus gar wohl hätte, ohne
Zuthun eines Gottes, durch die innerlichen Gesetze der
Bewegung der Atomen aus Meerschaum entstehen können«,
und zog daraus den provozierenden Schluß, »die Welt
könnte ohne Zuthun Gottes entstanden seyn« (vgl. Gruber
I, S. 23 f.). 1749 weilte er für ein Jahr in Erfurt, wo ihn der
Wolffianer und Naturwissenschaftler Johann Wilhelm Bau-
mer systematisch mit Leibniz und der zeitgenössischen Philosophie und vor allem mit Cervantes' *Don Quijote* bekannt
machte. Er ist literarisch und philosophisch glänzend vorbereitet, als er seine gebildete Kusine Sophie Gutermann,
die spätere La Roche, schätzen und lieben lernt.

In Tübingen, wohin er 1750 zum Studium der Jurisprudenz aufbrach, erfaßte ihn nach einer materialistischen eine
seraphische Phase, eine »religiöse Frömmigkeitswuth«, die
ihn dann schließlich von 1752 bis 1760 in die Schweiz zu
Bodmer führte, dem er sich vorher mit Ausdauer als einen
Gegner von »Tabac«, »Gesellschaften oder Gastmahle«, als
»einen großen Wassertrinker und einen geborenen Feind des
Bacchus« empfohlen hatte. Er versprach dem wegen Klop-

stocks Verhalten mißtrauisch gewordenen Bodmer außerdem, »die Gegenwart seines Körpers so wenig als möglich« merklich zu machen. Andererseits gesteht er auch wieder ganz undiplomatisch die Widersprüche seines Charakters, die nicht immer glückliche Mischung aus großer »Zärtlichkeit« und »Kaltsinn«, aus »Lebhaftigkeit« und »Trägheit«. Seinem Freund Zimmermann klagte er am 27. März 1759 auf französisch: »Ich gleiche zu meinem Leidwesen einem Chamäleon. Ich scheine grün gegenüber grünen Gegenständen, und gelb gegenüber gelben, aber ich bin weder gelb noch grün, ich bin durchscheinend oder weiß.«

Obwohl seine äußere Erscheinung wenig anziehend wirkte, betätigte er sich bereits in Zürich mit beachtlichem Erfolg bei nicht wenigen, meist älteren Damen als Minnesänger. Herders Verlobte, Karoline Flachsland, beschreibt ihn nicht gerade liebevoll: »Er ist im ersten Augenblick nicht einnehmend. Mager, blatternarbig, kein Geist und Leben im Gesicht, kurz die Natur hat an seinem Körper nichts für ihn getan; tritt kalt in die Gesellschaft, spricht ziemlich viel, insonderheit wenn er Laune hat. Man muß ihn lange sehen, ehe man ihn kennt.« Nichtsdestoweniger spielten bei dem ehemaligen Verfasser des *Anti-Ovid, oder die Kunst zu lieben* (1752) auf seinen verschiedenen Lebensstationen, von Zürich und Bern über Biberach (1760–69) und Erfurt (1769–72) bis nach Weimar (ab 1772), immer wieder Frauenbekanntschaften eine entscheidende Rolle in seinem Leben. »Die Damen sind«, so meinte er nicht ohne Grund in einem Brief an Zimmermann, »der Hauptressort meines Geistes«. Noch später bekannte er, daß er alles, was er sei, »durch edle Weiber« geworden sei. Zeit seines Lebens knüpfte er fleißig neue Beziehungen zur weiblichen Adels- und Bürgerwelt an und bemerkte in einer kleinen Gesellschaft ganz trocken: »Die Liebe zu einer häßlichen Frau ist die dauerhafteste.«[3]

In Bern verlobte er sich nach Sophie Gutermann mit der geistreichen Julie Bondely, die selbst Wielands eigenen Wor-

ten zufolge so häßlich gewesen sein soll, »daß er sich erst an
ihren Anblick gewöhnen mußte«, obwohl sie »ein paar sehr
schöne Augen und eine süße Stimme« besessen habe.[4] In
Biberach, wo man ihn zum Senator gewählt hatte, flirtete er
mit der hübschen Frau des Bürgermeisters, Cateau von
Hillern, der Schwester Sophies, und verliebte sich 1761,
nicht eben zum Beifall seiner Mitbürger, in ein armes,
katholisches Mädchen, Christine (Bibi) Hagel, die bald ein
Kind von ihm erwartet und die er heiraten will. Aber im
Zwist des Religionskampfes zwischen der protestantischen
Familie Wielands und den katholischen Eltern Bibis werden
die beiden gewaltsam und mit priesterlicher Hilfe voneinander getrennt. Desillusioniert und aus praktischen Erwägun-
gen heiratet er dann 1765 Anna Dorothea von Hillenbrand,
die ihm sein »Schneckenhaus« aufbaut und die angenehme
Familienatmosphäre des Hauses Wieland schafft, welche alle
Heimatlosen der Epoche, von Lenz über Schiller bis hin zu
Heinrich von Kleist, in den höchsten Tönen preisen. Sie
verstand es außerdem am besten, mit seinen Launen fertig zu
werden, so daß es ohne weiteres glaubhaft klingt, wenn der
alte Wieland 1804, drei Jahre nach ihrem Tode, bekennt:
»Ich habe nie im Leben etwas geliebt als meine Frau.«[5]

  Schon 1758 wußte der junge Wieland, daß er »über die
Liebe mehr ein Sokratiker als ein Platonicien« ist, (zit. nach:
Gruber I, S. 246), und er schreibt seinem Freund Zimmermann: »Ich brauche Ihnen nicht zu sagen, daß ich einen
ausschweifenden Kopf habe. Was mein Herz betrifft, so ist
es ein seltsam Gemisch von Größe und Schwäche. Dazu
kommt noch, daß ich ein Humorist bin« (Gruber I, S. 247).
Aber auch der alte Bodmer ließ sich nicht lange blenden und
meinte früh: »Wieland ist in seiner Kunst zu lieben vielmehr
ein halber Ovid als ein Anti-Ovid, vielleicht will er sich auf
den Küssen dafür erholen, daß er nicht trinkt« (an Zell-
weger, 17. Mai 1752). Das Zweifelhafte und Unechte von
Wielands religiösem Eifer während seiner Schweizer Jahre
hatte auch der listige Nicolai durchschaut und 1755 folgende

Diganose veröffentlicht: »Die Muse des Herrn Wieland's ist ein junges Mädchen, das auch die Betschwester spielen will und sich der alten Witwe zu gefallen in ein altväterisches Käppchen einhüllt, welches ihr doch gar nicht kleiden will; sie bemüht sich, eine verständige erfahrene Miene anzunehmen, unter der ihre jugendliche Unbedachtsamkeit nur gar zu leicht hervorleuchtet, und es wäre ein ewiges Spektakel, wann die junge Frömmigkeitslehrerin noch wieder zu einer munteren Modeschönheit würde!«

In Biberach, wo der frischgebackene Senator und Staatsschreiber ausgiebig im Schloß Warthausen in der Gesellschaft des weltoffenen Grafen Stadion, seiner ehemaligen Verlobten Sophie und deren Mann Georg Michael La Roche verkehrte, wurde die Liebe immer mehr zum Hauptthema seiner Werke. Seine berüchtigten erotischen *Comischen Erzählungen*, in der bürgerlichen Welt bald als frivol verrufen, fanden im Schloß ein verständnisvolles Publikum. Er übersetzte außerdem 22 Dramen Shakespeares, mit denen er ungewollt die »Originalgenies«, die Stürmer und Dränger, auf den Plan rufen half, die ihn dann bald bekämpfen sollten, schrieb am *Agathon* und vollendete seine »reizende Philosophie«, die meisterhafte Verserzählung *Musarion*, die Goethe als Student begeisterte. Von Erfurt aus, wo er als Professor der Philosophie bei den Studenten großen Anklang fand, aber bald in einen Gotteslästerungsprozeß verwickelt wurde, folgte der inzwischen berühmte Dichter schließlich, 1772, dem Ruf der Herzogin Anna Amalia nach Weimar, die er umgehend für sich einzunehmen wußte. Nach drei Jahren Erziehertätigkeit bei Carl August wird er dann das erste freie Mitglied des »Weimarer Musenhofes« bei festem Salär, aber ohne Pflichten. Wenngleich er immer wieder auf Weimar, auf diesen ihm »ewig fremd bleibenden und immer widerlicher werdenden Ort« schimpfte (an Reinhold, 27. Juni 1794), blieb er hier bis zu seinem Lebensende am 20. Januar 1813.

Die Wirkungsgeschichte seines Werkes scheint eine Geschichte der Mißverständnisse zu sein. Selbst als der nationalistisch gesinnte Wolfgang Menzel 1836 in seiner Literaturgeschichte bewundernd feststellte: »Wieland gab der deutschen Poesie zuerst wieder die Unbefangenheit, den freien Blick des Weltkinds, die natürliche Grazie, das Bedürfnis und die Kraft des heitern Scherzes«, stand er mit seiner Meinung ziemlich allein; denn man glaubte, wie der erste Biograph Johann Gottfried Gruber zehn Jahre früher berichtet hatte, daß »Wieland seine Nation an den Abgrund des ungeheuerlichsten sittlichen Verderbnis geführt [...] und mit seinen Schriften Grundpfeiler der öffentlichen und häuslichen Glückseligkeit untergraben habe«. Und Friedrich Nietzsche meinte nicht eben aufmunternd in *Menschliches, Allzumenschliches*: »Wieland hat besser als irgendjemand deutsch geschrieben und dabei sein rechtes meisterliches Genügen und Ungenügen gehabt [...]; aber seine Gedanken geben uns nicht mehr zu denken. Wir vertragen seine heiteren Moralitäten ebenso wenig wie seine heiteren Immoralitäten: beide gehören so gut zueinander.«

Die Argumente gegen Wieland, der sich übrigens seinen eigenen Worten nach »nie für einen großen Dichter« gehalten hatte, und sein Werk, wie sie sich von den Urteilen der Zeitgenossen über die Literaturgeschichten des 19. Jahrhunderts bis heute wiederholen, lassen sich auf drei verschiedene Vorurteile reduzieren: auf ein moralisches, nationalistisches und ästhetisches. So wurde früh der amüsanteste deutsche Bildungsroman, Wielands *Agathon*, von einem der Wegbereiter des Sturm und Drang, Heinrich Wilhelm von Gerstenberg, wegen des hier »herrschenden Skeptizismus und der schwelgerischen Schlüpfrigkeit« verfemt und dann auch prompt in Zürich und Wien verboten. Klopstock zieh den Dichter spöttisch in der *Gelehrtenrepublik* der Ausländerei und der Unoriginalität, die Klopstock-Jünger des Göttinger Hainbundes schworen »Rache gegen Wieland, der die Unschuld nicht achtete«, riefen alle »Tugenden des Vaterlandes« gegen den »Wollustsänger« auf und verbrannten »sendungsbewußt« seine Bücher. Man bekämpfte in ihm den Kosmopoliten, den Repräsentanten der literarischen Aufklärung, der Kultur des Witzes und der Grazie, des skeptischen und sensualistischen Eudämonismus, den Verreter alles Undeutschen, freilich auch seine Machtposition in der literarischen Öffentlichkeit, die er als Herausgeber der ebenso erfolgreichen wie langlebigen Zeitschrift *Teutscher Merkur* (1773–1810) innehatte.

Gerstenberg faßte nur pointiert die Vorwürfe der jüngeren Generation zusammen, wenn er Wieland dergestalt attackierte: »Was ist Herr Wieland nicht alles gewesen! Bald Shaftesbury, bald Plato, bald Milton, Young, Rowe, Richardson; nun Crébillon, dann Hamilton, ein andermal Fielding, Cervantes, Helvetius, Yorik, beiläufig wohl auch etwas Rousseau, Montaigne, Voltaire; und es fehlt nicht viel, so wird er auch Rabelais.« Doch selbst die scharfe Abwertung demonstriert noch den überlegenen weltliterarischen Horizont, über den der Gescholtene verfügte. Nicht zuletzt dank dieser vielseitigen Bildung hat Wieland manchem Widerstand zum Trotz seine Epoche zu poetischen Hochleistungen stimuliert, was nicht zuletzt Goethe später immer wieder betonte. Auf dessen »Personal-Satyre« *Götter, Helden und Wieland* hatte der Betroffene übrigens recht gelassen im *Teutschen Merkur* reagiert: »Junge muthige Genien sind wie junge muthige Füllen [...] – da ist kein ander Mittel! Man muß die Herren ein wenig toben lassen.« Später, im Jahre 1798, als er sich gerade in seinem erworbenen Rittergut in Oßmannstedt einzurichten beginnt, trifft ihn aus dem Lager der Romantiker eine weitere literarische »Hinrichtung«, die der »Götterbuben«, der Gebrüder Schlegel, die auf Kosten Wielands ihre neuen ästhetischen Vorstellungen durchsetzen wollten.

In seiner »Fabrik«, wie Wieland seine Zeitschrift *Merkur* nannte, hat er sich kaum gegen solche ästhetischen Vorurteile zur Wehr gesetzt. Um so heftiger zog er in mehreren

Essays gegen die seit Klopstock und dem Sturm und Drang grassierende »Deutschtümelei« zu Felde. Er entlarvte weitsichtig die nationalistischen Phrasen als Selbstbetrug und bezeichnete es als lächerlich, »in den Wäldern der alten Teutschen herum zu irren und in unsern Gesängen einen Nationalcharakter zu affectieren, der schon so lange aufgehört hat, der unsrige zu sein« (W III,269). Gegen der Begriff der »Nationalpoesie« setzte er seine Vorstellung der Weltliteratur, die Goethe, wie so manche seiner Anregungen, übernahm; gegen die »Vaterländerei« sein aufgeklärtes, liberales Weltbürgertum. »Seine Hauptidee«, so berichtet 1791 Böttiger, »auf die sich fast alle seine Lectüre und Schriftstellerei bezieht, ist die französische Constitution und Legislatur«.[6] Er erhält aus Straßburg und Paris »posttäglich die nouveautés du jour« und ist wie niemand sonst in Weimar über zeitgeschichtliche und politische Vorgänge informiert. Ein überzeugter Republikaner, der hartnäckig die Interessen Biberachs selbst gegen seinen Gönner, den Grafen Stadion, verfocht, rügte er doch die Mißstände der Französischen Republik ebenso wie den Despotismus der deutschen Großmächte, die Fehler der Reaktionäre ebenso wie die der Liberalen. In den *Gesprächen unter vier Augen* (1798) prophezeite er erstaunlich früh die Alleinherrschaft Napoleons, mit dem er dann in Weimar 1808 von gleich zu gleich auf französisch parlierte und ihm entschieden widersprach. Ein paar Tage später erhielt er von ihm eine Einladung, »um seine Majestät frühstücken zu sehen«, und er kommentierte die Tischsitten der historischen Größe so: »Hastiger kann wol kein getulischer Löwe, der seit drei Tagen gefastet hat, sein déjeuné verzehren« (zit. nach: Gruber IV, S. 427). Nicht ohne Genugtuung nimmt er dann vom französischen Kaiser den Orden der Ehrenlegion und vom russischen den Sankt-Annen-Orden entgegen, ohne sich freilich davon über Gebühr beeindrucken zu lassen.

In seinem *Teutschen Merkur* veröffentlichte er auch den wichtigen Aufsatz *Über die Rechte und Pflichten der*

Schriftsteller (1785), ein Programm in 18 Punkten, das die »Freiheit der Presse« als »Angelegenheit und Interesse des ganzen Menschen-Geschlechts« propagierte. »Man raube uns diese Freiheit«, so warnt er hier, und »Unwissenheit wird bald wieder in Dummheit ausarten, und Dummheit wird uns wieder dem Aberglauben und dem tyrannischen Despotismus preisgeben [...]; wer sich dann erkühnen wird, Wahrheiten zu sagen, an deren Verheimlichung den Unterdrückern der Menschheit gelegen ist, wird ein Ketzer und Aufrührer heißen, und als ein Verbrecher bestraft werden.« Angesichts der ebenso aktuellen wie anregenden Vielseitigkeit dieses immer noch unterbewerteten Weimarer Klassikers möchte man gegen Nietzsches Diktum behaupten, daß uns in der Tat »seine Gedanken« immer noch zu denken geben. Der ebenso gewitzte und kritische wie sprachmächtige Zeitgenosse Georg Christoph Lichtenberg hat über die zukünftige Wirkung seines literarischen Kollegen Christoph Martin Wieland folgendes Urteil in Umlauf gebracht: »Seine Werke können sich mit offener Stirn allen Jahrhunderten zeigen und, wenn sie ihnen nicht gefallen, unerschrocken sprechen: O der Barbarei!«

Anmerkungen

1 Zit. nach: *K. A. Böttiger's literarische Zustände und Zeitgenossen*, Leipzig 1838, S. 173 f.   2 Ebd, S. 218.   3 Ebd., S. 236.
4 Ebd.   5 Ebd., S. 260.   6 Ebd., S. 139.

Bibliographische Hinweise

Sämtliche Werke. 39 Bde., 6 Suppl.-Bde. Leipzig 1794–1811 [»Wohlfeile« Ausg. in Oktav.]

Sämtliche Werke. 36 Bde., 6 Suppl.-Bde. Leipzig 1794–1802 [»Gute« Ausg. in Klein-Oktav, Groß-Oktav und Quart.]

Sämtliche Werke. 53 Bde. Hrsg. von J. G. Gruber. Leipzi 1818–28.

Sämtliche Werke. 36 Bde. Leipzig 1853–58.

Gesammelte Schriften. Hrsg. von der Deutschen Kommission de Preußischen Akademie der Wissenschaften. Berlin 1909 ff. [Un vollst.]

Ausgewählte Werke. 3 Bde. Hrsg. von F. Beißner. Münche 1964–65.

Werke. 5 Bde. Hrsg. von F. Martini und H. Seiffert. Münche 1964–68. [Zit. als: W.]

Werke. 4 Bde. Ausgew. und eingel. von H. Böhm. Berlin/Weima 1984.

Sämtliche Werke. Hamburger Reprintausgabe. 14 Bde. Nördlinge 1984. (Nachdr. der Ausg. Leipzig 1794–1811.)

Werke. 12 Bde. Hrsg. von G.-L. Fink, M. Fuhrmann, S.-A. Jorgen sen, K. Manger und H. Schelle. Frankfurt a. M. 1986 ff.

Der goldene Spiegel und andere politische Dichtungen. Anm. un Nachw. von H. Jaumann. München 1979.

Wieland. Vier Biberacher Vorträge. Wiesbaden 1954.

Christoph Martin Wieland. Hrsg. von H. Schelle. Darmstadt 1981 (Wege der Forschung. 421.)

Christoph Martin Wieland. In: Modern Language Notes 99 (1984 H. 3.

Christoph Martin Wieland. Nordamerikanische Forschungsbeiträg zur 250. Wiederkehr seines Geburtstages 1983. Hrsg. von H Schelle. Tübingen 1984.

Wieland Kolloquium. Hrsg. von Th. Höhle. Halle a. d. S. 1985.

Abbé, D. M. v.: Christoph Martin Wieland. A Literary Biography London 1961.

Gruber, J. G.: C. M. Wielands Leben. 4 Bde. Hamburg 1984 (Wieland: Sämtliche Werke. Hamburger Reprintausgabe.)

Günther, G. / Zeilinger, H.: Wieland-Bibliographie. Berlin [Ost 1983.

Hecker, J.: Wieland. Die Geschichte eines Menschen in der Zeit.
Weimar 1959.

Jacobs, J.: Wielands Romane. Bern/München 1969.

Kurth-Voigt, L.: Perspectives and Points of View. The Early Works
of Wieland and their Background. Baltimore/London 1974.

McCarthy, J. A.: Fantasy and Reality. An Epistemologic Approach
to Wieland. Bern / Frankfurt a. M. 1974.

Miller, S. R.: Die Figur des Erzählers in Wielands Romanen. Göppingen 1970.

Müller, J.-D.: Wielands späte Romane. München 1971.

Müller-Solger, H.: Der Dichtertraum. Studien zur Entwicklung der
dichterischen Phantasie im Werk Christoph Martin Wielands.
Göttingen 1970.

Oetinger, K.: Phantasie und Erfahrung. Studien zur Erzählpoetik
Christoph Martin Wielands. München 1970.

Paulsen, W.: Christoph Martin Wieland. Der Mensch und sein
Werk in psychologischen Perspektiven. Bern/München 1975.

Pellegrini, A.: Wieland e la Classicità Tedesca. Florenz 1968.

Sengle, F.: Wieland. Stuttgart 1949.

Sommer, C.: Christoph Martin Wieland. Stuttgart 1971. (Sammlung
Metzler. 95.)

Starnes, Th. C.: Christoph Martin Wieland. Leben und Werk.
3 Bde. Sigmaringen 1987.

Victor, M.: Christoph Martin Wieland. La formation et l'évolution
de son esprit jusqu'en 1772. Paris 1938.

Weyergraf, B.: Der skeptische Bürger. Wielands Schriften zur französischen Revolution. Stuttgart 1972. [Mit Bibliographie.]

Wolffheim, H.: Wielands Begriff der Humanität. Hamburg 1949.

Johann Karl August Musäus

Von Barbara Carvill

Johann Karl August Musäus, geboren am 29. März 1735, stammte aus einer bekannten thüringischen Theologen- und Juristenfamilie. Nach seinem Studium in Jena stellte die Herzogin Anna Amalia den brotlosen Magister und Kandidaten der Theologie 1763 als Hofmeister am Weimarer Pageninstitut ein. Ein Jahr zuvor war sein erster Roman erschienen. Musäus wurde in den literarischen Kreis um die Herzogin aufgenommen und schrieb für sie das Libretto eines recht erfolgreichen Singspiels (*Das Gärtnermädchen*, 1771). 1769 bekam er eine Professorenstelle am Weimarer Gymnasium, wo er für geringe Bezahlung bis zu seinem Lebensende klassische Sprachen, Geschichte und Deutsch unterrichtete. Da er seine Familie nicht vom Professorengehalt ernähren konnte, war er auf Nebenverdienste angewiesen. So schrieb er Rezensionen, Romane und schließlich die *Volksmährchen der Deutschen*, die ihm zwar nicht die erhofften finanziellen Einkünfte brachten, aber dafür einen literarischen Ruf weit über Deutschland hinaus, der bis heute noch nicht erloschen ist. Als sich durch den Regierungsantritt Herzog Karl Augusts und die Ankunft Goethes das geistige Klima in Weimar änderte, zog sich Musäus mit humorvollem Spott gegen Empfindsamkeit und Geniebewegung auf eine Außenseiterposition zurück. Sein gesellschaftlicher Kontakt mit den Großen Weimars beschränkte sich auf das Liebhabertheater. Der Wirt in *Minna von Barnhelm* war seine Glanzrolle. Erst durch den satirischen Roman *Physiognomische Reisen* (1778–79) wurde man auf den Wei-

Johann Karl August Musäus
1735–1787

marer Professor aufmerksam. Als Musäus mit 52 Jahren am 28. Oktober 1787 starb, ein Jahr nach der Veröffentlichung des letzten Bandes der *Volksmährchen*, ist er aus seiner produktivsten literarischen Phase herausgerissen worden.

Wie die Briefe aus den letzten Lebensjahren zeigen, schätzt man Musäus als einen Unterhaltungsschriftsteller ersten Ranges, dessen humoristisches Erzähltalent in vielen Teilen Deutschlands gefragt war.

In seinem Erstlingswerk, dem satirischen Roman *Grandison der Zweite* (1760–62), behandelt Musäus das seit Cervantes beliebteste Thema des europäischen komischen Romans: die Lektüre verdreht die Köpfe der Schwärmer und führt zu lächerlichen Zusammenstößen zwischen poetischer Illusion und unpoetischer Wirklichkeit. Musäus' Roman ist eine Komödie in Briefen. Mit dem Figurenarsenal, dem Plot der Aufklärungskomödie und den narrativen Strategien der zeitgenössischen Prosasatire parodiert Musäus den hohen Roman Richardsons *The History of Sir Charles Grandison* (dt. 1754–55) und macht sich zugleich über das unmündige deutsche Publikum lustig, das den moralisch-sentimentalen englischen Roman als Erbauungsliteratur und Lebenshilfe liest. *Grandison der Zweite* ist heute noch von literarhistorischem Interesse im Zusammenhang mit der Rezeption Richardsons in Deutschland. Es ist der erste deutsche Briefroman und der einzige deutsche komische Briefroman des 18. Jahrhunderts. Aufgrund dieses Romans ist Nicolai auf Musäus aufmerksam geworden und hat ihn als Mitarbeiter an der *Allgemeinen Deutschen Bibliothek* herangezogen. Als Romanrezensent bespricht er darin zwischen 1766 und 1787 etwa 350 Neuerscheinungen von meist recht fragwürdiger Qualität. In seinen Kritiken versucht Musäus den oft unerfahrenen Romanautoren und -lesern eine kritische Schreib- und Leseanweisung zu geben. Er bringt seinen Zeitgenossen immer wieder ins Bewußtsein, daß der Roman eine ernstzunehmende Kunstgattung ist, die handwerkliches Können verlangt und kritisches Lesen erfordert. Musäus' Romankritiken zeichnen sich aber vor allem durch einen geistreich-schlagfertigen Metaphern- und Bilderwitz aus. Es sind zu Unrecht vergessene Kleinkunstwerke der Literaturkritik.

Musäus' zweiter Roman, *Physiognomische Reisen* (1778 bis 1779), ist wieder aus Opposition zu einer Modeerscheinung der Zeit geschrieben: gegen die große Begeisterung für Lavaters Physiognomie und dessen Anspruch, nicht nur den Schlüssel zur Menschenkenntnis, sondern auch zur Erneuerung der menschlichen Gesellschaft gefunden zu haben. Musäus parodiert in diesem Werk eine pietistische Erbauungsreise, auf die ein überzeugter Anhänger der Lavaterschen Lehre, ein physiognomischer Schwärmer, auszieht und nach vielen Begegnungen enttäuscht, betrogen und skeptisch wieder nach Hause zurückkehrt. Das Reiseschema liefert zudem ein Gerüst für Abschweifungen in Sternescher Manier, in denen der Held seinen satirischen Kommentar über Buchproduktion und -rezeption, das Erziehungs- und Justizwesen, Empfindsamkeit, Sturm und Drang, Schwindler, naturwissenschaftliche Entdeckungen und dergleichen anbringt. Der außerordentliche Erfolg des Buches – 1781 erschien bereits die 3. Auflage – beruhte nicht zuletzt auf der Aktualität des Anspielungsmaterials, was die Lektüre für die heutigen Leser schwieriger macht. Musäus' Verfahren, die abstrusesten Lesefrüchte in den Erzählduktus aufzunehmen, wurde besonders von Jean Paul, der Musäus sehr bewunderte, aufgenommen und weiterentwickelt. Während man im 19. Jahrhundert die *Physiognomischen Reisen* wenig schätzte, wurde der Roman in den letzten Jahrzehnten wieder entdeckt. Er zählt heute zu den interessantesten satirischen Romanen der Epoche.

1781–82 erscheint der komische Roman *Der deutsche Grandison*, der als eine ausgedehnte, zum Teil vernichtende Selbstrezension von *Grandison der Zweite* angelegt ist. Der Autor hat dieses Buch wie auch die *Volksmährchen der Deutschen* (1782–86) gegen die empfindsamen und melan-

cholischen Tendenzen seiner Zeit geschrieben. *Der deutsche
Grandison* war kein Publikumserfolg. Als Übergangswerk
ist der Roman aber ein Zeugnis für Musäus' Entwicklung
vom satirischen zum humoristischen Erzähler. Die Stoffe
für die *Volksmährchen*, Musäus' letztes großes Werk, holte
er sich aus mündlicher und europäischer schriftlicher Tradition. Reizvoll und neu ist, daß Musäus die wunderbaren,
zur Unterhaltung der Erwachsenen erzählten Geschichten
von Rolands Knappen, Richilde, Melechsala, Rübezahl u. a.
nicht in einem phantastischen Niemandsland spielen läßt,
sondern zeitlich und örtlich lokalisiert. Der Erzähler unter-
läßt kaum eine Gelegenheit, witzige Anspielungen auf literarische und politische Tagesereignisse anzubringen und die
Illusion des Wunderbaren mit Ironie zu brechen. Mundartliche Wendungen, Archaismen, juristische Fachtermini,
biblische und klassische Anspielungen schaffen dabei einen
virtuosen, von vielen Zeitgenossen bewunderten Erzählduktus. Als im 19. Jahrhundert durch die Brüder Grimm der
naiv-gläubige Märchenton sanktioniert wurde, sah man in
Musäus' spielerisch-ironischem Stil eine Sünde wider den
Heiligen Geist des Märchens und ›reinigte‹ sein Werk von
Anspielungen, Seitenhieben und archaischem Sprachmate-
rial. In dieser gereinigten Form sind dann die *Volksmährchen* zum deutschen Hausbuch geworden. Erst in den letzten Jahrzehnten kann man sie wieder in der Urfassung auf
dem Buchmarkt finden und damit auch Musäus wieder als
einen der glänzendsten deutschen Rokoko-Prosaisten kennen und schätzen lernen.

Bibliographische Hinweise

Straußfedern. [Erzählungen.] 1787.

Volksmärchen der Deutschen. Hrsg. von P. Zaunert. Jena 1912.
Volksmärchen der Deutschen. Hrsg. von N. Miller. München 1976.
[Nach dem Text der Erstausg.]
Moralische Kinderklapper. Leipzig 1968. (Nachdr. der Ausg. Gotha 1794.)

Andrae, R.: Studien zu den Volksmärchen der Deutschen. Diss. Marburg 1897.
Carvill, B.: Der verführte Leser. Johann Karl August Musäus' Romane und Romankritiken. New York / Bern 1985.
Fink, G.-L.: Naissance et apogée du conte merveilleux en Allemagne. 1740–1800. Paris 1966.
Geschke, E.: Untersuchungen über die beiden Fassungen von Musäus' Grandisonroman. Diss. Gießen 1931.
Jacobs, J.: Prosa der Aufklärung. München 1976. S. 198–204.
Jahn, E.: Die Volksmärchen der Deutschen. Leipzig 1914.
Kurth, L.: Die Zweite Wirklichkeit. Studien zum Roman des 18. Jahrhunderts. Chapel Hill (N. C.) 1969. S. 129–140.
Ohlmer, A.: Musäus als satirischer Romanschriftsteller. Diss. München 1912.
Richli, A.: Johann Karl August Musäus. Die Volksmärchen der Deutschen. Zürich 1957.

ULRICH BRÄKER

Von Walter Hinderer

Im Dezember 1787 empfahl ein Pfarrer Imhof aus einem entlegenen Teil der Schweiz seinem urbanen Freund in Zürich, dem bekannten Verleger und Staatsmann Johann Heinrich Füssli, das Manuskript eines »halbnackend und wild aufgewachsenen« Naturtalents zur Lektüre. Dieses Naturtalent aus der Schweizer Unterschicht, deren Angehörige in diesem Jahrhundert meist Analphabeten waren, hieß Ulrich Bräker, wurde am 22. Dezember 1735 als der älteste Sohn »eines blutarmen Vaters von elf Kindern« geboren, wuchs »in einem wilden Schneeberg« auf und besuchte nur etwa zehn Wochen im Jahr die Schule (LG, S. 183).

Füssli war von den Proben der *Lebensgeschichte und natürlichen Ebenteuern des Armen Mannes im Tockenburg* so begeistert, daß er bald darauf Teile in einer Zeitschrift mitteilte und schließlich 1789, durch den Erfolg ermutigt, das ganze Werk Bräkers in einer überarbeiteten Fassung als Buch publizierte. Gerade für eine literarische Öffentlichkeit, in der es Mode war, in Briefen Selbsterfahrungen und Einsichten über Gott und die Welt auszutauschen oder in Tagebüchern auszubreiten, und in der man die natürliche Lebensweise der Bauern und Hirten als vorbildhaft zu entdecken begann, mußte der autobiographische Bericht eines solchen »braven Sohnes der Natur« von entscheidendem Interesse sein. Nicht umsonst besuchten ihn später »angesehene reisende Grafen und Barone«, wie Bräker 1792 (in seinem Tagebuch) ebenso ironisch wie selbstbewußt notiert, »seys nun aus Curosität oder aus anderen Trieben«.

Ulrich Bräker
1735–1798

Dieser Hinterwäldler und Autodidakt aus der Ostschweiz, der Landschaft des Toggenburg im Tal der »schlängelnden Thur«, das er selbst so eindringlich beschrieben, war eine merkwürdige Mischung aus phantasiebegabtem Grillenfänger, Sektierer und verstandesbetontem Freigeist, der sein »Glück in der Ferne und in der Welt suchte« (LG, S. 206) und es erst, wie er in seiner Lebensgeschichte gesteht, in sich selbst, in seinem eigenen Ich gefunden hat. Nicht ohne heimliche Polemik distanziert er sich bei seiner Beschreibung von dem biographischen Modell eines Heinrich Stilling oder den *Confessions* von Jean-Jacques Rousseau; denn ihm geht es um den ungeschminkten Wahrheitscharakter seiner Selbstdarstellung und nicht um eine Beichte. Lakonisch und pointiert beurteilt er deshalb seine Lebensgeschichte am Ende mit diesem eigensinnigen Satz: »Es ist ein Wirrwarr – aber eben meine Geschichte.«

Bei Ulrich Bräker war die Armut nicht bloß ein literarisches Thema, sondern ein nur allzu realer Bestandteil seiner Existenz. Wie alle Angehörigen seines Standes drückte auch ihn »die Not sein Leben lang«, stöhnte er unter der Last der Schulden und sann er auf Auswege aus dieser platten Misere. Gleich seinem Vater flüchtete er sich zuerst in die Religion, in die Lektüre der erbaulichen Schriften der Pietisten, Chiliasten und Inspirierten, erst später kam die weltliche Literatur der Aufklärung dazu. Die frommen Schriften lehrten ihn zumindest lesen, unterrichteten ihn in der Kunst der Selbstzergliederung, dämpften seine ererbten Leidenschaften und stimulierten seine ohnedies etwas überhitzte jugendliche Phantasie.

Das Erstaunliche an Bräkers Autobiographie ist, daß sie auch heute noch nichts von ihrer frischen Unmittelbarkeit eingebüßt hat. Man wundert sich, wie dieser in der Wildnis, fern jeder Kultur aufgewachsene Alpensohn so früh die eigenen und fremden Finten oder Täuschungsmanöver zu durchschauen lernte. Er besaß eine natürliche Menschenkenntnis, eine starke Beobachtungsgabe und ein feines Gespür für Nuancen. Dabei blieb er in seinem persönlichen Verhalten so naiv wie Simplicissimus, ließ sich immer wieder aufs neue übertölpeln und übervorteilen, ein Charakterzug, der ihm nur zu bewußt war. Wie er selbst bekennt, habe er »jedem Halunken« getraut, wenn er ihm »nur ein gut Wort gab«, und noch immer könne ihn »ein ehrlich Gesicht um den letzten Heller im Sack betriegen« (LG, S. 167).

Er schildert ohne falsche Verklärung seine Eltern, die er zweifelsohne liebte, sich selbst, seine Umwelt, die Kameraden und Geschwister. Während sich der Vater als Taglöhner, Klein- und Gebirgsbauer, schließlich als Kohlenbrenner durchs Leben schlägt, Berufe und Orte wechselt, hält sich der Sohn schon früh an die Natur und seine rege Einbildungskraft, mit der er sich seine eigene Welt erschafft. Als Geißbub erlebt er zum erstenmal die Freiheit von allen äußeren Zwängen. Noch in der schriftlichen Vergegenwärtigung kostet er das Vergnügen aus, das ihm dieses freie Leben in der Natur gewährte. Die Naturliebe wird ihn bis ans Ende seines Lebens begleiten wie die Lust am Schreiben und am Lesen.

Nach einer schweren Erkrankung in seinem 16. Lebensjahr wird Ulrich Tagelöhner bei einem Bauern, dann in seinem 20. Jahr Salpetersieder und läßt sich schließlich von einem Bekannten seines Vaters zu einer Reise in die Welt verführen, um dort »Geld z'verdienen wie Dreck«. Er sieht sich schon begütert, als er erfahren muß, daß ihn sein Landsmann in Schaffhausen an einen preußischen Werbeoffizier verschachern will. Listig kommt er dem Anschlag zuvor und verdingt sich freiwillig bei einem solchen Offizier, einem polnischen Lebemann, als Diener. Er lernt hier das süße Leben einer scheinbar höheren Gesellschaft und deren Umgangsformen kennen, ehe er dann doch von seinem vermeintlichen Edelmann, von dem er sich wie von einem väterlichen Freund behandelt fühlt, an den preußischen König verkauft wird.

In Berlin muß er als preußischer Rekrut bei kargster Verpflegung und knappstem Sold Dienst tun und »oft ganzer fünf Stunden lang« in der »Montur eingeschnürt, wie geschraubt stehn«. Mit unbestechlichem Blick schildert der ehemalige Schweizer Hirtenbub das Soldatentreiben, den Exerzierdrill und das barbarische Spießrutenlaufen, dem die Deserteure ausgeliefert wurden (LG, S. 113):

> Da mußten wir zusehen, wie man sie durch zweihundert Mann achtmal die lange Gasse auf und ab Spießruten laufen ließ, bis sie atemlos hinsanken – und des folgenden Tags aufs neue dran mußten, die Kleider ihnen vom zerhackten Rücken heruntergerissen und wieder frisch darauflosgehauen wurde, bis Fetzen geronnenen Bluts ihnen über die Hosen herabhingen.

Noch Jahrzehnte später, als er sich an diese furchtbare Zeit erinnert, ermahnt er die Söldner aller Nationen (Voellmy III, S. 191):

> O ihr armen Sklaven! Kanntet ihr eure Stärke, ihr würdet rechtsum machen und eine Bajonette gegen eure Tyrannen kehren [...] und nicht mehr zu Tausenden kleine Despoten in Saus und Braus lebend mästen und zuletzt euer Blut vor sie, vor eure Drükker verspritzen.

Einen Höhepunkt in seiner Autobiographie bildet die ungewöhnlich anschauliche Beschreibung der ersten Schlacht des Siebenjährigen Kriegs, die am 1. Oktober 1756 bei Lobositz stattfand. Da heißt es z. B. (LG, S. 129 f.):

> Potz Himmel! wie sausten da die Eisenbrocken ob unsern Köpfen weg – fuhren bald vor, bald hinter uns in die Erde, daß Stein und Rasen hoch in die Luft sprang – bald mitten ein und spickten uns die Leute aus den Gliedern weg, als wenn's Strohhälme wären.

Mitten im Pulverdampf entschloß sich Ulrich Bräker zur Flucht. Er setzte sie energisch in die Tat um und kehrte wohlbehalten in seine Heimat zurück.

Hier schickt er gegen neue Auswanderungspläne seine »Heuratsgedanken«, baut ein Haus, macht Schulden, gründet eine Familie, wird seßhaft und beginnt gegen den Protest seiner Ehegefährtin »Samenkörner« für seine Autorschaft zu legen. Auf Wunsch seiner Frau gibt er das Salpetersieden auf und fängt einen Handel mit Baumwollgarnen an. Ja, der »Näbis Uli«, wie man ihn in der Heimat nach seinem Geburtsort, dem »elenden Nest von zwei armseligen Hütten«, nannte (LG, S. 238), wurde sogar eine Art Kleinstunternehmer; denn er ließ in eigener Regie spinnen und verkaufte die Produkte an eine der zahlreichen Textilmanufakturen in der Gegend. Zum erfolgreichen Handelsmann fehlten ihm allerdings der bedingungslose Einsatz und das nötige Kapital, aber auch, wie er selbst offen gesteht, einfach das Talent. Er »verstund weder Handel noch Haushalt«, so charakterisiert er sich aus der Perspektive eines Landsmanns, »stolperte sorglos herum, wie's ihm jückte, hing sein Geborgtes an alle Lumpen und Lempen, fing an, seine Nase in die Bücher zu stecken, und weil sein Seckel ihm nicht erlaubte, dergleichen zu kaufen, bettelte er sich in die Gesellschaft ein« (LG, S. 239). Gemeint ist die Moralische Gesellschaft zu Lichtensteig, eine bürgerliche Lesegesellschaft, bei welcher der Außenseiter einen Preis gewonnen und die ihn – wenn auch nicht ohne Widerspruch – zu ihrem Mitglied gemacht hatte. Er konnte nun in der Tat kostenlos und ausführlich seiner Leseleidenschaft frönen. Doch er setzt sich damit endgültig zwischen zwei Stühle, zwischen das Bildungsbürgertum, dem er trotz aller Verdienste nicht angehört, und seine eigene Klasse, der er mit seinen vielseitigen Lese-Interessen entwachsen ist.

Aus den bitteren Hungerzeiten der siebziger Jahre, unter denen er selbst so sehr zu leiden hatte, gewann er einen überraschenden Einblick in die ökonomischen Verhältnisse

seines Landes. Er beobachtet resigniert und empört zugleich, daß die Niederlagen der Armen oft zum Vorteil der
Reichen gedeihen, daß auch im ökonomischen Bereich die
Kleinen die Suppe der Großen auslöffeln müssen. Aber
angesichts aller erlebten Enttäuschungen und Fehlschläge
blieb dieser Ulrich Bräker nichtsdestoweniger ein unverbes-
serlicher Optimist, der mit seiner guten Laune hohe Freunde
und Gönner unterhielt und es verstand, sich an den kleinen
Dingen des Lebens zu freuen, wenn ihm auch ständig vieles
in der Welt mißlang. Obgleich ihm einige seiner Kinder, die
er in einem Kapitel seiner *Lebensgeschichte* kritisch charakterisiert hat, die letzten Lebensjahre vergällten, bekennt er
drei Monate vor seinem Tode (er starb am 11. September
1798) im *Tagebüchel vor das Jahr 1798*:

> Ich bin glücklich. Mein Wunsch ist erfüllt. Immer
> wünschte ich so ein allmähliches Absterben aller
> Kräfte, ein Reifwerden zum Sterben, wo man welt-
> satt, müde und matt sich hinlegt, seinen Geist mit
> dem letzten Atem ausbläst und es heißt, er starb alt
> und lebenssatt.

In den überlieferten Porträts von Ulrich Bräker fallen besonders die wachen Augen auf, die das Gesicht beherrschen,
und die freie Stirn. Der literarische Außenseiter aus dem
sozialen Untergrund setzte sich schreibend mit der Wirklichkeit auseinander und vergegenwärtigte sie. Auch über
das, was er las, mußte er sich gleich wieder schriftlich mit
sich selbst unterhalten. In köstlicher Naivität beschreibt er
auf diese Weise Shakespeares Schauspiele, die er in der
Übersetzung Johann Joachim Eschenburgs studierte, als
allgemeine »Spiegelbilder des Lebens« und kommt dabei
zu originellen Einblicken, mit denen er sich nicht hinter seinen berühmten literarischen Zeitgenossen zu verstecken
braucht. Auch auf politischem, historischem und ökonomi-
schem Gebiet verblüfft er in seinen *Tagebüchern* (geschrieben 1768–98) durch hellsichtige Urteile und Streiflichter. So

entlarvt er beispielsweise während der Revolutionskomödie im Toggenburg die lautesten Jakobiner als die »ärgsten Despoten«, entdeckt für sich die Antinomien der Französischen Revolution und findet ansonsten im Weltgeschehen nur seinen geliebten Sir William bestätigt, das heißt genauer, die Lehre, die er aus seinen Stücken zog: »die ganze Schöpfung hat kein falschers, tyrannischers Untier als den Menschen.«

Mit seiner Autobiographie hat sich der arme Mann im Toggenburg einen festen Platz in der deutschen Literatur erobert. Doch seine volkstümliche, dialekt- und bibelnahe Prosa mit ihrem körnigen und knorrigen Deutsch bewährt sich ebenso in seinen bisher nur in Auszügen (1792) veröffentlichten *Tagebüchern*, seinen vielseitigen Aufzeichnungen, Wander- und Wetterberichten wie in seinen Gesprächen und Dialogen (z. B. *Gespräche im Reiche der Toten*, entst. 1788; *Peter und Paul*, 1789; *Balz und Andres*, entst. 1788), den Essays *Etwas über William Shakespeares Schauspiele* (1780), dem Romanfragment *Jaus der Liebes-Ritter* (1788) oder seiner Bauernkomödie *Die Christnacht oder Was ihr wollt* (entst. 1780). Was Ulrich Bräker von seinem Lieblingsbuch, Shakespeares *Hamlet*, behauptet, läßt sich auch ganz allgemein über seine Prosa sagen: »Nein, so lebhaft kanns nicht vorgestellt werden, als wie man sichs vorstellt, wenn man liest.«

Bibliographische Hinweise

Leben und Schriften Ulrich Bräkers, des Armen Mannes im Tocken-
burg. Dargest. und hrsg. von S. Voellmy. 3 Bde. Basel 1945. [Zit.
als: Voellmy.]
Werke in einem Band. Ausgew. und eingel. von H.-G. Thalheim.
Berlin/Weimar 1964.
Chronik. Auf der Grundlage der Tagebücher 1770–1798. Zus.-gest.
und hrsg. von Ch. Holliger [u. a.]. Bern/Stuttgart 1985.
Lebensgeschichte und natürliche Ebenteuer des Armen Mannes im
Tockenburg. Mit einem Nachw. hrsg. von W. Günther. Stuttgart
1965 [u. ö.]. [Zit. als: LG.]
Etwas über William Shakespeares Schauspiele. Hrsg. von H.-G.
Thalheim. Frankfurt a. M. 1964.
Ulrich Bräker Lesebuch. Hrsg. von H. Weder. Frankfurt a. M.
1973.

Böning, H.: Ulrich Bräker. Der Arme Mann aus dem Toggenburg.
Leben, Werk und Zeitgeschichte. Königstein i. T. 1985. [Mit
ausführlicher Bibliographie.]
Blackall, E. A.: Ulrich Bräker und Eschenburg. In: Shakespeare-
Jahrbuch 98 (1962) S. 93–109.
Ernst, F.: Um Ulrich Bräker. Zu Samuel Voellmys Biographie von
Daniel Girtanner. In: F. E.: Essais. Bd. 1. Zürich 1946. S. 100
bis 109.
Hinderer, W.: Leben und Werk des Naturdichters Ulrich Bräker.
In: W. H.: Über deutsche Literatur und Rede. München 1981.
S. 39–65.
Jaeckle, E.: Der Arme Mann im Tockenburg. In: E. J.: Bürgen des
Menschlichen. Zürich 1945. S. 9–15.
Mayer, H.: Aufklärer und Plebejer: Ulrich Bräker, Der Arme Mann
im Tockenburg. In: H. M.: Studien zur deutschen Literaturge-
schichte. Berlin [Ost] 1954. S. 63–78.
Muschg, W.: Ulrich Bräker, Etwas über William Shakespeares
Schauspiele. In: W. M.: Pamphlet und Bekenntnis. Olten 1968.
S. 259–269.
Sigrist, Ch.: Vom Reichtum eines armen Mannes. Neue Publikatio-
nen zu Ulrich Bräker. In: Schweizer Monatshefte 66 (1986) S. 78
bis 81.
Thalheim, H.-G.: Ulrich Bräker. Ein Naturdichter des 18. Jahrhun-

derts. In: H.-G. Th.: Zur Literatur der Goethezeit. Berlin [Ost] 1969. S. 38–84.

Voellmy, S.: Ulrich Bräker: Der Arme Mann im Tockenburg. Ein Kultur- und Charakterbild aus dem 18. Jahrhundert. Zürich 1923.

– Daniel Girtanner von St. Gallen, Ulrich Bräker und ihr Freundeskreis. Ein Beitrag zur Geschichte der Aufklärung in der Schweiz in der zweiten Hälfte des 18. Jahrhunderts. St. Gallen 1928.

Wuthenow, R.-R.: Gottes Führung im Dasein, philosophischer Lebenslauf und psychologischer Roman. Jung-Stilling – Bräker – Maimon – Moritz. In: R.-R. W.: Das erinnerte Ich. Europäische Autobiographie und Selbstdarstellung im 18. Jahrhundert. München 1974. S. 81–120.

GOTTLIEB KONRAD PFEFFEL

Von Walter E. Schäfer

Mit dem Namen Pfeffels verband sich für seine Zeitgenossen die Vorstellung eines rastlos Tätigen, der schreibend nach vielen Seiten pädagogischer, literarischer, auch politischer Wirksamkeit ausgriff, als die eines Schöpfers von Werken, die sich selbst genügen. Denn Pfeffel war Patriot und Menschenfreund, um es in der Sprache der Zeit zu sagen.

Erziehung und Ausbildung des am 28. Juni 1736 in Kolmar Geborenen waren von Beginn an auf die diplomatische Laufbahn hin angelegt. Das entsprach der Familientradition: der aus der Markgrafschaft Baden stammende Vater hatte durch juristischen Sachverstand die Gunst der Minister Ludwigs XV. von Frankreich erworben, war als Rechtskonsulent im auswärtigen Departement der französischen Krone in Versailles gewesen und hatte sich danach in Kolmar, dem Sitz des Conseil Souverain, der obersten Rechtsbehörde des Elsaß, zur Ruhe gesetzt. Der ältere Bruder Christian Friedrich Pfeffel (1726–1807) folgte den Spuren des Vaters und wurde zum renommierten Staatsrechtler, den man gleichfalls in die Regierung in Versailles zu ziehen wußte. Er war es, der stellvertretend für den sehr früh, 1738, gestorbenen Vater über die Studien des Jüngeren wachte und dafür sorgte, daß dieser nach der humanistischen Studienzeit am Kolmarer Gymnasium mit fünfzehn Jahren 1751 die Universität Halle bezog, um dort gleichfalls vor allem öffentliches Recht und Staatsrecht zu studieren. Noch als er Student war, stellte sich beim jungen Pfeffel eine Trübung der Augenlinsen ein. Die letzte von verschiedenen Operationen,

Gottlieb Konrad Pfeffel
1736–1809

nach dem Abbruch der Studien in Halle 1758 in Straßburg
vorgenommen, führte zur fast völligen Erblindung. Erst
durch diese jähe Wende im Alter von zweiundzwanzig
Jahren wurde Pfeffel zum blinden Sänger nach dem Bild
Ossians, das er noch an seinem Lebensabend beschwor (*An
die Nachwelt*, 1800):

> Vergönne deinem Ossian
> O Muse! den so süßen Wahn,
> Daß, hat sein Lämpchen ausgeglimmet,
> Sein Nachlaß auf dem Ocean
> Der Zeit ein Weilchen oben schwimmet;
> Und trift es einen Edlen an,
> Der gern den Barden kennen lernte,
> Der oft mit Phädrus Harfenklang
> Der Sorgen Schwarm von sich entfernte,
> So möge dieser Nachtgesang
> Ihm und dem Häuflein guter Seelen,
> Das seinen Vorwitz theilt, erzählen,
> Getreu erzählen, was er war.

Getreu erzählen, das heißt vorab dem Patrioten Pfeffel,
seinen gemeinnützigen Werken gerecht zu werden. Sie setz-
ten schon in seiner Studienzeit ein, in der er, 1752, ein
überaus erfolgreiches Werk aufgeklärter Theologie, die
Gedanken über die Bestimmung des Menschen von Johann
Joachim Spalding, ins Französische übersetzte. Damit war
der Grund für Pfeffels überaus weit gespannte deutsch-
französische Vermittlertätigkeit gelegt, für die er durch seine
Zweisprachigkeit als Sohn eines elsässischen Notabeln und
durch seine Vertrautheit mit beiden Kulturen prädestiniert
war. Mögen auch Anstöße für diese Mittlerfunktion von
geschäftstüchtigen Verlegern ausgegangen sein, so muß Pfeffel doch auch in seiner Herkunft eine Verpflichtung gesehen
haben, den literarischen Austausch zwischen beiden Nationen zu entwickeln. Er begann, große Teile der zwanzigbän-
digen Kirchengeschichte von Claude Fleury, dem Beicht-

vater Ludwigs XV., ins Deutsche zu übertragen. In umgekehrter Richtung, vom Deutschen ins Französische, übertrug er 1770 ein in Serienbänden erscheinendes geographisches Handbuch, die *Neue Erdbeschreibung* von Anton Friedrich Büsching.

Neben der Übertragung von wissenschaftlichen Werken, die am Anfang stand, befaßte sich Pfeffel auch schon mit der Übersetzung schöngeistiger Schriften. 1762 erschien eine Auswahl von Fabeln Lichtwers in Französisch. Die Pariser Öffentlichkeit begann sich gerade erst für deutsche Literatur zu interessieren. Um der Nachfrage deutscher Bühnen nach aktuellen französischen Stücken zu entsprechen – Pfeffel hatte 1761 die Ackermannsche Truppe in Kolmar kennengelernt –, begann er 1765 die lange Serie seiner Übersetzungen französischer Lust- und Singspiele, aber auch schon einzelner bürgerlicher Trauerspiele, die durch Diderot aufgekommen waren, unter dem Titel: *Theatralische Belustigungen nach französischen Mustern.*

Von seinen didaktischen Elementarbüchern und Lehrwerken läßt sich nicht sprechen, ohne daß man jener Institution gedenkt, die Pfeffel eine Zeitlang ins Blickfeld der deutschen gelehrten Welt rückte: der von ihm 1773 gegründeten École Militaire in Kolmar, für die jene Schriften zunächst bestimmt waren. Schon in den Jahren zuvor galt Pfeffel als Autorität in pädagogischen und bildungsorganisatorischen Fragen. Er hatte 1760 die Kolmarer Lesegesellschaft mit einem Dutzend lutherischer Pfarrer und Amtsleute gegründet, eine der frühesten Gesellschaften dieser Art am Oberrhein überhaupt. Seine Militärakademie erwuchs aus bescheidenen Anfängen, gegen den Widerstand des später durch die Halsband-Affäre berühmt-berüchtigten Kardinals Rohan in Straßburg, der nach dem Niedergang der Jesuitenschulen die Präponderanz katholischer Lehrinstitute im Elsaß zu sichern suchte. Daß der Ruf der Kolmarer Akademie mit dem der Philantropine in Dessau und in Marschlins wetteifern konnte, verdankte sie dem pädagogischen Ge-

schick und der urbanen Liebenswürdigkeit ihres blinden
Leiters. Der Besucherstrom riß in den achtziger Jahren nicht
mehr ab. Pfeffel durfte eine Ehrenkompanie seiner Eleven
1777 Kaiser Joseph II. vorstellen. Karl Eugen von Württemberg, Karl Friedrich von Baden und andere regierende
Häupter inspizierten die Akademie. Für seine Schüler
schrieb Pfeffel unter anderem einen Abriß des Naturrechts
(*Principes du droit naturel*, 1781) und Chorlieder, die bei
Feiern und bei der Aufnahme neuer Eleven gesungen
wurden.

Die Dichtkunst lag in den ersten dreieinhalb Jahrzehnten
nach seiner Erblindung, zwischen 1755 und 1790 also, eher
am Rand der Tätigkeitsfelder Pfeffels. Zwar waren früh,
schon in der Studentenzeit, Gelegenheitsgedichte entstanden. Das früheste erhaltene datierbare Gedicht aus dem Jahr
1754 ist – bezeichnend genug – ein satirischer Ausfall gegen
frömmelnde Pietisten in Halle, die sich gegen den Philosophen Christian Wolff stellten, bei dem Pfeffel Vorlesungen
gehört hatte. Es wurde unter dem Eindruck des Todes von
Wolff am 9. April 1754 verfaßt. Auch entstanden im geselligen Kreis um den reformierten Pfarrer Lukas Guernler in
Straßburg, wo Pfeffel um 1757 durch Witz und gute Laune
zur Seele der Gesellschaft wurde und wo er seine Gattin
Margarete Cleophe Divoux, eine Straßburger Kaufmannstochter, kennenlernte, galante Adressen und spitze Epigramme. Erst der unerlaubte Abdruck einzelner Gedichte in
der Straßburger Monatsschrift *Der Sammler* (1759) trieb ihn
dazu, zusammenzutragen, was mit leichter Hand gelungen
war.

Die Ausgabe *Poetische Versuche in drei Bänden* (1761)
enthielt jene ›pièces fugitives‹, ›Kleinigkeiten‹, nämlich Lieder und Elegien um Liebesleid und Liebesfreud in schäferlichen Tönen, die das Entzücken einer kultivierten Gesellschaft ausmachten. Daneben standen aber auch boshafte
Quatrains, Verssatiren und schließlich Übersetzungen von
Satiren Boileaus, von Fabeln und Verserzählungen Lafon-

taines und Fénélons. Pfeffel huldigte zwar Gellert, doch zeigte sich in der Art seiner Imitation, daß er sich dem Geschmack des französischen Klassizismus ebensosehr verpflichtet fühlte.

Aufschlußreicher ist die dritte Sammlung seiner Gedichte, 1789 in Basel erschienen. Klopstock, der zur Leitfigur der Stürmer und Dränger geworden war, Lenz und Klinger, die bei Pfeffel zu Gast gewesen waren, mit denen er korrespondiert hatte, waren mit ihrem lyrischen Stil in freierer Metrik ohne Einfluß auf Pfeffel geblieben. Zu den früheren Liedern und Versfabeln, Eklogen und Elegien, Epigrammen und Verssatiren waren allein Romanzen in der Art Gleims (oder doch wohl eher in der Art Moncrifs, dessen Werk Pfeffel kannte) und eine Fülle von Liedern in der Chevy-Chase-Strophe hinzugetreten. Dafür waren die Sujets origineller, die Fabeln und Verssatiren bissiger geworden. Ihr Tenor ließ aufhorchen: früher als alle anderen deutschen Fabelschreiber hat Pfeffel den Absolutismus und was ihm anhing, grundsätzlich in Frage gestellt. Er wußte die vergleichsweise liberale Luft Frankreichs politisch zu nutzen.

Die letzte Phase intensiver poetischer Inspiration und rasch folgender Publikation in Almanachen und Zeitschriften war durch materielle Not verursacht. Pfeffel hatte in der Revolution den größten Teil seines ererbten Vermögens verloren. Die Akademie in Kolmar mußte 1792 die Türen schließen. Er mußte daran denken, durch literarische Lohnarbeit seine Familie zu versorgen, und wählte dazu jenes Feld, in dem er sich wie wenige deutsche Literaten auskannte, die Vermittlung aktueller französischer Literatur an das deutsche Lesepublikum. Ab 1792 übertrug er einzelne der *Contes morales* von Marmontel und der Comtesse de Genlis, die Memoiren der Gattin Neckers, Anekdoten und Aphorismen Chamforts für die Frauenzeitschrift *Flora* des Verlegers Cotta. Eigene moralische Erzählungen und kurze Briefromane vor dem Hintergrund der Revolutionswirren folgten. Schließlich sammelte Cotta dieses alles in den zehnbändigen *Prosaischen Versuchen* (1810–12), als Pendant zu den vorausgegangenen 10 Bänden der *Poetischen Versuche* (1802–10). So lag in 20 Bänden ein eindrucksvolles Gesamtwerk vor.

Kurz vor seinem Tod am 1. Mai 1809 erfuhr Pfeffel noch außergewöhnliche Ehrungen. Die Münchner Akademie der Wissenschaften unter ihrem Präsidenten Friedrich Heinrich Jacobi nahm ihn als Ehrenmitglied auf. Der bayrische Kronprinz gar entsandte einen Bildhauer nach Kolmar, damit Pfeffel ihm für eine Kolossalbüste Modell stehe, die neben klassischen Schriftstellern Deutschlands ihren Platz im königlichen Museum finden sollte. Auch wenn Pfeffels Nachruhm und Wirkung diesem an ihn herangetragenen Anspruch nicht gerecht werden konnten, den Ruf eines rastlos wirkenden Schriftstellers und eines aufrechten Charakters muß man ihm lassen. Das ist viel in einem Landstrich, dessen geographische Lage dem aufrechten Gang noch nie förderlich war.

Bibliographische Hinweise

Poetische Versuche. 10 Bde. Tübingen 1802–10.

Prosaische Versuche. 10 Bde. Tübingen 1810–12.

Ich aber weiß, was Freiheit ist ... Fabeln, Poesie und Prosa des Gottlieb Konrad Pfeffel. Hrsg. von H. Ebeling. Karlsruhe 1981.

Biographie eines Pudels und andere Satiren. Hrsg. von W. E. Schäfer. Ebenhausen bei München 1987.

Politische Fabeln. 1754–1809. Ausgew. von H. Popp. Nördlingen 1987.

Gottlieb Konrad Pfeffel. Satiriker und Philantrop (1736–1809). Ausstellungskatalog. Karlsruhe 1986.

Bopp, J. M.: Pfeffel als Prosaschriftsteller. Straßburg 1917.

Emmerich, K.: Gottlieb Konrad Pfeffel als Fabeldichter. In: Weimarer Beiträge 3 (1957) S. 1–46.

Guhde, E.: Pfeffel – ein Beitrag zur Kulturgeschichte des Elsaß. Winterthur 1964.

Schäfer, W. E.: Ein pikaresker Roman der Goethezeit: Pfeffels Biographie eines Pudels. In: Recherches Germaniques 15 (1985) S. 175–186.

MORITZ AUGUST VON THÜMMEL

Von Gerhard Sauder

Zu den Autoren, die in der zweiten Hälfte des 18. Jahrhunderts berühmt waren, heute aber fast vergessen sind, gehört Thümmel. Sein komisches Epos *Wilhelmine* wurde – vor Goethes *Werther* – zum ersten Bestseller der deutschen Literatur. Sein umfangreicher Reiseroman galt bis ans Ende des 19. Jahrhunderts als der einzige gelungene Versuch, im Sinne von Sternes *Sentimental Journey* zu schreiben. Dank der noch bis in die Biedermeierzeit hineinreichenden Tradition der Rokoko- und Aufklärungsliteratur erlebten Thümmels Werke hohe Auflagen.

Als nach 1880/90 diese Literatur endgültig aus dem Kanon der ›klassischen Schriften‹ verdrängt worden war, brach die Rezeption von Thümmels Werken ab. Die *Wilhelmine* wurde zwar mehrfach neu gedruckt, der Reiseroman ist jedoch – 1918, in politisch schwierigster Zeit – nur noch einmal gekürzt in einer Liebhaber-Bibliothek erschienen.

Thümmel wurde am 27. Mai 1738 in Schönefeld (bei Leipzig) geboren. Die Eltern lebten als Gutsbesitzer nach den Normen des sächsischen Landadels: der Lebensstil war in Maßen großzügig, der Bildungsanspruch hielt sich in Grenzen, das lutherische Bekenntnis wurde liberal praktiziert. Nach dem ersten Unterricht durch einen Hofmeister wurde Thümmel 1754 für zwei Jahre in die Klosterschule Roßleben aufgenommen, wo auf Latein, Griechisch und Religion besonderer Wert gelegt wurde. Im Oktober 1756 bezog er die Universität Leipzig. Er studierte Jura, mit Vorliebe aber

Moritz August von Thümmel
1738–1817

die ›schönen Wissenschaften‹. Gellert wurde ihm zum wichtigen Ratgeber für seine Lektüre. Mit Christian Felix Weiße verband ihn dauerhafte Freundschaft; Ewald von Kleist und Rabener lernte er kennen. 1761 erhielt er eine Kammerjunker-Stelle am Hofe von Coburg-Saalfeld. 1763 wurde er dort Hofrat, bald auch Geheimer Hofrat. Im Oktober 1768 ernannte ihn der Herzog zum Geheimen Hofrat mit Sitz und Stimme im Geheimen Ratskollegium. In dieser Funktion war Thümmel auch an der Lösung der Coburger Schuldenproblematik beteiligt. Zwischen 1768 und 1772 hatte Thümmel den Zenit seiner Laufbahn erreicht und galt als Mittelpunkt des Coburger Hofes. Im Sommer 1772 reiste er mit seinem jüngeren Bruder Friedrich Christian und dessen Braut, der jungen Witwe Friederike von Wangenheim, in die Niederlande und nach Frankreich, um eine Erbschaft der Witwe in Surinam zu sichern. Die Coburger Verhältnisse waren nach der Rückkehr im Dezember wenig erfreulich. Thümmel hatte die Gunst des Herzogpaares verloren. Eine zweite große Reise (1774–77) mit Bruder und Schwägerin führte ihn erneut in die Niederlande und nach Südfrankreich. 1776 fielen ihm 24000 Reichstaler zu, da ihn der kinderlose Leipziger Jurist Balz zum Universalerben eingesetzt hatte. Im September 1778 starb sein Bruder. Thümmel heiratete die Schwägerin im Oktober 1779. Nach Anschuldigungen, er habe seine Amtsgeschäfte unzuverlässig geführt und Amtsgeheimnisse an Verwandte ausgeplaudert, wuchs das Mißtrauen gegen Thümmel so sehr, daß er Anfang 1783 um seine Entlassung einkam. Er lebte nun auf seinem Gut in Sonneborn bei Gotha.

1803 und 1805 führten ihn Reisen erneut nach Paris und in die Niederlande, 1807 nach Berlin. Er starb am 26. Oktober 1817 in Coburg.

Die ersten literarischen Fingerübungen des Zwölfjährigen, Fabeln nach dem Vorbild von La Fontaine, Hagedorn und Gellert, sind erhalten geblieben. Versepisteln, Gelegenheits-

edichte zu Geburtstagen und zu anderen Anlässen, vor
llem aber Epigramme zeugten vom poetischen Talent des
chülers. Während des Studiums scheint er wenig geschrie-
en zu haben; zu Weißes *Bibliothek der schönen Wissenschaf-
n und der freyen Künste* hat er einige Rezensionen geliefert.
us der ersten Coburger Zeit sind Epigramme erhalten.
hümmel hat es in diesem Genre zur Meisterschaft gebracht.
lmanache (z. B. der *Göttinger Musenalmanach* 1770/71)
nd Zeitschriften haben sie wiederholt veröffentlicht. Zu
eginn der sechziger Jahre beschäftigte ihn das Projekt eines
omans, die »Geschichte des Herrn von Panzer«; nach seiner
harakteristik eine Mischung aus Grandison und Scarron,
voller Chimären bald lustig – bald traurig« (an Weiße,
eptember 1761). Er scheint das Manuskript selbst vernichtet
u haben. Der großen Mode des Singspiels zu Beginn der
ebziger Jahre versuchte auch Thümmel zu folgen. Von dem
eutschen Singspiel *Der Guckkasten*, mit dem weder Thüm-
nel noch der kritische Freund Weiße einverstanden waren,
ind nur vier Arien erhalten, darunter das *Lied eines Vogel-
ellers*, das häufig vertont wurde und bis ins 20. Jahrhundert
1 Anthologien aufgenommen wurde.

Für die Zeitgenossen war Thümmel ein Schüler Wielands
zumindest als Autor der Verserzählung *Die Inoculation
er Liebe* (1771). In der Widmungsepistel an Weiße beruft er
ich auf den Dichter der *Comischen Erzählungen* und der
Iusarion, deren poetisch-moralische Lizenzen er auch für
ich reklamiert. Die Anregung zu seinem Epyllion von etwa
80 Versen fand Thümmel in Rousseaus Erklärung des
ünften Kupfers zu seinem Roman *Julie ou la Nouvelle
Iéloïse*: »L'inoculation de l'amour«. Der Plot der Verser-
ählung dient der heiteren Unterhaltung. Durch scherzhafte
Einschübe und die häufig als Stilmittel benutzte Doppeldeu-
igkeit wird der epikureische Rokoko-Geist, hier mit eroti-
cher Pointe, evoziert. Die Aufnahme des Werkchens war
reundlich. Die Kritik Lessings und Herders galt vor allem
ler Seichtheit des Stoffes; Claudius protestierte im Namen

der beleidigten Sittlichkeit gegen den Inhalt der Erzählung
In Mainz wurde es von der Zensurbehörde verboten.

Noch einmal kehrte Thümmel in einem Alterswerk zu
Verserzählung zurück; 1809 ist wohl *Das Erdbeben vo*
Messina entstanden, das 1818 postum von Friedrich Ferd
nand Hempel unter dem falschen Titel *Der heilige Kilia*
und das Liebes-Paar veröffentlicht wurde. Unter dem Tit
Die Beichte wurde das Fragment einer Umarbeitung i
Gruners Thümmel-Biographie 1819 gedruckt. Die bedeu
tendste literarische Arbeit, die Thümmel zwischen den gro
ßen Reisen 1772 und 1774 vollendete, war die Übersetzun
von Marmontels Text zur Oper *Zémire et Azor. Comédie*
Ballet en quatre actes. Das Textbuch erschien 1776. Da
Stück wurde von Johann Gottlob Neefe vertont, die Leipz
ger Aufführung am 5. März 1776 wurde ein großer Erfolg

Die Wahl typischer Rokoko-Gattungen und Thümmel
›urbaner‹ Ton haben zu dem literarhistorischen Klische
vom nur tändelnden, mit Heiterkeit über allem stehende
Autor geführt. Er kannte jedoch durchaus auch dunkler
Lebenserfahrungen. In einem Brief vom 22. September 177
an den Wiener Schriftsteller Tobias Philipp von Gebler heiß
es: »Das Genie erkrankt, wo es keine Nahrung findet, un
an einem Hof wie leider der hiesige ist verwelken die nütz
lichsten Talente.« In einer Versepistel *An ein Fräulein b*
Überschickung der ersten Ausgabe der »Wilhelmine« 1764 is
von ähnlichen Coburger Erfahrungen die Rede: »In einer
Städtchen voller Zwang, | [...] Wagt' ich's aus Einsamke
und sang.«

Eine 1. Fassung seines komischen Epos *Wilhelmine* lag i
Spätherbst 1762 vor. Thümmels Schreibmotiv war wohl vc
allem der Wunsch, Zachariäs poetische Prosa in desse
Lagosiade zu überbieten. Außer diesem Werk und Uzen
Sieg des Liebesgottes ließ sich der Autor von Pope, Boilea
und Voltaire inspirieren. Die Verbesserungsvorschläge We
ßes nahm Thümmel an; 1764 ging die 2. Fassung in Druck
1766 erschien davon bereits eine 2. Auflage mit einige

Änderungen. Das Urteil der Kritik war durchweg lobend. Der Plot konzentrierte sich auf die Liebe des Magisters zu Wilhelmine und auf seine Mühen, sie zu heiraten. Die 6 Gesänge spielen in der Gegenwart der sechziger Jahre des 18. Jahrhunderts, doch bleibt der Siebenjährige Krieg für die Handlung bedeutungslos. Das komische Epos parodiert das ›erhabene‹ Epos und übernimmt Regeln der Epopee, wobei die unmittelbare Folge von ›höheren‹, ›epischen‹ Passagen auf stilistisch niedriger angesetzte, geradezu alltägliche Sequenzen die innerliterarische Komik erzeugt. Dazu gehört – außer der Motivik – der Übergang von der Alltagsrede in teilweise hexametrisch rhythmisierte Prosa. Die Absicht des Werkchens, fürstliche Willkür, Sittenlosigkeit und Bestechlichkeit der Höfe anzugreifen, ist von den Zeitgenossen durchaus verstanden worden. Die *Wilhelmine* war mehr als eine harmlose Rokoko-Tändelei.

Erst nach seinem Rückzug aus dem Hofdienst fand Thümmel Muße, einen umfangreichen Reiseroman zu planen. Seine Reisetagebücher – mit sehr knappen Eintragungen – spielten als Quelle eine untergeordnete Rolle. Thümmel begann um 1788 zu schreiben. In einem langen Zeitraum (zwischen 1791 und 1805) erschien die *Reise in die mittäglichen Provinzen von Frankreich im Jahre 1785 bis 1786* in 10 Teilen. Thümmel wollte keinen Roman nach dem oft nachgeahmten Muster von Sternes *Sentimental Journey* oder von Chapelle-Bachaumonts *Voyage* schreiben. Die Fiktion eines Tagebuches, das der reisende Hypochonder Wilhelm für seinen Freund Eduard in Berlin schreibt, ermöglicht Mitteilung und distanzierende Selbstanalyse. Die Ironie korrigiert die ständigen Irrwege der Reise, Rokoko-›Scherz‹ und Empfindsamkeit (in Maßen) bestimmen die von den Zeitgenossen hochgeschätzte urbane Prosa. Die Verspartien nach dem Vorbild von Chapelle-Bachaumont und Heinses Petron-Übersetzung sind dem Rokoko noch stark verpflichtet. Jean Pauls hohe Meinung von Thümmels Roman zeigt, daß der ihm freundschaftlich verbundene Autor in manchen Aspekten seinen Stilvorstellungen völlig entsprach: in der Fülle von Anspielungen, Zitaten und Noten, in der Metaphorik und Pantomimik, in den Personifikationen (Affekte, Gedanken) und Allegorien. Zwei Mentoren Wilhelms sind Ärzte; der adlige Saint-Sauveur führt dem Genesenden ein System der Überraschung und Abwechslung als epikureisches Lebensprinzip vor. In Avignon soll der Reisende erfahren, wie aus dem Aberglauben Verderbnis der Sitten und schließlich der Umsturz des Staates hervorgehen. Die rousseauistische Idylle in Caverac und in Saint-Sauveurs Sonnental sind utopische Ziele des Romans. Der Erzähler bekennt sich zu Epikur und Lukrez. Der Zufall gilt als d a s Naturgesetz; er bestimmt auch den Verlauf des Romans. Die Brüder Schlegel, Tieck und Eichendorff lasen die *Reise*, nicht zuletzt ihrer Vers-Prosa-Mischung wegen, als »classisches Buch«.

Bibliographische Hinweise

Sämmtliche Werke. 7 Bde. Leipzig 1811–19. [Bd. 7: Biographie von J. E. v. Gruner.]

Werke. 4 Bde. Stuttgart 1880.

Wilhelmine. Hrsg. von R. Rosenbaum. Stuttgart 1894. (Nachdr. der Ausg. 1764.)

Wilhelmine. Mit Erl. und einem Nachw. hrsg. von A. Anger. Stuttgart 1964 [u. ö.].

Reise in die mittäglichen Provinzen von Frankreich. Auswahl. Hrsg. von I. Ruttmann. Bonn 1988.

Allerdissen, R.: Moritz August von Thümmel. In: Deutsche Dichter des 18. Jahrhunderts. Ihr Leben und Werk. Hrsg. von B. v. Wiese. Berlin 1977. S. 412–428.

Heldmann, H.: Moritz August von Thümmel. Sein Leben. Sein Werk. Seine Zeit. Tl. 1: 1738–1783. Neustadt a. d. Aisch 1964.

Hess-Lüttich, E. W. B.: Dégradation und Découverte. Zur Semiotik der Satire in Thümmels »Wilhelmine«. In: E. W. B. H.-L.: Kommunikation als ästhetisches ›Problem‹. Vorlesungen zur Angewandten Textwissenschaft. Tübingen 1984. S. 241–270.

Michelsen, P.: Laurence Sterne und der deutsche Roman des 18. Jahrhunderts. Göttingen 1962. S. 225–273.

Sauder, G.: Der reisende Epikureer. Studien zu Moritz August von Thümmels Roman »Reise in die mittäglichen Provinzen von Frankreich«. Heidelberg 1968.

CHRISTIAN FRIEDRICH DANIEL SCHUBART

Von Hans-Wolf Jäger

Wir Deutsche haben keine so freymüthige Schriftsteller, wie die Engelländer! – Glaubs wohl, Hunger,
Schmach, öffentliche Schande erwarten den, der's
wagt, frey von der Brust zu schreiben. Wenn in den
Stunden der Begeisterung uns die Freyheit einen
kühnen Gedanken zuschickt, und er mit dem Flam-
menblicke und dem fliegenden Haare ans Pult tritt;
so schleicht gleich die kalte Behutsamkeit auf den
Zehen herbey, und führt ihn ganz langsam wieder
zum Zimmer hinaus. Wenn man die verschiedenen
Zeitungen, Tagbücher, Zueignungsschrifften, Lob-
reden, Programmen u. d. g. aus allen Provinzen
Deutschlands sammelte; so sollte man glauben,
Deutschland würde von lauter Göttern, Seraphims
und Cherubims beherrscht. Mein Fürst ist ein Gott!
Meine Obrigkeit untrüglich! Welche Policey! Welche
menschenfreundliche Anstalten! spricht der Lobred-
ner auf der Kanzel und im Rednerstule – Und unten
steht der Patriot, macht zwey Fäuste in seine Tasche,
beißt die Zähne zusammen, und Thränen riesln in
seinem Bart.

Das schreibt Schubart am 22. Dezember 1774 in seiner
Deutschen Chronik, und es ist, als ahne er da bereits etwas
von dem schweren Schicksal, das ihm selbst bald bereitet
wird und ihn mehr ins Bewußtsein der Mit- und Nachwelt
gebracht hat als seine Poesie. Zehn Jahre, von 1777 bis 1787

Christian Friedrich Daniel Schubart
1739–1791

verbringt Schubart als Gefangener, ohne Prozeß und ohne
daß man ihm die Gründe eröffnet, 377 Tage davon isoliert in
schwerem Felsenkerker. Er hatte es nicht seinen poetischen
Arbeiten zu verdanken, vielmehr seinem polemisch zupak-
kenden Journalismus. Und so ist Schubart wohl einer der
ersten deutschen Journalisten gewesen, die für ihren Freimut
hart büßen mußten, doch wurde er damit zum Sinnbild eines
rebellischen Geistes in despotischer Zeit.

Als Sohn des Pfarrvikars, Präzeptors und Kantors Johann
Jacob Schubart wird Christian Friedrich Daniel – Rufname:
Christian – am 26. März 1739 in Obersontheim bei Schwäbisch Gmünd geboren. Die Familie übersiedelt bald darauf
in die kleine Reichsstadt Aalen am Kocher, wo der hochbe-
gabte, empfindungs- und phantasiereiche Knabe bis zu seinem 14. Jahr aufwächst; entscheidende Leseerlebnisse bieten
Luther und Klopstock, dessen *Messias* für Schubart bis ins
Mannesalter das poetische Höchstmaß bedeutet. Von 1753
bis 1756 besucht Schubart das Gymnasium in Nördlingen,
studiert die griechischen und römischen Klassiker, beschäftigt sich aber verstärkt auch mit Klopstock, mit Bodmer,
Haller und dem frühen Werk Wielands. Das Erdbeben in
Lissabon von 1755 regt ihn zu einem ernsten Gedicht an, das
verlorengegangen ist, daneben entstehen schnurrige Lieder,
von denen etliche erhalten blieben. 1756 erfolgt der Schul-
wechsel an das Gymnasium Zum Heiligen Geist in Nürnberg, die Sebalder Schule; Schubart lernt die Musik Johann
Sebastian Bachs kennen, spielt selbst die Orgel in kirchli-
chen Räumen, musiziert aber auch in weltlich fideler Gesellschaft; dies, verbunden mit ersten Liebeserfahrungen, ist
dem Schulfleiß so ungünstig, daß der Vater ihn nach Hause
holen muß. Im Herbst 1758 reist Schubart zum Studium der
Theologie nach Jena, bleibt aber unterwegs in Erlangen
hängen, er belegt zwar eine Menge geistlicher und säkularer
Fächer, betätigt sich jedoch mehr als Dichter und Musiker
für allerlei Gelegenheiten, schlägt über die moralische und

finanzielle Schnur, fällt in Krankheit, gerät in den Schuldturm und kehrt im Frühjahr 1760 als abgebrochener Student nach Aalen zurück. Hier gibt er Privatunterricht, wird dann Hilfslehrer bei seinem Vater, predigt in Kirchen der Umgebung. Seine Leidenschaft ist die Musik, Bach vor allem hat ihn gepackt, in Aalen baut er Stadtkapelle und Liedertafel auf. Von 1763 bis 1769 wirkt Schubart als Schuladjunkt in Geislingen. Uns ist aus dieser Zeit eine Reihe hübscher Texte und Aufgaben erhalten, mit denen der junge Schulmeister seinen Zöglingen auf witzige und versteckt satirische Art, mit Anekdoten, Fabeln und Rätseln, den Unterricht würzt, sie unterhaltend mit moralischen Grundsätzen bekannt macht und gegen soziale Unsitten, Rechthaberei, Strebertum oder Kriegsbegeisterung einzunehmen sucht. Zwei Gedichtsammlungen erscheinen: *Zaubereien* 1766, im folgenden Jahr *Todesgesänge*, und unter dem Pseudonym David Biedermann liefert Schubart einige Beiträge für die Zeitschrift *Der Rechtschaffene*, später *Der neue Rechtschaffene* (Lindau 1766–68). Als poetische und kritische Vorbilder nennt er für diese Spanne »Klopstock, Bodmer, Ossian, Shakespeare, Gessner, Young, Gerstenberg, Gleim als Grenadier, Uz, Karschin« (*Leben und Gesinnungen* I, S. 91), daneben auch Winckelmann, Lessing und Herder – zum entscheidenden Teil also Leitfiguren und Wortführer des Sturm und Drang neben Vertretern einer empfindsam-aufgeklärten und einer preußisch orientierten Literatur.

Im Januar 1764 heiratet Schubart Helene Bühler, Zollamtmannstochter aus Esslingen. Das Jahr 1768 bringt einen Besuch in der Residenz Ludwigsburg, nach welchem es für den welt- und glanzhungrigen jungen Dichter und Musiker in der provinziellen Abgeschiedenheit Geislingens unerträglich wird. Er strebt zum Hof und dichtet im Frühjahr 1769 eine schmeichelnde Ode auf den Herzog Karl Eugen von Württemberg, die Schubarts Bekannter, Balthasar Haug, Philosophieprofessor an der Karlsschule, am Geburtstag des Souveräns vorträgt. Dieses mit klarer Absicht verfaßte Ge

legenheitspoem zur Fürstenhuldigung ist nicht das erste
und einzige Schubarts; schon mit seinem Gedicht *Der gute
Fürst* hatte er 1762 bei dem Ellwanger Fürstpropst Anton
Ignaz Fugger um eine Hofstelle angeklopft, 1766 erschien
eine Ode auf Franz I., und erst recht nach seiner langen
Festungshaft entlief der Feder des Tyrannenhassers einiges
an Panegyrik – wohl eher Ausdruck der drückenden Zeit-
verhältnisse als eines schiefen Charakters. Haug erwirkt
Schubart eine Stellung als Organist und Musikdirektor in
Ludwigsburg, einem süddeutschen Zentrum der Kunst, der
Musik und prächtigen Hoflebens, die Schubart im Herbst
1769 antritt. Bis 1773 hält er sich hier, als Dichter und
Komponist für offizielle und private Anlässe gesucht, als
Musiklehrer begehrt, als Orgelschläger und Improvisateur
auf dem Pianoforte gerühmt, doch als galanter Aventurier
und Skandalmacher alsbald auch verrufen. Schubart legt sich
mit der Geistlichkeit an, verfaßt Pasquille, schweift in Wein-
genuß aus und hält sich – Frau und Kinder sind zum
Schwiegervater zurückgeschickt worden – eine Mätresse
»Wein und Weiber«, heißt es später anklagend, »waren die
Skylla und Charybdis, die mich wechselweise in ihren Stru-
deln wirbelten« (*Leben und Gesinnungen* I, S. 153). Schließlich wirft man ihn ins Gefängnis, er wird aus dem herzog-
lichen Dienst entlassen und des Landes verwiesen. Zu erwäh-
nen ist für diese Epoche noch, daß Schubart 1771 – unbe-
rechtigterweise, doch völlig guten Gewissens – Klopstocks
Poetische und Prosaische Werke herausgibt und sich später
das Verdienst zuschreibt, damit den angebeteten Dichter zur
eigenen Edition seiner Oden angespornt zu haben.

Die folgenden Monate verbringt Schubart vagabundierend
auf kurpfälzischem und bayerischem Gebiet, hält sich in
Heilbronn auf, wo er den Schriftsteller Gemmingen kennenlernt, befreundet sich in Mannheim mit dem Buchhändler Schwan; in Heidelberg und Schwetzingen lebt er von
Musikstunden, macht die Bekanntschaft des Stürmers und
Drängers Maler Müller, wird Gesellschafter des freigeistigen

Grafen Schmettau und strebt in Bayern nach einer staatlichen Anstellung als Musikus. Die Aussichten scheinen nicht ungünstig, doch vereitelt eine in München eintreffende Denunziation aus Württemberg diese Karriere. Die nunmehr vorgesehene Reise nach Stockholm endet bereits in Augsburg, wo Schubart den Verlagsbuchhändler Conrad Heinrich Stage trifft, mit dem zusammen sein wichtigstes und eigentlich epochemachendes Werk geplant und in Gang gebracht wird: die *Deutsche Chronik*. Die 1. Nummer dieser Zeitschrift erscheint am 31. März 1774, mit dem Jahresbeginn 1776 ändert sich der Titel in *Teutsche Chronik*, weil – so der Herausgeber, Artikelschreiber und Redakteur Schubart – »teutsch« soviel besage wie »Deutlichkeit« und er sich vornehme, »teutsch und deutsch zugleich zu sein«.

Die Zeitschrift, eine der ersten, die sich als halbwöchentliches Periodikum unmittelbar auch an die niederen Stände wendet, bringt es in ihren besten Zeiten auf mehr als anderthalb tausend Exemplare und gehört somit zu den erfolgreichsten Organen des 18. Jahrhunderts in Deutschland. Schubart, der sich als »Volkslehrer« versteht, wählt Politik und Literatur als Schwerpunkte in Berichten und Glossen, nischt auf den jeweiligen 8 Seiten jeder Nummer Überschriften wie »Engelland«, »Preußen«, »Rußland«, »Holland«, »Schweden«, »Württemberg« mit Rubriken wie »Literarische Neuigkeiten«, »Literatur«, »Schöne Wissenschaften«, »Tonkunst«; doch gibt es auch Gedichte, Parabeln, Dialoge, fingierte Briefe – und selbstverständlich Anzeigen, sei es von Büchern oder Musiknoten, die beim Verleger Stage zu haben sind, von Arzeneien, Schönheitsmittelchen, Heftpflaster und Zahnbürsten, die Stage gleichfalls bereithält. Aufgeklärtes und gerechtes Staatshandeln wird gelobt, etwa an Holland, wo die öffentliche Fürsorge statt stehenden Heeren dem Handel gilt, kraft dessen man im Bedarfsfall immer noch eine Söldnerarmee kaufen kann; die Abschaffung der Folter durch Joseph II. erfährt begeisterte Zustimmung, die Reform des Universitätsstudiums

in Preußen durch strenge Reglementierung der Studenten
ebenfalls; technische Neuerungen in England, von der Re
gierung getragen, werden berichtet und gutgeheißen – nich
ohne bedauernden Blick auf die deutschen Territorien, w
Erfinder und Erfindungen nichts gelten. Die Art der kontra
stierenden Darstellung nutzt Schubart mit Vorliebe, ob e
sich um Fragen der staatlichen Organisation, des Postwe
sens, des Theaters – in England der öffentlich geehrte Gar
rick, in Deutschland die verachteten Wandermimen – ode
insgesamt der politischen Freiheiten im Ausland, der despo
tischen Enge zu Hause handelt; kommentiert wird diese
heikle und immer wieder aufgegriffene Thema zumeist mi
Fabeln und Rätseln, deren Auflösung dem Leser überlasse
bleibt. Trotz seiner Verehrung für England schwärmt Schu
bart von Anbeginn für die nordamerikanischen Unabhän
gigkeitsbestrebungen, für die »freiheitliebenden Bostonia
ner«, denen er prophezeit, sie würden bald »das erste Voll
der Welt« sein. Er sieht den Kolonialkonflikt nicht als einer
solchen zwischen zwei Völkern oder Ländern, sondern al
Kampf der englischen Krone und ihrer Minister gegen di
Amerikaner und »die Briten, die Irländer und alle Patrio
ten«, also das englische Volk selbst, und wirft den europäi
schen Kritikern der überseeischen Rebellion vor, sie bezö
gen ihr Urteil »von der Englischen Hofzeitung« (*Deutsch*
Chronik, 4. September 1775). Amerika wird, wie später di
beginnende Revolution in Frankreich, zur Herzensangele
genheit des Zeitungsmachers Schubart. Indessen ist er alle
andere als ein politischer Programmatiker, schwungvoll
Zukunftsbilder und moralische Appelle gelten ihm mehr al
staatsrechtliche Systematik, es mischen sich in der *Chronik*
Lobsprüche für aufgeklärte Fürsten mit republikanische
Schwärmerei oder warmer Werbung für eine konstitutio
nelle Monarchie. Gleicherweise wenig analytisch und be
grifflich ist Schubart auf literarischem Feld, wenn er der
Geschmack deutscher Höflinge satirisiert, ihre Anpassun
an welsche Glätte und vornehmen französischen »Na

senton«, wenn er Bodmer und Breitinger, wenn er Klopstocks *Hermanns Schlacht* oder Werke von Lenz und Klinger preisend anzeigt, wenn er Goethe über Gellert erhebt und gegen Nicolai in Schutz nimmt. Er macht die Empfindung geradezu zum Kriterium der Literatur und zum Programm der Kritik (*Deutsche Chronik*, 5. Dezember 1774):

> Da sitz ich mit zerflossenem Herzen, mit klopfender Brust, und mit Augen, aus welchen wollüstiger Schmerz tröpfelt, und sag dir, Leser, daß ich eben *Die Leiden des jungen Werthers* von meinem lieben Göthe – gelesen? – Nein, verschlungen habe. Kritisieren soll ich? Könnt ichs, so hätt ich kein Herz.

Kennzeichnend der impulsive Stil, die umgangssprachliche Wortwahl und Wortform, die Neigung zum affektiven Ausdruck. Sie kennzeichnen nicht allein Schubarts Affinität zum Ton der eine halbe Generation jüngeren Stürmer und Dränger, sondern ihn selbst als Literaten und Menschen. Mitlebende und vor allem sein Sohn Ludwig bezeugen uns, daß der leibhaftige, auf genialische Art – musikalisch, poetisch, rhetorisch – improvisierende Schubart noch ungleich beeindruckender gewesen sei als seine fertigen Texte und Kompositionen; den Sohn erinnert er, auch physiognomisch, an Danton, dem in Deutschland freilich eine Nationalversammlung gefehlt habe.

Zu geräumigeren Kunstformen wie Drama und Roman mangelte es Schubart an Kraft der Disposition und Geduld der Ausführung, so gab er sein Bestes in der emphatischen Hymne oder im volksliedhaften Gedicht, in der knappen Charakteristik und der gespitzten Polemik. Gerade mit letzterer macht er sich Feinde, unter den oft angegriffenen Jesuiten zumal und den Anhängern des von ihm verlästerten Wunderheilers Johann Joseph Gaßner, so daß die *Deutsche Chronik* schon Mitte 1774 in Augsburg verboten wird und nach Ulm ausweicht, wohin der im folgenden Jahr selbst aus Augsburg verwiesene Schubart folgt. Aus heute wie damals

nicht exakt auszumachenden Gründen wird Schubart im
Januar 1777 von Ulm auf württembergisches Gebiet gelockt,
verhaftet und zu seiner langjährigen Haft auf den Hohen-
asperg verbracht. Herzog Karl Eugen kommentiert die von
ihm befohlene Aktion mit Hinweis auf Schubarts »sehr böse
und sogar gotteslästerliche Schreibart«, in der er es »so weit
gebracht, daß fast kein gekröntes Haupt und kein Fürst
auf dem Erdboden ist, so nicht von ihm in seinen heraus-
gegebenen Schriften auf das freventlichste angetastet worden« (*Wieland – Schubart*, S. 50). Halb ein Rache- und halb
ein Erziehungsprogramm exekutiert der württembergische
Autokrat an Schubart, seiner Frau setzt er ein Jahresgehalt
von 200 Gulden aus und sorgt für die Ausbildung der
Kinder. Der Gefangene selbst wird, nachdem die Isolations-
haft beendet ist, von religiösen Eiferern ins Gespräch und
Gebet genommen, nur geistliche Bücher sind ihm belassen,
erst um die Jahreswende 1780/81 wird ihm erlaubt, Briefe
oder Gedichte zu schreiben. Vorher aber entsteht – bis zum
April 1779 einem Mithäftling durch eine Mauerritze diktiert
– die Autobiographie *Schubart's Leben und Gesinnungen*,
1791 an die Öffentlichkeit gebracht, der 2. Teil 1793 durch
den Sohn. Das ist eine farbige Erzählung vom eigenen
Werdegang, vor allem der Berufsausbildung zum Musiker,
angefüllt mit Bemerkungen zum Kulturleben an allen
berührten Orten, mit detaillierten Schilderungen der sozialen Zustände und regionalen Mentalitäten. Bisweilen braust
ein Sprachkatarakt los, in der Erinnerung an den Jesuiten
Gaßner etwa (*Leben und Gesinnungen* II, S. 96):

> Alle Herbergen, Ställe, Schaafhäuser, Zäune und
> Hecken lagen voll von Blinden, Tauben, Lahmen,
> Krüppeln; von Epilepsie, Schlagflüssen, Gicht, und
> anderen Zufällen jämmerlich zugerichteten Men-
> schen. Was Krebs, Eiter, Grind und Kräze, Ekelhaf-
> tes, Abscheuliches – Entsetzliches hat, – selbst was
> die Seele drükt und entmannt, – Schwermut, Wahn-

sinn, Tollheit, stille Wut, Raserei, teuflische Anfech-
tungen, – war hier in Aalen, und auf dem Wege nach
Ellwang an Krüken, an Stecken, auf Eseln, Pferden,
Karren, in Tragtüchern, auf Reffen und Bahren, in
einer schreklichen Gruppe zusammengedrängt zu
sehen [...].

Doch immer wieder unterbrechen Selbstanklagen, Passagen
geradezu wimmernder Zerknirschung und fromme Mah-
nungen den Bericht, zunehmend wird die Lebens- zu einer
Bekehrungsgeschichte, zu didaktischem Exempel und »ern-
ster Weisung« für die »Jünglinge meines Vaterlandes«, der
weltlichen Ausschweifung abzusagen. Man erkennt die Wirkung von Isolation und geistlichem Umgang des Inhaf-
tierten.

Später entstehen dann einige poetische Stücklein im früh
geübten derben Bauernton, in lustiger Handwerker- oder ana-
kreontisch scherzender Mädchenweise, auch lange Schauer-
balladen, doch, weit wichtiger, einige Gedichte von ergrei-
fendem Ernst: *Der Gefangene* (mit dem Leitmotiv »gefang-
ner Mann, ein armer Mann«), *An den Mond*, *An den Tod*;
Texte wie *Die Aussicht* und *Die Forelle*, in denen zarte
Naturmalerei den Hintergrund schafft für die Klage um das
schlimme eigene Los. Neben solchen, die Form von Volks-
und Kirchenlied wählenden Stücken steht mit dem Gedicht
Die Fürstengruft eine barock donnernde Scheltrede auf
absolutistische Willkür und Eitelkeit – Karl Eugen ließ
Schubart dieses Gedicht mit Haftverlängerung entgelten.
Doch witterte der Souverän in der poetischen Produktivität
seines Häftlings bald auch ein gutes Geschäft, so daß er 1785/
1786 eine für ihn selbst einträgliche Ausgabe von dessen
Gedichten veranstaltete.

Erwähnung verdienen aus der späteren Festungszeit noch
Schubarts Hymnus *Friedrich der Große* (1786), der seine
endliche Haftentlassung mit bewirkte, und das *Kaplied*,
welches den Verkauf württembergischer Untertanen an die

Ostindische Compagnie zum Inhalt hat und vom Dichter
selbst mit einer zündenden Melodie versehen wurde. Denn
Schubart ließ die Musik nicht, tobte sich, nachdem der
sadistische Philipp Friedrich Rieger 1782 als Festungskom-
mandant von den freundlicheren Generälen Scheeler und
Hügel abgelöst worden war, zeitweilig auf dem Klavier aus,
komponierte und verfaßte 1784/85 sogar eine buchstarke
Abhandlung über Grundsätze und Geschichte der Musik,
die Beethoven und noch Schumann Achtung abnötigte.

Am 19. Mai 1787 verfügt der Herzog, gedrängt von prominenten Schriftstellern und aufgeklärten Fürstlichkeiten,
Schubarts Freilassung. Dieser verbringt seine letzten viertein-
halb Jahre in Stuttgart, das als Residenz wieder den Vorzug
vor Ludwigsburg erhalten hat. Er wird zum Hofdichter und
Theaterdirektor ernannt, späte Ehrungen, deren sich der
gebrochene Mann nicht mehr so recht zu freuen vermag.
Seine Theaterarbeit bleibt ohne großes Engagement und
ohne merkliche Wirkung. Der beamteten Dichterfunktion
wird mit allerlei Widmungen und Huldigungen entspro-
chen, zumal den üblichen Theaterprologen. Im ganzen meidet Schubart die höfische Gesellgkeit und sucht die ein-
fachere trinkfroher Handwerker. Im Juli 1787 nimmt er auf
herzogliches Geheiß und unter Zusicherung der Zensurfrei-
heit sein journalistisches Metier wieder auf und gibt die
Vaterländische Chronik, später *Vaterlandschronik*, heraus,
die 1790 – weil nach Ausbruch der Französischen Revolution »mehr vom Auslande als vom Inlande« berichtet wird –
den lapidaren Titel *Chronik* erhält. Das Blatt steigert sich
auf die enorme Auflage von 4000 Exemplaren und beschert
dem gealterten Dichter einen merklichen Wohlstand. Seinen
kritischen Biß allerdings – sieht man von dem Enthusiasmus
für die vorjakobinische Revolution in Frankreich ab – hat
der Journalist Schubart verloren; »der Asperg gähnt daraus
hervor« – so er selbst über die wiederaufgenommene Zeitschrift. Es findet sich kaum noch Pfaffen- und Fürsten-
schelte, Schubart lehrt die verhältnismäßige Aufklärung, rät

zum Frommsein und versetzt seine politischen Äußerungen stark mit religiösen eschatologischen Gedanken.

Trotzdem erregt er bei Hof und Herzog Anstoß. Einer strengen Vermahnung durch den Landesherrn kommt sein Tod am 10. Oktober 1791, Folge einer Lungenentzündung, zuvor. Im Jahr 1793 erliegt auch die – vom Sohn Ludwig Schubart und Gotthold Friedrich Stäudlin zunächst fortgeführte – *Chronik*.

Bibliographische Hinweise

Gesammelte Schriften und Schicksale. 8 Bde. in 4 Bdn. Hildesheim 1972. (Nachdr. der Ausg. Stuttgart 1839–40.)

Werke in einem Band. Hrsg. von U. Wertheim und H. Böhm. Weimar 1959 [u. ö.].

Sämtliche Gedichte. Von ihm selbst herausgegeben. 2 Bde. Stuttgart 1785–86.

Gedichte. Hist.-krit. Ausg. Hrsg. von G. Hauff. Leipzig [1884].

Gedichte. Aus der »Deutschen Chronik«. Hrsg. von U. Karthaus. Stuttgart 1978 [u. ö.].

Christian Friedrich Daniel Schubart's Leben in seinen Briefen. 2 Bde. Hrsg. von D. F. Strauß. Hildesheim / New York / Zürich 1972. (Nachdr. der Ausg. Stuttgart 1839–40.)

Briefe. Hrsg. von U. Wertheim und H. Böhm. Leipzig/München 1984.

Leben und Gesinnungen. Von ihm selbst im Kerker aufgesetzt. Leipzig 1980. (Nachdr. der Ausg. Stuttgart 1791 und 1793.)

Ideen zu einer Ästhetik der Tonkunst. Hrsg. von J. Mainka. Leipzig 1977.

Wieland – Schubart. Ausstellungskatalog. Marbach 1980.

Gaiser, K.: Christian Friedrich Daniel Schubart. Musiker, Dichter und Publizist. Stuttgart 1940.

Hauff, G.: Christian Friedrich Daniel Schubart in seinem Leben und seinen Werken. Stuttgart 1885.

Holzer, E.: Schubart als Musiker. Stuttgart 1905.

Honolka, K.: Schubart. Stuttgart 1985.

Klob, K. M.: Schubart. Ein deutsches Dichter- und Kulturbild. Ulm 1908.

Müller, H.: Postgaul und Flügelroß. Der Journalist Christian Friedrich Daniel Schubart (1739–1791). Frankfurt a. M. / Bern / New York 1985.

Nestriepke, S.: Schubart als Dichter. Pösneck 1910.

Schubart, L.: Schubarts Charakter. Von seinem Sohne. Erlangen 1798.

Matthias Claudius

Von Winfried Freund

Wir Vögel singen nicht egal;
Der singet laut, der andre leise,
Kauz nicht wie ich, ich nicht wie Nachtigall,
Ein jeder hat so seine Weise.

Das Leben von Matthias Claudius, »Wandsbecker Bote«
und Dichter des unvergessenen *Abendlieds*, verlief eher
kontemplativ als aktiv, geleitet von der auf Offenbarung und
Schöpfung bezogenen Selbsterfahrung und der in ihr grün-
denden Selbstgewißheit. Der wachsende Einfluß sensualisti-
scher Positionen seit der Mitte des 18. Jahrhunderts führte
zur Skepsis gegenüber der kollektiv regulierenden Vernunft.
Sinnliche Empfindung der Wirklichkeit und individuelles
Gefühl erschienen als die intuitiven Voraussetzungen für
neue Erkenntnis und bessere Moral. Nur dem von rationalistischen Abstraktionen unverstellten, selbstbeobachtenden,
ursprünglich empfindenden einzelnen erschloß sich die
Wahrheit über sich selbst und über die Welt (*Werke*, S. 34):

> Die Herren Philosophen abstrahieren der Natur das
> Fell über die Ohren und geben ihre nackten Gespen-
> ster für Allgemeinheiten aus; und ihre Zuhörer [...]
> verlieren nach und nach die Gabe, Eindrücke von
> einer Welt zu empfangen, in der sie sind. Alle Haken
> ihrer Seele, die an die Eindrücke der wirklichen
> Natur anpacken sollen, werden abgeschliffen [...].

Matthias Claudius wurde am 15. August 1740 als Pfarrerssohn im holsteinischen Reinfeld geboren. Vom Vater zum

Theologiestudium bestimmt, besuchte er von 1755 bis 1759
die Lateinschule in Plön und studierte bis 1762 an der
Universität Jena. Mehr als die geistlichen zogen ihn die
weltlichen Fächer an. Ohne Studienabschluß kehrte er ins
Elternhaus zurück. 1763 erschienen, angeregt von Gerstenberg, seine *Tändeleyen und Erzählungen*. Im Jahr darauf
übernahm er die Stelle eines Privatsekretärs beim Grafen
Holstein in Kopenhagen, wo er u. a. Klopstock begegnete.
Im Sommer 1765 reiste er heim nach Reinfeld. 1768 erhielt
er die Stelle eines Redakteurs bei den Hamburger *Adreß-
Comptoir-Nachrichten*. In Hamburg lernte er Lessing und
Herder kennen. Nach seiner Kündigung ließ sich Claudius
1770 in Wandsbeck nieder. Dort gab er seit dem 1. Januar
1771 zusammen mit Johann Bode den *Wandsbecker Boten*
heraus, eine wöchentlich viermal erscheinende Zeitung
zur Anhebung der Gesittung und Aufklärung des Volkes.
Am 15. März 1772 heiratete er die Zimmermannstochter
Rebekka Behn. Aus der Ehe gingen zehn Kinder hervor.
Trotz der Beiträge von Goethe, Lessing, Klopstock, Herder, Voß, Bürger, Hölty und den anderen Hainbündlern,
von deren Deutschtum und Bardensang sich Claudius allerdings distanzierte, mußte der *Bote* 1775 sein Erscheinen
einstellen. Claudius begann mit der Veröffentlichung seiner
*Sämmtlichen Werke (Asmus omnia sua secum portans oder
Sämmtliche Werke des Wandsbecker Bothen)*. Auf die ersten
beiden Teile des Jahres 1775 folgten bis 1812 noch 6 weitere.
Ein vorübergehend gesichertes Einkommen fand Claudius
auf Fürsprache Herders 1776 als Oberlandeskommissar in
Darmstadt, wo er auch die *Hessen-Darmstädtische privile-
gierte Land-Zeitung* herausgab. Im Frühjahr 1777 trat er mit
seiner Familie die Rückreise nach Wandsbeck an. Hier
übernahm er die Erziehung der Söhne Friedrich Heinrich
Jacobis. Im September 1784 kam eine kühl verlaufende
Begegnung mit Goethe in Weimar zustande. Spätestens seit
dem 4. Teil (1783) machte sich ein zunehmend mystisch-
religiöser Zug in den *Sämmtlichen Werken* bemerkbar,

Matthias Claudius
1740–1821

nachdem Claudius 1782 die Übersetzung von *Erreurs et de la vérité* aus der Feder des französischen Mystikers Saint-Martin vorgelegt hatte. Während sich die Kontakte zu Herder und Voß allmählich lockerten, festigte sich die Verbindung mit Johann Georg Hamann. Ab 1785 erhielt Claudius eine Jahrespension vom dänischen Hof. Drei Jahre später verschaffte ihm der dänische König Friedrich VI. die Stelle eines Revisors an der Altonaer Species-Bank. Matthias Claudius starb am 21. Januar 1821 im Hause seines Schwiegersohns, des Verlegers Friedrich Christoph Perthes, in Hamburg.

Claudius' in 8 Teilen erschienene, im volkstümlichen, oft dem gesprochenen Wort angenäherten Stil abgefaßte *Sämmtliche Werke* sind Abdruck einer sich konsequent zu sich selbst bekennenden Individualität. Briefe, Kritik, kleine Essays, fiktive Reportagen und Gedichte verbinden sich zu kaleidoskopischer, in der persönlichen Einheit des Autors gründender Vielfalt. Es sind Aussageweisen eines empfindsamen Bewußtseins auf der Grundlage subjektiver Empirie und intuitiver Erkenntnis. Ihr Adressat ist der Mitmensch, der sich in der Begegnung mit einem exemplarisch formulierten Selbstgefühl seiner eigenen Art bewußt werden soll, indem er ermutigt wird, sich selbst und seine Welt, unverstellt von Abstraktion und Rationalität, zu erfahren. Bereits die Übernahme des Zeitungsnamens deutet auf den dialogischen Charakter, ebenso das fiktive Freundespaar mit dem naiven Asmus auf der einen und dem reflektierenden Vetter Andres auf der anderen Seite. Ihre Korrespondenz bildet die weltanschauliche Grundierung der *Werke*. Immer wieder kreisen die Briefe um das Kernproblem des rechten Glaubens, um den im Jahrhundert der Aufklärung aufgebrochenen Konflikt zwischen orthodoxer und vernünftiger Religion. »Die Religion aus der Vernunft verbessern«, schreibt Asmus seinem Vetter, »kömmt mir freilich eben so vor, als wenn ich die Sonne nach meiner alten hölzernen Hausuhr stellen wollte« (*Werke*, S. 209). Die Vernunft ist Dienerin und Wegweiserin des Glaubens; wo sie sich anschickt, ihn zu korrigieren, verliert sie sich in aberwitzigen Spekulationen.

Der verläßlichste Weg aber zum Ziel des Glaubens ist die reine Empfindung. In der unmittelbaren Begegnung mit den Offenbarungen des Glaubens im Bibelwort und in der sichtbaren Schöpfung geht dem einzelnen der Sinn seines Lebens auf: »und 's Herz fängt ein'm wieder an zu pulsieren und zu sich selbst zu kommen« (*Werke*, S. 99). Alles Sichtbare, sofern es nicht von Menschenhand entstellt ist, deutet auf Unsichtbares, auf das Geheimnis der Transzendenz. Aber es erfordert »Geduld, Ruhe und Deferenz, zu den Füßen der Erfahrung zu sitzen und auf ihre Winke zu warten« (*Werke*, S. 637).

Claudius verbindet den neuzeitlichen, aus England übernommenen Empirismus mit dem traditionellen Offenbarungsglauben. In der persönlichen Erfahrung der Schöpfung offenbart sich dem Geschöpf der Schöpfer selbst. Die Dinge sind nach rationalistisch-deistischer Auffassung nicht Rechenpfennige des Verstandes, sondern das reiche Vermächtnis des persönlichen Gottes.

Als Asmus seinen Vetter wissen läßt, er beabsichtige, sich mit den schönen Wissenschaften zu beschäftigen und seine Erkenntnisse auch öffentlich vorzustellen, schreibt ihm dieser zurück: »Wenn es frommet, davon zu verlautbaren und zu schreiben, so schreibe hin, was und wie Du's fühlst« (*Werke*, S. 131). In geistlichen wie in weltlichen Dingen hängen sinnvolles Tun und Überzeugungskraft allein von der Aufrichtigkeit der subjektiven Empfindung ab, aber nicht nur die Art und Weise des Empfindens ist wichtig, sondern auch das, was empfunden wird. Andernfalls würde die Empfindung inhaltslos um sich selbst kreisen und sich in bloße Empfindelei auflösen. Eine so verstandene, gegenständlich bezogene Empfindsamkeit schließt Zeit- und Gesellschaftskritik mit ein. Bezeichnenderweise in der persön-

lichen Form des Briefes wendet sich ein vom Landesherrn
parforcegejagter Hirsch an den Fürsten mit der Bitte, Rück-
sichtslosigkeiten dieser Art in Zukunft zu unterlassen. In der
skurril verfremdeten Situation spiegeln sich Geringschätzung und Ausbeutung der Untertanen und die Machtanma-
ßung der Obrigkeit.

Claudius ist kein Revolutionär, er hat in der Französischen Revolution von 1789 wenig mehr gesehen als dauernden Unfrieden, blutige Greuel und öde Gleichmacherei. Als
orthodoxer Lutheraner ist er der Überzeugung, daß Gott als
Regenten keine Tyrannen und Schinder haben will. Sie
haben ihr Amt von Gott mit der moralischen Verpflichtung,
es allen Untertanen, mit denen sie im Glauben brüderlich
verbunden sind, zum Wohle auszuüben. Im Rahmen einer
fiktiven Reportage von der *Nachricht von meiner Audienz
beim Kaiser von Japan* entwickelt Claudius im Gespräch mit
dem Regenten die gottgewollten Leitlinien einer guten Herrschaft, die wie die Sonne ihre segensreiche Aufgabe erfüllt,
ohne den eigenen Vorteil zu bedenken. Unerschrocken
appelliert er an den fernöstlichen Potentaten, der in exem-
plarischer Verfremdung Machtwillen und Herrscherwillkür
verkörpert, die Menschen zu schonen und Frieden zu halten
(*Werke*, S. 177):

> Wir haben in Nagasaki so viele Soldaten und Kano-
> nen gesehn: wenn Du irgend umhin kannst, lieber
> guter Fürst, so führe nicht Krieg, Menschenblut
> schreiet zu Gott, und ein Eroberer hat keine Ruhe.

Der Mensch, ob Fürst oder Untertan, ist ein Geschöpf
Gottes, jeder seinem Schöpfer gleich nah. In seinem Essay
Über die Unsterblichkeit der Seele (1790) unterscheidet
Claudius zwischen der endlichen Unbeweglichkeit der einzelnen Arten und der unendlichen Beweglichkeit des
menschlichen Geistes, der allein einer moralischen Bildung
und Veredlung fähig ist. Unbegrenzte Entwicklungsfähig-
keit und irdisch unstillbare Sehnsucht weisen den Menschen

im gläubigen Vertrauen als unsterbliches Wesen aus. »Ich stehe hier mit Stolz neben Dir, daß wir Brüder und gleich sind!« bekennt Claudius in der abschließenden Wendung an den Fürsten. »Aber ich sehe desto demütiger Deine Krone an, da Dich Gott über so große Wesen gesetzt hat, natürlich nicht sie zu mißhandeln und zu quälen, sondern sie zu lieben und für ihre kleine und große Glückseligkeit zu sorgen« (*Werke*, S. 359). Claudius schließt im Zeitalter der Revolution nicht die Augen vor der zentral bedrängenden Frage nach der Legitimation staatlicher Macht. Seine Antwort ist die eines lutherischen Christen, konservativ, aber keineswegs unkritisch, seine Waffe ist nicht die rohe Gewalt, sondern der sanfte, aber entschiedene Protest des unbestechlichen, im Glauben wurzelnden Rechtsempfindens.

Gläubiges Selbstvertrauen spricht aus allen Äußerungen und Verlautbarungen des Wandsbecker Boten. Mit den Augen des freien Christenmenschen sieht er neben Staat und Politik, Philosophie und Theologie auch die Kunst und im weiteren Sinn alles Schrifttum an. Einen bedeutenden Teil der *Sämmtlichen Werke* machen die Rezensionen aus. Unbeeindruckt von der Popularität des Goetheschen *Werther* (1774), wirft er dem Helden des Romans selbstzerstörerische Schwäche vor. »So aber wollt’ er nicht weg von Feuer und Bratspieß und wendet sich so lange dran herum, bis er kaput ist« (*Werke*, S. 50). Die alltägliche, drastische Bildlichkeit kontrastiert mit der hochpoetischen Stilisierung des besprochenen Werks und fordert zu einem Vergleich zwischen dem Schein der Kunst und der Praxis des Lebens heraus. Zur Verstimmung Goethes stellt sich Claudius hinter die Parodie Nicolais *Freuden des jungen Werthers* (1775), der er eine heilende Wirkung auf das Werther-Fieber zuschreibt.

Seine ungeteilte Anerkennung findet Lessings 1767 am Hamburger Nationaltheater uraufgeführte *Minna von Barnhelm*. In einem fiktiven Briefwechsel zwischen Vater und Sohn hebt er die Vorzüge des Lustspiels hervor, das den einzelnen aus seiner Verstrickung in übertriebene Empfindsamkeit in ein von Kopf und Herz gleichermaßen bestimmtes Leben zurückführt. »Der Totengräber sagt, die Leute leben noch alle, es sei nur eine Komödie gewesen« (*Werke*, S. 825). Vor Schiller betont Claudius bereits den Spielcharakter der Gattung im Glauben an die Bildbarkeit des Menschen durch die künstlerische Fiktion. Wohlwollende Besprechungen finden Herders *Älteste Urkunde des Menschengeschlechts* (1774) und *Auch eine Philosophie der Geschichte zur Bildung der Menschheit* (1774). Der Rezensent bescheinigt dem Verfasser, »ein Herz im Leibe zu haben, das wirklich zum Guten geneigt ist« (*Werke*, S. 128). Mit Begeisterung nimmt Claudius die Oden Klopstocks auf. Nach der Erörterung der Frage, ob sich Verse reimen müßten, kommt er schließlich zu dem Urteil: »'s sind doch Verse, [...] und fast 'n jeder Vers ist ein kühnes Roß mit freiem Nacken, das den warmgründigen Leser von fern reucht und zur Begeistrung wiehert« (*Werke*, S. 58). Claudius' Maßstäbe als Kritiker orientieren sich an der Freiheit von normativer Regelpedanterie und an der empfindsamen, sozialpraktischen Vernunft. Mehr ethischen als ästhetischen Grundsätzen verpflichtet, mißt er das künstlerische wie essayistische Schrifttum an seinem Gehalt an praktischer Weisheit.

Die künstlerischen Höhepunkte der *Sämmtlichen Werke* bilden die ganz aus dem Liedhaften erwachsenden Gedichte. »Helle reine Kieselsteine« sind die Poeten für Claudius, »an die der schöne Himmel und die schöne Erde und die heilige Religion anschlagen, daß Funken herausfliegen« (*Werke*, S. 163). Aus der naiv empfindenden Seele im Dialog mit allem Geschaffenen und Geoffenbarten entspringt die Lyrik des Wandsbecker Boten. *Mein Neujahrslied*, *Ein Wiegenlied, bei Mondschein zu singen*, *Kriegslied*, *Der Mensch* und *Die Sterneseherin Lise* gehören zum Besten deutscher liedhafter Lyrik. Dinge und Situationen werden im empfindsamen Bewußtsein transparent für Allgemeines und Transzendentes wie die Sterne, die der Sternseherin sichtbare Signale einer unsichtbaren Welt sind und in ihr eine über alles Irdische hinausreichende Sehnsucht auslösen.

Im *Abendlied* (1779) erreicht Claudius' lyrische Kunst ihren Gipfel. Die 1. Strophe enthält wie eine Ouvertüre die zentrale Thematik. Der Abend bedeutet Endzeit und verweist zugleich mit seinen in der Dunkelheit aufgehenden Lichtern auf einen Neubeginn, Widerschein des Ewigen und Heilsorientierung in einer dunklen Welt. Mond und Sterne lenken den Blick nach oben, weg von dem schwarzen, stummen Wald, weg von der irdischen Verfallenheit an den Tod. Der aufsteigende weiße Nebel ist Bild für die Erhebung der Seele in ein Leben jenseits der Erdenschwere. Das *Abendlied* konfrontiert den Leser mit der Unausweichlichkeit seines irdischen Endes und macht ihn zugleich empfänglich für die Hoffnung.

Auf die Dialektik des Glaubens verweist gleich einleitend zu den *Sämmtlichen Werken* das Kupfer von »Freund Hein«. Ihm sind die Schriften und Dichtungen gewidmet. Der Tod ist der Pförtner am Eingang zum ewigen Leben, zu dem der Wandsbecker Bote seinen Lesern den Weg weisen möchte.

Claudius stand abseits von der herrschenden Weimaraner Klassik, deren ästhetisches Formbewußtsein und deren stilisiertes, sich selbst genügendes Menschenideal er nicht teilte. Goethe, der ihm »Einfaltsprätensionen« vorwarf, und Schiller attackierten ihn in ihren *Xenien* von 1797. Der Angegriffene antwortete mit einem pointierten, den Formkult bloßstellenden Distichon (*Werke*, S. 943):

> Im Hexameter zieht der ästhetische Dudelsack Wind ein;
> Im Pentameter drauf läßt er ihn wieder heraus.

Claudius' bescheidene, ursprüngliche Volkstümlichkeit und seine schlichte Religiosität verbanden ihn mehr mit der jungen, romantischen Generation. Eichendorff hebt das in seinen Werken schwingende, »wunderbare Heimweh« hervor, das Claudius als einen Wegbereiter der Romantik erscheinen ließ. Große Beachtung fanden Person und Werk des Wandsbecker Boten im Münsteraner Kreis der Fürstin Gallitzin, wo man sich aus katholischer Sicht um eine christlich vertiefte Lebensorientierung bemühte.

Während Claudius in der politischen und gesellschaftskritischen Diskussion zwischen 1815 und 1848 in den Hintergrund trat, stilisierte man ihn in der parallel verlaufenden Biedermeier-Kultur zum Poeten deutscher Innerlichkeit, dessen Verse den bürgerlichen Alltag verklärten und den Wechselfällen des Lebens poetische Tiefe verliehen. Claudius' durchaus kritische Ansätze gerieten zusehends aus dem Blick.

Einen beachtlichen Platz nimmt er noch einmal in Theodor Storms *Hausbuch aus deutschen Dichtern seit Claudius* (1870) ein. Storm betont vor allem die Naturempfindung in Claudius' Gedichten, die empfindsame Einheit von Ich und Welt. Claudius markiert für Storm den Beginn des Empfindungslieds, dessen Tradition am Ende des 19. Jahrhunderts ausklingt.

Im Lärm der nationalstaatlichen Einigungsbewegung war die leise mahnende Stimme des Boten längst untergegangen. In der pompösen Theatralik des Kaiserreichs und der Gründerzeit hatten Bescheidenheit und schlichte Wahrhaftigkeit keinen Platz. Nur im Bewußtsein derer, die sich nicht in den Strudel der Zeit hineinziehen ließen und sich auf die Aufgabe geistiger Durchdringung und Sinngebung besannen, überlebte der Wandsbecker Bote. »Was sind wir alle anders als Boten«, fragt Wilhelm Raabe 1901 (*Des Dichters Dank an seine Freunde*) in deutlicher Anspielung, »die versiegelte Gaben zu unbekannten Leuten tragen?« Im Jahre 1917 stellt Karl Kraus in der *Fackel* betroffen fest, daß Claudius zu den verschollenen Dichtern gehört, und verweist angesichts des Kriegsgeschehens auf das schmerzlich aktuelle *Kriegslied*.

In dem Maße, wie kollektiver Nationalismus vordrang, geriet der einzelne mit seinem Bedürfnis nach empfindsamer

Menschlichkeit in den Hintergrund, wurde das Erbe geistiger Selbst- und Welterfahrung verworfen. Erst in der Katastrophe des Zweiten Weltkriegs besann man sich wieder auf die friedliche, menschenliebende Botschaft aus Wandsbeck. Nach dem vielbeachteten Vortrag von Johannes Pfeiffer in Hamburg im Jahre 1940 hob man nach Kriegsende erneut Claudius' Innerlichkeit hervor. Zugleich verengte sich die Rezeption zusehends auf das *Abendlied*. Claudius wurde zum Idylliker einer heilen Welt. Erst die Parodien des *Abendlieds* von Rühmkorf (1961), Höss (1967) und Rexhausen (1969) reagierten kritisch auf die idyllische Verfälschung. Ihnen folgte 1975 Rolf Eigenwald im analytischen Bereich, der auf die durchaus tragische Selbst- und Welterfahrung des Wandsbecker Boten wieder aufmerksam machte. Aufgabe einer produktiven Rezeption sollte es sein, Matthias Claudius jenseits ästhetischer Stilisierung und idyllischer Schönfärberei auf der einen und kollektiver Ideologie auf der anderen Seite als Boten einer individuell kritischen Empfindsamkeit für die Gegenwart neu zu entdecken.

Bibliographische Hinweise

Werke. Asmus omnia sua secum portans, oder Sämtliche Werke des Wandsbecker Boten. Hrsg. von U. Roedl. Stuttgart 1954 [u. ö.]. [Zit. als: Werke.]

Sämtliche Werke. Textred.: J. Perfahl. Mit einem Nachw. und einer Zeittaf. von W. Pfeiffer-Belli sowie Anm. und Bibl. von H. Platschek. München 1968 [u. ö.]. 6., überarb. Aufl. Mit Nachw. und Bibl. von R. Siebke, Anm. von H. Platschek und einer Zeittaf. München/Darmstadt 1987.

Der Wandsbecker Bothe. 5 Bde. Neu hrsg. von K. H. Rengstorf und H. A. Koch. Hildesheim / New York / Zürich 1978. (Nachdr. der Ausg. Hamburg 1771–75.)

Berglar, P.: Matthias Claudius. Reinbek bei Hamburg 1972.

Eigenwald, R.: Matthias Claudius und sein »Abendlied«. In: Literatur der Klassik. Bd. 2. Hrsg. von B. Lecke. Stuttgart 1975. S. 175–201.

Fechner, J.-U.: Literatur als praktische Ethik. Das Beispiel des Wandsbecker Bothen von Matthias Claudius. In: Aufklärung und Pietismus. Hrsg. von H.-Th. Lehmann und D. Lohmeier. Neumünster 1983. S. 217–230.

Freund, W.: »Der Mond ist eingefangen«. Zeitgenössische Parodien des »Abendlieds« von Matthias Claudius. In: Der Deutschunterricht 37 (1985) H. 6. S. 74–86.

Kranefuss, A.: Die Gedichte des Wandsbecker Boten. Göttingen 1973.

Marx, R.: Unberührte Natur, christliche Hoffnung und menschliche Angst – Die Lehre des Hausvaters in Claudius' »Abendlied«. In: Gedichte und Interpretationen. Bd. 2: Aufklärung und Sturm und Drang. Hrsg. von K. Richter. Stuttgart 1983 [u. ö.]. S. 341–355.

Pfeiffer, J.: Matthias Claudius, der Wandsbecker Bote. Eine Einführung in den Sinn seines Schaffens. Dessau 1941.

Promies, W.: Bürgerliche Bedenken gegen den Vater aller Dinge. Zu dem »Kriegslied« von Matthias Claudius. In: Gedichte und Interpretationen. Bd. 2: Aufklärung und Sturm und Drang. Hrsg. von K. Richter. Stuttgart 1983 [u. ö.]. S. 357–371.

Roedl, U.: Matthias Claudius. Sein Weg und seine Welt. Berlin 1934. – 3. Aufl. Hamburg 1969.

Rowland, H.: Matthias Claudius. Boston 1983.

Rüttenauer, I.: Die Botschaft. Versuche über Matthias Claudius. München 1947. – 2. Aufl. u. d. T.: Matthias Claudius. Die Botschaft des Dichters an unsere Zeit. Freiburg i. B. / München 1952.

Johann Heinrich Jung
(genannt Jung-Stilling)

Von Ulrich Stadler

Jung gehört zusammen mit Herder, Moritz, Bräker und Heyne zu der kleinen Schar von Autoren und Intellektuellen, die im Deutschland des 18. Jahrhunderts aus den niederen Ständen hervorgingen. In ärmlichsten Verhältnissen aufgewachsen, wurde er nach mancherlei Umwegen Arzt, Universitätsprofessor und Hofrat und gewann sogar die Freundschaft des badischen Großherzogs und das Vertrauen des russischen Zaren. Trotz dieser eindrucksvollen Karriere und trotz wachsender Prominenz wollte er stets zu den »Stillen im Lande« (nach Psalm 35,20) gehören und legte sich darum den Namen »Stilling« zu.

Geboren wurde er am 12. September 1740 in Grund, einem kleinen Dorfe des damaligen Fürstentums Nassau-Siegen, als Sohn eines Schneiders und Dorfschullehrers. Als er anderthalb Jahre alt war, starb seine Mutter. Der Vater kapselte sich ganz von der Gesellschaft ab und erzog sein einziges Kind in streng puritanisch-pietistischem Geiste. Im Rückblick hat der Sohn die rigide Erziehung seines Vaters ausdrücklich gutgeheißen. Dieser sei der Meinung gewesen – so heißt es in der autobiographischen Einleitung zu dem 1788 erschienenen *Lehrbuch der Staats-Polizey-Wissenschaft* (S. VII f.) –,

> der Mensch müsse von der Wiegen an immer Willenlos gehalten werden, um sich hernach in alle Schick-

> sale seines Lebens finden zu können [...]; alles was
> ich nur mit einiger Leidenschaft verlangte, das erhielt
> ich nie, und zugleich wurde in jeder Befriedigung
> meiner Bedürfnisse eine Reinlichkeit und Ordnung
> beobachtet, die fast ohne Beyspiel war. Dadurch
> bekam mein Geist eine Richtung, und mein ganzes
> Ich eine Geschmeidigkeit, die mich in meinem gan-
> zen Leben, durch eine Kette der schweresten Leiden
> immer aufrecht, und im festen Vertrauen auf Gott
> erhalten haben.

Der frühreife und begabte Jüngling wird nach dem Besuch
der Lateinschule zunächst ein wenig erfolgreicher Dorf-
schullehrer. Nach wechselnden Anstellungen als Schneider-
geselle und Hauslehrer wird er 1763 Kaufmannsgehilfe und
Erzieher im Hause des Fabrikanten Peter Johannes Flender
(des »Herrn Spanier« der *Lebensgeschichte*). Während dieser
Zeit lernt er Sprachen, liest die Werke Miltons, Youngs und
Klopstocks und setzt sich vor allem intensiv mit der Philosophie Christian Wolffs auseinander. Der zunächst völlig aus-
sichtslos erscheinende Wunsch, Medizin zu studieren, läßt
sich dann doch durch die Verkettung mehrerer Zufälle reali-
sieren. Von nun an wird im Leben Jungs der Zufall eine
große Rolle spielen, doch wird dieser – als Folge eines
Erweckungserlebnisses im Jahre 1762 – stets als Walten der
Vorsehung, als persönlicher Fingerzeig Gottes begriffen.
Solche Interpretationsversuche nehmen sich um so grotesker
aus, als sich alles Erreichte in Jungs Leben stets als revisions-
bedürftig, als vorläufig erweist. 1770 beginnt Jung das Studium in Straßburg, wo er Goethe, Herder und Lenz kennenlernt. Im Kreise der Stürmer und Dränger wird er mit
Ossian, den Dramen Shakespeares und der empfindsamen
Romanliteratur bekannt. Nach dem Examen und der Pro-
motion zum Doktor der Medizin läßt er sich in Elberfeld als
Arzt nieder. Die anfänglich hoffnungsfrohe Tätigkeit wird
bald von Enttäuschungen und Mißerfolgen überschattet.

Johann Heinrich Jung
1740–1817

Die zahlungskräftigen bürgerlichen Patienten bleiben aus. Jung wird Armenarzt, versorgt die Kranken kostenlos und gerät dabei selber in immer bedrückendere finanzielle Nöte. Indes wird er aufgrund erfolgreicher Augenoperationen, vor allem aber auch durch die von Goethe ohne Wissen des Verfassers herausgegebene Publikation von *Henrich Stillings Jugend* (1777) allmählich ein berühmter Mann. 1779 erhält er überraschend einen Ruf an die Verwaltungsakademie in Kaiserslautern, die 1784 der Universität Heidelberg angeschlossen wird. Mit großem Eifer arbeitet Jung sich in das ihm weitgehend fremde Gebiet der Staatswirtschaft ein. Er wird zum kurpfälzischen Hofrat ernannt und zum Doktor der Philosophie promoviert. 1787 wird er als Professor für Ökonomie-, Kameral- und Finanzwissenschaften an die Marburger Universität berufen. Auch hier findet er zunächst große Anerkennung; er publiziert in rascher Folge ein ökonomisches Lehrbuch nach dem andern. Ab 1789 läßt der Erfolg jedoch spürbar nach. Jungs kategorische Ablehnung der Französischen Revolution stößt auf wenig Verständnis bei den Studierenden. Um so hartnäckiger vertritt er seine Position, wobei seine Argumentation vom Ökonomisch-Politischen immer mehr ins Moralisch-Religiöse übergleitet. Er eifert gegen alles, was nach Neologie, Rationalismus und Aufklärung schmeckt, obwohl er den beiden zuletzt genannten Strömungen selber zeitlebens zutiefst verpflichtet bleibt. Durch die Beschäftigung mit Kants *Kritik der reinen Vernunft* glaubt er, das Problem des Determinismus gelöst und sich selber ein für allemal von seinen Glaubenszweifeln befreit zu haben. Die Verlagerung auf die religiöse Schriftstellerei und auf volksmissionarische Aktivitäten erregt den Unmut des Landgrafen, führt aber auch zur Bekanntschaft mit Karl Friedrich, dem Großherzog und Kurfürsten von Baden. Eine Einladung, an den badischen Hof zu kommen, nimmt Jung an. Ab 1803 ist er in Heidelberg, 1806 dann in Karlsruhe, wo er sich mit Eifer seiner religiös erbaulichen Arbeit und seiner Tätigkeit als Publizist und Briefkorrespondent widmet, zugleich aber weiterhin als Augenspezialist tätig ist. Insgesamt soll er über 2000 gelungene Staroperationen von 1772 bis 1816 durchgeführt haben. Am 2. April 1817 stirbt er – elf Tage nach dem Tode seiner dritten Ehefrau. Bis ganz zum Schluß ist er, trotz gegenteiliger Versicherungen, nicht von schweren religiösen Zweifeln und Depressionen verschont geblieben.

Wer Jungs Leistungen als Mediziner, Ökonom, Seelsorger und Schriftsteller würdigen will, darf den engen Zusammenhang all dieser Tätigkeiten nicht übersehen. Nicht nur erhöhten die verschiedenen Aktivitäten wechselseitig seinen Bekanntheitsgrad, es gibt auch zahlreiche immanente Merkmale, welche die scheinbar gänzlich divergierenden Betätigungen zusammenschließen. So wie es für Jung selbstverständlich war, daß nur ein guter Christ ein guter Arzt sein könne (s. Propach, S. 263), so begriff er auch die Ökonomie stets nur als Teilbereich der Religion (s. sein *System der Staatswirthschaft*, Tl. 1, 1792, § 37 ff.). Entsprechend tritt auch selbst in den belletristischen Werken – den Erzählungen, der *Lebensgeschichte* und den fünf Romanen – die religiös erbauliche Tendenz überdeutlich zutage. Fast allen Arbeiten Jungs ist überdies ein stark dualistischer, um nicht zu sagen: manichäischer Grundzug eigen. Was gut und was böse, was wahr und was falsch ist, daran wird nie ein Zweifel zugelassen. Die »Heischesätze«, die er nach Wolffschem Vorbild aneinanderkettet, sind stets »unumstösslich«, »unwidersprechlich« und »wahrhaftig wahr«. Seine Lehrbücher wirken heute oberflächlich und stark repetitiv, die belletristischen Werke weitgehend trivial. In allen macht sich ein merkwürdiges Schwanken zwischen Rationalismus und Empfindsamkeit – den beiden wichtigsten Bildungsimpulsen Jungs – bemerkbar. Der Sinnlichkeit mißtraut er aufs höchste: sie führe zur Sünde und Gottferne. Aber auch vor der Ratio scheut er immer wieder zurück, da sie den Determinismus fördere und damit die menschliche Willens- und

Handlungsfreiheit leugne. Die Angst vor der Sinnlichkeit und vor der Ratio ist auch nach der Kant-Lektüre nicht behoben – im Gegenteil, sie führen mit der Zeit dazu, daß Jung weder weitere Romane noch neue Lehrbücher verfaßt. Immer entschiedener konzentriert er sich auf die Publizistik und seine Korrespondenz. (Letztere ist nur teilweise erhalten; allein 15 000 Briefe hat er selbst bei seiner Übersiedlung nach Karlsruhe vernichtet.) Von den späteren theoretischen Werken lohnt sich einzig noch die Beschäftigung mit der *Theorie der Geister-Kunde* (1808). In ihr, einem Pionierwerk der Parapsychologie, versucht Jung den Zusammenhang von Leib und Seele in Anlehnung an Georg Ernst Stahls Anima-Lehre zu fassen. Ideen der Romantiker, Arnims etwa und Schuberts (in dessen *Symbolik des Traumes*), erscheinen hier vorweggenommen. Jungs Romane sind stark an englischen Vorbildern orientiert. *Die Geschichte des Herrn von Morgenthau* (1779), *Die Geschichte Florentins v. Fahlendorn* (1781) und *Leben der Theodore von der Linden* (1783) sind mit Recht in Vergessenheit geraten; dagegen verdienen die beiden Romane *Theobald oder die Schwärmer* (1784–85) und *Das Heimweh* (1794–96) noch Interesse. *Theobald* bietet ein umfassendes, wenn auch sehr parteiisches Bild der verschiedenen Schwärmer- und Separatistenbewegungen des 18. Jahrhunderts. *Das Heimweh*, eine allegorische Jerusalem-Reise und zugleich ein Bundesroman, schildert die Erhöhung Christians von Ostenheim zum Fürsten im fernen asiatischen Idealstaat Solyma. Das Werk löste sogleich nach Erscheinen politische Hoffnungen bei zahlreichen Lesern aus, die sich zum endzeitlichen Auszug nach dem Osten rüsteten (s. Geiger, S. 290–294); zugleich verschaffte es Jung Anhänger in den allerhöchsten Adelskreisen. Die außerordentliche Reaktion der Leser auf diesen berühmtesten aller Romane Jungs ist heute kaum noch nachvollziehbar.

Wirklich lebendig geblieben von Jungs literarischen Werken ist einzig seine *Lebensgeschichte*, zumindest deren

1. und 2. Teil. *Henrich Stillings Jugend* ist von Goethe redigiert worden, d. h., dieser hat – nach Jungs eigenem Zeugnis – »viel Planes und Seichtes ausgemerzet [...] grose und religiöse Stücke weggelassen, oder verändert« (*Lebensgeschichte*, S. 655). Dennoch hat Jung recht, wenn er das Werk als sein eigenes verteidigt; die Vorzüge dieses 1. Teils sind nämlich auch im 2., von Goethe nicht mehr redigierten Teil sämtlich enthalten: die schlichte, freilich stark empfindsam durchtränkte Erzählweise gibt den Blick auf einen Wirklichkeitsbereich frei, der bisher noch nie so eindringlich und anschaulich in der deutschen Literatur dargestellt worden war. Je mehr sich Jung aber erzählend von seiner Herkunft entfernt – und dies geschieht in den Fortsetzungen *Henrich Stillings Wanderschaft* (1778), *Henrich Stillings häusliches Leben* (1789), *Heinrich Stillings Lehr-Jahre* (1804) und in dem nachgelassenen Abschlußband *Heinrich Stillings Alter* (1817) –, desto mehr verliert die *Lebensgeschichte* an atmosphärischem Reiz. Die Sinnlichkeit in der Darstellung trocknet mehr und mehr aus zugunsten fortwährender Demonstrationen eines dürren Vorsehungsglaubens. Als Autobiographie, die über die äußeren und inneren Zustände eines außerordentlichen Lebens im protestantischen Deutschland des 18. Jahrhunderts Auskunft gibt, ist die *Lebensgeschichte* trotzdem, ja vielleicht gerade auch deshalb von kaum zu überschätzender Bedeutung.

Bibliographische Hinweise

Sämmtliche Schriften. Zum erstenmale vollständig gesammelt und herausgegeben von Verwandten, Freunden und Verehrern des Verewigten [...] mit einer Vorrede begleitet von J. N. Grollmann. 13 Bde., 1 Erg.-Bd. Stuttgart 1835–38. [Unvollst. Ausg.; die ökonomischen Schriften fehlen.]

Sämmtliche Werke. Neue vollständige Ausgabe. 12 Bde. Stuttgart 1841–42. [Unvollst. Ausg.; auch hier fehlen die ökonomischen Schriften.]

Lebensgeschichte. Vollst. Ausg., mit Anm. hrsg. von G. A. Benrath. Darmstadt 1976.

Briefe Jung-Stillings an seine Freunde. Hrsg. von A. Vömel. Berlin 1905.

Briefe an Verwandte, Freunde und Fremde aus den Jahren 1787–1816. Hrsg. von H. W. Panthel. Hildesheim 1978.

Benrath, G. A.: Jung-Stillings Tagebuch von 1803. In: Der Pietismus in Gestalten und Wirkungen. Festschrift für Martin Schmidt. Hrsg. von H. Bornkamm, F. Heyer und H. Schindler. Bielefeld 1975. S. 50–83.

Geiger, M.: Aufklärung und Erweckung. Beiträge zur Erforschung Johann Heinrich Jung-Stillings und der Erweckungstheologie. Zürich 1963. [Mit Bibliographie.]

Grellmann, H.: Die Technik der empfindsamen Erziehungsromane Jung Stillings. Ein Beitrag zur Empfindsamkeit und Aufklärung. Diss. Greifswald 1924.

Günther, H. R. G.: Jung-Stilling. Ein Beitrag zur Psychologie des Pietismus. 2., veränd. Aufl. München 1948.

Gutzen, D.: Johann Heinrich Jung-Stilling. In: Deutsche Dichter des 18. Jahrhunderts. Ihr Leben und Werk. Hrsg. von B. v. Wiese. Berlin 1977. S. 446–461.

Propach, G.: Johann Heinrich Jung-Stilling (1740–1817) als Arzt. Köln 1983.

Stadler, U.: Die theuren Dinge. Studien zu Bunyan, Jung-Stilling und Novalis. Bern/München 1980.

Stecher, G.: Jung-Stilling als Schriftsteller. Berlin 1913.

Stenner-Pagenstecher, A. M.: Das Wunderbare bei Jung-Stilling. Ein Beitrag zur Vorgeschichte der Romantik. Diss. 1931. – Nachdr. Hildesheim / New York / Zürich 1985.

THEODOR GOTTLIEB VON HIPPEL

Von Joseph Kohnen

Theodor Gottlieb von Hippel gehört zu jenen verdienstvollen Persönlichkeiten, deren vielseitige Leistungen konsequent auf Ansehen und Nachruhm ausgerichtet waren, die aber mit ihrem Ableben in beinahe völlige Vergessenheit gerieten und von der Nachwelt kaum noch in ihrem wahren Wert gewürdigt werden. Dies ist um so bedauerlicher, als der hochkarätige friderizianische Spitzenbeamte und anonym schreibende Dichter die geistesgeschichtliche, mit den Namen Kants und Hamanns verbundene Glanzzeit Königsbergs in wesentlichem Maße mitgestaltete.

Der am 31. Januar 1741 geborene, aus bescheidensten Verhältnissen stammende Gerdauer Schulrektorsohn immatrikulierte sich noch nicht sechzehnjährig als Kandidat der Theologie an der Albertina in Königsberg, wo er trotz Armut und gesellschaftlicher Zurücksetzung seine Studienkameraden durch seine Intelligenz und seine weitgefächerte Bildung, aber auch durch einen etwas anmaßenden, mit pietistisch-melancholischen und geistreich aufklärerischen Zügen widersprüchlich geprägten Charakter beeindruckte. Mitten im Siebenjährigen Krieg nahm ihn Anfang 1761 der gleichaltrige russische Leutnant Hendrik von Keyser als Begleiter nach Petersburg mit, um der Zarin Elisabeth in offiziellem Auftrag eine Bernsteinsammlung als Tribut der besetzten ostpreußischen Provinz zu überreichen. Dieser erste Kontakt mit der aristokratischen Großwelt der Politik und der Ehren sowie eine unglückliche Liebe zu einem ihm als Hofmeister in Wesselshöfen anvertrauten Fräulein führten den ehrgeizigen Studenten zu seiner »Seelenmanumission«. Trotz seines Hangs zu Religion und Gottsuche wechselte er zum Jurastudium über und bewältigte mit eiserner Hartnäckigkeit seine Examina. Zugleich wurde er bereits 1762 in die Königsberger Freimaurerloge Zu den drei Kronen aufgenommen, deren Brüder ihm binnen kurzem das Redneramt und 1768 sogar die Würde des Meisters vom Stuhl anvertrauten. Seine anschließend glänzenden Erfolge als Rechtsanwalt und die Solidarität der einflußreichen Maurer machten ihn in wenigen Jahren zu einem der angesehensten Bürger Königsbergs. In den siebziger Jahren stieg er nacheinander auf zum Advokaten am Hofgericht, Kriminalrat, Stadtrat und »Hofhalsrichter«, bis ihn Ende 1780 Friedrich II. aufgrund seiner ihm gerühmten Fähigkeit als dirigierenden Bürgermeister und Polizeidirektor der administrativ zerrütteten Provinzhauptstadt einsetzte.

Parallel zu diesen beruflichen Erfolgen trat Hippel schriftstellernd an die Öffentlichkeit. Er steuerte zu den bei Johann Jakob Kanter erschienenen *Galimafreen nach dem heutigen Geschmack* (1761) und der *Makulatur zum bewusten Gebrauch* (1762) von Jakob Friedrich Hinz leichte Verse bei, schrieb seit 1764 in gemeinsamer Arbeit mit Johann Gotthelf Lindner, Herder und Johann George Scheffner Gedichte und Theaterrezensionen und ließ in der Loge gehaltene *Freimäurerreden* (1768) drucken. Zwei elegant verfaßte Komödien, der mit anhaltendem Erfolg aufgeführte *Mann nach der Uhr* (1765), zu dem Kant oder dessen Freund Green das Modell abgaben, sowie die *Ungewöhnlichen Nebenbuhler* (1768) machten ihn zum Begründer der neueren ostpreußischen Komödie. 1772 erschienen des weiteren bei Haude und Spener in Berlin die frommen, an Gellert und Klopstock geschulten und einer grüblerischen Gottsuche verpflichteten *Geistlichen Lieder*. Großes, über die Grenzen Ostpreußens hinausdringendes Aufsehen erregte seine in geistreich-humoristischem Ton geschriebene

Theodor Gottlieb von Hippel
1741–1796

und bei Voß in Berlin 1774 verlegte Abhandlung *Über die Ehe*, in der er in bewußt zweideutiger Weise eines der am meisten diskutierten Probleme der Zeit anschnitt, zugleich aber unter dem Deckmantel der Anonymität ein provokatorisches Versteckspiel mit dem Leser in Gang brachte, das für Jahrzehnte das literarische Deutschland auf ein vergebliches Rätselraten einschwor. Innerlich aber vereinsamte der durch eine weitere Liebestragödie und Krankheiten Geplagte trotz seiner Freundschaft zu Scheffner zum Hypochonder.

Das Ratespiel um den unbekannten Autor erreichte seinen Höhepunkt mit dem Erscheinen der 4 Teile der großangelegten Erzählung *Lebensläufe nach aufsteigender Linie* (1778–81), die Hamann als erster – in seiner Korrespondenz mit Herder und Friedrich Heinrich Jacobi – mit dem Verfasser des Ehebuchs in Verbindung brachte. Es ist der erste deutsche Roman, der sich, in stark autobiographischem Gewand, beinahe ganz im baltischen Raum abspielt – ein wertvolles kulturhistorisches Dokument des damaligen Kurland, Rußland und Ostpreußen. Auch wird darin bereits vor dem Erscheinen der *Kritik der reinen Vernunft* unter den leicht satirischen Zügen des »Professors Großvater« die frühe Erkenntnisphilosophie Kants kritisch untersucht und damit dem Philosophen sozusagen die Show gestohlen. Zugleich begründete Hippel mit der Einführung der morbiden Figur des »Sterbegrafen« die neuere Todespoesie im Roman. Sie sollte in einschneidender Weise über Jean Paul, Goethe und Zacharias Werner bis zu Keller weiterwirken. Der in zunehmendem Maß zum zähen Bürokraten reifende Hippel schrieb anschließend über ein Jahrzehnt kein nennenswertes Werk. Er konzentrierte sich hauptsächlich auf den Wiederaufbau des Verwaltungsapparats seiner Provinzhauptstadt, wobei als seine größten Verdienste die Reorganisation der Polizei und des Feuerlöschwesens sowie die Verbesserung des Waisen- und Armenwesens gewertet werden. Daneben arbeitete er als von Carmer und Hertzberg geschätzter Jurist an der Reform des Allgemeinen Preußichen Landrechts mit. Für diese Leistungen belohnte ihn der König 1786 mit dem Titel eines Stadtpräsidenten nebst einer Ehrenmedaille, und Friedrichs Nachfolger gewährte ihm 790 zusätzlich die verbissen angestrebte Erneuerung eines ngeblich alten Adelstitels. In der Tischrunde Kants und im alon der Gräfin Keyserling nahm Hippel als Oberbürgermeister und glänzender Gesellschafter den Ehrenplatz ein; nsonsten lebte er zurückgezogen in seinem herrschaftlichen tadtpalast, den er mit Kunstgegenständen jeder Art wie ein Museum einrichtete. In seinen Anschauungen hielt er sich orwiegend an den Witz und den gefühlsbetonten, religiös eprägten Irrationalismus Hamanns.

Anfang der neunziger Jahre bemühte sich der vielseitig nteressierte, zahlreiche Entwürfe der unterschiedlichsten Gattungen zu vollenden. So erschienen neben den an Rousseaus *Rêveries* erinnernden autobiographischen *Handzeichnungen nach der Natur* (1790) und der Satire *Zimmermann der I. und Friedrich der II.* (1790) lokalbezogene Studien über *Das Königsbergsche Stapelrecht* (1791) und *Über die Mittel gegen die Verletzung öffentlicher Anlagen und Zierathen* sowie die *Nachricht, die v.-K*sche Untersuchung etreffend* (beide 1792), eine Rechtfertigung der Todesstrafe n Ausnahmefällen. Daneben überraschte Hippel, fast zwanzig Jahre nach der Erstausgabe, mit zwei vielfach umgearbeiteten und nunmehr entschieden frauenfreundlichen Fassungen des Buchs *Über die Ehe* (1792–93), zu denen die gezielt vantgardistische Abhandlung *Über die bürgerliche Verbeserung der Weiber* (1792) eine Ergänzung bildete. *Die Kreuz- und Querzüge des Ritters A bis Z* (1793–94), ein weibändiger Schlüsselroman mit ausgeklügelt verwirrendem Aufbau, geißelten die mannigfachen Auswüchse der deutschen Freimaurerei. Ein tiefsinniger, von Rousseau und Montesquieu beeinflußter philosophischer Beitrag *Über Gesetzgebung und Staatenwohl* wurde postum gedruckt 1804). Dennoch vergällten die aufreibenden Verwaltungsgeschäfte, körperliche Gebrechen (u. a. die Erblindung eines

Auges) und eine zunehmende Verstimmung über Scheffne
und seinen als Adoptivsohn angenommenen Neffen Theo
dor Gottlieb von Hippel, den Jugendfreund E. T. A. Hoff
manns und späteren Verfasser des *Aufrufs an mein Vol.*
(1813), dem frühzeitig Gealterten die letzten Lebensjahre
Obgleich Hippel insgeheim gehofft hatte, zumindest da
Alter von siebzig Jahren zu erreichen, starb er unerwarte
am 23. April 1796 an der Brustwassersucht. Die anschlie
ßende Aufdeckung seiner Autorschaft entfachte unte
Freunden wie Feinden einen kollektiven Anfall verspätete
Rache, so daß der alte Kant persönlich einschritt und durc
unmißverständliche Erklärungen dem Spuk imperativ ei
Ende setzte.

In Hippels widersprüchlichem Wesen vereinigen sich di
wesentlichen Strömungen des ausklingenden 18. Jahrhun
derts. Als Pietist und Aufklärer blieb er ein echtes Kin
seiner Zeit; als kühner Neuerer literarischer Formen und al
ideensprühender, sozialkritisch und politisch ausgerichtete
Geist arbeitete er zum Teil weit in die Zukunft. Unbestritte
verdient er als einziger von allen Vertretern der Glanzpe
riode Königsbergs wirklich, ein Dichter genannt zu werden
Er versuchte sich in fast allen literarischen Gattungen un
prägte ihnen meist seinen unverkennbaren Stempel auf, de
sich in einer merkwürdigen Komposition von langatmig
trockener Gelehrsamkeit, geistreichen humoristischen Ein
fällen und tief grüblerischen, oft herzzerreißenden Gefühls
ausbrüchen äußert, wobei die lokal gefärbte Sprache de
ostpreußischen Juristen eine stark aphoristische Note be
sitzt. Als Schüler Kants und Hamanns steht er im Schnitt
punkt der philosophischen Auseinandersetzungen der bei
den großen Denker, jedoch bewahrte er hartnäckig sein
Originalität um den Preis einer vergeblich angestrebten See
lenruhe und Gottesgewißheit. Sein feines Metaphernspie
um die Doppelfrage künftiger literarischer Kunstgestaltun
und der Frauenemanzipation im »Vorbericht« des Ehe
buchs, das eigenmächtige Hinwegsetzen des dichterische

Wanderers über den Schlagbaum der »Garde der gelehrten Republik« zu Beginn der *Lebensläufe* und die systematisch betriebene Auflösung der herkömmlichen Erzählsprache in den *Kreuz- und Querzügen* zugunsten eines paragraphenförmigen Telegrammstils, der den Eindruck eines labyrinthartigen Weltbilds vermittelt – all dies präsentiert ein aus heutiger Sicht überaus modernes Reformprogramm: Angesichts der schmerzlichen Einsicht, daß die Welt ein Chaos ist, entwirft der Wahrheitssucher in selbstherrlicher Eigensinnigkeit eine der Wirklichkeit entsprechende Schreibweise, die die Mannigfaltigkeit der irdischen Dinge und Begebenheiten als ein einziges großes Versuchsfeld benutzt, auf dem das Individuum das Bild der Welt in grenzenloser Freiheit rekonstruiert, ohne auf fremde Wertordnungen Rücksicht zu nehmen. In diesem Bestreben hat Hippel über Jean Paul durchaus fortgewirkt.

Bibliographische Hinweise

Sämmtliche Werke. 14 Bde. [Bd. 13–14: Briefe.] Berlin / New York 1978. (Nachdr. der Ausg. Berlin 1828–39.)

Biographie des Kgl. Preuß. Geh. Kriegsraths zu Königsberg Th. G. v. Hippel, zum Theil von ihm selbst verfaßt. Aus Schlichtegrolls Nekrolog bes. abgedruckt. Gotha 1801.

Beck, H.: Hippel and the 18th century novel. Diss. Cornell University, Ann Arbor (Mich.) 1980.

Grund, U.: Studien zur Sprachgestaltung in Theodor Gottlieb von Hippels Roman »Lebensläufe nach aufsteigender Linie nebst Beilagen A, B, C.« Diss. Freie Universität Berlin 1970.

Hönes, Th.: Theodor Gottlieb von Hippel. Die Persönlichkeit und die Werke in ihrem Zusammenhang. Diss. Bonn 1909.

Kohnen, J.: Ottomar und der Sterbegraf. In: Germanisch-Romanische Monatsschrift. N. F. 29 (1979) H. 2. S. 185–199.

Kohnen, J.: Theodor Gottlieb von Hippel. 1741–1796. L'homme et l'œuvre. 2 Bde. Bern / Frankfurt a. M. / New York 1983.
– Theodor Gottlieb von Hippel. Eine zentrale Persönlichkeit der Königsberger Geistesgeschichte. Biographie und Bibliographie. Lüneburg 1987.
Losno, R.: Theodor Gottlieb von Hippel 1741–1796. Diss. Paris 1981.
Peterken, P.: Gesellschaftliche und fiktionale Identität. Eine Studie zu Theodor Gottlieb von Hippels »Lebensläufen«. Stuttgart 1981.
Schneider, F. J.: Theodor Gottlieb von Hippel als dirigierender Bürgermeister von Königsberg. In: Altpreußische Monatsschrift 47 (1910) S. 535–569.
– Theodor Gottlieb von Hippel in den Jahren von 1741–1781 und die erste Epoche seiner literarischen Tätigkeit. Prag 1911.
– Theodor Gottlieb von Hippels Schriftstellergeheimnis. In: Altpreußische Monatsschrift 51 (1914) S. 1–35.
Schröder, U.: Theodor Gottlieb von Hippels »Kreuz- und Querzüge des Ritters A bis Z«. Diss. Hamburg 1972.
Warda, A.: Kants »Erklärung wegen der von Hippelschen Autorschaft«. In: Altpreußische Monatsschrift 41 (1904) S. 61–93.
– Der Anlaß zum Bruch der Freundschaft zwischen Hippel und Scheffner. In: Altpreußische Monatsschrift 52 (1915) S. 269–281.
Werner, F.: Das Todesproblem in den Werken Theodor Gottlieb von Hippels. Diss. Halle 1938. – Nachdr. Wiesbaden 1973.

Georg Christoph Lichtenberg

Von Ulrich Joost

Georg Christoph Lichtenberg wurde am 1. Juli 1742 in Ober-Ramstadt bei Darmstadt als letztes von 17 Kindern geboren. Der Vater beeilte sich mit der Taufe seines Jüngsten – allzu schwächlich wirkte der Kleine. Das sollte sich nicht ändern, und so nimmt es nicht wunder, daß Lichtenberg selber sich lange für zwei Jahre jünger hielt, als er war.

Die Voraussetzungen sind bedeutsam für den körperlich schwächlichen und oft sich selbst totsagenden Lichtenberg: der Vater ein Landgeistlicher von aufgeklärter, physiko-theologischer Anschauung, der die verwaiste Tochter eines Amtsbruders geheiratet hatte und der es zum höchsten geistlichen Würdenträger seines Landes bringen sollte; der Großvater ein erweckter Pietist der ersten Stunde. Vor dem Hintergrund der solcherart einander widersprechenden orthodoxen Religiosität und abweichlerischen Frömmigkeit, die sich später noch bei Lichtenberg sprachlich immer wieder manifestieren sollten, steht eine sehr moderne, ganz an praktisch-aufklärerischem Denken orientierte Schulausbildung, die seine überlebenden Brüder zu Beamten werden ließ und ihn, den physisch Unterentwickelten, zum Professor.

Denn schon in frühester Kindheit bildete sich bei dem ohnehin wohl nicht eben hochgewachsenen Lichtenberg vermutlich infolge von Rachitis eine extreme Kyphoskoliose aus – ein Buckel also. Dadurch dürfte er auch ausgewachsen nicht größer als 1,45 Meter geworden sein, so daß er nicht nur für alle Aufgaben mit vorrangig körperlicher Präsenz untauglich schien, sondern vor allem sein Leben lang unter einer ständig zunehmenden Lungeninsuffizienz gelitten haben wird. Sie war dann wohl auch die akute Todesursache.

Aus Ober-Ramstadt, dem Dorf am Rande des Odenwaldes in der damaligen Landgrafschaft Hessen-Darmstad (»Ich bin ein Darmstadinus von Geburt«; an Ebell 18. Oktober 1792), zog die Familie 1745 in die Residenz Dort ist der »Ottenwälder« (an Blumenbach, September 1793) Lichtenberg dann aufgewachsen.

In der Atmosphäre des Duodezfürstentums Hessen Darmstadt wuchs Lichtenberg im Superintendentenhaus neben der Darmstädter Hauptkirche auf. Nach der Stadtschule, einer propädeutischen Anstalt, besuchte er dort sei 1752 das prominente Pädagogium. Dessen alte Lateinschultradition manifestierte sich nicht nur in dem Renaissance bau, in dem es untergebracht war, sondern auch im Unter richtsstoff, der aber jetzt den neuen Interessen des aufge klärt-absolutistischen Staates angepaßt war.

Am 6. Mai 1763 immatrikulierte sich der Einundzwanzig jährige als »Mathematum et Physices Studiosus« an der ganz auf England hin orientierten Aufklärungsuniversität Göttin gen – so spät erst, weil der Siebenjährige Krieg, in den da damals durch die welfische Personalunion zu England gehö rige Kurbraunschweig-Hannover verstrickt war, das akade mische Leben an der 1737 gegründeten ›Königin der Univer sitäten‹ bis 1762 fast völlig lahmgelegt hatte. Und an de Landeshochschule Gießen wollte er offenbar so wenig stu dieren, wie vor ihm seine Brüder: das Niveau dort lag notorisch nicht viel über dem seines Darmstädter Gymna siums. In Gießen aber gedachte man, ihn später als Professo zu installieren, und hatte ihm sogar zur Vorbereitung darau ein allerdings kärgliches landgräfliches Stipendium gestiftet

Die Kleinstadt Göttingen im Südzipfel des Kurfürsten tums lag zwar an einer wichtigen alten Handelsstraße, doc litten die Gewerbe seit dem Dreißigjährigen Krieg an Struk

Georg Christoph Lichtenberg
1742–1799

turschwächen. Erst die Einrichtung einer neuen Landesuniversität nach dem Zuschnitt der Hallischen und mehr noch dem englischer Lehranstalten brachte der nach den Zeugnissen ihrer Besucher im 18. Jahrhundert recht heruntergekommenen Ackerbürgerstadt, in deren Mauern noch um 1900 Viehhaltung üblich war, einen gewissen Wohlstand. Da der Universitätsgründer Gerlach Adolph von Münchhausen seine Hochschule von Anfang an auch als Adelsuniversität konzipiert hatte, entwickelte sich die Georgia Augusta rasch zu einem teuren Pflaster, konkurrierte fast mit dem in dieser Hinsicht besonders gefürchteten Leipzig.

Zugleich aber war die junge Universität eine der modernsten Europas, verkörperte Aufklärung englischer Prägung, vertrat neben traditionellen Wissenschaften zugleich energischen Anspruch in den neuen Naturwissenschaften und Technologien. Genialität war hier viel weniger gefragt als fleißige Gediegenheit und positive Kenntnisse. Peinlich wurde bei Berufungen darauf geachtet, und bis heute scheint diese Art Gelehrtheit ein Göttinger Kriterium zu sein.

Nach dem damals üblichen Triennium academicum, in dem Lichtenberg in universaler Breite Philosophie und Physik, Mathematik, ja sogar Baukunst und Fortifikation, Staatengeschichte Europas, Diplomatik sowie etwas Ästhetik und Schöne Künste studierte, sich in praktischer Astronomie übte und seine Fertigkeit im Englischen und im Zeichnen verbesserte, verzögerte er den Antritt der Gießener Professur (die Ernennung erhielt er 1767). Lieber ernährte er sich von 1766 bis 1771 als Hofmeister reicher englischer Studenten, teilte also das Schicksal so vieler stellungsloser ›Kandidaten‹ seines Zeitalters – mit mehr Glück als die meisten von ihnen, denn diese Verbindung mit England fand das Gefallen des Universitätskurators Münchhausen und ermöglichte so Lichtenbergs Karriere: vor allem der Hofmeistertätigkeit hatte er seine Berufung zum außerordentlichen Professor zu verdanken.

Bevor er aber in Göttingen die Lehrkanzel besteigen konnte, schickte ihn königliche Ordre nach Hannover, Osnabrück und Stade auf eine Vermessungsreise: Man wollte der effizienteren Planung von Heer- und Handelsstraßenbau und von Kolonisation eine genaue Karte zugrunde legen, für deren Gradnetzeinpassung Lichtenberg die genannten drei Orte astronomisch bestimmen sollte – die Koordinaten Göttingens lagen schon vor. Er entledigte sich der Aufgabe mit solcher Präzision, daß sie der große Gauß zwei Generationen später nicht nennenswert verbessern konnte.

Bei seiner Vorbereitung auf diese erste wissenschaftliche Leistung war er auf den Nachlaß des Astronomen Tobias Mayer gestoßen. Auf sein Ersuchen hin beauftragte ihn die Regierung mit dessen Edition, wovon er allerdings nur einen Band (vornehmlich mit einem Fixsternverzeichnis) herausbrachte.

Den größten Einfluß auf Lichtenbergs geistige Ausbildung sollte der in jener Zeit geplante zweite Aufenthalt in England haben. 1767 schon hatte er sich bei einem noch sehr jungen englischen Studenten, dem Sohn des verstorbenen Admirals Lord Swanton, als Hofmeister verdingt. Das Verhältnis zwischen den beiden entwickelte sich so freundschaftlich, daß er Swanton nach London begleitete und bei diesem ersten Mal einige Wochen in der werdenden Welthauptstadt bei adligen Gönnern verbrachte. Die damaligen oberflächlichen Impressionen konnte er nun vertiefen: Noch während der Vermessungsbeobachtungen erreichte ihn die Einladung mehrerer anderer englischer Freunde, die er von seiner Hofmeistertätigkeit kannte. Eineinhalb Jahre, von Sommer 1774 bis Dezember 1775, verbrachte er diesmal auf der ›glücklichen Insel‹. Zumeist beschäftigte er sich wieder mit Beobachtung des britischen Lebens aller Stände, überwiegend in London, aber auch in Birmingham, Bath und Margate; mit Besichtigung von Fabriken und Druckereien, mit Besuchen von Slums, Irrenhäusern (Bedlam), vom Ge-

richtshof Old Bailey, von Parlament, Oper und Theater.
Doch arbeitete er auch auf dem Observatorium (in Richmond und Oxford), ›courte‹ beim Hochadel und bei der
Familie Sr. Majestät Georgs III., König von England und
Kurfürst zu Braunschweig-Lüneburg.

Noch in England war Lichtenberg zum Ordinarius der
Philosophie befördert worden. Und so warf er sich nach
seiner Rückkehr mit Feuereifer auf die neuen Arbeitsgebiete, las zunächst Astronomie, reine und angewandte
Mathematik und ausgewählte Kapitel aus der Physik, ja
unterrichtete sogar englische Sprache und Literatur. 1778
begann er dann mit seiner Vorlesung über Experimentalphysik, die er bis an sein Lebensende turnusmäßig wiederholte
und dabei immer wieder auf den neuesten Stand der Physik
brachte, die sich auf einigen Gebieten damals in einer entscheidenden Umbruchphase befand.

In seinen Versuchen verknüpfte er eng Forschung und
Lehre, demonstrierte z. B. mit Hilfe eines Drachens die
Luftelektrizität oder imitierte im kleinen die Ballonaufstiege seiner Zeitgenossen durch mit Wasserstoff gefüllte
Schweinsblasen und zeigte gar deren Explosivität durch den
elektrischen Funken in Fernzündung. Nicht bloß wegen der
Anschaulichkeit dieses Unterrichts wurden Lichtenbergs
Kollegien in ganz Europa berühmt, sondern auch wegen der
inneren Methode, die sein Unterricht vermittelte. Eine
Methode, über die ihm Alexander von Humboldt dankbar
schrieb: »Wahrheit an sich ist kostbar, kostbarer aber noch
die Fertigkeit, sie zu finden« (3. Oktober 1790). Behutsam
versuchte er, die alten Theorien zu erhalten, sie nur langsam
durch im ständigen Experiment überprüfte Hypothesen zu
ergänzen: Sehr spät erst z. B. und nur widerstrebend
bequemte er sich zu Lavoisiers Oxydationstheorie, welche
die alte Lehre Stahls vom Verbrennungsstoff ›Phlogiston‹
ablöste. Bezeichnend für seine Stellung gegenüber allen physikalischen Theorien ist der Streit um die Vorstellungen vom
Licht, in die Goethe auch ihn verwickeln wollte: Er betrach-

tete sie wie alle Hypothesen als unbeweisbare Vorstellungs-
hilfen und fragte immer, ob man nicht gerade die einander entgegengesetzten verknüpfen könne; so Newton und
Euler, so aber auch Kant und Lesage – und andere mehr. Er
kam damit vermutlich öfter unseren heutigen Kenntnissen
und Vorstellungen von der Physik näher als alle seine Zeitgenossen.

In der Provinzstadt Göttingen, fern den kulturellen und
politischen Zentren, hat er seine kleineren Entdeckungen
gemacht und ist öfter dicht an großen entlang gestreift: u. a.
demonstrierte er mit seinen elektrostatischen Entladungen
(den nach ihm benannten ›Lichtenberg-Figuren‹) 1777 als
erster jenes Phänomen, auf dem heute das Xerokopierver-
fahren beruht, setzte bei dieser Gelegenheit die von Franklin
schon empfohlenen Zeichen Plus und Minus durch zur
Vermittlung im Streit über die Frage, ob die Elektrizität aus
einer oder aus zwei Materien bestehe. Nur fehlten ihm in
den begrenzten Göttinger Verhältnissen alle Möglichkeiten
zum großen Versuch.

Im Haus Gotmarstraße 1 hat er von 1775 an bei seinem
»Freund, Vorschneider und Verleger« (an Bader und Buch-
ner, 17. Mai 1784) Dieterich gewohnt. Zuerst hatte er neben
dessen Wohnung ein paar Räume nach Osten im 1. Stock.
Mit wachsenden Bedürfnissen und der Notwendigkeit eines
eigenen Hörsaals genügten diese jedoch nicht mehr. Er
verließ die Beletage und zog in die 3. Etage des Seitenflügels.
Obgleich er später nur mit Mühe noch die Treppen zu
ersteigen vermochte, fühlte er sich dort oben in einem
besseren Klima, glaubte er sich weiter weg von der Göttinger »Wurstluft« (an Höpfner, 26. März 1792). Die hat er
denn auch den Sommer über an jedem Wochenende verlassen, fuhr hinaus in sein Gartenhaus, 800 Schritte vor der
Stadt am Friedhof, und daher »mir noch besonders angenehm«, wie er dem Freund Hollenberg am 10. Januar 1791
schrieb, weil »ich meine Grabstätte daraus aus dem Fenster
sehen kann«.

So lebte er hin: Der Alltag seines weiteren Daseins ist rasch erzählt. Zum Professor Philosophiae Extraordinarius (»extraordinariae«: »der außerordentlichen Philosophie« [B 386], witzelte er) hatte man ihn schon 1770 ernannt. Ordinarius wurde er noch in England, 1775, aber zunächst ohne Gehaltserhöhung. Ein Dutzend wissenschaftliche Gesellschaften machten ihn zu ihrem Mitglied, darunter die Göttinger Königliche, die Petersburger Kaiserliche Sozietät und die Londoner Royal Society. Sein geringes Einkommen (weit unter dem Göttinger Professorendurchschnitt) erlaubte ihm lange keine bürgerliche Haushaltung: 1780 nahm er ein damals fünfzehnjähriges (freilich bereits konfirmiertes und damit heiratsfähiges) Blumenmädchen als seine Geliebte in sein Haus; sie starb 1782. Nicht viel älter war seine nächste Geliebte (geb. 1768), die ihm zwischen 1784 und 1797 acht Kinder gebar.

Die Ereignisse der Revolution in Frankreich 1789 erreichten Lichtenberg in einer zu späten Phase seines Lebens, als daß er sie noch in ihrer vollen Tragweite in sein altes politisches Gedankensystem hätte integrieren können (wie ihn Englands politisches Leben geprägt hatte), und zumal in einem ungünstigen Augenblick, als ihn nämlich der erste Schub seines schweren krampfartig-asthmatischen Lungenleidens fast umbrachte und monatelang ans Bett fesselte. Als er sich davon halbwegs erholt hatte, trat die Revolution in ihre eigentlich jakobinische Phase: der ›Terreur‹ ließ auch ihre zuvor begeisterten Anhänger in Deutschland zurückschaudern. Zunächst hatte Lichtenberg in den Ereignissen in Paris seine alten Ideen von der »Erhebung in den Bürgerstand« (D 88) wiedererkannt. Wie andere Intellektuelle hatte er der bürgerlichen Phase der Revolution noch voll zugestimmt und daran erinnert, daß die Weltgeschichte zwar die fertige Fassade, nie aber die schmutzigen Gerüste hinterlasse (*Göttinger Taschen Calender*, 1791). Dieser Anhänger einer englischen konstitutionellen Monarchie konnte jedoch kein Verständnis mehr aufbringen für eine Aburteilung und

Hinrichtung der französischen Majestäten, die ihm einem Königsmord gleichbedeutend schien.

Gleich bei Beginn seiner Krankheit hatte Lichtenberg sich (in offenbar berechtigter Todesangst) seiner Geliebten antrauen lassen, um ihr und den Kindern sein Erbe zu sichern. Zehn Jahre lebte er noch, immer mit angegriffener Gesundheit kämpfend, in einem ›vergnügten Ehestand‹. Eine Erkältung, auf die wohl eine Lungenentzündung folgte, machte diesem Sterben auf Raten am 24. Februar 1799 ein dann doch rasches Ende.

Lichtenbergs philosophisches Denken ist unverkennbar geprägt durch Christian Wolff, mehr oder minder vermittelt erst über Schulbücher wie Baumeisters *Elementa Philosophiae* (1747) und dann seine akademischen Lehrer Kästner, Büttner und Hollmann. Doch schwamm er sich bald frei und amalgamierte zunächst die englischen Denker (wie Beattie, Hume und Hartley; als späte Episode noch Francis Bacon), ein wenig Deluc und Lesage dann, einschneidend schließlich in seinem akademischen Unterricht seit spätestens 1787 Kant, zu dessen System er eine Affinität verspürte – sie alle jedoch immer sehr ekletisch und ganz eigenwillig. Seine Religiosität, die er nur im geheimen pflegte (in Göttingen scheint er nie mehr zur Kirche gegangen zu sein), neigte zu einem Spinozismus, zu dem er sich dann auch in dem großartigen Aufsatz *Amintors Morgenandacht* (1791) bekannte. Zugleich integrierte er diesen Pantheismus in sein eigenes Denken als Physiker. Denn Hallers für die Naturforscher jener Zeit noch oft virulentes Postulat, daß »ins Innere der Natur kein erschaffener Geist dringe« (*Falschheit menschlicher Tugenden*, 1732), wies Lichtenberg mit liebenswürdigem Spott zurück. Als Teil des Universums und der göttlichen Ordnung war ihm das Hallersche Bekenntnis nicht mehr Anathema, sondern Auftrag.

Sein literarischer Geschmack orientierte sich an den Kritikern, Dichtern und Schriftstellern der hohen Aufklärung.

Auf der Schule wird er vermutlich seine rhetorische und ästhetische Ausbildung mehr oder minder direkt aus Gottscheds Handbüchern erfahren haben. Mit größerer Selbständigkeit wandte er sich dann den literarischen Zeitgenossen zu: Lessing wurde sein Idol, später schätzte er Friedrich Nicolai, gegenüber dem sein Verhältnis aber leicht ironisch gewesen sein dürfte. Sein akademischer Lehrer, der vielseitig gelehrte Kästner, war ihm auch in philosophischer und ästhetischer Hinsicht oft Instanz. Der neuen Literaturentwicklung des Zeitalters dagegen stand er doch ziemlich verständnislos gegenüber: Die Dichter des Sturm und Drang und die Mitglieder des Göttinger Hainbunds empfand er (oft nicht so ganz ohne Berechtigung) als »halbköpfig« und »primanerhaft«; nur die Lyrik Höltys mochte er gelten lassen. Er schätzte Wielands *Komische Erzählungen*, fand aber Klopstocks Oden und den *Messias* unerträglich. Er verfiel bei der Lektüre von Goethes *Werther* in denselben Fehler wie Nicolai und Lessing, diesen Roman ganz gemäß der Wirkungspoetik der Aufklärung für eine Aufforderung zum Selbstmord zu halten – jedoch ohne Lessings Einsicht in die sprachlichen Qualitäten und Innovationen des Werks. Er las Dichtung aller Gattungen nach ihrem Unterhaltungswert oder nach ihrer Fähigkeit, zu bessern oder zu belehren. Goethes Clavigo etwa schien ihm ein Stück für »junge Schwärmer, bei denen der Kopf noch im Wachsen begriffen und der Unterleib über den Kopf hinausgeschossen ist« (an Schernhagen, 20. Februar 1777). Deutsche Gedichte hatten gereimt, dramatisches Sprechen hatte nicht exaltiert zu sein. Sein Romanideal prägten die englischen ›Klassiker‹ Richardson, Fielding und Sterne, so daß in Deutschland nur Musäus, Müller von Itzehoe und später Thümmel seinem Geschmack Genüge tun konnten – wären seine eigenen, lange geplanten satirischen und literaturkritischen Romane »Parakletor« (1774–77) und »Der doppelte Prinz« (1785–98) wirklich zustande gekommen, sie würden vermutlich ähnlich ausgesehen haben wie etwa Müllers *Siegfried von Lin-*

denberg. Dennoch konnte Lichtenberg gegen Ende seines Lebens ganz unvoreingenommen die Romane des »allmächtigen Gleichnisschöpfers« (an Benzenberg, 22.? Juli 1798) Jean Paul für sich entdecken, deren Bilderkraft und sprachliche Umsetzung von Natur und Gefühl ihn tief beeindruckten.

Eins der ersten Ergebnisse von Lichtenbergs England-Reise wurde zugleich ein erster großer Wurf: Seine schon unterwegs konzipierten drei *Briefe aus England* (1776–78) an Boie über das englische Theater und vor allem über den Schauspieler Garrick sind bis heute ein Klassiker der Theaterkritik und des Essays überhaupt. Weitere Aufsätze folgten, die meisten als sogenannte »Briefe«, die den damals im Deutschen noch nicht eingebürgerten Essay ersetzten. Die offene Form bei kleinem und mittlerem Umfang wurde seine Meisterschaft:

22 Jahre lang hat er ab 1778 – als seinen »Mietzins«, wie er das nannte (z. B. an Schernhagen, 23. August 1784 u. ö.) – den *Göttinger Taschen Calender* redigiert, den er größtenteils auch selber schrieb: Angewandte Aufklärung war das, und zu Unrecht sind diese Perlen deutscher Prosa, die durchaus den Vergleich mit dem so andersartigen Johann Peter Hebel aushalten, heute fast völlig in Vergessenheit geraten. Dreieinhalb Jahrgänge hindurch (1780–85) gab er zusammen mit seinem Freund Georg Forster das *Göttingische Magazin der Wissenschaften und Litteratur* heraus, worin auch eine Reihe eigener, zumeist wieder in Briefform verfaßter Abhandlungen gedruckt wurde. Das Blatt erschien immer zögerlicher, weil der Mitherausgeber Forster kaum noch zur Redaktion beitrug; und es ging schließlich ganz ein, weil es, zu gebildet und zu gelehrt, keinen dauernden Leserstamm halten konnte. Viermal (1784–94) bearbeitete er, immer aufs neue korrigierend und ergänzend, die *Anfangsgründe der Naturlehre*, das Physiklehrbuch seines früh verstorbenen Kollegen und Studienfreundes Erxleben, das bis ins erste Jahrzehnt des 19. Jahrhunderts das Grund-

lehrbuch an den meisten deutschen Universitäten gewesen
ist. Und damit hatte der »Antisystematiker Lichtenberg«
(Patzig) die willkommene Entschuldigung, das geplante
eigene Kompendium der Physik, zu dem man ihn öfter
drängte, nie zu schreiben.

Wie Lichtenberg überhaupt zu Lebzeiten mehr geplant als
vollendet hat: zweimal mindestens nahm er Anlauf zu dem
schon erwähnten großen satirischen Roman gegen Mißstände seines Zeitalters. Eine Reihe kleinerer Satiren, eine
Autobiographie »Geschichte meines Geistes sowohl als
elenden Körpers« (F 811) waren vorgesehen, eine neue Lösung des archimedischen ›Hydrostatischen Paradoxes‹, eine
Auseinandersetzung mit der Theorie des Regens, mit Problemen der Wahrscheinlichkeitsrechnung, über die schon
seine Antrittsvorlesung 1770 handelte, der Wärmereflexion
und manches mehr, wovon wir nur die Titel kennen.

Fruchtbarer doch war er in Widerspruch und Kritik. »Mit
der Feder in der Hand habe ich mit gutem Erfolge Schanzen
erstiegen, von denen andere, mit Schwert und Bannstrahl
bewaffnet, zurückgeschlagen worden sind« (E 422), konnte
er mit voller Berechtigung behaupten. So begann man ihn
schon zu fürchten, als er noch unter dem Pseudonym Conrad Photorin 1773 im *Timorus* den Zürcher Pfarrer Johann
Caspar Lavater bekriegte, weil dieser den Berliner Aufklärer
Moses Mendelssohn aufgefordert hatte, vom jüdischen zum
christlichen Glauben überzutreten. 1776 mischte er sich in
die damals heftig geführte Diskussion über den Büchernach-
druck ein mit den bissigen *Episteln an Tobias Göbhard in
Bamberg*. Sie (wie auch der *Timorus*) stehen mit ihrer durch-
gehaltenen Ironie noch ganz in der alten Tradition der
Epistolae obscurorum virorum (1515), der *Dunkelmänner-
briefe*: Der fingierte Absender versucht als vorgeblicher
Parteigänger des eigentlich Angegriffenen, dessen Position
in scheinbarer Ernsthaftigkeit mit ganz abstrusen Argumen-
ten zu verteidigen.

1777 konnte er stolz melden, wie durch ihn »Satire zum Komplement der Gesetze« (an Schernhagen, 16. Januar 1777) geworden war – da hatte er den Gaukler Jakob Philadelphia durch die Parodie von dessen eigenem Affiche so lächerlich gemacht, daß er die Taschen der Göttinger Bürger ungeleert lassen mußte.

1777/78 griff er dann Lavaters Theorie einer ›Physiognomik‹ an, und das nicht bloß, weil sich das kleine verbuckelte Männchen Lichtenberg von der Lavaterischen Heilslehre ausgeschlossen wußte. Denn die sah zwar eine Entwicklung vor, deren Ziel der schönste aller Menschen, der Gottessohn Jesus Christus, bildete, an deren Beginn der Primat stand; aber auf diese Entwicklungstheorie baute eine Einteilungsschematik auf. Im Gefolge dieser Kontroverse geriet er mit ein paar kleineren Polemiken (deren letzte er wieder unterdrückte) an Lavaters norddeutsches Sprachrohr, den Leibarzt Johann Georg von Zimmermann in Hannover.

Ein letztes Mal, 1781/82 geißelte er Johann Heinrich Vossens ungehobeltes und borniertes Verhalten, als dieser seine Vorstellung der Transkription des griechischen Eta als ›ä‹ (»To bäh or not to bäh, that is the question«) mit wissenschaftlichen Abhandlungen und seiner Homer-Übersetzung durchsetzen wollte. In Voß, dem »Schöps an der Elbe«, fand er zwar auch keinen ebenbürtigen, aber im Unterschied zu seinen Vorgängern einen unnachgiebigen Widerpart, dem er nach zwei langen und heute nicht mehr sehr lesenswerten Abhandlungen schließlich das letzte Wort ließ.

Danach hat er sich peinlich jeder Streiterei enthalten – auch in wissenschaftlichen Fragen –, sofern sie öffentlich zu werden drohte, hat er mehrmals schon gesetzte, ja sogar bereits gedruckte Schriften zurückgehalten (gegen Eberhard August Wilhelm Zimmermann; gegen Tobias Mayer jr.; gegen Zylius). Er machte in jedem Fall einen ganz persönlichen Grund für sich geltend, der ihn zumindest auslösend in die früheren Raufereien verwickelt hatte; im Falle Vossens dessen Undankbarkeit gegenüber Heyne, gegen Lavater die eigene Mißgestalt, gegen Göbhard die Loyalität für den geschädigten Johann Christian Dieterich. Die literarische Gestaltung der späteren war unverkennbar geprägt von den großen Literaturkontroversen seiner Jugend: Lessings Streit mit dem von Lichtenberg zuerst noch bewunderten Christian Adolph Klotz und seinen Anhängern bot das erste Muster, beim Streit mit Voß ist ein Bemühen bemerklich, sich Lessings *Vademecum für den Pastor Lange* anzuschließen.

Diese Satiren und Polemiken haben ihn unter seinen Zeitgenossen berühmt und gefürchtet gemacht. Im 19. Jahrhundert dann, in dem die bürgerlichen Bücherschränke durch die langen Reihen der Klassikerausgaben erobert wurden, hat nicht der destruktive bohrende Verstand aus Lichtenbergs Polemiken und Sudelbüchern diesen Weg genommen. Vielmehr war es seine *Ausführliche Erklärung der Hogarthischen Kupferstiche* (Heft 1–11, 1794–1809, von anderen – teilweise schon in Heft 11 – fortgesetzt bis 14, 1835).

Schon im Zusammenhang mit seinem frühen Interesse an Physiognomik hatte Lichtenberg sich mit Bilderfolgen befaßt, in England Hogarths Blätter bei dessen Witwe erworben und Bunbury bei der Arbeit zugesehen. Auf der Rückkehr hatte er wenigstens die Stiche des ersteren nahezu vollständig im Gepäck. Für den *Göttinger Taschen Calender* erläuterte er dann die damals unvermeidlichen Monatskupfer, die auch in Lichtenbergs Jahrbuch zumeist von Chodowiecki gestochen waren. Gleich seine ersten Bilderklärungen, die als Almanach-Bestand durchaus nicht Lichtenbergs Erfindung waren, hatte er in den Zusammenhang mit seiner kleinen Kalenderabhandlung gegen Lavaters Lehre von der Physiognomik gestellt, um den praktischen Nachweis der eigenen Theorie zu demonstrieren. Einige dieser Bilderfolgen wurden durch immer erneuten Abdruck zu Klassikern, einige andere zu ähnlichen Themen oder zur Zeitgeschichte, aber auch Shakespeare-Illustrationen sind mittlerweile vergessen. Diese Blätter, vom Graphischen her unbedeutend und zumeist moraltriefend, konnten nicht einmal durch Lichtenbergs Texte gerettet werden, so witzig einzelne seiner Erklärungen auch sein mögen.

1784 begann er dann mit der regelmäßigen Erläuterung ausgewählter Bildausschnitte, zumeist der Köpfe, aus den großen Blättern von William Hogarth. In groben Zügen faßte er die im Bild gebotene Handlung zusammen, um dann eingehender die kleinen Kopien des Göttinger Universitäts-Kupferstechers Riepenhausen auch ›physiognostisch‹ zu erläutern und zugleich die mannigfachen Anspielungen des Künstlers in den Bildern (durchaus nicht ohne Mühe) zu entziffern.

Seit 1794 faßte Lichtenberg ohne langes Planen und nachträgliches Feilen, nur anhand der Kupferstiche, weniger Notizen und einiger englischer Vorläufer, die Kalender-Erläuterungen als Buchausgabe zusammen, zu der wieder Riepenhausen auf die Hälfte verkleinerte Kopien der ganzen Hogarth-Blätter stach. Da sein schlechter Gesundheitszustand die Versorgung seiner Familie nicht mehr garantierte und die drohende Kriegsgefahr die Preise in Kurbraunschweig ansteigen ließ, entschloß er sich (angeregt durch seinen Verleger Johann Christian Dieterich) zu diesem Unternehmen, welches aber doch mehr als eine bloße Buchhändlerspekulation werden sollte.

Gewiß verdankt sich ein großer Teil ihres Erfolgs den Kupferstichen selbst, die auch in England mit der Erläuterung des John Trusler immer wieder neu aufgelegt wurden. Aber allein damit würden sich die zahlreichen rechtmäßigen, nachgedruckten und von anderen bearbeiteten Ausgaben der Lichtenbergschen Erklärung in Deutschland nicht begründen lassen. Das Interesse hier galt ihrer Mischung aus Sensation, Moral und Information, die sie damals zu einem nie auslesbaren und daher turnusmäßig neu zu lesenden Werk erhob: Mit einer Gesamtauflage von zusammen rund 10000 Exemplaren im 19. Jahrhundert hat dieses Werk Lichten-

bergs eine größere Verbreitung erlebt als alle seine übrigen
Werke zusammen und dürfte auch verantwortlich sein für
seinen Ruhm als Humorist – eine Art von Erfolgsbuch also,
mit erstaunlichen Wirkungen bis zurück nach England. Die
Ausführliche Erklärung stellt in Wahrheit das Surrogat dar
(Schöne) für Lichtenbergs jahrzehntelang geplanten und nie
auch nur konzipierten großen gesellschaftskritischen und
literatursatirischen Roman. Ihm, der statt eine Handlung zu
entwerfen, sich in der meisterlichen Beschreibung von Ein-
zelheiten verzetteln konnte, war die Vorgabe der Bilderfolge
das Spalier, an dem seine satirischen Einfälle sich hochran-
ken konnten.

Längerfristige Wirkung gezeitigt haben aber von Lichtenbergs zu Lebzeiten veröffentlichte Schriften nur wenige,
etwa die Hogarth-Erklärung auf einige Romantiker (z. B.
auf E. T. A. Hoffmann und August Klingemann, den
Verfasser der *Nachtwachen*) oder Teile seiner aus der Vorlesung bekannten physikalischen Gedanken (z. B. auf Ritter,
Novalis, vielleicht Franz von Baader). Wir haben es bei ihm
mit dem seltsamen und seltenen Fall zu tun, daß ein Autor
von der Nachwelt wegen anderer Texte geschätzt wird als
von seinen Zeitgenossen, die von jenen Texten kaum oder
gar keine Ahnung hatten. Dies sind die rund 1600 überlieferten Briefe dieses »Caesars im Briefschreiben« (an Hollenberg, 25. Mai 1783); geschrieben hat er wenigstens 6–8000.
Seine Korrespondenz mit über 450 Briefpartnern reichte
über ganz Europa. Mit ihr wurde er zu einem Klassiker des
deutschen Briefs. Er nutzte nicht allein die Möglichkeiten
der Gattung durch das Eingehen auf den Korrespondenten
voll aus, sondern er sucht auch unter den Zeitgenossen
seinesgleichen hinsichtlich Ausdruckskraft, Wortwitz und
Formulierungsschärfe des Beobachteten, hinsichtlich Bilderkraft und Fähigkeit, fremdes Wortmaterial sich anzuver-
wandeln. Neben bedeutenden Darstellungen philosophischer Sachverhalte und glänzenden Parodien begegnen hier
erschütternde Äußerungen seiner innersten Empfindungen.

Und es sind vor allem seine Notizen, die unmittelbar nach seinem Tod in ausgewählten Stücken veröffentlicht wurden. Sie wurden nach dem Vorgang von Hebbel 1849, Ebeling 1869 und Nietzsche 1873 etwa seit 1890 allgemein »Aphorismen« benannt und sind unter diesem Rubrum heute wohl als einziger Bestandteil seines Werks allgemein bekannt.

Dreieinhalb Jahrzehnte hindurch (seit mindestens 1764) zeichnete er sich regelmäßig Gelegenheitsbemerkungen auf, mit denen Ludwig Christian Lichtenberg die postume Edition der *Vermischten Schriften* (1800–06) des jüngeren Bruders eröffnete. Vollständig (sie sind noch zu etwa 60 % im Original überliefert) wurden sie jedoch erst 1902–08 und 1969 publiziert; heute kennen wir anderthalb tausend Druckseiten davon. Sie bilden eine Melange aus Lesefrüchten und Exzerpten (darunter bloße Witze, Anekdoten und Kuriositäten); fremden und (öfter) eigenen, oder doch sprachlich angeeigneten, witzigen und paradoxen Formulierungen, Metaphern, Wortspielen; schließlich zahlreichen nachdenklichen Einfällen und selbstanweisenden Überlegungen, auch naturwissenschaftlich-philosophischen Fragen und Betrachtungen aus allen Bereichen des Lebens und Geistes. Nur die Schreibbücher sind es, die sie vereinigen: Merkbücher, die zunächst noch ganz in der Tradition der ›Florilegien‹ und ›Adagien‹ humanistischer Rhetoriker standen, dann aber geprägt sind vom Bekenntnisbuch der (wenn auch weit entrückten) pietistischen Vorfahren Lichtenbergs und entschiedener verpflichtet schließlich dem eigenen Beobachtungsbuch als eines Astronomen und Experimentalphysikers. Er benutzte dazu (neben kleinen und zum Teil selbstgenähten Notizheften) vom Buchbinder angefertigte Halblederbände in Handschriften-Folio oder -Quart und füllte sie später, als sein Verfahren sich perfektioniert hatte, von vorn beginnend arabisch paginiert mit den allgemeinen Notizen, denen er von hinten gleichzeitig (römisch gezählt) die naturwissenschaftlichen Eintragungen entgegenlaufen ließ – ungefähr in der Mitte dann trafen sich die beiden

Abteilungen. Das ist mehr als bloßer Zufall; sein Anliegen war noch, die schon damals zerfallene Einheit der Wissenschaft zu restituieren, die beiden Kulturen zusammenzuhalten. Und sein philosophisches Denken ebenso wie seine feinen Beobachtungen sind zutiefst der Methode und dem Denken des Naturwissenschaftlers verpflichtet: »Aufklärung aus dem Geist der Experimentalphysik« (Schöne).

Mit den Eintragungen in diesen »Sudelbüchern« (E 46 und auf dem Titel von F), wie er sie einige Male bezeichnete (auch bildet er die Ausdrücke »Gedankenbuch«, D 363, »Hausbuch«, an Amelung am 24. März 1786, und »Exzerpten-Buch Sparbüchse«, J 471), mit diesen »Pfennigs Wahrheiten« (F 1219) zeigt er sich als einer der schärfsten Beobachter und als originellster Kopf seiner Zeit, als Philosoph (nicht zuletzt, weil er auch hier die eigene ›antisystematische‹ Art zu denken demonstriert und lehrt, ›Wahrheit zu finden‹), als Meister der Sprache und Begründer des deutschen Aphorismus, als dessen Vater man ihn zu Unrecht gern bezeichnet hat. Denn mit den nachfolgenden Fragmenten der Romantiker, Goethes *Maximen und Reflexionen*, Jochmanns *Erfahrungsfrüchten* und Seumes *Apokryphen* haben die Lichtenbergischen nichts zu tun.

Den Begriff ›Aphorismus‹ hat Lichtenberg selbst ganz anders verstanden, nämlich traditionell im Sinne eines kurzen, zumeist naturwissenschaftlichen Lehrsatzes; der Ausdruck begegnet fünf- oder sechsmal bei ihm, und nie auf jene Texte angewandt, die man dann so genannt hat. Auch steht er keineswegs – wie behauptet wurde – in der Tradition der französischen Moralistik, der Vauvenargues, La Rochefoucauld oder Chamfort, des »berühmten witzigen Kopfs« (K 130), oder Montaignes, den er gelesen und sehr geschätzt hatte, jedoch nicht seiner Form wegen: die war Lichtenberg zu wenig brillant. Gewiß lassen sich indessen ›Blüten deutscher Aphoristik‹ aus seinen Sudelbüchern isolieren (selbst nach einer so überzeugend engen Klassifikation wie der Harald Frickes), und dieses Schicksal hat ja denn auch sein

Werk, begünstigt durch seine Meisterschaft in der kleinen Form, erfahren – indem es überwiegend in handlichen Anthologien aus seinen Sudelbüchern verbreitet ist, die wahrhaftig das Ganze kaum auch nur zu ahnen erlauben.

Bibliographische Hinweise

Vermischte Schriften. 9 Bde. Hrsg. von L. Ch. Lichtenberg und F. Kries. Göttingen 1800–06. [Die Bde. 6–9 enthalten die größtenteils später nicht mehr gedruckten physikalischen und mathematischen Schriften.]

Vermischte Schriften. Neue vermehrte, von den Söhnen veranstaltete Originalausgabe. 14 Bde. Göttingen 1844–53. [Bd. 1–2: Auszüge aus den Sudelbüchern; Bd. 3–6: zu Lebzeiten gedruckte Schriften; Bd. 7–8: die erste Briefausgabe; Bd. 9–14: die Hogarth-Erklärung.]

Aus Lichtenbergs Nachlaß. Aufsätze, Gedichte, Tagebuchblätter, Briefe. Hrsg. von A. Leitzmann. Weimar 1899.

Aphorismen. 5 Hefte. Nach den Handschriften hrsg. von A. Leitzmann. Berlin 1902–08.

Schriften und Briefe. 4 Bde., [bisher] 1 Komm.-Bd. Hrsg. von W. Promies. München 1967 ff. [Zählung der Sudelbücher nach dieser Ausg.]

Briefe. 3 Bde. Hrsg. von A. Leitzmann und C. Schüddekopf. Hildesheim 1966. (Nachdr. der Ausg. Leipzig 1901–04.)

Briefwechsel. 5 Bde. Hrsg. von U. Joost und A. Schöne. München 1983 ff.

Photorin. Zeitschrift der Lichtenberg-Gesellschaft 1–12 (1976–87).

Lichtenberg-Jahrbuch. Jg. 1 ff. 1988 ff.

Deneke, O.: Lichtenbergs Leben. Bd. 1. München 1944. [Mehr nicht ersch.]

Gockel, H.: Individualisiertes Sprechen. Berlin / New York 1973.

Hahn, P.: Georg Christoph Lichtenberg und die exakten Wissenschaften. Göttingen 1927.

Jung, R.: Lichtenberg-Literatur. Heidelberg 1972.

Kleineibst, R.: G. Ch. Lichtenberg in seiner Stellung zur deutschen Literatur. Straßburg 1915.

Lauchert, F.: G. Chr. Lichtenberg's schriftstellerische Thätigkeit in chronologischer Uebersicht dargestellt. Göttingen 1893.

Mautner, F. H.: Lichtenberg. Geschichte seines Geistes. Berlin / New York 1968.

Promies, W.: Georg Christoph Lichtenberg in Selbstzeugnissen und Bilddokumenten. Reinbek bei Hamburg [3]1987.

Proß, W. / Priesner, C.: Lichtenberg. In: Neue Deutsche Biographie. Bd. 14. München 1985. S. 449–464. [Vorzügliche u. a. geistesgeschichtliche Positionsbestimmung.]

Requadt, P.: Lichtenberg. Stuttgart [2]1964. – Zuerst 1948.

Schöne, A.: Aufklärung aus dem Geist der Experimentalphysik. Lichtenbergs Konjunktive. München 1983. [2]1984.

FRIEDRICH HEINRICH JACOBI

Von Friedrich Vollhardt

Mit der Forschung zur Empfindsamkeit im 18. Jahrhundert hat sich auch das Bild des philosophischen Schriftstellers Jacobi gewandelt, der in den Literaturgeschichten der Goethezeit zumeist nur als Verfasser epigonaler Briefromane Erwähnung gefunden hatte. Da von ihm eine umfangreiche Korrespondenz mit fast allen bedeutenden Autoren der Zeit erhalten ist, galt sein literarisches Lebenswerk als Zeugnis einer die intime (Selbst-)Aussprache suchenden ›Gefühlskultur‹. In sozialgeschichtlicher Perspektive ist diese mit seinem Namen verbundene Tendenz der Empfindsamkeit umfassend untersucht und neu gedeutet worden, nicht als Flucht in die unpolitische Privatheit eines Freundschaftskultes, sondern als nach ›innen gewendete‹ Aufklärung und damit als Teil der bürgerlichen Emanzipationsbestrebungen. Doch diese für die Literatur der Aufklärung kennzeichnende Reflexion über die sittliche Natur des Menschen, deren Ziel – und Anspruch – die Erziehung zu humaner Vollkommenheit ist, schlägt im letzten Viertel des 18. Jahrhunderts in Selbstkritik um: die altruistischen Tugendideale sehen sich mit einem Verlangen nach individueller Erfüllung konfrontiert, das die unter einer empfindsamen Sprache verborgenen Forderungen nach Selbstdisziplinierung und Affektkontrolle bewußt macht und zugleich in Frage stellt. Ihren literarischen Ausdruck findet diese Opposition zur bürgerlichen Denk- und Lebenshaltung in Goethes *Die Leiden des jungen Werthers* (1774), in dessen Nachfolge Jacobi seine Romane *Eduard Allwills Papiere*

(1775–76; eine umfangreichere Buchausgabe erschien 1792 unter dem Titel *Allwills Briefsammlung*) und *Woldemar. Eine Seltenheit aus der Naturgeschichte* (1779) entwirft. Die Erfahrungen der Werther-Debatte sind in sie ebenso eingegangen wie der – in sich als problematisch erkannte – Moralbegriff der Empfindsamkeit. Obwohl die Hauptpersonen der beiden Romane im Vertrauen auf die ›natürliche Wahrheit‹ ihres Gefühls scheitern, wird das mit ihm verbundene Selbstverständnis sittlicher Vorbildlichkeit dennoch aufrechterhalten. Vor allem gegenüber der »albernen Hoffarth« des Adels und der leeren Etikette des Hofes, über die sich Jacobi in so provozierender Weise äußert, daß Wieland, mit dem zusammen er den *Teutschen Merkur* herausgibt (wo auch die erste Fassung des *Allwill* erscheint), sich zu einem zensierenden Eingriff genötigt sieht: »In Deinen letzten Allwill's-Papieren werde ich mit Deiner Erlaubniß einige garstige Zeilen über den Dienst großer Herren wegstreichen« (14. Juli 1776).

Nicht weniger kritisch schildert Jacobi das den starren Konventionen entgegengesetzte Extrem einer schwärmerischen Sentimentalität. Die Werther-Figuren seiner Romane erweisen sich als unfähig zu verantwortlichem gesellschaftlichen Handeln, für das sie ihr ›Gefühl‹ eigentlich disponieren sollte.

Die beiden Individualisten Allwill (ein sprechender Name, mit dem Jacobi auf den Geniebegriff des Sturm und Drang anspielt) und Woldemar (nach der Figur des Herrn von Wolmar aus Rousseaus *Julie ou la Nouvelle Héloïse* von 1761, dem neben Goethes *Werther* wichtigsten literarischen Vorbild der Romane Jacobis) treten jeweils von außen in einen Kreis ›empfindsamer Seelen‹. Durch ihr Verhalten oder vielmehr durch ihre bloße Anwesenheit geben sie Gelegenheit zu vielfältigen Freundschafts- und Liebesbeteuerungen und der Mitteilung von Gefühlen und Stimmungen, die für die in einem engen Familienverhältnis lebenden Personen wiederum Anlaß zur Selbstbeobachtung sind. Bei seinem

Friedrich Heinrich Jacobi
1743–1819

ersten schriftstellerischen Versuch bedient sich Jacobi der
für eine polyperspektivische Darstellung besonders geeigne-
ten Form des Briefromans. Virtuos spielt er in den verschiedenen Vorreden mit dem Bericht eines »Herausgebers«, der
mit Andeutungen über sein Verhältnis zu dem ursprünglichen »Besitzer« bzw. »Verfasser« der Briefe gewisse Unge-
reimtheiten gegenüber dem Leser entschuldigt und damit
um so nachdrücklicher eine Stellungnahme zu dem in seiner
Fiktionalität enthüllten Text fordert.

Zwei Erzählstränge stehen im *Allwill* nebeneinander. Die
junge Witwe Sylli schreibt an ihren Schwager Clerdon über
ihren Hang zur Melancholie, der sich aus unverschuldetem
Unglück erklärt. Mit zärtlichem Trost wird sie von der
mütterlichen Amalia, der Frau Clerdons, in die harmonische
Welt der Empfindsamen zurückgeführt. Anders verhält sich
dagegen der jugendliche Allwill, dessen unbeherrschte, sich
selbst ästhetisierende Leidenschaft das sympathetische Fühlen zerstört (*Werke* I, S. 178):

> Der ganze Mensch, seinem sittlichen Theile nach, ist
> P o e s i e geworden; und es kann dahin mit ihm kom-
> men, daß er alle Wahrheit verliert, und keine ehrliche
> Faser an ihm bleibt. Die Vollkommenheit dieses
> Zustandes ist ein eigentlicher Mysticismus der Geset-
> zesfeindschaft, und ein Quietismus der Unsittlich-
> keit.

Die Geniekritik erscheint als das wirkungsvollste Mittel, die
Empfindsamkeit über ihren moralischen Wert aufzuklären.
Die Figur des »ruchlosen« Libertins, bei dem »Gedanke«
und »Gefühl« sich nicht die Waage halten, soll die immanente Gefahr einer Berufung auf »Natur« und »Sinnlichkeit«
aufzeigen; Jean Paul gibt sie die Anregung zur Gestalt des
Roquairol im *Titan* (1800–03).

Einen exklusiven Zirkel von Seelenfreunden beschreibt
auch der zweite Roman. Der »Geruch« des Buches, seine
moralische »Prätension«, war für den mit Jacobi befreunde-

ten Goethe derart unerträglich, daß er den im Werk zur Schau gestellten Gefühlskult vor einer im Ettersburger Park versammelten Hofgesellschaft parodierte (*Geheime Nachrichten | Von den letzten Stunden | Woldemars | Eines berüchtigten Freygeistes. | Und wie ihn der Satan halb gequetscht, und dann in Gegenwart seiner Geliebten, unter deren Gewinsel zur Hölle gebracht,* 1779) und ein Exemplar des *Woldemar* mit den Einbanddecken an einen Baum nagelte. Diese »Kreuzerhöhung« des empfindsamen Romans hat seine Freundschaft mit Jacobi verständlicherweise getrübt. Dabei hatte der Autor nur einen zweiten, in der literarischen Ausführung allerdings kaum bedeutenderen Versuch unternommen, jene Grenzen der Empfindsamkeit zu bestimmen, die Goethe dann drastisch markiert hat. Im Zusammenhang mit dieser Affäre schreibt Jacobi am 10. November 1779 an Schlosser: »curirt die Leute von der Empfindsamkeit, so werden sie euch mit der Unempfindsamkeit spuken. Ich begreife die gescheidten Leute nicht, die das nicht sehen können, und immer glauben, es läge beim Narren nur an der Kappe.« Woldemar stilisiert sein halb verwandtschaftliches Verhältnis zu Henriette, einem »himmlischen« Mädchen, zu einem Ideal reiner, unerotischer und jeder geschlechtlichen Liebe überlegener »Freundschaft«. Auf Henriettes Rat hin heiratet er sogar deren Freundin Allwina. Das Glück des ménage à trois – eine ähnliche Konstellation findet sich in Rousseaus *Nouvelle Héloïse* und Goethes *Stella* – scheint vollkommen, das empfindsame Verstehen hat die höchste Stufe der Sublimierung erreicht. Doch die Unwahrheit dieses sich nur selbst reflektierenden und in der vermeintlichen Auserwähltheit genießenden Gefühls (der »große Haufe der Menschen« wird beiläufig als »eigensüchtig, gewaltthätig, thierisch« charakterisiert) wird in dem Moment greifbar, da Woldemar durch einen falschen Verdacht an der Aufrichtigkeit Henriettes zu zweifeln beginnt »und in Ausbrüche der schwärzesten Melancholie« gerät. Am Schluß wird mit der Sicherheit des

eigenen Gefühls auch die Grundüberzeugung der Empfind
samkeit in Frage gestellt, daß es nämlich ein interesseloses
sowohl von religiösen wie ständespezifischen Normen eman
zipiertes, allein einem natürlichen ›moralischen Sinn‹ ge
horchendes Handeln des Menschen geben könne: »liegt d.
wohl je würkliche Sympathie zum Grunde; ist da je eigent
liche Liebe?«

Ob sich das Dasein eines solchen »uneigennützigen Trie
bes, einer reinen Liebe« (F. Schlegel) enthüllen lasse, ist ein
der Grundfragen auch der späteren Schriften Jacobis. Da
empfindsame Ideal verlangt nach einem Ausgleich vor
›Sinnlichkeit‹ und ›Verstand‹ – kulturkritischen Antithesen
wie sie sich in theoretischen Abhandlungen der Spätaufklä
rung häufig finden –, welcher sich zwischen den genannte
Extremen von adliger Konvenienz und haltlosem Genieen
thusiasmus nur vage umschreiben, d. h. allenfalls negativ
bestimmen läßt. Entsprechend zweideutig bleiben auch di
geschilderten Charaktere. »Es ist mir«, schreibt Hamann ar
12. August 1782 an Jacobi über dessen *Woldemar*, »eben so
schwer geworden, ihn in seine Bestandtheile aufzulösen, al
Ihnen vermuthlich, sein Ganzes zusammen zu setzen.« Un
Jacobi antwortet am 16. Juni 1783:

> meine Absicht bey Woldemar wie bey Allwill ist
> allein diese: Menschheit wie sie ist, begreiflich oder
> unbegreiflich, auf das gewissenhafteste vor Augen zu
> legen. [...] Nach meinem Urtheil ist das größeste
> Verdienst des Forschers, Daseyn zu enthüllen. Er-
> klärung ist ihm Mittel, Weg zum Ziele, n ä c h s t e r,
> niemals l e t z t e r Zweck. Sein letzter Zweck ist, was
> sich nicht erklären läßt, das Einfache, das Unauflös-
> liche.

In den *Vorbereitenden Sätzen* zu einer späteren Ausgab
seiner Briefe *Ueber die Lehre des Spinoza, [...] an Herr*
Moses Mendelssohn (1785) bezeichnet er dieses »Unauflösli
che« als das »Θεῖον im Menschen; und die Ehrfurcht vo

diesem Göttlichen, ist was aller Tugend, allem Ehrge-
fühl zum Grunde liegt«.

In dem berühmt gewordenen Gespräch über die Philosophie Spinozas, das Jacobi mit Lessing 1780 in Wolfenbüttel
geführt und nach dessen Tod veröffentlicht hat, benutzt er
die Metapher eines im Glauben Halt findenden »Salto mor-
tale«, um an dem für ihn evidenten ›anthropotheistischen‹
Prinzip festhalten zu können. Seinen zeitgenössischen Kritikern erschien dies als hilfloser Irrationalismus, als Sprung
»in den Abgrund der göttlichen Barmherzigkeit«, wie Friedrich Schlegel in einer Rezension des Woldemar (1796)
urteilte. Erst die neuere Forschung hat in der Denkfigur
Jacobis eine konsequente Antwort auf die sensualistische
Forderung nach einem Kriterium rationaler Argumentation
erkannt, das in der ›unmittelbaren‹ Wahrnehmung des
Gegebenen – und sei dies ein subjektives Empfindungsda-
tum – zu bestehen hat; eine frühe Begegnung mit der
Philosophie der französischen Enzyklopädisten hat sich hier
als prägend für Jacobis gesamtes Werk erwiesen.

Am 25. Januar 1743 ist Jacobi als Sohn eines wohlhabenden
Kaufmanns in Düsseldorf geboren worden. Von seinem
Vater wird er zur Übernahme des Handelshauses bestimmt.
Eine 1759 in Frankfurt a. M. begonnene Lehre setzt er in
Genf fort, wo er sich allerdings mehr philosophischen als
ökonomischen Studien widmet. Unter Anleitung des Ma-
thematikers Georges Louis Lesage lernt er die zeitgenös-
sische Schulphilosophie und die Schriften Bonnets, Rous-
seaus, Voltaires und später die englische Aufklärungsphiloso-
phie kennen. Nach der Rückkehr aus Genf tritt er 1764 sein
Erbe an und zieht mit seiner Frau Betty von Clermont auf das
Landgut Pempelfort bei Düsseldorf, das bald zu einem
Zentrum des intellektuellen Gesprächs wird, wo Heinse,
Wieland und Goethe, die Brüder Humboldt, Hemsterhuis
und Forster verkehren. 1779 wird Jacobi als finanzpoliti-
scher Berater in das bayerische Innenministerium berufen,

kurze Zeit später jedoch wieder entlassen, da er in zwei
Streitschriften das bayerische Zollwesen im Sinne der Frei-
handelslehre kritisiert. Als Geheimrat kehrt er nach Pempelfort zurück, wo er als Privatgelehrter bis zum Tod seiner
Frau und eines Sohnes (1784) zunächst ruhige Jahre verlebt,
die dann 1794 mit der Flucht vor den französischen Revolu-
tionstruppen aus Pempelfort zu Freunden nach Eutin enden.

Aufmerksam verfolgt Jacobi in diesen Jahren die Entwicklung der idealistischen Philosophie in Deutschland, die er in
einer Reihe von Schriften kommentiert (*David Hume über
den Glauben, oder Idealismus und Realismus. Ein Gespräch*,
1787; *Jacobi an Fichte*, 1799; *Ueber das Unternehmen des
Kriticismus, die Vernunft zu Verstande zu bringen, und der
Philosophie überhaupt eine neue Absicht zu geben*, 1802;
*Friedrich Heinrich Jacobi von den Göttlichen Dingen und
ihrer Offenbarung*, 1811). In ihrer Wirkung bleibt seine
Idealismuskritik jedoch hinter den *Spinozabriefen* zurück,
deren Einfluß auf die Tübinger Stiftler (Hegel, Hölderlin,
Schelling) und die Jenaer Romantik (Novalis, Schleiermacher, F. und A. W. Schlegel) kaum überschätzt werden kann
– paradox genug, da Jacobi dem pantheistischen Denker
nicht zum Durchbruch verhelfen, sondern umgekehrt seine
»fatalistischen« Konsequenzen aufzeigen wollte. In einer
späteren Ergänzung seines *Allwill*-Romans (*Zugabe. An
Erhard O**, 1792) versucht er dem Leser vor Augen zu
führen, daß mit der Annahme der spinozistischen Kategorie
der ›conservatio sui‹, einer allein auf die Selbsterhaltung
gerichteten amoralischen Triebnatur des Menschen, notwendig auch die Vorstellung einer in sich völlig determinier-
ten Natur verbunden ist, das Schreckbild »jenes ewig ver-
schlingenden, ewig wiederkäuenden Ungeheuers, welches
Werthern erschien«. Die Nihilismus-Metaphern Jacobis sind
in das Epochenbewußtsein eingegangen und haben Autoren
wie Jean Paul und der ihm nachfolgenden Generation als
Bildervorrat gedient. Außerhalb der Literatur ist die Philosophie Jacobis weniger produktiv aufgenommen worden. Er

wird zwar zum Präsidenten der Bayerischen Akademie der
Wissenschaften ernannt (*Ueber gelehrte Gesellschaften,
ihren Geist und Zweck*, Eröffnungsansprache 1807), aber
eine philosophische Kontroverse mit Schelling führt 1812 zu
seiner Versetzung in den Ruhestand. Seine letzten Lebensjahre verbringt Jacobi als geachtetes Akademiemitglied in
München, wo er am 10. März 1819 gestorben ist.

Bibliographische Hinweise

Werke. 6 Bde. Darmstadt 1968. (Nachdr. der Ausg. Leipzig
   1812–25.)
Briefwechsel. Gesamtausgabe. Bd. 1 ff. Hrsg. von M. Brüggen und
   S. Sudhoff. Stuttgart-Bad Cannstatt 1981 ff.
Allwill. Hrsg. von J. U. Terpstra. Groningen/Djakarta 1957. [Hist.-
   krit. Ausg.]
Eduard Allwills Papiere. Faks.-Dr. der erw. Fass. von 1776 aus Chr.
   M. Wielands »Teutschem Merkur«. Mit einem Nachw. von H.
   Nicolai. Stuttgart 1962.
Woldemar. Mit einem Nachw. hrsg. von H. Nicolai. Stuttgart 1969.
   (Nachdr. der Ausg. Flensburg/Leipzig 1779.)
Die Hauptschriften zum Pantheismusstreit zwischen Jacobi und
   Mendelssohn. Hrsg. von H. Scholz. Berlin 1916.

Friedrich Heinrich Jacobi. Philosoph und Literat der Goethezeit.
   Hrsg. von K. Hammacher. Frankfurt a. M. 1971.
Baum, G.: Vernunft und Erkenntnis. Die Philosophie Friedrich
   Heinrich Jacobis. Bonn 1969.
Hammacher, K.: Kritik und Leben. Bd. 2: Die Philosophie Fried-
   rich Heinrich Jacobis. München 1969.
Herms, E.: Selbsterkenntnis und Metaphysik in den philosophi-
   schen Hauptschriften Friedrich Heinrich Jacobis. In: Archiv für
   Geschichte der Philosophie 58 (1976) S. 121–163.
Homann, K.: Friedrich Heinrich Jacobis Philosophie der Freiheit.
   Freiburg i. B. / München 1973.
Horst, Th.: Konfigurationen des unglücklichen Bewußtseins. Zur

Theorie der Subjektivität bei Jacobi und Schleiermacher. In: Poetische Autonomie? Zur Wechselwirkung von Dichtung und Philosophie in der Epoche Goethes und Hölderlins. Hrsg. von H.
Bachmaier und Th. Rentsch. Stuttgart 1987. S. 185–206.

Kurz, G.: Empfindsame Geselligkeit. Die Bedeutung von »Freundschaft« und »Liebe« in Jacobis Werk. In: Düsseldorf in der
deutschen Geistesgeschichte (1750–1850). Hrsg. von G. K. Düsseldorf 1984. S. 109–119.

Müller-Lauter, W.: Nihilismus als Konsequenz des Idealismus.
Friedrich Heinrich Jacobis Kritik an der Transzendentalphiloso-
phie und ihre philosophiegeschichtlichen Folgen. In: Denken im
Schatten des Nihilismus. Festschrift für Wilhelm Weischedel.
Hrsg. von A. Schwan. Darmstadt 1975. S. 113–163.

Nicolai, H.: Goethe und Jacobi. Studien zur Geschichte ihrer
Freundschaft. Stuttgart 1965.

Olivetti, M. M.: L'esito »teologico« della filosofia del linguaggio di
Jacobi. Padua 1970.

Sauder, G.: »Bürgerliche« Empfindsamkeit? In: Bürger und Bürgerlichkeit im Zeitalter der Aufklärung. Hrsg. von R. Vierhaus.
Heidelberg 1981. S. 149–164.

Timm, H.: Gott und die Freiheit. Studien zur Religionsphilosophie
der Goethezeit. Bd. 1: Die Spinozarenaissance. Frankfurt a. M.
1974. S. 135–225.

Verra, V.: Friedrich Heinrich Jacobi. Dall'illuminismo all'idea-
lismo. Turin 1963.

Johann Gottwerth Müller
(genannt Müller von Itzehoe)

Von Alexander Ritter

Mit dem Kompliment, er trage »in dem kleinen Itzehoe ein gantzes London im Kopf« und schaue von seinem »geringen Wohnort so tief und so richtig in die Welt«, weist Lichtenberg 1794 sowohl auf die literarische Leistung als auch auf die poetischen Grenzen des populären Schriftstellers und Itzehoer Freundes Müller hin.

Für seine Biographie sind vor allem Hamburg (Erziehung im Geiste der Aufklärung), Magdeburg (Berufsfindung als Literat und Buchhändler) und Itzehoe (Existenz als Aufklärer und freier Schriftsteller) wichtige Stationen. Der Arztsohn Johann Gottwerth Müller, geboren am 17. Mai 1743, wächst in hanseatisch-bildungsbürgerlicher Familie auf, zu deren gesellschaftlichem Umgang innerhalb der lokalen ›Gelehrtenrepublik‹ Erdmann Neumeister (Müllers Großvater, Wortführer der orthodoxen lutherischen Kirche), Peter Carpser (renommierter Arzt, Mitbegründer der ersten Loge auf dem Kontinent 1737), Friedrich von Hagedorn (Schriftsteller, mit Brockes geistiger Führer der Aufklärung), Konrad Ekhof (›Vater der deutschen Schauspielkunst‹) zählen.

Dem Bekanntenkreis des Medizinstudenten in Helmstedt (ab 1762) gehört auch der Verlagsbuchhändler D. C. Hechtel an. Ihm folgt Müller 1770, ohne Examensabschluß, nach Magdeburg (Ehe mit dessen Tochter Johanna 1771). Er beschäftigt sich mit Verlagsarbeit und Buchhandel, mit seiner Moralischen Wochenschrift *Der Deutsche* (1771–76),

der anonymen Publikation zahlreicher Arbeiten und knüpft
Freundschaften u. a. zu dem Berliner Aufklärer Friedrich
Nicolai.

Das Zerwürfnis mit Hechtel und der Bankrott seines
Verlagsbuchhandels in Hamburg (1773) lassen ihn in das
holsteinische Itzehoe – zu dieser Zeit ein Städtchen mit ca.
3700 Einwohnern – ziehen, das – bei liberaler dänischer
Innenpolitik – für seine Berufsabsichten günstige Voraussetzungen bietet: es gibt weder Buchhandel noch Verlag, keine
Zeitung, aber die Vorteile eines Dienstleistungszentrums
und eine gebildete Oberschicht. Er macht einträgliche Buch-
geschäfte; jedoch hohe Schulden (1777: 330 Reichstaler),
Honorarverluste durch Raubdrucke, eine bis 1792 auf zehn
Personen angewachsene Familie und labile Gesundheit
zwingen Müller in den achtziger Jahren, sich aufs Schreiben
zu konzentrieren. Trotzdem wird die Not so groß, daß
Friedrich Graf zu Rantzau Mietfreiheit verfügt und der
dänische König Friedrich VI. ab 1796 eine Pension von 200
Reichstalern (ab 1803: 400 Reichstaler) gewährt. Der vielge-
lesene Autor bleibt bis zu seinem Tod am 23. Juni 1828 dem
Literaturleben fern, führt aber eine ausgedehnte Korrespondenz u. a. mit Eschenburg, dem Freiherrn von Knigge,
Lichtenberg, August Gottlieb Meißner, Friedrich Nicolai.

Müllers Leben ist der beispielhaft frühe Versuch des bürgerlichen Literaten, im Glauben an die emanzipatorische Leistung der Aufklärung durchs Wort das literarische Leben zu
fördern und Öffentlichkeit herstellen zu können, wozu er
alle Vermittlungsformen nutzt: die des ›freien Schriftstellers‹
(Romanautor, Zeitschriftenverfasser, Herausgeber, Übersetzer, Briefschreiber), des berufspolitischen Anwalts (Au-
torenrecht), Geschäftsmannes (Verleger, Buchhändler), des
gelehrten Lesers wie Lehrers (Büchersammler, Lesegesell-
schaftsleiter, Leihbibliothekar).

Der ›freie Schriftsteller‹ Müller, welcher »unabhängig von
jeder Parthey, von jedem Klubb, seine eigene Feder in sein

Johann Gottwerth Müller
1743–1828

eigene Dinte taucht« (*Siegfried von Lindenberg* III, S. 5
verspricht sich vom Roman eine Stimulierung der Einbi
dungskraft bei den Lesern sämtlicher Stände und die Förde
rung bürgerlich-praktischen Gemeinsinns. Beeinflußt vo
der komisch-realistischen Prosa Fieldings und Smollets, de
Theorie des pragmatischen Romans (Blankenburg/Engel)
den episodisch-biographischen Berichten und Reflexione
der Moralischen Wochenschriften, lehnt Müller den didak
tisch-moralisierenden und idealisierend-empfindsamen Ro
man ab und nimmt für sich in Anspruch, als erster »Mora
list und Satyriker« (*Siegfried von Lindenberg* III, S. 1.
»unserer jetzigen Nation einen originalen Deutschen kom
schen Roman« (Vorrede, S. 37) geschrieben zu haben. D
zusätzliche Orientierung an Lesergeschmack und Buch
markt führt zum Auswechseln von Satire durch Komik, vo
gehobenem durch mittleres Milieu (Landadel/Kleinbürger
tum). Weil Müller in seinem Erziehungsauftrag eine leben
lange Aufgabe sieht, sind für ihn Literaturtheorie und Werk
konzeption seit 1779 in diesem Sinne geregelt, so daß di
Romane eine »norddeutsche comédie humaine des ausge
henden 18. Jahrhunderts« (Kimpel, in: *Johann Gottwert
Müller und die deutsche Spätaufklärung*, S. 83) darstellen.

Müllers erfolgreichster Roman *Siegfried von Lindenber*
(1779; 6. Aufl. 1802; 4 Raubdrucke und Übersetzungen
mit 17 Ausgaben bis 1984, ist aufschlußreicher Beleg sein
Arbeitsweise und Intention. Des Autors gesellschaftskrit
sche Absicht richtet sich auf die zeitgenössischen Verhält
nisse absolutistischer Hofhaltung und kleinstaatlicher Herr
scherallüren, auf Untertanenmentalität bürgerlich-opportu
nistischen Verhaltens und Unmündigseins, auf das Litera
turverständnis von Sturm und Drang und Empfindsamke
Die satirisch gemeinte Komik der Romanhandlung entsteh
indem der Held von niederem Adel, naiv, unwissend, abe
charakterlich gut, der »Edelmann im Pommernlande« Sieg
fried von Lindenberg, den egoistischen, unsinnigen Ra
schlägen des Dorflehrers folgt und Torheiten als Regiere

mißversteht. Die Handlung führt zur vernünftigen Bildung Siegfrieds durch des Lehrers Gegenspieler, die Baronin Elise von Wellenthal, eine schöne Seele, und den bürgerlich-gelehrten Berater, den »braunen Mann«, Vertreter der praktischen Vernunft und Leitfigur der weiteren Romane. Weil das alles exemplarisch-erbaulich gemeint ist, fehlen besondere Raum- und Zeitbezüge, dominiert Detailrealismus, treten die Personen in typisierten Rollen auf, verwendet der kommentierende Erzähler eine Sprachmischung von Hochdeutsch, Dialekt, verballhorntem Latein/Französisch, reflektiert er Dichterexistenz und Kultur (auch Themen wie Plagiat, Raubdruck, Lesergeschmack).

Überzeugt von der Bildung durchs Buch, kauft Müller in 55 Jahren eine der größten Privatbibliotheken Deutschlands zusammen. Der Auktionskatalog von 1829 mit 13 000 Titeln belegt eine für das 18. Jahrhundert fast vollständige Erfassung aller Wissensgebiete. Die Arbeits- und Sammlerbibliothek, die u. a. sämtliche wichtigen Autoren der antiken und französischen Literatur zwischen 1650 und 1800, der deutschen Aufklärung, der englischen satirischen und realistisch-empfindsamen Autoren enthält, beweist des Dichters geistige Bindung an die Aufklärung. Zur weiteren Absicherung seiner finanziellen Unabhängigkeit eröffnet Müller wieder einen Verlag. In 10 Jahren (1773–83) werden 10 Titel verlegt, u. a. *Der Deutsche* (bis 1776), die eigenen Romane *Der Ring* (1777) und *Siegfried von Lindenberg* (1781), die *Geschichte der Sevaramben* (1783), Schriften regionaler Autoren. Die Buchproduktion als Autor und Verleger verbindet Müller mit der Buchverteilung über die Müllersche Buchhandlung (1773–80). Der Unternehmer (Verleger, Agent) betreibt neben der Händlerbelieferung den Stadt-, Versand- und Reisebuchhandel (Schleswig-Holstein und niedersächsische Elbregion) mit einem vermutlich breiten Sortiment. Derselben Absicht, nämlich das Zusammenwachsen von Buch, Leser, Gesellschaft und Öffentlichkeit zu fördern, dient die von ihm eingerichtete Lesegesellschaft (um 1774–80). Diese

Vereinigung – eine der ersten in Europa und die zweite i
Schleswig-Holstein, mit etwa 40 Mitgliedern – ist zeitty
pisch als Männergesellschaft des gebildeten Bürgertums un
verbürgerlichten Adels organisiert.

Müllers literarische Arbeiten erreichen zwar nicht di
Leistung seiner Vorbilder, vermitteln aber der deutsche
Literatur erfolgreich die Form des abgeschwächt satirische
Romans gesellschaftskritischer Belehrung und demonstrie
ren, wie breite Leserschichten der ständischen Zwischenbe
reiche (Landadel, Bürgertum, Landbevölkerung) anzuspre
chen sind. Den literarischen Erfolg, erkennbar an Auflagen
zahl, Raubdrucken, Plagiaten, Übersetzungen und de
Buchbeständen von Leihbibliotheken wie Lesegesellschaf
ten, verdankt Müller seinem popularisierenden Konzept
aber auch der öffentlichen Unterstützung durch Autore
wie Lichtenberg, Meißner, Nicolai und den Maler Danie
Chodowiecki, der seinen *Siegfried*-Roman illustrierte. Di
Literaturgeschichten registrieren besonders den *Siegfrie*
von Lindenberg als wegweisende Leistung des bürgerliche
satirisch-komischen Romans. Neuerdings verstärkt sich di
philologische Zuwendung, indem man Müller als progres
siv-gesellschaftskritischen Verfasser in der Erzähltraditio
komisch-satirischen Erzählens sieht, mit seinen Arbeite
den Beginn einer gehobenen Unterhaltungsliteratur datiert
in ihm neben Nicolai u. a. den charakteristischen Vertrete
der deutschen Spätaufklärung erkennt und an seinem Litera
tenleben den beispielhaften Versuch nachweist, als unabhän
giger Bürger dem Auftrag der Volksaufklärung nachzu
kommen.

Bibliographische Hinweise

Der Bürger von Condom. 1775. – Die Herren von Waldheim. 1784. – Emmerich. 1786–89. – Herr Thomas. 1790–91. – Straußfedern. [Zeitschrift.] 1790–91. – Selim der Glückliche. 1792. – Ueber den Verlagsraub. 1792. – Friedrich Brack. 1793–95. – Sara Reinert. 1796. – Wilhelm Leevend. 1798–1800. – Novantiken. 1799. – Klärchen Wildschütt. 1800. – Antoinette. 1802. – Ferdinand. 1802–09. – Die Familie Benning. 1808.

Siegfried von Lindenberg. Frankfurt a. M. 1971. [Nachdr. der 4. Aufl. 1784. – Zit. als: Siegfried von Lindenberg.]
Siegfried von Lindenberg. Dortmund 1978. [Nachdr. der 1. Aufl. 1779.]
Siegfried von Lindenberg. München 1986. [Gekürzter Text der 5. Aufl. 1790.]

Johann Gottwerth Müller und die deutsche Spätaufklärung. Hrsg. von A. Ritter. Heide 1978. [Mit Forschungsbericht von U. Breth und Bibliographie von D. Lohmeier.]
Johann Gottwerth Müller (Itzehoe). Steinburger Hefte 1. Itzehoe 1981. [Mit Forschungsbericht von A. Ritter, Bibliographie von D. Lohmeier und K. Dohnke.]
Freier Schriftsteller in der europäischen Aufklärung. Johann Gottwerth Müller von Itzehoe. Heide 1986. [Mit Forschungsbericht und Bibliographie von K. Dohnke.]
Schröder, H.: Johann Gottwerth Müller. Itzehoe 1843.

JOHANN KARL WEZEL

Von Gerhard Sauder

Wezel ist einer der ›Schreckensmänner‹ der Aufklärung, die ihre Wiederentdeckung vor allem Arno Schmidt zu verdanken haben. In den letzten Jahren ist ihm ungewöhnliches Interesse zuteil geworden; neue Erkenntnisse zur Biographie und zum Werk erlauben es, Wezel zu den großen Autoren des 18. Jahrhunderts zu zählen. Er hat als philosophischer Schriftsteller und Pädagoge, als Literaturkritiker und Theoretiker, als Satiriker, Dramatiker und Romancier in einem kurzen Zeitraum reichen Schaffens ein eigentümliches und in vielerlei Hinsicht erstaunliches Werk geschrieben.

Wezel wurde am 31. Oktober 1747 in Sondershausen (Thüringen) als Sohn eines fürstlichen Reisemundkochs geboren. Seine Mutter war die Tochter eines fürstlichen Silberdieners. Die Vermutung, das Kind sei ein illegitimer Sproß des Fürsten Heinrich I. von Schwarzburg-Sondershausen gewesen, ließ sich durch Aktenfunde bislang nicht bestätigen. Von 1758/59 an besuchte Wezel das Gymnasium in Sondershausen, wo er durch den Superintendenten Nicolaus Dietrich Giesecke gefördert wurde. Am 8. Mai 1765 immatrikulierte er sich an der Universität Leipzig und studierte Theologie. Bald wechselte er jedoch zur Jurisprudenz, später zu Philosophie, Philologie und den ›schönen Wissenschaften‹ über. Giesecke hat ihn seinem Freund Gellert empfohlen, bei dem er eine Dachkammer bewohnte – 1767/1768 war auch Garve Gellerts Hausgenosse! 1769 nahm Wezel eine

Herrmann und Ulrike.

Dritter Band.

S. 127.

Leipzig, in der Dykischen Buchh.

1780.

Titelblatt von Wezels »Herrmann und Ulrike«, 1780

Hofmeisterstelle bei dem Bautzener Amtshauptmann Johann Wilhelm Traugott von Schönberg an.

Für kürzere Zeit arbeitete Wezel seit 1775 (?) in Berlin als Hofmeister des Ministers Ernst Friedemann von Münchhausen. Eine Bildungsreise mit dessen fünfzehnjährigem Sohn ist anzunehmen. Von der zweiten Hälfte der siebziger Jahre an wagte es Wezel, seinen Lebensunterhalt als freier Schriftsteller in Leipzig zu bestreiten. Dort hatte er Freunde und Verleger. Er scheint mehrere Reisen unternommen zu haben. Vermutlich Ende 1781 fuhr er nach Wien und versuchte am Hof Josephs II. und am Nationaltheater zu wirken. Doch kamen die erhofften Beziehungen nicht zustande. Seit 1784 lebte er wieder in Leipzig, wo es immer häufiger zu Auseinandersetzungen mit der Zensur kam. 1788 bewarb er sich in finanzieller Bedrängnis erfolglos um eine Stelle am Dessauer Philanthropin. 1789 zog sich Wezel nach Sondershausen zurück, von wo er gelegentlich noch Reisen unternahm. Seit 1793 scheint er seine Heimatstadt nicht mehr selbständig verlassen zu haben. Eine von ihm durchaus wahrgenommene Übernervosität und wachsende Depression hat er wohl durch das Studium medizinischer Literatur anfangs selbst zu kurieren versucht. Wegen seines auffälligen Verhaltens wurde von Beamten am Hof des Fürsten von Schwarzburg-Sondershausen bald das Stigma vom »wahnsinnigen« Wezel in Umlauf gebracht. August von Blumröder hat sich durch die Verzeichnung des Wezel-Bildes besonders hervorgetan. Wezel war immer bei Hofbediensteten untergebracht – zunächst bei dem Silberdiener Bähr, seit 1811 bei dem Hoffriseur Schmidt. Nach einer durch öffentlichen Aufruf zustande gekommenen Geldsammlung für den »unglücklichen Wezel« wurde er Mitte Juli 1800 unter Aufsicht eines Unteroffiziers nach Hamburg gebracht, wo ihn Dr. Samuel Hahnemann kurieren sollte. Am 1. September schon wurde er – nicht als unheilbar – zurückgeschickt; der Arzt mußte Hamburg aus finanziellen Gründen verlassen und konnte seinen Patienten, den er zunächst elf Tage in ein dunkles Zimmer gesperrt hatte, nicht weiter behandeln. Wezels Krankheit scheint sich zeitweise gebessert zu haben. Nach der Umquartierung 1811 wurde er gut versorgt und besuchte sogar Konzerte. Am 28. Januar 1819 starb er an »Krämpfen und Schwäche«. Er erhielt ein Armenbegräbnis. Der Pfarrer fügte seinem Eintrag im Kirchenbuch hinzu: »einer der vorzüglichsten Schriftsteller Deutschlands«.

Die spezifische Prägung seines Denkens erfuhr Wezel durch frühe Lektüre von Lockes *Essay on Human Understanding* während der Leipziger Studentenzeit. Locke habe in seinem »Kopfe ein Licht« angezündet, als ob er vorher nur geträumt habe. Die Enttäuschung über Leibniz – das sei Theologie, aber keine Philosophie – und die Schüler von Wolff und Crusius führte ihn immer intensiver zu selbständigem Denken: Erfahrung, Beobachtung, Reflexion und Assoziation waren seine Leitbegriffe. In den Beiträgen zu den Dessauischen *Pädagogischen Unterhandlungen* (1778–79), die erst kürzlich wiederentdeckt wurden, finden sich Grundlinien von Wezels Anthropologie, Pädagogik, Philosophie und Dichtung. Darin entwickelte er z. B. eine Rechtfertigung des »Ehrtriebs«, des menschlichen Egoismus. Für Wezel verfolgt die menschliche Natur drei Zwecke: Nutzen, Vergnügen und Ehre, deren Perversion aber zu Schaden, Mißvergnügen und Schande führe. Ziel aller Erziehung müsse es sein, dem Menschen statt unerreichbarer Vollkommenheit eine »realistische Durchsetzungsfähigkeit« zu vermitteln. In seinem theoretischen Hauptwerk, dem *Versuch über die Kenntniß des Menschen* (1784–85), hat Wezel seine philosophische Position noch ausführlicher formuliert und in Richtung auf einen mechanischen Materialismus radikalisiert.

In der Vorbemerkung heißt es: Bei manchen Philosophen sei es wie ein Verbrechen verurteilt worden, »wenn Jemand den mechanischen Veränderungen einigen Einfluß auf Den-

ken und Wollen zuschrieb: sie schrien gleich über Mate-
rialisterey und glaubten, daß die Seele schlechterdings
zu einem Stück Materie, wie Hände und Füße, werden
müßte, wenn man zugäbe, daß materielle Dinge durch Mit-
telursachen etwas über geistige Wirkung vermögen«. Das
Werk, von dem nur 2 von mehreren geplanten Teilen im
Druck erschienen, erhielt durchweg lobende Rezensionen.
Ein 3. Teil, der dem befreundeten Verleger Dyk 1786 vor-
lag, wurde wegen Zensurschwierigkeiten an Wezel zurückgegeben. Er befand sich in seinem Nachlaß und ist verschollen.

Ohne Geringschätzung der *Satirischen Erzählungen* (2
Tle., 1777–78) und der *Lustspiele* (4 Tle., 1778–87) Wezels
besteht Konsens darüber, daß seine wichtigste schriftstellerische Leistung die Romane darstellen. *Tobias Knaut* (4 Bde.,
1773–76) wurde zunächst Wieland oder Herder zugeschrieben – so bedeutsam erschien den Zeitgenossen die Kleinbür-
gerkritik der ersten Bände. Wie so oft distanziert sich Wezel
mit diesem Roman von seinen Vorgängern. Im Gegensatz zu
den Harmonisierungen bei Gellert oder Hermes findet hier
eine Auflösung der individuellen und gesellschaftlichen
Widersprüche nicht statt. Mit der eudämonistischen Lebensphilosophie und dem Perfektibilitätsdenken der optimisti-
schen Aufklärung hat er nichts im Sinne. Den Roman *Belphegor* (2 Tle., 1776) hat man mit Recht als eine der schärfsten Selbstkritiken der späten Aufklärung betrachtet. Der
Untertitel – »oder die wahrscheinlichste Geschichte unter
der Sonne« – richtet sich gegen Wieland. Es ist die Intention
des Romans, die Ohnmacht des ›Helden‹ in allen Situationen
seines Lebensweges darzulegen. Er ist immer Objekt der
Geschichte; die Vernunft ermöglicht offenbar keinen Fortschritt.

In den beiden »Ehestands-Geschichten« von *Peter Marks*
und der *Wilden Betty* (beide 1779) fällt Wezels ›böser‹ Blick
auf unheilvolle kleinbürgerliche, sexuelle und erotische
Komplikationen.

Robinson Krusoe (1779–80) ist vor allem wegen seines zweiten, originellen Teils bedeutsam. Hier geht es um den Niedergang einer Utopie. Die Kritik am feudalabsolutistischen Despotismus ist außerordentlich scharf. Der Gesellschaft, die dem Untergang geweiht ist, eröffnet sich keine Perspektive der Hoffnung. *Herrmann und Ulrike* (4 Bde., 1780) gilt als Wezels konventionellstes, aber auch als sein gelungenstes Werk. Im Sinne dieses »komischen Romans« werden Elemente des Liebes- und Entwicklungsromans in artistischer Erzähltechnik verknüpft. Die Entwicklung der dargestellten Menschen läßt Wezel direkt aus ihrer Erziehung und ihren Erfahrungen in der Welt hervorgehen. Auch sie arbeiten sich an der Widrigkeit der Verhältnisse ab; ein hoher Grad menschlicher Glücksverwirklichung wird nicht erreicht. Der Romanschluß räumt allerdings die Möglichkeit einer Entwicklung ein. In seinem Vorwort hat Wezel einen wesentlichen Beitrag zur Romanpoetik geliefert und den später von Hegel verwendeten Begriff der »bürgerlichen Epopoe« geprägt. Wieland hat in einem Billett an Bertuch den Roman als den besten deutschen bezeichnet, der ihm jemals vor Augen gekommen sei.

Wezel hat sich theoretisch und als Erzähler mehrfach gegen die überzogene Empfindsamkeit, die Empfindelei, gewandt. Sein Roman *Wilhelmine Arend, oder die Gefahren der Empfindsamkeit* (1784) gehört in die Reihe der Warnschriften vor den Auswüchsen der empfindsamen Tendenz. Im Gegensatz zu den intentional vergleichbaren Werken hat Wezel seine Hauptfigur mit physiologischen und psychologischen Erkenntnissen der zeitgenössischen Erfahrungsseelenkunde und Medizin konstruiert, so daß die Empfindelei als Krankheitsbild erkennbar wird. In seinem letzten Roman *Kakerlak* (1784) setzt sich der Erzähler unter anderem parodistisch mit Wielands *Oberon* auseinander. Der anspielungsreiche Roman in Vers und Prosa stellt eine eigenwillige Behandlung des Faust-Stoffes dar, wobei es Wezels Denkstruktur entspricht, daß die Romanhandlung im Kreise ver-

läuft. Auch hier fehlen die satirischen Angriffe auf die Spät
aufklärung nicht.

Die interpretatorische Erschließung von Wezels Werk
wird erst richtig beginnen können, wenn sein Gesamtwerk
vorliegt; eine umfassende Edition wäre notwendig. Johann
Nikolaus Becker, einer von Wezels frühen Biographen,
schrieb über den Kranken: »Der hohe Genius, der in jün
gern Jahren dem deutschen Vaterlande so vortrefflich
Werke geschenket hat, ist keinesweges gelähmt: er reget sich
immer noch mit mächtigen Flügelschlägen.«

Bibliographische Hinweise

Filibert und Theodosia. Ein dramatisches Gedicht. 1772.

Kritische Schriften. [...] 3 Bde. Hrsg., mit einem Nachw. und
    Anm. von A. R. Schmitt. Stuttgart 1971–75. [Mit Bibliographie.]
Lebensgeschichte Tobias Knauts des Weisen, sonst der Stammler
    genannt. Mit einem Nachw. von V. Lange. Stuttgart 1971.
    (Nachdr. der Ausg. Leipzig 1773–76.)
Belphegor. Oder die wahrscheinlichste Geschichte unter der Sonne.
    2 Tle. Hrsg. von H. Gersch. Frankfurt a. M. 1965. ²1984.
Belphegor. Hrsg. von W. Dietze. Textrev. und Anm. von E.
    Weber. Berlin [Ost] 1965.
Belphegor. Mit einem Nachw. hrsg. von L. Prütting. Frankfurt
    a. M. 1978.
Satirische Erzählungen. 2 Tle. Hrsg. von A. Klingenberg. Berlin
    [Ost] 1983. (Nachdr. der Ausg. Leipzig 1777–78.)
Die wilde Betty. Eine Ehestandsgeschichte. Peter Marks. Eine Ehestandsgeschichte. Mit einem Nachw. von H. Henning. Weimar
    1969.
Robinson Krusoe. Mit einem Nachw. von A. Klingenberg. Berlin
    [Ost] 1979. (Nachdr. der Ausg. Leipzig. 1779–80.)
Robinson Krusoe. Vorw. von R. Strube. Hrsg. von J. Kressin.
    Berlin 1982.

Herrmann und Ulrike. 4 Bde. Mit einem Nachw. von E. D. Becker. Stuttgart 1971. (Nachdr. der Ausg. Leipzig 1780.)

Herrmann und Ulrike. Mit einem Nachw. hrsg. und erl. von G. Steiner. Leipzig 1980.

Wilhelmine Arend, oder die Gefahren der Empfindsamkeit. Frankfurt a. M. 1970. (Nachdr. der Ausg. Dessau/Leipzig 1782.)

Kakerlak, oder Geschichte eines Rosenkreuzers aus dem vorigen Jahrhunderte. Hrsg. von H. Hennings. Berlin [Ost] 1984. (Nachdr. der Ausg. Leipzig 1784.) – Lizenzausg. Freiburg i. B. 1985.

Versuch über die Kenntniß des Menschen. 2 Tle. Frankfurt a. M. 1971. (Nachdr. der Ausg. Leipzig 1784–85.)

Adel, K.: Johann Karl Wezel: Ein Beitrag zur Geistesgeschichte der Goethezeit. Wien 1968.

Becker, J. N.: Wezel seit seines Aufenthaltes in Sondershausen. Ein Nachtrag zu Herrn von Hessens Durchflügen durch Deutschland [...]. Erfurt 1799.

Hennings, H.: »Denn haben meine Schriften wahren Werth ...« (Wezel). Zum Stand der Wezel-Forschung. In: Das achtzehnte Jahrhundert 11 (1987) H. 2. S. 79–85.

Jansen, W.: Das Groteske in der deutschen Literatur der Spätaufklärung. Ein Versuch über das Erzählwerk Johann Carl Wezels. Bonn 1980.

Joerger, Th.: Roman und Emanzipation. Johann Carl Wezels »bürgerliche Epopee«. Stuttgart 1981.

Kremer, D.: Wezel. Über die Nachtseite der Aufklärung. Skeptische Lebensphilosophie zwischen Spätaufklärung und Frühromantik. München 1985.

McKnight, Ph. S.: The Novels of Johann Karl Wezel. Satire, Realism and Social Criticism in Late 18th Century Literature. Bern / Frankfurt a. M. / Las Vegas 1981.

Neues aus der Wezel-Forschung. Hrsg. vom J.-K.-Wezel-Arbeitskreis des Kulturbundes der DDR. Sondershausen 1980–84.

Seibert, R.: Satirische Empirie. Literarische Struktur und geschichtlicher Wandel der Satire in der Spätaufklärung. Würzburg 1981.

Steiner, G.: Zerstörung einer Legende oder Das wirkliche Leben des Johann Karl Wezel. In: Sinn und Form 31 (1979) H. 1. S. 699–710.

Thurn, H. P.: Der Roman der unaufgeklärten Gesellschaft: Untersuchungen zum Prosawerk Johann Karl Wezels. Stuttgart 1973.

Voßkamp, W.: Johann Carl Wezel. In: Deutsche Dichter des 18. Jahrhunderts. Ihr Leben und Werk. Hrsg. von B. v. Wiese. Berlin 1977. S. 577–593.

Abbildungsnachweis

Verzeichnis der Mitarbeiter

Prof. Dr. NORBERT ALTENHOFER, Frankfurt am Main
Prof. Dr. ALFRED ANGER, Englewood, New Jersey
Prof. Dr. BARBARA BECKER-CANTARINO, Columbus, Ohio
Prof. Dr. MARTIN BIRCHER, WOLFENBÜTTEL
Prof. Dr. BARBARA CARVILL, GRAND RAPIDS, Michigan
Prof. Dr. WINFRIED FREUND, Paderborn
Prof. Dr. GUNTER E. GRIMM, Würzburg
Prof. Dr. KARL S. GUTHKE, Cambridge, Massachusetts
Prof. Dr. WALTER HINDERER, Princeton, New Jersey
Dr. KLAUS HURLEBUSCH, Hamburg
Prof. Dr. Dr. JÜRGEN JACOBS, Wuppertal
Prof. Dr. HANS-WOLF JÄGER, Bremen
ULRICH JOOST, Göttingen
Prof. Dr. UWE-K. KETELSEN, Bochum
Prof. Dr. JOSEPH KOHNEN, Luxemburg
Prof. Dr. ANSELM MALER, Kassel
Dr. ALEXANDER RITTER, Itzehoe
Dr. IRENE RUTTMANN, Bad Homburg
Prof. Dr. GERHARD SAUDER, Saarbrücken
Dr. GERHARD SCHÄFER, München
Prof. Dr. WALTER E. SCHÄFER, Schwäbisch Gmünd
Prof. Dr. ULRICH STADLER, Zürich
Prof. Dr. JÜRGEN STENZEL, Braunschweig
Dr. FRIEDRICH VOLLHARDT, Hamburg
Prof. Dr. WILHELM VOSSKAMP, Köln
Prof. Dr. BERND WITTE, Aachen

Verzeichnis der Dichter

Dichtungstheorie der Aufklärung und Klassik

IN RECLAMS UNIVERSAL-BIBLIOTHEK

Bodmer, Johann Jakob / Breitinger, Johann Jakob, *Schriften zur Literatur*. Hrsg. v. Volker Meid. 9953 [5]

Empfindsamkeit. Theoretische und kritische Texte. Hrsg. v. Wolfgang Doktor u. Gerhard Sauder. 9835 [3]

Friedrich II., König von Preußen, und die deutsche Literatur des 18. Jahrhunderts. Texte und Dokumente. Hrsg. v. Horst Steinmetz. 2211 [4]

Gellert, Christian Fürchtegott, *Die zärtlichen Schwestern*. Lustspiel. Im Anhang: Chassirons und Gellerts Abhandlungen über das rührende Lustspiel. Hrsg. v. Horst Steinmetz. 8973 [2]

Gerstenberg, Heinrich Wilhelm von, *Ugolino*. Tragödie. Mit einem Anhang und einer Auswahl aus den theoretischen und kritischen Schriften. Hrsg. v. Christoph Siegrist. 141 [2]

Gottsched, Johann Christoph, *Schriften zur Literatur*. Hrsg. v. Horst Steinmetz. 9361 [5] – *Sterbender Cato*. Im Anhang: Auszüge aus der zeitgenössischen Diskussion über Gottscheds Drama. Hrsg. v. Horst Steinmetz. 2097 [2]

Hamann, Johann Georg, *Sokratische Denkwürdigkeiten. Aesthetica in nuce*. Mit einem Kommentar hrsg. v. Sven-Aage Jørgensen. 926 [3]

Herder, Johann Gottfried, *Abhandlung über den Ursprung der Sprache*. Hrsg. v. Hans Dietrich Irmscher. 8729 [2] – *Journal meiner Reise im Jahr 1769*. Hist. krit. Ausgabe. Hrsg. v. Katharina Mommsen unter Mitarbeit v. Momme Mommsen u. Georg Wackerl. 9793 [4] – *Von deutscher Art und Kunst*. Einige fliegende Blätter. Von Johann Gottfried Herder, Johann Wolfgang Goethe und Justus Möser. Hrsg. v. Hans Dietrich Irmscher. 7497 [3]

Lessing, Gotthold Ephraim, *Briefe, die neueste Literatur betreffend*. Hrsg. u. komm. v. Wolfgang Bender. 9339 [7] – *Fabeln*. Abhandlungen über die Fabel. Mit einem Nachwort u. Erläuterungen v. Heinz Rölleke. 27 [2] – *Hamburgische Dramaturgie*. Hrsg. u.

komm. v. Klaus L. Berghahn. 7738 [8] – *Kritik und Dramaturgie.* Auswahl u. Einleitung v. Karl Hans Bühner. 7793 – *Laokoon* oder über die Grenzen der Malerei und Poesie. Mit beiläufigen Erläuterungen verschiedener Punkte der alten Kunstgeschichte. Nachwort v. Ingrid Kreuzer. 271 [3] – *Sämtliche Gedichte.* Hrsg. v. Gunter E. Grimm. 28 [6]

Schiller, Friedrich, *Kallias oder über die Schönheit.* Über Anmut und Würde. Hrsg. v. Klaus L. Berghahn. 9307 [2] – *Über die ästhetische Erziehung des Menschen* in einer Reihe von Briefen. Nachwort v. Käthe Hamburger. 8994 [2] – *Über naive und sentimentalische Dichtung.* Hrsg. v. Johannes Beer. 7756 [2] – *Vom Pathetischen und Erhabenen.* Ausgewählte Schriften zur Dramentheorie. (Die Schaubühne als eine moralische Anstalt betrachtet. Über den Grund des Vergnügens an tragischen Gegenständen. Über die tragische Kunst. Über das Pathetische. Über das Erhabene. Über epische und dramatische Dichtung. Über den Gebrauch des Chors in der Tragödie. Tragödie und Komödie.) Hrsg. v. Klaus L. Berghahn. 2731 [2]

Schlegel, August Wilhelm, *Über Literatur, Kunst und Geist des Zeitalters.* Auswahl aus den kritischen Schriften (Allgemeine Übersicht des gegenwärtigen Zustandes der deutschen Literatur. Poesie. Goethes Römische Elegien. Goethes Hermann und Dorothea. Bürger. Entwurf zu einem kritischen Institute). Hrsg. v. Franz Finke. 8898 [3]

Schlegel, Friedrich, *Kritische und theoretische Schriften.* Auswahl u. Nachwort v. Andreas Huyssen. 9880 [3]

Schlegel, Johann Elias, *Canut.* Ein Trauerspiel. Im Anhang: Gedanken zur Aufnahme des dänischen Theaters. Hrsg. v. Horst Steinmetz. 8766 [2] – *Vergleichung Shakespears und Andreas Gryphs* und andere dramentheoretische Schriften. Hrsg. v. Steven D. Martinson. 8242

Winckelmann, Johann Joachim, *Gedanken über die Nachahmung der griechischen Werke in der Malerei und Bildhauerkunst.* Hrsg. v. Ludwig Uhlig. 8338 [2]

Philipp Reclam jun. Stuttgart

Interpretationen

IN RECLAMS UNIVERSAL-BIBLIOTHEK

Lessings Dramen

Wolfgang Kuttenkeuler: Miß Sara Sampson. ». . . nichts als
›Fermenta cognitionis‹« – Helmut Göbel: Minna von Barn-
helm oder Das Soldatenglück. Theater nach dem Sieben-
jährigen Krieg – Horst Steinmetz: Emilia Galotti – Thomas
Koebner: Nathan der Weise. Ein polemisches Stück? UB
Nr. 8411 [3]

Dramen des Sturm und Drang

Rainer Nägele: Johann Wolfgang Goethe, Götz von Ber-
lichingen – Barbara Becker-Cantarino: Jakob Michael
Reinhold Lenz, Der Hofmeister – Helmut Scheuer: Friedrich
Maximilian Klinger, Sturm und Drang – Ulrich Karthaus:
Johann Anton Leisewitz, Julius von Tarent – Peter Michael
Lützeler: Jakob Michael Reinhold Lenz, Die Soldaten –
Klaus R. Scherpe: Friedrich Schiller, Die Räuber. UB
Nr. 8410 [3]

Goethes Erzählwerk

Eberhard Lämmert: Goethes empirischer Beitrag zur Roman-
theorie – Hans Rudolf Vaget: Die Leiden des jungen Werthers
– Wulf Köpke: Wilhelm Meisters theatralische Sendung –
Hans-Wolf Jäger: Reineke Fuchs – Sigrid Bauschinger: Un-
terhaltungen deutscher Ausgewanderten – Helmut Koop-
mann: Wilhelm Meisters Lehrjahre – Dieter Borchmeyer:
Alexis und Dora – Paul Michael Lützeler: Hermann und
Dorothea – Wolfgang Dietrich: Die Geheimnisse, Achilleis,
Das Tagebuch – David E. Wellbery: Die Wahlverwandtschaf-
ten – Gisela Brude-Firnau: Aus meinem Leben. Dichtung
und Wahrheit – Peter Boerner: Italienische Reise – Ehrhard
Bahr: Wilhelm Meisters Wanderjahre oder Die Entsagenden –
Thomas P. Saine: Campagne in Frankreich/Belagerung von
Mainz – Erika Klüsener: Novelle. UB Nr. 8081 [5]

Erzählungen und Novellen des 19. Jahrhunderts. Band 1

Walter Münz: Ludwig Tieck, Der blonde Eckbert/Der Runenberg – Gerhart Hoffmeister: Bonaventura, Nachtwachen – Dirk Grathoff: Heinrich von Kleist, Die Marquise von O . . . – Paul Michael Lützeler: Heinrich von Kleist, Michael Kohlhaas – Günter Oesterle: E. T. A. Hoffmann, Der goldne Topf – Dagmar Walach: Adelbert von Chamisso, Peter Schlemihls wundersame Geschichte – Thomas Koebner: E. T. A. Hoffmann, Der Sandmann – Gerhard Kluge: Clemens von Brentano, Geschichte vom braven Kasperl und dem schönen Annerl – Alexander von Bormann: Joseph von Eichendorff, Aus dem Leben eines Taugenichts – Gerhard Schulz: Johann Wolfgang Goethe, Novelle. UB Nr. 8413 [5]

Dramen des Naturalismus

Werner Bellmann: Gerhart Hauptmann, Vor Sonnenaufgang – Heide Eilert: Hermann Sudermann, Die Ehre – Helmut Scheuer: Arno Holz/Johannes Schlaf: Die Familie Selicke – Peter Sprengel: Gerhart Hauptmann, Die Weber – Helmut Scheuer: Johannes Schlaf, Meister Oelze – Wolfgang Trautwein: Gerhart Hauptmann, Der Biberpelz – Jutta Kolkenbrock-Netz: Max Halbe, Der Strom – Peter Sprengel: Gerhart Hauptmann, Die Ratten. UB Nr. 8412 [3]

Gedichte und Interpretationen

Bd. 1: Renaissance und Barock. UB Nr. 7890 [5] – Bd. 2: Aufklärung und Sturm und Drang. UB Nr. 7891 [5] – Bd. 3: Klassik und Romantik. UB Nr. 7892 [5] – Bd. 4: Vom Biedermeier zum Bürgerlichen Realismus. UB Nr. 7893 [5] – Bd. 5: Vom Naturalismus bis zur Jahrhundertmitte. UB Nr. 7894 [5] – Bd. 6: Gegenwart. UB Nr. 7895 [5] – alle 6 Bände auch als Kassette erhältlich

Gedichte und Interpretationen

Deutsche Balladen. Herausgegeben von Gunter E. Grimm. UB Nr. 8457 [6]

Philipp Reclam jun. Stuttgart

Gedichte und Interpretationen

Diese bislang größte Interpretationssammlung in historischer Folge ist für Lehrende und Lernende an Schulen und Hochschulen gedacht und soll ebenso allen anderen interessierten Lesern Zugang zu einzelnen Gedichten – oft zu sehr berühmten Gedichten – und lyrischen Epochen öffnen. Die Auswahl der Texte und ihre Deutung sind so angelegt, daß die jeweils epochenspezifischen Formen und Themen an repräsentativen Beispielen vorgeführt werden und eine verläßliche Abfolge zu einer Geschichte der deutschen Lyrik sich ergibt. Die textnahen, den Argumentationsverlauf und die Gestaltung der Gedichte erschließenden Interpretationen sind selbstverständlich mit den notwendigen geistes- und sozialgeschichtlichen Erläuterungen verbunden; dadurch wird Sekundärliteratur zur ferneren Orientierung beigefügt.

Band 1: *Renaissance und Barock.* Hrsg. von Volker Meid. 7890 [5]

Band 2: *Aufklärung und Sturm und Drang.* Hrsg. von Karl Richter. 7891 [5]

Band 3: *Klassik und Romantik.* Hrsg. von Wulf Segebrecht. 7892 [5]

Band 4: *Vom Biedermeier zum Bürgerlichen Realismus.* Hrsg. von Günter Häntzschel. 7893 [5]

Band 5: *Vom Naturalismus bis zur Jahrhundertmitte.* Hrsg. von Harald Hartung. 7894 [5]

Band 6: *Gegenwart.* Hrsg. von Walter Hinck. 7895 [5]

Alle sechs Bände auch in Kassette erhältlich

Außerdem: *Deutsche Balladen.* Hrsg. von Gunter E. Grimm. 8457 [6]

Philipp Reclam jun. Stuttgart